Le Marketing sur Internet

POUR

LES NULS

2e édition

Le Marketing sur Internet

POUR

LES NULS

2e édition

Jan Zimmerman

FIRST
Interactive

Le Marketing sur Internet Pour les Nuls 2ᵉ édition

Titre de l'édition originale : Web Marketing For Dummies 2nd Edition

Publié par Wiley Publishing, Inc.
111 River Street
Hoboken, NJ 07030-5774

Copyright © 2008 Wiley Publishing, Inc.

Pour les Nuls est une marque déposée de Wiley Publishing, Inc.
For Dummies est une marque déposée de Wiley Publishing, Inc.

Edition française publiée en accord avec Wiley Publishing, Inc.
© 2009 Éditions First
60 rue Mazarine
75006 Paris
Tél. 01 45 49 60 00
Fax 01 45 49 60 01
E-mail : firstinfo@efirst.com
Web : www.efirst.com

ISBN : 978-2-7540-1224-9
Dépôt légal : 2ᵉ trimestre 2009

Collection dirigée par Jean-Pierre Cano
Edition : Pierre Chauvot
Traduction : Stéphane Bontemps, Denis Duplan

Imprimé en France

Sommaire

Dédicace. XV
À propos de l'auteur XVII

Introduction . . . . **XIX**

    A propos de ce livre XX
    Conventions utilisées dans ce livre XX
    Ce que vous n'avez pas à lire XXI
    Quelques folles hypothèses XXII
    Comment ce livre est organisé XXII
    Icônes utilisées dans ce livre XXV
    Et maintenant ?. XXVI

Première partie : Se préparer pour le marketing en ligne **1**

Chapitre 1 : Passer au marketing sur le Web **3**

    Refondre votre plan marketing 4
    Atteindre votre public en ligne 6
    Trouver de nouveaux clients 6
    Découvrir l'opportunité de la Longue traîne 7
    Comprendre les fondamentaux du marketing Web 8
    Les chiffres à garder en tête 9
        Evaluer le coût d'acquisition d'un client 10
        Calculer le point mort 10
        Savoir si vous allez faire de l'argent en ligne 11

Chapitre 2 : Planifier le marketing Web **13**

    Préparer un business plan en ligne 14
    Planifier en fonction des objectifs de votre business 15
    Fixer des objectifs à votre site Web 16

Fournir un service client via l'information 19
Le branding de votre entreprise ou de votre produit 21
Générer des leads et des prospects qualifiés 21
Générer des revenus par les ventes 22
Générer du revenu via la publicité 23
Atteindre un objectif propre 23
Transformer votre business via le processus d'innovation ou via des
techniques créatives 23
Spécifier les objectifs de votre site Web........................... 24
Définir votre marché-cible 26
Comprendre la segmentation de marché 26
Comprendre pourquoi les gens achètent : le triangle de Maslow 27
Rechercher votre marché-cible 30
Ecrire votre plan marketing en ligne 31
Examiner les 4 P du marketing 32
Pêcher là où il y a du poisson 35

Chapitre 3 : Vos premiers pas vers une présence en ligne **43**
Comprendre ce que votre site doit accomplir 44
Attirer l'attention du visiteur 44
Conserver les visiteurs 46
Faites-les revenir pour plus encore 47
Faire évoluer votre site pour tenir compte de l'intérêt des visiteurs 48
Créer un index de site 50
Décider qui va concevoir votre site................................ 52
Comprendre pourquoi vous ne pouvez pas faire tout vous-même 53
Utiliser un template professionnel pour créer votre site 54
Opter pour les services de professionnels du Web 57
Ecrire un appel d'offres 60
Les éléments d'un bon appel d'offres 61
Concevoir un échéancier pour le développement 61
Savoir ce que vous pouvez attendre de votre développeur 63
Trouver le bon nom de domaine pour votre site..................... 64
Comprendre ce qui fait un bon nom de domaine 64
Renommer votre site : pour et contre 67
Jouer avec les noms de page...................................... 68

**Deuxième partie : Construire un site efficace
sur le plan marketing** **71**

Chapitre 4 : Produire un site de business à succès **73**
Penser à la structure de votre site Web 74
Utiliser AIDA pour guider les visiteurs vers des actions spécifiques ... 74

Evaluer votre site Web et les autres 75
Créer un concept.. 76
   Appliquer les principes de la communication marketing à votre design 79
   Faire du branding avec des logos et des favicônes 81
Développer du contenu... 82
   Ecrire une copie efficace du point de vue marketing 83
   Sélectionner des polices 86
   Raconter des histoires avec des images 87
   Utiliser des médias riches 89
   Sélectionner une solution pour mettre à jour votre contenu 92
Garantir une navigation facile : un site ergonomique 95
   Maîtriser l'ergonomie 96
   Prendre les facteurs humains en considération 98
   Rendre votre site accessible 100
Décorer votre site Web 101
   Utiliser des gadgets et des widgets 103
Améliorer l'efficacité marketing 104
   L'entonnoir de conversion 104
   Les appels à l'action 105
   Le mot magique du marketing 106

Chapitre 5 : Créer une vitrine efficace du point de vue marketing . 109

Examiner les éléments clés d'une boutique en ligne 110
Vendre en B2B (business-to-business) avec une boutique en ligne 112
Le merchandising de votre boutique en ligne 114
   Sélectionner et fixer le prix des produits 114
   Présenter les produits 117
   Proposer des choix pour un produit 118
   Accroître vos revenus avec les ventes additionnelles,
   les achats impulsifs et plus encore 120
   Inclure le détail des produits 125
Permettre à vos clients d'acheter facilement 127
   Proposer un moteur de recherche de produits 127
   Permettre d'acheter en deux clics 129
   Proposer plusieurs solutions de paiement 129
   Le support client 133
   Traiter les commandes 135
La livraison est une question pour le marketing..................... 136
   Décider ce qu'il faut facturer pour la livraison 137
   Faire connaître votre politique de livraison 138
Spécifier les prérequis pour la boutique en ligne 138
   Sélectionner le bon type de boutique en ligne 139
   Faire une sélection 142
À faire et à ne pas faire sur une boutique en ligne 146
   Ce que les utilisateurs détestent dans le shopping en ligne 146

Ce que les utilisateurs adorent dans le shopping en ligne 146

Chapitre 6 : Faire revenir les visiteurs grâce à des techniques de marketing **149**
    Sélectionner les techniques de marketing en ligne à utiliser 150
    Maintenir la fraîcheur de votre contenu 152
        Définir un planning de mise à jour 153
        Identifier le contenu à mettre à jour 154
        Utiliser un contenu qui se met à jour automatiquement 156
    Les techniques interactives du Web 2.0 159
        Les blogs 160
        Les wikis 163
        Les réseaux sociaux 164
        Les autres moyens pour fédérer une communauté 166
    Claironner votre site Web 169
        Afficher des bannières internes 169
        Collecter des témoignages et des validations 170
        Concourir pour obtenir des distinctions 171
    Intégrer du gratuit et du divertissement 173
        Les coupons et les remises 174
        Les offres gratuites 175
        Les jeux et concours 175
    Créer des programmes de fidélisation en ligne 176
        Récompenser les clients et les conserver 176
        Mettre en œuvre un programme de fidélisation 177
    Faire parler les autres 178
        Proposer une option Recommander à un ami 179
        Solliciter les évaluations de produits 180
    Faire du marketing viral sans attraper la grippe 181

Troisième partie : Explorer les bases du marketing en ligne . . . 187

Chapitre 7 : Maîtriser les secrets des moteurs de recherche **189**
    Qui utilise les moteurs de recherche ? 191
    Avez-vous besoin des moteurs de recherche ? 192
    Créer un site apprécié des moteurs de recherche 194
        La structure du site 195
        Les pages splash 198
        Les URL appréciées des moteurs de recherche 198
        Les pieds-de-page 200
        L'index du site 201
        Les sitemaps 202
    Optimiser pour Google 203

Jouer dans le bac à sable de Google 204

Améliorer votre classement dans Google 205

Trouver des liens entrants qualifiés pour Google 209

S'ajuster aux danses de Google 209

Optimiser pour Yahoo!, MSN et les autres moteurs de recherche avec des balises META... 210

Utiliser les balises META 211

Sélectionner les bons mots-clés 216

L'optimisation des pages 219

Se faire référencer auprès des moteurs de recherche et de répertoires spécialisés 221

Garder votre rang 225

Vérifier votre classement 225

Soumettre de nouveau votre site 227

Chapitre 8 : Faire du marketing basé sur le buzz en ligne **229**

Devenez un seigneur de la jungle en ligne en pratiquant la guérilla marketing.. 230

Les clés du succès 231

Marketing de niche 232

Guérilla B2B 232

Faire du buzz dans la blogosphère 233

Déterminer si les blogs vous seront utiles 234

Choisir les blogs adéquats 234

Tirer le meilleur parti des blogs 235

Faire du buzz avec les réseaux sociaux 237

Les réseaux sociaux personnels 238

Les réseaux sociaux commerciaux 242

Les chats et les forums 242

Communiquer sur d'autres sites 243

Faire du buzz avec les créateurs de tendances 245

Faire du buzz avec le placement de produits....................... 246

Les sites de jeux en ligne 246

Les mondes virtuels 247

Faire du buzz avec les communiqués de presse 248

Écrire un communiqué efficace 250

Diffuser votre communiqué de presse 252

Faire du buzz avec une campagne de liens entrants 254

Évaluer la popularité de votre lien 255

Mettre en œuvre une campagne de liens 257

Comprendre la différence entre de bons et de mauvais liens 260

Protocole de suivi des liens externes et réciproques 261

Chapitre 9 : L'art du marketing par e-mail **265**

Utiliser ce dont vous disposez déjà : des outils d'e-mail gratuit 266

Faire de la stratégie de marque avec les blocs de signature. 266
Laissez les répondeurs automatiques faire le travail 267
Réduire le temps de réponse avec les blurbs 269
Tirer le maximum des messages e-mail 270
Envoyer des e-mails comme un pro 271
Envoyer des e-mails en nombre 272
Déployer des lettres d'information par e-mail 273
Augmenter l'efficacité de votre lettre d'information 275
Créer une lettre d'information efficace 279
Sélectionner une méthode de distribution 281
Choisir entre texte et hypertexte 282
Suivre les bons usages 284
Décider du moment et de la fréquence 286
Trouver des abonnés pour votre lettre d'information 288
Envoyer un mail à vos clients et à vos prospects 289
Maintenir à jour votre liste d'adresses 290
Collecter de nouveaux noms 290
Louer des abonnés par e-mail 292
Travailler avec une entreprise de location de listes 293

Chapitre 10 : Déployer votre présence sur le Web **297**
Promouvoir votre e-entreprise hors ligne 298
Estampiller votre URL sur tout 299
Distribuer articles et cadeaux promotionnels 300
Prêter son nom à des événements communautaires 302
Inclure votre adresse Web dans des publicités traditionnelles 303
Organiser le lancement d'un site 303
Créer des événements en ligne 305
Vendre en ligne à l'international 306
Vendre à l'international 307
Promouvoir son site à l'international 310
Générer du trafic avec un programme d'affiliation 314
Analyser vos options 315
Lancer un programme d'affiliation 317
Trouver des fans avec RSS (Real Simple Syndication) 319
Comprendre le fonctionnement de RSS 320
Savoir comment utiliser RSS 322
Développer des perspectives de vente 323

Quatrième partie : Investir des euros dans le marketing
en ligne *325*

Chapitre 11 : Le marketing des PPC **327**
Définir une stratégie PPC 330

Comparer les annonces PPC aux autres publicités en ligne 331
Utiliser un réseau de contenu 332
Planifier une campagne PPC 335
Mettre en œuvre votre plan PPC.................................... 337
Enchérir 340
Choisir les mots-clés 342
Rédiger une bonne annonce PPC 345
Relire les rapports 348
Les spécificités de Yahoo! Search Marketing 348
Les spécificités de Google AdWords 352
Travailler avec les moteurs de recherche marchands 354
Penser aux autres annuaires PPC et moteurs de recherche 357

**Chapitre 12 : Faire du marketing avec de la publicité payante
en ligne** **361**
Comprendre la publicité par bannières 363
Faire des choix concernant les bannières publicitaires 367
Evaluer les coûts 367
Le faire vous-même ou le faire faire par une agence ou une régie 369
Déterminer où faire de la publicité 370
Sélectionner le type, les dimensions et la position des bannières 371
Les bannières multimédias 374
Parrainer des lettres d'information, des sites, des blogs et des flux 374
Faire de la publicité avec les petites annonces 376
Evaluer les résultats 379

Chapitre 13 : Capturer les clients avec la nouvelle technologie **383**
Générer du trafic avec la vidéo et les vlogs 384
Tirer parti de la vidéo 386
Considérations sur la vidéo 386
Générer du trafic avec les webcasts, les conférences sur le Web,
les webinaires.. 390
Comparer les alternatives 390
Comment s'y mettre ?... 391
Générer du trafic avec des podcasts................................. 394
Comprendre comment fonctionnent les podcasts 394
Tirer le meilleur parti des podcasts 397
Générer du trafic à partir des terminaux mobiles..................... 398
Recherche + SMS 399
Lancer une campagne de SMS 400
Faire du marketing avec les messages multimédias (MMS) 402
Développer des sites Web pour téléphonie mobile 403

Cinquième partie : Maximiser vos succès sur le Web 407

Chapitre 14 : Améliorer ses résultats avec le Web Analytics 409

Tracer l'activité du site Web... 411
Identifier les paramètres à mesurer................................... 412
De quels chiffres faut-il s'inquiéter ? 413
Les statistiques à examiner régulièrement 416
Des besoins en statistiques spécifiques 419
Interpréter les statistiques des ventes............................... 422
Se mettre à Google Analytics.. 425
Analyser les problèmes de taux de conversion.................... 426
Le problème de conversion est-il lié au public ? 427
Le problème de conversion vient-il du site ? 429
Le problème de conversion est-il lié aux fondamentaux du business ? . 430

Chapitre 15 : Eviter les problèmes juridiques 433

Protéger les droits d'auteur sur le Web 435
Protéger le design en ligne 437
Réserver sa marque sur le Web...................................... 440
Eviter les litiges 442
Créer des liens légaux 444
Revoir la charte de confidentialité.................................. 445
Etablir des zones de sécurité destinées aux enfants 447
Protéger votre entreprise 448

Chapitre 16 : Clés pour maintenir votre présence sur le Web 451

Le marketing commence avec ABC 452
Atteindre vos clients.. 453
Réécrire votre plan marketing pour l'avenir......................... 455
S'adapter à la nouvelle technologie 456
S'ajuster aux nouvelles règles 458
S'amuser 460

Sixième partie : Les dix commandements 463

Chapitre 17 : Dix manières de commercialiser votre site web 465

Placarder votre URL sur tous les papiers en-tête et emballages 466
Inclure votre URL dans le bloc de signature électronique 466
Faire des appels à l'action dans votre texte 466
Recueillir des témoignages client.................................... 467
S'inscrire dans les trois premiers moteurs de recherche................ 467
Mener une campagne de liens.. 467

Envoyer à un ami.. 468
Tirer parti des services et bons gratuits de Google et Yahoo! 468
Inscrire votre site marchand au programme Products de Google......... 469
Distribuer une lettre d'information via les Groupes de Google ou Yahoo! . 469

Chapitre 18 : Les dix erreurs les plus courantes du Web marketing   471
Ne pas définir des objectifs commerciaux 472
Ne pas planifier 472
Sous-estimer le temps et l'argent requis 472
Ne pas se lier d'amitié avec un moteur de recherche 473
Penser à "soi" plutôt qu'à "vous" 474
Ne pas mettre son site à jour...................................... 474
Attendre que l'on sonne (clique) à la porte 474
Ignorer les statistiques 475
Eviter les problèmes de back office................................ 475
Etre réfractaire à tout changement 475

Chapitre 19 : Dix astuces pour ranimer un site **477**
Diagnostiquer le problème correctement 478
Vérifier l'attractivité du site via les statistiques du trafic 478
Repenser le design de l'attractivité du site......................... 479
Faciliter les opérations des utilisateurs............................. 480
Vérifier les statistiques des pages 481
Diverses techniques pour créer du trafic 481
Vérifier les statistiques du trafic, des ventes et des conversions 482
Optimiser les ventes de votre site................................. 483
Regarder les choses en face 484
Ne jamais cesser de travailler sur votre site 484

Index **485**

Dédicace

 la mémoire affectueuse de Thea LaFleur, qui a toujours illuminé la vie.

À propos de l'auteur

Durant ses 30 années d'entrepreneur, Jan Zimmerman n'a cessé de penser que le marketing était le défi le plus passionnant qu'un chef d'entreprise doive relever.

Depuis 1994, elle a détenu Sandia Consulting Group et Watermelon Moutain Web Marketing basés à Albuquerque, au Nouveau Mexique (*Sandia* est le terme espagnol pour *watermelon*, pastèque en français). Ses précédentes entreprises se consacraient à différents types de services dont la production vidéo, la recherche de subventions, la R&D dans le domaine de l'ingénierie linguistique.

Les clients du service de marketing Web que Jan propose via Watermelon Mountain constituent un laboratoire vivant pour expérimenter les meilleures techniques de conception, de développement de contenu, de marketing viral, d'optimisation pour les moteurs de recherche, d'intégration hors ligne.

Allant de l'hébergement et du tourisme au magasin de détail en passant par les fournisseurs B2B, les associations commerciales et les sociétés de services, les clients de Jan ont des besoins marketing toujours spécifiques, mais ils partagent les mêmes préoccupations commerciales et doivent relever les mêmes défis sur le Web. Sa pratique du conseil permet à Jan de se tenir informée des défis bien réels que les petits entrepreneurs doivent relever et d'ancrer sa démarche de conseil dans le concret.

Tout au long de sa carrière, Jan a été un écrivain prolifique. Elle a écrit quatre éditions d'un autre livre sur le marketing sur Internet, ainsi que les livres *Doing Business with Governement Using EDI* et *Mainstreaming Sustainable Architecture*. Son intérêt pour l'impact du développement technologique sur les femmes l'a conduit à écrire *Once Upon the Future* et une anthologie intitulée *The Technological Woman*.

Auteur de nombreux articles et intervenant régulièrement sur des questions liées au marketing Web, Jan a longtemps été fascinée par ce qui est à la rencontre du commerce, de la technologie et de l'humain. Durant son temps libre, elle est membre d'une équipe d'aéronautes nommée Levity, pour se donner l'occasion de quitter le sol et de s'élever dans les nuages.

Vous pouvez contacter Jan à books@watermelonweb.com ou sur www.watermelon.com.

Introduction

. . . .

Cela semble si élémentaire à la télévision. Lancez un site Web, et récoltez de l'argent. Si seulement la vie était aussi simple ! Malheureusement, face à la concurrence de milliards de sites Web en compétition pour attirer de l'audience, ce n'est pas du tout trivial.

D'un autre côté, le marketing en ligne n'est pas ce qu'il y a de plus complexe. Ce livre dresse un plan d'action pour faire fonctionner votre site Web commercial, pour faire de sa profitabilité un de ses attributs essentiels. Que vous veniez tout juste de développer votre présence sur le Web ou que vous soyez en ligne depuis des années et que vous souhaitiez vivement développer votre trafic, ce livre vous aidera à attirer les prospects sur votre site et à en faire des clients.

Web marketing pour les nuls, 2nde édition, va vous permettre de valoriser votre connaissance du marketing hors ligne pour maîtriser le Web. Comme j'ai écrit ce livre pour des chefs de petites entreprises où l'argent est roi, je suggère des dizaines d'idées bon marché que vous pouvez mettre en œuvre pour mener une véritable guérilla en ligne.

Il n'existe pas de formule simple disant que les entreprises de chaussures doivent utiliser telle méthode de marketing Web tandis que les architectes doivent utiliser telle autre. Je vous enjoins à ne jamais perdre de vue vos clients lorsque vous lisez ce livre. C'est en ne cessant de vous demander si telle méthode est adaptée à votre cible de marché que vous prendrez les bonnes décisions. Répondez à la question que se pose votre client "Qu'est-ce que ça m'apporte ?", et votre plan marketing Web fonctionnera à merveille.

A propos de ce livre

Ce livre est un guide de référence sur le marketing Web, une présentation précise pour vous aider à prendre des décisions commerciales réfléchies en ce qui concerne votre présence en ligne. Il est écrit comme un bon livre sur le Web : des phrases courtes, des paragraphes courts, des chapitres courts, avec beaucoup d'énumérations et de tableaux pour que vous puissiez rapidement trouver l'information.

Regardez attentivement les belles images. Non seulement une image vaut milles mots, ce qui vous évitera donc de lire ces derniers, mais ce sont aussi d'excellents exemples de ce que vous devriez chercher à accomplir.

Plongez-vous dans un chapitre quand vous vous confrontez à un problème particulier de marketing Web pour trouver l'information dont vous avez besoin ici et maintenant. Le reste attendra.

Ce livre s'adresse aux commerciaux, pas aux techniciens. Lorsque vous rencontrez une information technique, je vous suggère d'échanger avec votre développeur Web. Laissez-le se préoccuper du module Rewrite d'Apache pour former des URL qui plaisent aux moteurs de recherche. Concentrez-vous sur le business.

Conventions utilisées dans ce livre

Refaire les choses de la même manière encore et encore peut se révéler particulièrement usant, mais la cohérence rend les choses plus compréhensibles. Dans ce livre, la cohérence repose sur des *conventions*. Il y en a quelques-unes :

- Lorsqu'une URL (une adresse de site Web) apparaît dans un paragraphe, un titre ou un tableau, elle ressemble à ceci : `www.pourlesnuls.com`.

- Les nouveaux termes apparaissent en *italique* la première fois qu'ils sont utilisés, par la grâce de notre relecteur.

- Toutes les marques déposées, qu'elles soient ou non désignées, sont la propriété exclusive de ceux qui les ont déposées. Généralement, ces marques sont indiquées en majuscules, mais la manière dont les entreprises orthographient aujourd'hui leurs noms et ceux de leurs produits ne le garantit pas systématiquement.

✔ Tout ce que vous devez saisir au clavier est en **gras**, mais sincèrement, je ne pense pas que vous aurez à saisir au clavier une seule ligne dans ce livre. Vous aurez surtout à penser.

Fort heureusement, le marketing Web est indépendant du système d'exploitation et plus généralement de toute plate-forme. Cela importe peu que vous utilisiez un Mac ou un PC avec Vista, mais je vous recommande une connexion Internet haut débit. Vous ne pouvez pas superviser votre site Web, télécharger du contenu, consulter des statistiques ou effectuer des recherches avec une connexion qui se traîne comme une tortue (une ligne téléphonique standard).

Ce que vous n'avez pas à lire

Vous n'avez pas à lire tout ce qui vous semble sans rapport avec votre business ! Vous pouvez faire l'impasse sur le texte qui suit l'icône Machin technique car ce n'est destiné qu'à votre développeur. Vous pouvez aussi sauter les histoires du Monde Réel, quoique vous puissiez apprécier ces retours d'expérience d'entrepreneurs bien réels qui ont mis en œuvre les techniques de marketing dont il est question. Parfois, ils divulguent un secret ou deux réservés aux initiés.

Le Chapitre 5, qui explique comment bâtir une boutique en ligne et la faire connaître, ne vous concerne que si vous comptez faire du commerce en ligne. Si ce n'est pas le cas, sautez-le. Si vous vous lancez ou si votre budget est très limité, vous voudrez sans doute réserver pour plus tard la partie IV "Dépenser des millions de dollars en marketing." À la place, restez-en aux techniques de base, bon marché, décrites dans la troisième partie, jusqu'à ce que votre site génère des revenus ou produise du moins de solides résultats.

Quelques folles hypothèses

Je me suis fait une image de vous, lecteur. Je suppose que vous (ou que la personne de votre équipe que vous aurez désignée pour lire ce livre) :

- Dispose d'un ordinateur avec une connexion Internet haut débit.

- Doit (ou devrait bientôt) être le responsable d'une petite ou moyenne affaire.

- A écrit ou doit écrire un business plan.

- Utilise fréquemment des applications standards telles qu'Excel ou Word, l'e-mail et les navigateurs.

- Sait effectuer des recherches sur le Web en saisissant des mots-clés dans les moteurs de recherche.

- Peut écrire et faire de l'arithmétique de base, surtout quand le signe euro apparaît.

- Connaît votre business et vos cibles de marché.

- Préfère une approche pragmatique qui se focalise sur les résultats financiers à une approche technique.

- Est pris de passion pour votre business et se dévoue pour fournir un service de qualité à vos clients.

Si mes hypothèses ne sont pas correctes, vous allez sans doute trouver ce livre soit trop simple, soit trop difficile à lire. D'un autre côté, si ma description vous correspond, ce livre est bien celui qu'il vous faut.

Comment ce livre est organisé

J'ai divisé ce livre en parties qui suivent la chronologie d'un processus de développement, de la planification d'un business à la recherche en marketing, en passant par la conception d'un site Web et d'une boutique en ligne efficaces du point de vue marketing, sans oublier la promotion en ligne pour générer un trafic de qualité.

Pour des informations sur un sujet particulier, consultez les titres dans la Table des matières ou reportez-vous à l'Index.

Tel qu'il est conçu, ce livre vous permet d'obtenir l'information dont vous avez besoin à un instant donné. Si vous commencez à partir de rien, vous voudrez commencer votre lecture par la première partie. Si vous avez déjà un site Web qui rencontre du succès et que vous souhaitez accroître son trafic, rendez-vous à la troisième partie.

Première partie : Se préparer pour le marketing en ligne

À moins que vous ne disposiez de moyens et d'un temps illimités, vous devrez vous faire une idée de ce que vous tentez d'accomplir en ligne avant de commencer. Cette section met en évidence l'importance d'une planification Web qui impacte tous les aspects de votre business, dont les aspects financiers. Remplie de formulaires de planification de listes de vérification bien utiles, cette partie vous montre comment planifier votre succès.

Deuxième partie : Construire un site efficace sur le plan marketing

Les sites Web commerciaux profitables ne surviennent pas par accident. D'un point de vue marketing, un site réussi attire les visiteurs, les conserve sur le site et les fait revenir de manière répétée. Cette section traite de la manière de concevoir un site Web et une boutique en ligne efficaces sur le plan marketing. Les méthodes du marketing en ligne, dont les techniques virales, sont soit gratuites soit bon marché, ce qui en fait des solutions de choix pour les entrepreneurs qui commencent leur aventure sur le Web.

Troisième partie : Explorer les bases du marketing en ligne

Cœur de ce livre, la partie III traite des composants essentiels du marketing en ligne : l'optimisation pour les moteurs de recherche, les techniques de marketing viral, les campagnes de génération de liens, le marketing par e-mail, et l'intégration avec des techniques hors ligne. Quoique certaines des méthodes exposées dans cette section prennent du temps, elles ne nécessitent pas un portefeuille bien rempli.

Quatrième partie : Dépenser des euros dans le marketing en ligne

À utiliser avec précaution : les techniques de publicité présentées dans cette partie coûtent très cher. Le paiement au clic et les bannières publicitaires peuvent rapidement se révéler dispendieuses. Les techniques marketing qui mettent en œuvre des technologies avancées et du multimédia sont coûteuses.

Cinquième partie : Maximiser votre succès sur le Web

Un livre sur le marketing Web ne serait pas complet s'il n'abordait pas l'analyse du Web et s'il ne traçait pas un portrait de l'environnement du marketing Web. Des questions relatives aux impôts à une revue des nécessités élémentaires du business, cette partie vous aide à maximiser votre retour sur investissement.

Sixième partie : Les dix commandements

Comme dans tous les livres *Pour les nuls*, celui-ci comprend "Les dix commandements". Ces chapitres dressent la liste de dix solutions gratuites pour lancer votre campagne marketing sur le Web, dix des erreurs les plus communes dans le domaine du marketing Web, et dix conseils pour rafraîchir un site fatigué. Consultez encore et encore la Partie des Dix pour trouver de bonnes idées.

Icônes utilisées dans ce livre

Pour vous faciliter la lecture, j'utilise diverses icônes dans les marges pour signaler des points intéressants.

Chaque fois que je fournis un conseil qui facilite un aspect du marketing Web, je le signale avec une icône Conseil – c'est ma manière de partager ce que j'ai eu tant de mal à comprendre, pour vous en épargner la peine. Bien entendu, si vous préférez vous éduquer à la dure en vous faisant donner des coups de règles sur les doigts, faites comme vous l'entendez.

Cette icône est simplement un nœud à votre mouchoir. Ce livre contient bien plus de détails qu'une seule personne pourrait en mémoriser. Utilisez cette icône pour vous aider à vous souvenir des principes de base du marketing Web. Recherchez le reste lorsque vous en avez besoin !

Aïe ! Cette icône est l'équivalent d'un point d'exclamation. Faites attention à ces avertissements pour éviter les pièges potentiels.

Parfois, je me sens obligée de donner aux développeurs des informations techniques : ils n'en savent pas toujours autant qu'ils pourraient le penser. Je signale tout cela avec ce type qui ressemble à un fondu de l'informatique pour que vous sachiez qu'il s'agit d'informations à partager, pas forcément à comprendre.

Qui allez-vous appeler ? Personne ne peut créer un site Web à lui seul. Il est très utile de savoir qui peut vous fournir de l'aide. Cette icône suggère le type de professionnel que vous pourriez contacter. Pas de noms, mais au moins quelques termes à utiliser pour rechercher ! Pour un site commercial, je déconseille de vous en remettre à des amateurs ou à des amis même serviables, à moins que ce ne soit déjà leur métier.

Cette icône mentionne une histoire du Monde Réel au sujet d'une entreprise qui a essayé la technique dont il est question. Les histoires du Monde Réel sont amusantes à lire et contiennent des conseils utiles formulés par des personnes expérimentées dans le business.

Et maintenant ?

Vous pouvez trouver des informations utiles sur le site Web pour ce livre sur www.dummies.com/go/webmarketing (en anglais). Rendez-vous sur le site des Editions First www.efirst.com pour télécharger une traduction de certains formulaires.

Sur ce site, vous pouvez télécharger des copies des formulaires de planification et des listes de vérification qui figurent dans ce livre – ainsi que quelques suppléments. Utilisez-les pour développer vos propres plans marketing, ou pour tracer et analyser ce que vous avez fait. Pour que cela soit plus pratique, vous pouvez utiliser les liens vers des sites de ressources afin de vous tenir bien informé, pour vous abonner à des blogs ou des lettres d'informations, ou simplement pour trouver plus d'informations.

Première partie
Se préparer pour le marketing en ligne

"C'est une entreprise 'dot-com', Sophie. La prise de risques est naturelle. Si vous ne vous sentez pas à l'aise pour courir avec des ciseaux, nettoyer vos oreilles avec une aiguille à tricoter ou mettre vos doigts dans le grille-pain pour récupérer une tranche, ce n'est peut-être pas une place pour vous."

Dans cette partie...

A moins de vous appeler Cresus, vous devez savoir ce que vous souhaitez faire avant d'investir du temps et de l'argent dans le marketing en ligne. Cette section met en évidence l'importance d'une planification Web, à la rencontre de tous les aspects de votre business, dont les aspects financiers.

Le Chapitre 1 situe le marketing Web dans le contexte plus général du marketing. Vous apprendrez que ce que vous savez déjà du marketing est vrai, comme l'importance du retour sur investissement (ROI). En même temps, le marketing Web vous confronte à de nouvelles techniques et de nouveaux termes, comme l'entonnoir de conversion, qui mesure le pourcentage d'internautes consultant votre site qui se convertissent en clients.

Il est facile de se laisser happer par la technologie du Web, au point de perdre de vue vos objectifs commerciaux. Tirez parti des outils de planification du Chapitre 2 pour rester rivé sur l'essentiel, même quand votre univers marketing se complexifie. Un rapide survol des principes de base du marketing et du commerce contribue à démystifier le marketing Web et vous permet de prendre un bon départ.

Avant de créer – ou de rénover – votre site Web pour votre plus grand succès, convenez de vos propres limitations. A moins d'être un de ces génies qui travaillent 48 heures par jour, tout le monde a besoin d'aide. Au Chapitre 3, vous trouverez des indications pour sélectionner les bons professionnels et tirer parti des outils en ligne.

Chapitre 1

Passer au marketing sur le Web

. . . .

Dans ce chapitre :

▶ Inclure le Web dans vos plans d'affaire.

▶ Repenser votre marketing.

▶ Les chiffres à garder en tête.

. . . .

Est-ce de l'hypnose ? De la séduction ? Simplement de l'amnésie ? Ne laissez pas les technophiles du Web vous faire oublier toutes les leçons de base du business que vous avez appris si durement. Vous savez qu'il n'existe pas de solution miracle hors ligne ; il n'en existe pas plus en ligne. Vous savez qu'il faut du temps pour élaborer une liste de clients, faire l'expérience d'une variété de techniques jusqu'à ce que le marketing fasse son effet. Vous voulez réussir en ligne ? Alors approchez le Web comme vous approchez le business hors ligne – avec la même conscience des fondamentaux du commerce, une combinaison de techniques marketing et une attention indéfectible portée à vos clients :

✔ **Vous devez d'abord respecter les fondamentaux du business pour parvenir à créer un site Web qui rencontre le succès.** De nombreux sites achoppent sur ces questions fondamentales que sont le coût, le merchandising, le back-office et le service client. Trop souvent, ils confondent les revenus avec les profits, pour découvrir finalement lors de bilans trimestriels qu'ils sont en train de couler comme le Titanic.

✔ **Le marketing Web qui réussit combine des méthodes**. Vous ne lirez nulle part dans ce livre que la solution à tous vos problèmes rencontrés sur le Web tient au contenu, à l'optimisation pour les moteurs de recherche, aux campagnes de liens, aux annonces fonctionnant au pay-per-click, aux lettres de diffusion par e-mail ou à toute autre technique de marketing en ligne ou hors ligne. Beaucoup sont requises, mais aucune n'est suffisante pour générer tout le trafic dont vous avez besoin. A la place, vous devez judicieusement choisir parmi un menu marketing fort riche : un petit amuse-bouche, une entrée, un plat qui consommera peut-être l'essentiel des euros et des efforts que vous comptez consacrer au marketing Web. Et n'oubliez pas le dessert.

✔ **Le client est la mesure de toute chose sur le Web, de la conception du site au marketing**. Ne laissez pas vos goûts personnels ni la technologie vous détourner des désirs du client. Et ne vous laissez pas emballer par tous les miracles que la technologie du Web peut accomplir.

En vous basant sur ces principes, vous pouvez constater que le marketing Web correspond à la définition du marketing qui vous est déjà familière. Quand elles sont judicieusement mises en œuvre, les techniques en ligne peuvent se révéler plus rentables du point de vue marketing, offrir plus de flexibilité, permettre plus facilement de vous attaquer à de nouveaux marchés que les techniques hors ligne. Avec ce livre comme guide de référence, vous pouvez apprendre à maîtriser ces outils pour rendre votre business plus excitant et plus profitable.

Refondre votre plan marketing

Si vous êtes déjà dans le business, vous savez que vous devez dépenser de l'argent pour faire de l'argent. Vous avez besoin de redistribuer le budget que vous consacrez au marketing pour en attribuer une partie au marketing en ligne. Voici comment élever le niveau de votre réflexion marketing de l'intuition à la planification. Tout d'abord, dressez une liste à quatre colonnes de la manière suivante :

✔ La première colonne contient toutes les techniques marketing que vous mettez actuellement en œuvre.

✔ La seconde colonne contient le marché-cible que vous cherchez à atteindre avec la technique.

✔ La troisième colonne indique combien de nouveaux clients vous pensez attirer avec la technique correspondante.

✔ La quatrième colonne indique combien vous comptez dépenser par année pour cette technique.

Si vous êtes dans le business depuis longtemps, vous avez peut-être perdu conscience de certains de vos investissements récurrents dans le marketing. Voici quelques exemples pour vous rafraîchir la mémoire : une inscription dans les page jaunes, des panneaux annonceurs, des cartes de visite et du papier en-tête, la conception d'un logo, un répertoire d'un club d'entreprises locales, des tee-shirts pour l'équipe de football féminine, des annonces publiées dans les journaux et autres supports imprimés, du mailing direct, des flyers distribués aux alentours, le bouche-à-oreille, des spots à la radio, des panneaux publicitaires, et ainsi de suite. Si vous ne savez pas combien de clients chaque technique peut attirer, demandez-leur ! Vous serez peut-être surpris en découvrant les techniques qui ont marché.

Si vous n'avez pas de moyens supplémentaires à investir dans le développement et la promotion d'une présence sur le Web, décidez des techniques dont vous pouvez vous passer pour vous engager dans un marketing en ligne qui s'avérera plus rentable. Si vous doublez votre public à moindre prix en ligne, vous pourrez investir la différence dans votre site Web.

Ce que vous savez déjà sur le marketing est vrai. Profitez de votre propre succès. A moins que vous ne vous lanciez dans un nouveau business en ligne, vos nouveaux clients vont ressembler à ceux que vous avez déjà. Vous savez déjà comment leur vendre, ce dont ils ont besoin, ce qui fait appel à leurs émotions et ce qui satisfait leurs désirs les plus profonds. Votre site Web et votre marketing Web doivent faire de même. Tirez parti de ce que vous savez intuitivement !

Atteindre votre public en ligne

Si vous ne l'avez pas fait depuis longtemps, écrivez un paragraphe pour décrire vos clients du moment : âge, genre, niveau de revenu, éducation, localisation géographique, intitulé du poste (si vous vendez d'entreprise à entreprise). Qu'achètent-ils de plus ? Qu'apprécient-ils de lire ? Il est facile de faire une recherche en ligne sur vos marchés.

Si cela est nécessaire, segmentez vos clients en différents groupes qui partagent les mêmes caractéristiques. Lorsque vous concevez votre site et que vous mettez en œuvre votre campagne de marketing Web, basez-vous sur ces profils pour décider de ce qu'il faut faire et où il faut investir de l'argent.

Trouver de nouveaux clients

Si vous comptez utiliser le Web pour trouver de nouveaux clients, décidez si vous souhaitez simplement étendre votre emprise régionale, conquérir des clients d'une autre catégorie d'âge ou d'un autre segment de produits de votre industrie, vendre de nouveaux produits et de nouveaux services pour compléter votre public.

Tous les aphorismes de la guérilla marketing s'appliquent en ligne. Des fusils à lunettes, pas des fusils de chasse ! Ciblez un marché étroit à la fois, faites de l'argent et réinvestissez-le pour conquérir un autre marché. Ne saupoudrez pas votre budget marketing comme les abeilles répandent le pollen – un peu par ici, un peu par là : cela diluera l'effet de vos euros et limitera vos chances de conquérir de nouveaux clients.

Ecrivez le même type de profils pour votre nouveau public que pour celui que vous avez déjà. Tandis que vous lirez les chapitres de ce livre, rapprochez les profils de vos marchés-cibles avec une technique donnée pour trouver le bon arrangement.

Planifiez votre travail, et travaillez sur votre plan. Chaque problème marketing a un nombre infini de solutions. Vous n'avez pas à trouver la meilleure, mais seulement celle qui marchera dans votre cas.

Découvrir l'opportunité de la Longue traîne

Vous avez peut-être entendu l'expression *Longue traîne* (*Long tail* en anglais) pour décrire le modèle de marché utilisé par certains sites de commerce électronique B2C (business-to-customer : entreprise-à-consommateur) prospères. La *Longue traîne*, représentée sur la Figure 1.1, décrit une situation dans laquelle le revenu généré par de nombreux évènements peu fréquents (c'est-à-dire, les ventes de divers produits) représente plus que le total de quelques rares évènements très fréquents. Les évènements peu fréquents peuvent se faire rares, mais leur somme constitue plus de la moitié du revenu général.

Figure 1.1
Un graphique de la Longue traîne pour le nombre de ventes en fonction des produits. La zone qui se trouve sous la courbe, qui représente la valeur ou le revenu, est la même pour les portions en noir et en blanc.

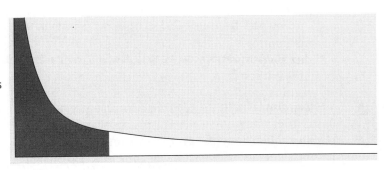

Cette théorie suggère que la portée d'un site Web est tellement grande que vous pouvez tenir un business profitable en vendant de nombreux produits à bas prix, difficiles à trouver, en petite quantité plutôt que de dépenser un budget marketing invraisemblable pour vendre quelques produits en grande quantité, partant du fait que vous disposez d'un grand choix de produits et que vous fixez un prix rentable. Cela fonctionne pour Amazon.com, Netflix, iTunes et eBay. Pourquoi pas vous ? Toute l'astuce est que les gens doivent pouvoir trouver vos produits dans le vaste cyberespace, ou que vous puissiez les trouver, eux.

Bien entendu, c'est le marketing Web, ce dont il est question dans ce livre. Si vous êtes curieux, vous pouvez en lire plus sur la Longue traîne sur `http://fr.wikipedia.org/wiki/Longue_traîne`, ou dans le livre de Chris Anderson *La Longue traîne : la nouvelle économie est là !* (Pearson Education).

Comprendre les fondamentaux du marketing Web

Ce livre est plein de détails sans fin sur ce qui fait le succès d'une campagne de marketing Web, mais vous ne devez en avoir que trois toujours à l'esprit. Si vous mesurez tout ce que vous faites à l'aune de ces critères, vous vous en tirerez bien :

- ✔ **Vos plans correspondent-ils aux besoins et aux intérêts de votre public cible ?**

- ✔ **Vos plans tiennent-ils la route du point de vue financier ?**

- ✔ **Vos plans sont-ils proportionnés à votre capacité à les mettre en œuvre ?**

A cette minute même, créez deux nouveaux dossiers dans vos favoris, un pour les sites que vous appréciez et un pour les sites que vous détestez. Mieux encore, créez-vous un compte sur `http://delicious.com`, qui vous permet de rassembler tous vos favoris sur un unique compte en ligne, pratique, auquel vous pourrez accéder depuis n'importe où. En un clic, vous pourrez marquer un site que vous croisez pour y faire référence ultérieurement.

Quelles que soient vos activités en ligne, prenez l'habitude de marquer ou de créer un favori pour tout site qui vous plaît et aussi pour ceux que vous détestez. Ne vous inquiétez pas si les mots vous manquent pour expliquer votre réaction. Le temps que vous soyez en mesure de dialoguer avec un développeur de la conception d'un nouveau site ou de la mise à jour du site dont vous disposez déjà, la bibliothèque de sites que vous aurez constituée pourra fournir des informations essentielles sur la direction que vous souhaitez emprunter.

Les chiffres à garder en tête

Pour vous, chef d'entreprise ou manager, le Web est un nouveau moyen pour atteindre vos objectifs et non une fin en soi. Vous pouvez recruter des professionnels pour prendre en charge les détails techniques et marketing, mais personne ne saura jamais mieux que vous-même en quoi votre business et votre clientèle consistent.

Le Web est une opportunité unique pour adresser des marchés de niche extrêmement étroits à l'aide de produits et de services paramétrables, parfois même sur mesure. Laissez un instant votre imagination vous guider. Quelles sont les stratégies à long terme pour faire croître votre business ? Pouvez-vous tirer parti de la technologie Web pour aider votre entreprise à prospérer en :

✔ Apportant du support à vos clients de manière plus rentable ?

✔ Conquérant de nouveaux marchés ?

✔ Allongeant la liste de vos produits ou de vos services ?

Revenez immédiatement d'un mythe. Le marketing Web n'est pas gratuit. Vous pouvez dépenser beaucoup d'argent, beaucoup de temps, ou une combinaison des deux, mais vous ne pouvez pas vous en tirer sans investir d'une manière ou d'une autre. Avant de passer en ligne, pensez soigneusement aux chiffres. En bon businessman, considérez ces indicateurs, qui seront décrits dans les sections qui suivent :

✔ **Le coût d'acquisition d'un consommateur.**

✔ **Le point mort.**

✔ **Le retour sur investissement (ROI).**

N'appelez pas un développeur Web pour parler d'argent ! Si vous ne savez pas calculer ces chiffres, demandez de l'aide à votre comptable. Autrement, vous pouvez toujours tenter de prendre contact avec des conseillers des chambres de commerce et d'industrie implantées sur toute la France via le site `http://www.ccip.fr`.

Evaluer le coût d'acquisition d'un client

Pouvez-vous acquérir un client pour moins des 15-20 euros qu'il vous en coûtera pour trouver un vrai client dans le monde hors ligne ? Peut-être, mais cela dépend de ce que vous vendez. Généralement, plus votre produit ou votre service est coûteux, plus vous devez dépenser d'argent pour acquérir un nouveau client.

Le coût de l'acquisition d'un lead (un contact qualifié) est égal au coût du marketing divisé par le nombre de leads que l'activité génère :

```
Coût de l'acquisition d'un lead = coût du marketing / # de leads
```

Si vous dépensez 100 euros d'annonces pay-per-click sur Google pour faire venir 20 personnes sur votre site, votre coût est de 100 euros divisé par 20, soit 5 euros le lead. Si seulement deux de ces 20 personnes achètent, votre coût d'acquisition d'un client sera de 50 euros. C'est parfait si chacun dépense 250 euros sur votre site, mais s'ils ne dépensent que 25 euros ? Vous pouvez calculer le coût d'acquisition pour n'importe quelle campagne marketing, technique marketing, période de dépenses en marketing.

Le coût moyen d'acquisition d'un nouveau client correspond approximativement au profit résultant des achats d'un client moyen la première année. Autrement dit, vous ne ferez probablement pas de bénéfices avec vos clients à moins qu'ils ne dépensent plus que la moyenne ou que vous ne les reteniez plus d'une année. Oui ! C'est un monde froid et cruel. Cependant, si vous tirez parti des nombreuses techniques gratuites ou bon marché présentées dans ce livre, vous pouvez réduire le coût de l'acquisition de vos clients et avoir ainsi une meilleure chance de dégager des bénéfices.

Il faut trois fois plus d'argent pour acquérir un nouveau client que pour en conserver un.

Calculer le point mort

Le *point mort* est le nombre de ventes auquel les revenus générés sont équivalents aux coûts engendrés. Une fois que vous avez atteint le point mort, les ventes commencent à contribuer à vos bénéfices. Pour calculer le point mort de votre site Web, soustrayez le *coût de vos marchandises* (ou le coût de vos services) de vos revenus. Ceci vous fournit la *marge brute* :

```
revenus - coût des marchandises = marge brute
```

Maintenant, totalisez vos *frais fixes* (les charges qui sont les mêmes chaque mois, quoi que génère votre business) pour votre site Web, comme les frais mensuels de développement, d'hébergement, les factures de votre fournisseur d'accès Internet (FAI), les charges patronales, les frais généraux. Pour terminer, divisez les *frais fixes* par votre *marge brute*. Le résultat vous indique le nombre de ventes que vous devez réaliser pour payer toutes vos dépenses de base pour le Web :

```
frais fixes / marge brute = point mort (en nombre de ventes)
```

Le *coût des marchandises* correspond aux dépenses, qui peuvent varier en fonction du volume vendu, comme le transport et l'emballage, les commissions, les frais de transaction par carte de crédit. Pour plus de précision, vous pouvez aussi les soustraire de vos revenus avant de calculer la marge brute. Divisez le résultat par vos frais fixes pour obtenir le point mort.

Savoir si vous allez faire de l'argent en ligne

Le retour sur investissement (ROI) vous indique la vitesse à laquelle vous allez récupérer votre investissement dans le développement du site et vos opérations marketing. Souvent, vous calculez le ROI pour une période d'un an. Pour cela, divisez simplement vos bénéfices (et pas le revenu !) par le montant que vous avez investi pour obtenir un pourcentage de retour :

```
bénéfices / investissements = taux de retour
```

Vous pouvez aussi exprimer le ROI vous demandant combien de temps il vous faudra pour recouvrer votre investissement. Un ROI annuel de 50 pour cent signifie qu'il vous faudra deux ans pour recouvrer votre investissement. De même que pour le coût d'acquisition, vous pouvez calculer le ROI pour vos investissements initiaux dans le développement du site, pour toute campagne de marketing ou technique, ou pour toute une année de dépenses pour le Web.

Ne dépensez pas plus en marketing que ce que vous pouvez récupérer. Un mauvais plan d'affaire, c'est un plan où vous perdez de l'argent sur chaque vente.

Maintenant, vous pouvez commencer à vous amuser et faire de l'argent en ligne !

Chapitre 2

Planifier le marketing Web

Dans ce chapitre :

▶ Se préparer avant le grand jeu.

▶ Définir des objectifs pour votre site.

▶ Comprendre pourquoi les gens achètent.

▶ En apprendre plus sur les marchés-cibles.

▶ Appliquer les 4 P du marketing.

▶ Faire tenir tout cela dans un plan de marketing en ligne.

Il est facile de s'impliquer à ce point dans le Web que vous perdiez de vue vos objectifs commerciaux. Dans ce chapitre, je vous montre comment quelques outils de planification élémentaires peuvent vous aider à ne pas vous égarer afin de maximiser la contribution de votre site Web à votre business.

Si vous avez maîtrisé les principes du marketing dans une école de commerce il y a longtemps de cela, ce chapitre vous permettra de faire le lien entre le cybermarketing et ce dont vous pouvez vous souvenir des business plans, des 4 P du marketing (produit, prix, place et publicité) et du triangle de Maslow. Si vous avez acquis votre connaissance du marketing en fréquentant l'école de la vie ou si vous êtes nouveau dans le business, ces outils conceptuels du marketing vous permettront de vous y retrouver pour investir judicieusement vos euros dans un environnement radicalement différent.

Tandis que vous progresserez dans le processus de planification, je suggère que vous récapituliez vos décisions sur les formulaires mentionnés dans ce chapitre. Référez-vous-y chaque fois que vous hésitez pour prendre une décision concernant le marketing Web. Ces formulaires aident aussi à faire comprendre les objectifs de votre site aux développeurs, aux graphistes, aux fournisseurs de services et aux salariés. Pour que cela soit plus pratique, vous pouvez télécharger des versions de ces formulaires sur le site Web accompagnant ce livre.

Préparer un business plan en ligne

Si vous êtes nouveau dans n'importe quel business, vous devez écrire un business plan. Si vous ajoutez les ventes en ligne à une affaire qui existe déjà, dépoussiérez et mettez à jour votre business plan courant. Ouvrir une boutique en ligne, c'est comme ouvrir un nouveau magasin dans une autre ville ; cela requiert tout autant de planification. Même si vous ne faites que lancer ou rénover un site Web, je vous suggère d'écrire une version raccourcie du business plan détaillé dans ce qui suit.

La plupart des business plans comprennent des variations des sections suivantes :

- **Résumé.**

- **Description du business (son type et ses objectifs).**

- **Description du produit ou du service.**

- **Concurrents (en ligne et hors ligne).**

- **Marketing (marchés-cibles, besoins, objectifs, méthodes, promotion).**

- **Plan de vente (prix, canaux de distribution, gestion des commandes).**

- **Opérations (installations, recrutement, inventaire).**

> ✔ **Management (acteurs essentiels et comité de direction).**
>
> ✔ **Données financières (financement, projections financières, questions légales).**

Il n'est pas question de rentrer ici dans les détails de l'écriture d'un business plan. Si vous avez besoin d'aide, des avocats spécialisés ou des consultants peuvent vous aidez à mettre le pied à l'étrier. Notez aussi que l'Agence pour la création d'entreprises (APCE) met à votre disposition un outil pour rédiger votre business plan en ligne sur `http://www.apce.com/cid29836/plan-d-affaires-en-ligne-business-plan.html?C=173.`

Les sites Web ne résolvent pas les problèmes d'un business ; ils génèrent de nouveaux défis. Si votre business rencontre des problèmes, réglez-les d'abord ! Toutes les difficultés que vous rencontrerez avec l'infrastructure informatique, la conservation des données, la fabrication, la chaîne de valeur, le support client, la gestion de commandes, le recrutement, le contrôle des coûts, la formation ou le prix sont tout simplement démultipliées lorsque vous passez en ligne.

Planifier en fonction des objectifs de votre business

Avant de fixer des objectifs à votre site Web, vous devez identifier clairement ceux de votre business. Vos réponses à quelques questions élémentaires permettront de cadrer le marketing pour votre site. Répondez aux questions de la section Profil de business dans le Formulaire de planification du site Web reproduit sur la Figure 2.1. Ces questions s'appliquent également aux business de n'importe quelle taille et aux organisations non commerciales, aux organismes de formation, aux organisations gouvernementales.

Voici quelques exemples de questions sur le profil d'un business :

> ✔ Votre entreprise est-elle nouvelle ou existe-t-elle déjà et dispose-t-elle d'une clientèle établie ?
>
> ✔ Disposez-vous d'un magasin ou d'un bureau bien réel ?

✔ Disposez-vous d'un site Web et d'une présence sur le Web ?

✔ Commercialisez-vous des biens ou des services ?

✔ Commercez-vous avec des individus (ce qui s'appelle le B2C, pour *business-to-customer*) ou avec d'autres business (ce qui s'appelle le B2B, pour *business-to-business*) ?

✔ Qui sont vos clients (c'est-à-dire, vos *marchés-cibles*) ?

✔ Vendez-vous – ou voulez-vous vendre – localement, régionalement, nationalement ou internationalement ?

Répondez aux autres questions de la section Profil de business du formulaire pour vous faire une idée générale de ce à quoi votre business ressemble.

Votre site Web est la queue, et votre business est le chien. Laissez votre business piloter vos plans sur le Web, et non l'inverse.

Fixer des objectifs à votre site Web

Une fois que vous avez mis en lumière les objectifs de votre business, vous devez décider de ce que vous souhaitez accomplir avec votre site Web sur le plan marketing. Les objectifs que vous assignez à votre site et la définition de votre marché-cible devraient vous guider dans la conception du site et des campagnes de marketing.

Les sites Web commerciaux poursuivent généralement l'un des sept objectifs présentés dans les sections suivantes comme objectifs primaires, bien que des sites sophistiqués en poursuivent plusieurs. Listez les fonctions qui s'appliquent à votre site dans la section Objectifs du site Web dans le formulaire Planification du site Web (référez-vous à la Figure 2.1), le rang 1 correspondant à un objectif prioritaire pour votre site.

A moins que vous ne disposiez d'un budget assez conséquent et de toute une équipe pour adresser plusieurs publics, ne sélectionnez qu'un ou deux de ces objectifs. Vous pouvez en ajouter d'autres ultérieurement, une fois que votre site alimente suffisamment votre business.

Formulaire de planification de site Web

Pour le site Web (URL) : _____

Préparé par : _____ **Date :** _____

Producteur/coordinateur Web : _____

Contact : _____

Webmaster/développeur : _____

Contact : _____

Profil de business

Le site Web est-il celui d'une nouvelle entreprise ou d'une entreprise existante ?
- ○ Nouvelle entreprise
- ○ Entreprise existante depuis _____ ans.

L'entreprise dispose-t-elle de locaux ?
- ○ Oui
- ○ Non

L'entreprise dispose-t-elle déjà d'un site Web ?
- ○ Oui
- ○ Non

Votre site est destiné à :
- ○ Des entreprises
- ○ Des clients

L'entreprise dispose-t-elle déjà d'un logo ?
- ○ Oui
- ○ Non

A quel type de business est voué le site Web ?
- ❑ Production
- ❑ Distribution
- ❑ Détail
- ❑ Prestation de services
- ❑ Professionnel

Quel type de produits votre entreprise commercialise-t-elle ?
- ❑ Biens
- ❑ Services

Décrivez vos biens et services :

Quelle sera la portée du site Web ?
- ○ Local
- ○ Régional

Figure 2.1a
Le formulaire de planification d'un site Web (téléchargé depuis le site des Editions First).

○ National
○ International

Objectifs du site Web

Classez les objectifs de votre site, 1 étant le rang le plus important

_____ Information

_____ Branding

_____ Génération de leads/de prospects qualifiés

_____ Revenus de la vente

_____ Revenus publicitaires

_____ Besoins internes

_____ Transformation

Profil financier

Point mort : _____ €   Dans : _____

Retour sur investissement : _____ %   Dans : _____

Budget du site Web pour la première année

Développement extérieur : € _____

Eléments particuliers (comme la vidéo) : € _____

Marketing : € _____

Travail interne : € _____

Autres matériaux : € _____

Total : € _____

Exemples d'objectifs

Répétez pour chacun des objectifs dans la fenêtre temporelle considérée (par exemple, 1 an).

Trafic ciblé (#visiteurs par mois) : _____   Dans :_____

Objectif de conversion : _____ %   Dans :_____

Objectifs de ventes (#ventes par mois) : € _____   Dans :_____

Moyenne en € par vente : € _____   Dans :_____

Revenu en € par mois : € _____   Dans :_____

Autres objectifs spécifiques pour le site : _____   Dans : _____

Figure 2.1b
Le formulaire de
planification d'un
site Web
(téléchargé
depuis le site des
Editions First).

_____   Dans : _____

_____   Dans : _____

Profil marketing

Décrivez vos marchés-cibles. Spécifiez la démographie ou des informations sur le segment. Pour le B2B, segmentez par secteur d'activité ou par titre.

_____

_____

_____

_____

_____

_____

_____

Quel est votre mot d'ordre marketing ?

_____

Proposition de valeur : pourquoi quelqu'un devrait acheter à votre entreprise plutôt qu'à une autre ?

_____

Nommez au moins 6 concurrents et leurs sites Web :

_____   _____

_____   _____

_____   _____

_____   _____

_____   _____

Figure 2.1c
Le formulaire de planification d'un site Web (téléchargé depuis le site des Éditions First).

Fournir un service client via l'information

Les sites dits *cartes de visite* ou *brochures* constituent une solution peu onéreuse. Ces sites, qui ne contiennent généralement pas plus que l'information minimaliste fournie dans une brochure trimestrielle, peuvent suffire pour doter un petit business d'une présence sur le Web. Par exemple, le site de deux pages de type "carte de visite" sur `http:// living-well-coaching.com` (voir Figure 2.2) donne le ton avec sa conception graphique, sa mise en exergue des bénéfices, un appel à l'action, un lien vers une seconde page qui contient des contacts et un formulaire de demande d'informations. D'autres sites d'information sont plus prolixes. Les sites médicaux, de support technique ou d'informations contiennent des centaines ou des milliers de pages sous une forme *statique* (des pages HTML standards ne contenant que du texte et des photos), reliées entre elles et dans lesquelles il est possible d'effectuer des recherches. Ces business limitent leurs dépenses en se dispensant d'une équipe qui alimenterait le site en informations régulièrement, tout en tirant parti d'Internet pour proposer un support en ligne accessible en 24 h/24, 7 jours/7 à leurs clients du monde entier.

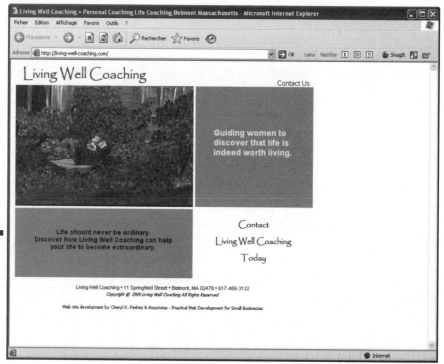

Figure 2.2
Le site carte de visite de Living Well Coaching donne le ton et permet aux visiteurs de soumettre une requête.

Conception du site Web par Cheryl K. Perkins & Associates www.cherylkperkins.com.

Le branding de votre entreprise ou de votre produit

Des sites tels que Coke.com servent avant tout à faire du branding, c'est-à-dire créer et renforcer l'image d'une marque. Sur les sites de branding, on trouve des jeux, des coupons, du divertissement, de l'information officielle, mais ces sites ne commercialisent généralement pas de produits en ligne. Par exemple, les clients peuvent acheter un porte-clé ou tout autre produit dérivé sur le site Coca-Cola (`www.coca-colastore.com/coke`), mais vous ne pouvez pas y acheter une bouteille de Diet Coke.

Le branding peut se révéler délicat lorsque le nom d'un site ne correspond pas à celui du business. Etant donné la difficulté à énoncer le nom de l'entreprise, Smooth Mooove Senior Relocation Services, un service de déménagement pour les seniors basé à Atlanta, a choisi une URL plus évocatrice et qui s'épelle plus facilement, `www.wemoveseniors.com` (NdT : l'équivalent de `www.nousrelogeonslesseniors.com`). Le choix d'un nom était critique pour l'entreprise, qui trouvait que son nom initial "Smooth Mooove Elder Relocation Services" n'était pas évident. Elle préserve son branding en mettant bien en évidence son nom et son logo accrocheur sur son site Web (voir Figure 2.3).

Générer des leads et des prospects qualifiés

Quelques sites, et tout particulièrement ceux de services et de produits onéreux, tels que les voitures et les maisons, permettent à des clients potentiels de rechercher des offres, mais ces clients doivent appeler, envoyer un e-mail ou se rendre dans une succursale bien réelle pour conclure la vente. Les techniques interactives, telles que la fonctionnalité Live Chat utilisée par 18004mytaxi.com, peuvent améliorer le service, dans ce cas en facilitant si considérablement la réservation que les prospects sont moins tentés de visiter des sites Web de concurrents (les Chapitres 4 et 6 décrivent les nombreuses techniques interactives que vous pouvez mettre en œuvre sur votre site à cette fin).

Si vous êtes malin, vous pouvez qualifier vos leads en ligne. Par exemple, SantaFeWedding.com, un site Web de voyage de noces, demande le nom du marié dans son formulaire de requête (`http://santefewedding.com/request.html`). Cette question seule réduit le nombre de mauvais leads de plus de 60 pour cent.

Figure 2.3
Quoique le nom de domaine doive se composer d'une phrase évocatrice facile à épeler pour être trouvée, Smooth Mooove Senior Relocation Services réussit à préserver l'image de sa marque sur son site Web, WeMoveSeniors .com.

Le logo "We Move Seniors" est une marque déposée de Smooth Mooove Elder Relocation Services Inc. Utilisé avec sa permission.

Générer des revenus par les ventes

Les sites de transaction, qui constituent sans doute le type le plus connu de sites, sont utilisés pour vendre des marchandises et des services en ligne. Les réservations de voyage, les abonnements à des magazines, les adhésions à des organisations, les ventes B2B (business-to-business) et même les donations relèvent de cette catégorie, ainsi que les sites de distribution, d'Amazon.com au plus petit micro-magasin tenu à son domicile par son propriétaire. Les sites de transaction de marchandises tirent parti du Web pour réunir des informations sur la démographie des clients, sur leurs besoins et sur leurs préférences, et pour tester leurs réactions à des offres spéciales.

Générer du revenu via la publicité

Un modèle d'affaire qui génère du revenu par des publicités payantes fonctionne sur un mode marketing radicalement différent. Lorsque vous vendez de la publicité, le produit primaire est le public que vous permettez d'atteindre – c'est-à-dire le nombre de paires d'yeux qui visualisent une publicité, soit le nombre de *click-through* (clics sur la publicité qui débouchent sur le site de l'annonceur).

Atteindre un objectif propre

Les sites de cette catégorie attirent les investisseurs, identifient des partenaires stratégiques pour le business, localisent des fournisseurs, recrutent des vendeurs, sollicitent des franchises. Le public de ces sites est très différent du public d'un site ciblé sur des clients finaux. Cette distinction est critique, car des éléments de votre plan marketing se déduisent de la définition de votre marché-cible.

Transformer votre business via le processus d'innovation ou via des techniques créatives

La transformation d'un business n'est pas réservée aux grandes entreprises dont les sites Web intègrent un inventaire juste-à-temps, des chaînes de valeur bien rodées, de la vente en ligne et des systèmes de comptabilité. De nombreux petits business créent des processus en ligne qui modifient fondamentalement la manière dont ils fonctionnent.

C'est assez surprenant, mais l'innovation ne coûte pas très cher. Pablo's Mechanical (www.pablosmechanical.com), un entrepreneur de plomberie et de chaufferie, a capturé le marché des résidences secondaires de la région de tourisme rural près d'Angel Fire, au Nouveau Mexique. Pablo's Mechanical a réalisé que les propriétaires de résidences secondaires sont généralement aisés, que ce sont des internautes réguliers, et qu'ils vivent souvent dans un autre Etat, dont le fuseau horaire est parfois même différent. Son site simple et bon marché encourage ses clients à cliquer sur les sites de grands fabricants de plomberie pour sélectionner des installations, puis à lui passer commande de ces dernières.

Spécifier les objectifs de votre site Web

Qu'est-ce qui peut vous convaincre que votre site est réussi ? Une fois que vous avez fixé vos objectifs, vous devez spécifier des critères pour vérifier si vous les avez atteints. Cela signifie que vous devez établir des objectifs mesurables. Tout d'abord, reprenez vos calculs du Chapitre 1 pour le point mort, le retour sur investissement (ROI) et le budget dans la section Profil financier du formulaire de planification de site Web de la Figure 2.1. Vos prévisions de budget et de ROI peuvent contraindre l'investissement possible dans le marketing et, par conséquent, peser sur le trafic que votre site pourra générer. Tenez compte de cette contrainte tandis que vous quantifiez vos objectifs et les dates auxquelles vous comptez les atteindre. Il est inutile de se fixer des objectifs irréalistes qui condamnent votre site à l'échec avant même d'avoir été lancé.

Le Tableau 2.1 suggère quelques mesures possibles pour différents objectifs assignés au site Web, mais vous devez déterminer les quantités à atteindre et les délais à respecter. Définissez d'autres objectifs comme il convient. Saisissez les chiffres et les délais comme critères que vous utiliserez dans la section Exemples d'objectifs du formulaire de planification de site Web. Ces chiffres sont toujours spécifiques à chaque business.

Tableau 2.1 : Objectifs du site.

Objectifs du site	Objectifs qu'il serait possible de mesurer
Gérer un support client	Nombre de coups de téléphone et d'e-mails, trafic de certains pages, heures d'utilisation du site, économies générées, temps gagné
Branding	Trafic sur le site, activités réalisées, coupons téléchargés, revenus bruts
Générer des leads qualifiés	Nombre de coups de téléphone et d'e-mails, taux de conversion des visites en leads, taux de conversion des leads en ventes comparé aux taux de conversion d'autres sources de leads, trafic de diverses pages, nombre d'adresses e-mail acquises, coût d'acquisition d'un client

Tableau 2.1 : Objectifs du site. (_suite_)

Objectifs du site	Objectifs qu'il serait possible de mesurer
Générer des ventes en ligne	Taux de conversion d'acheteurs en visiteurs, revenu des ventes, valeur moyenne d'une vente, nombre d'acheteurs récurrents, bénéfice généré par les ventes en ligne, coût d'acquisition d'un client, utilisation de codes promotionnels, ventes conclues hors ligne générées par le site Web si possible (c'est-à-dire, passées par téléphone via le système)
Générer des revenus publicitaires	Revenu publicitaire, taux de click-through (CTR), nombre de pages vues par publicité, trafic de différentes pages, démographie des visiteurs
Mesurer des objectifs propres	Taux de conversion pour des actions diverses, trafic du site, autres mesures (selon les spécificités des objectifs)
Transformer le business	Revenus du site, coûts, bénéfices, gain de temps, économies, autres mesures (selon les spécificités des objectifs)

Si vous n'avez pas d'objectifs, vous ne saurez pas si vous avez les avez atteints ou si vous les avez dépassés. Fixer des objectifs à l'avance vous donne l'occasion d'établir une méthode de mesure de votre succès.

Par exemple, vous pouvez obtenir des chiffres sur votre trafic à partir des statistiques de votre site Web, comme je l'explique au Chapitre 4, mais vous ne pouvez pas compter les leads qui vous joignent par téléphone de cette manière. Votre réceptionniste doit demander à tout interlocuteur comment il a entendu parler de votre entreprise et comptabiliser sa réponse. Ou alors, vous pouvez afficher un numéro, une adresse e-mail, un contact particulier que seuls les visiteurs Web utiliseront, tout comme vous établiriez un numéro de service particulier pour mesurer l'impact d'une campagne de mailing spécifique.

Essayez de suivre des indicateurs durant une période de 13 mois afin de pouvoir comparer des résultats aux mêmes dates. La plupart des business connaissent des variations cycliques liées au calendrier.

Définir votre marché-cible

Dans la section Profil marketing du formulaire de planification de site Web (voir la Figure 2.1), vous devez définir votre ou vos marchés-cibles. Pour chaque objectif que vous sélectionnez dans votre formulaire de planification, spécifiez le public. Des phrases telles que "toute personne qui mange du chocolat" ou "tous les passagers d'un avion" sont bien trop générales. À moins d'être Toyota ou General Mills, vous ne disposerez pas des fonds requis pour atteindre tout le monde ; vous devez donc segmenter et affecter des priorités à vos marchés.

Note : Je discute de la manière dont il faut terminer de remplir la section Profil marketing dans "Ecrire votre plan marketing en ligne", plus loin dans ce chapitre.

Comprendre la segmentation de marché

La *segmentation de marché* (diviser votre marché en plusieurs sous-ensembles de prospects qui partagent certaines caractéristiques) peut prendre de nombreuses formes. Vous devez retenir celle qui correspond le plus à votre business. Pour votre plan marketing en ligne, vous devez localiser les divers sites du Web que votre public consulte, de sorte que vous savez en quoi consiste votre public. Pensez-y un moment. Les sites qui attirent les amateurs d'opéra n'attirent pas forcément des adolescents, et inversement.

Un obstacle : votre public en ligne peut différer légèrement de votre public hors ligne. Il peut être issu d'origines géographiques plus diverses, plus aisé, plus vieux, plus jeune, mieux éduqué, plus motivé par les prix que par les fonctionnalités, ou inversement. Vous ne découvrirez ces différences que par l'expérience.

Voici quelques formes de segmentation de marché :

- ✔ **Segmentation démographique :** tri par âge, genre, statut socio-économique, niveau de formation (stratégie B2C).

- ✔ **Segmentation par le cycle de vie :** suppose que les clients ont besoin de produits différents à différentes étapes de la vie (adolescents, jeunes célibataires, couples mariés, familles avec enfants, retraités actifs, personnes âgées).

- ✔ **Segmentation psychographique :** classe les clients en fonction d'une combinaison de comportements, de valeurs, de croyances, d'images de soi, de styles de vie ou d'opinions.

- ✔ **Segmentation géographique :** cible des zones aussi étroites que le voisinage ou le code postal, ou aussi larges que le pays ou le continent.

- ✔ **Segmentation par intégration verticale :** cible tous les éléments dans un secteur d'activité défini (stratégie B2B).

- ✔ **Segmentation par emploi :** identifie différents décideurs (tels que les ingénieurs, les responsables des achats et les managers) à des moments donnés du cycle de ventes en B2B.

- ✔ **Segmentation par spécialité :** cible un marché défini étroitement (tels que les personnes âgées de 45 à 65 ans, les femmes qui donnent des soins aux personnes atteintes d'Alzheimer ou les jeunes hommes de 16 à 35 propriétaires d'une Mustang classique).

Suivez les principes de la guérilla marketing : ciblez un marché-cible à la fois, remportez-le et engrangez des profits, puis investissez dans le segment de marché suivant. Autrement, votre temps et vos fonds seront trop saupoudrés pour avoir un quelconque impact. Pour plus d'information sur la segmentation de marché, essayez www.business-plans.org/segment.html ou http://money.howstuffworks.com/marketing-plan12.htm.

Comprendre pourquoi les gens achètent : le triangle de Maslow

Vous devez maintenant avoir réalisé que le marketing en ligne signifie bien plus que simplement figurer dans les listes des moteurs de recherche et attendre que l'argent tombe. Une fois que vous avez décrit votre marché-cible, vous pouvez tirer parti du triangle de Maslow pour comprendre ses motivations à acheter. Les publicitaires ont depuis longtemps compris la force des messages qui s'adressent aux besoins émotionnels des personnes, tirant parti de la théorie développée par le psychologiste humaniste Abraham Maslow à la fin des années 60. Vous aussi, vous pouvez le faire !

D'après la hiérarchie des besoins de Maslow (représentée sous la forme d'un triangle sur la Figure 2.4), tout le monde doit satisfaire certains besoins avant de pouvoir atteindre son plein potentiel. En termes marketing, les gens achètent certains produits ou recherchent certains types d'information pour satisfaire un ou plusieurs de ces besoins. Sur les cinq niveaux du triangle de Maslow, les deux triangles inférieurs (Physiologie et Sécurité) sont des besoins élémentaires. Les trois supérieurs (Social, Estime, et Accomplissement personnel) sont des besoins de croissance. À ce point, les gens peuvent trouver des sites Web qui satisfont chaque besoin du triangle. Voici une liste de ces catégories avec une description pour chacune :

- **Besoins physiologiques :** cette catégorie recouvre l'air, la nourriture, l'eau, le sommeil, le sexe, la santé et l'abri. Pour satisfaire ces besoins, les gens peuvent rechercher des maisons en ligne, rechercher des appartements à louer sur Craiglist.org, acheter des vêtements sur Patagonia.com, organiser une livraison de victuailles sur Peapod.com, rechercher le nom d'un dentiste, rechercher des conseils en matière de nutrition ou localiser un bar à oxygène, tel qu'OxygenExperience.com.

- **Besoins de sécurité :** ce type de besoins comprend des éléments et des informations relatives à la sécurité en cas d'urgence, de désorganisation sociale ou de traumatisme personnel. À ce niveau, les gens peuvent rechercher des numéros de hotlines, des informations sur l'évacuation en cas de feu ou d'inondation, des kits de protection contre les tremblements de terre sur SurvivalKits.com, des extincteurs à incendie sur SmokeSign.com, des alarmes pour les voitures sur SlickCar.com, des systèmes GPS sur MagellanGPS.com.

- **Besoins sociaux :** cette catégorie recouvre nos besoins humains d'être pris en charge, donc les produits et les services qui nous rendent plus attractifs aux yeux des autres. Ce besoin conditionne l'attrait pour les sites de réseaux sociaux aussi divers que MySpace.com et PunkyMomsForum.com, ainsi que les cosmétiques d'ElizabethArden.com, l'adhésion à un spa, les livres de

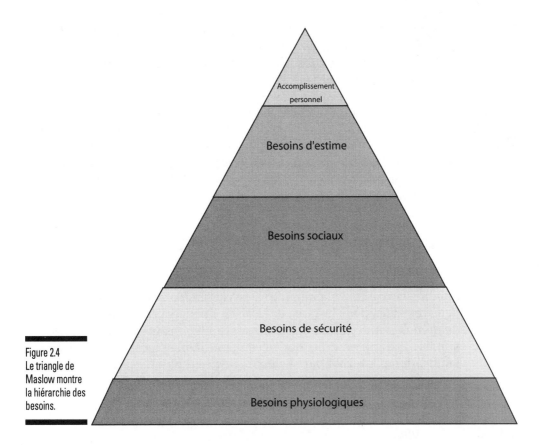

Figure 2.4
Le triangle de
Maslow montre
la hiérarchie des
besoins.

développement personnel d'Amazon.com, les passe-temps, les
clubs, le bénévolat, les églises et autres groupes.

✔ **Besoins d'estime :** ceci se réfère au besoin d'un individu pour le
respect envers lui-même et le respect des autres. Ce besoin
motive l'achat d'objets tels que les bijoux de Tiffany.com, les vins
fins de WineWeb.com, un portefeuille estampillé avec des
initiales de FineLeatherGifts.com, une recherche d'un revendeur
de Hummer sur Humvee.net, tout ce qui est un signe de statut, de
prestige, de pouvoir.

✔ **Accomplissement personnel :** un sens de l'accomplissement
personnel peut naître de l'art, de la musique, de l'éducation, de la
spiritualité, de la religion. Les individus qui ont des besoins
d'accomplissement personnel peuvent visiter des sites relatifs à

la poursuite d'activités créatives ou spirituelles tels que Budd-hanet.net, AcademyArt.edu ou ClevelandOrch.com, et ils peuvent acheter des livres, de la musique, des cours, des tickets pour aller au concert, de l'art.

Pour améliorer votre taux de conversion (le pourcentage de visiteurs de votre site qui achètent), accordez votre message aux besoins que vos produits visent à satisfaire. Si vous identifiez exactement ce que les gens recherchent, vous aurez plus de chance de réaliser des ventes. Par exemple, un message d'estime parlerait de l'opportunité de détenir en exclusivité un bijou de chez Tiffany, et non d'économiser de l'argent.

Rechercher votre marché-cible

Si vous ne savez pas exactement comment définir vos segments de marché, consultez quelques sites de recherche sur le marketing en ligne recensés dans le Tableau 2.2. Ces sites proposent des collections de données statistiques sur la démographie des utilisateurs en ligne, sur les types de produits qui se vendent bien, et sur la croissance de l'utilisation d'Internet par segments démographiques.

Tableau 2.2 : Sites de recherche sur le marketing en ligne.

Nom	URL	Contenu
ClickZ	www.clickz.com	Statistiques marketing, ressources, articles, et plus encore
InternetSystems Consortium	www.isc.org/index.pl?/ops/ds	Statistiques des hôtes par nom de domaine
Internet.com	www.internet.com	Lettres d'information sur le marketing et listes de fournisseurs de ressources
MarketingSherpa	www.marketingsherpa.com	Articles et études de cas gratuits, bibliothèque en ligne payante sur le marketing
Web Marketing Today	www.wilsonweb.com	Liens vers des ressources avec des informations sur le marketing pour le e-commerce

Si votre public cible n'est pas en ligne, le Web ne devrait pas faire partie de votre mix-marketing pour la vente au consommateur final ! Il peut cependant toujours accomplir d'autres fonctions. Reportez-vous au dernier rapport de Pew Internet & American Life Project sur `www.pewinternet.org/trends.asp` pour des informations sur les internautes. En mai 2008, le Pew Center explique que 73 pour cent des adultes américains – 169 millions – sont en ligne au travail, à l'école ou chez eux et que l'accès Internet s'est largement démocratisé en comparaison de la situation quelques années plus tôt. Quoique plus de seniors, de minorités et de personnes à bas revenus ont accès à Internet maintenant, la fracture numérique n'a pas complément disparue. Certains groupes sont nettement moins représentés en ligne : les personnes âgées de plus de 65 ans, celles qui ont un moindre niveau d'éducation, et celles dont le revenu du foyer est inférieur à 30 000 dollars.

Ecrire votre plan marketing en ligne

Votre business dispose peut-être déjà d'un plan marketing, ou vous êtes dans le business depuis si longtemps que les bases de votre marketing sont comme une seconde nature. Pour communiquer facilement avec les autres et ne rien oublier, répondez aux questions supplémentaires de la section Profil marketing de la Figure 2.1 :

✔ **Mot d'ordre marketing :** saisissez votre *mot d'ordre marketing*, la phrase de cinq à sept mots qui décrit ce que votre business propose et qui vous êtes. Cette phrase apparaît probablement (ou devrait apparaître) sur presque toutes vos cartes de visite, vos publicités et vos packagings. Tout comme votre logo, votre mot d'ordre marketing aide à définir votre image. Il devrait donc aussi figurer sur votre site Web ! De nombreuses entreprises le font figurer dans le graphisme de leur en-tête pour renforcer leur branding. Vous pouvez en voir un exemple ("The Ultimate Condominium Resource", la ressource ultime sur les copropriétés) sur la figure de l'encadré "Planifier le succès en ligne", plus loin dans ce chapitre,

✔ **Proposition de valeur :** pourquoi quelqu'un vous achèterait-il quelque chose plutôt qu'à un de vos concurrents ?

✔ **Concurrents :** saisissez les noms d'au moins six concurrents et leurs adresses Web.

Une fois que vous serez en ligne, l'univers de vos concurrents croîtra de manière phénoménale. Si vous vendiez jusqu'alors localement et que vous cherchez à étendre la taille de votre marché, vous rencontrerez beaucoup de concurrents en ligne. Vous pouvez identifier des concurrents dans votre business via les moteurs de recherche, les pages jaunes du Web ou les répertoires en ligne d'entreprises. Cet effort peut désenchanter, mais mieux vaut être préparé que surpris.

Avant d'écrire un plan marketing en ligne, considérez la manière dont les trois autres concepts de base du marketing s'appliquent au cyberespace : les 4 P du marketing (dont il est question dans la section suivante), le triangle de Maslow (dont je discute en détail dans la section "Comprendre pourquoi les gens achètent : le triangle de Maslow", plus tôt dans ce chapitre) et la nécessité souvent oubliée tant elle est triviale de pêcher où il y a du poisson. Utilisez ces outils durant votre processus de planification pour résoudre les problèmes avant qu'ils ne viennent obérer vos chances de succès en ligne.

Examiner les 4 P du marketing

Les marketers appellent le produit, le prix, le placement (distribution) et la promotion les éléments traditionnels du marketing. Ces termes s'appliquent aussi au Web.

Si vous comptez mettre à jour un site, il est particulièrement important de passer en revue les 4 P. Par exemple, il se peut que vous pensiez avoir besoin d'une mise à jour du site car vous générez trop peu de trafic à partir des moteurs de recherche, mais après une revue des 4 P, vous pourriez réaliser que c'est le prix qui constitue l'enjeu principal. Le Chapitre 14 explique comment diagnostiquer les problèmes rencontrés avec les 4 P en vous appuyant sur les statistiques de votre site Web.

Produit

Votre *produit* correspond au bien ou au service que vous vendez, quelle que soit la nature de la transaction qui se déroule en ligne. Passez en revue vos concurrents pour connaître les fonctionnalités, les avantages, les services qu'ils offrent (pour trouver vos concurrents, recherchez vos produits dans Google ou dans tout autre moteur de recherche). Les produits comprennent des éléments tels que la performance, les garanties, l'assistance, la variété, la taille. Si vous disposez d'une boutique en ligne, faites des recherches sur tout votre catalogue et non seulement sur certains produits. Posez-vous les questions suivantes :

✔ Votre catalogue en ligne comprend-t-il assez de produits pour vous permettre de vous attaquer à la concurrence ?

✔ Vendez-vous ce que les gens veulent acheter ?

✔ Mettez-vous à jour régulièrement votre catalogue, en supprimant rapidement les objets qui ne sont plus en stock et en promouvant les nouveaux ?

Prix

La multiplication de boutiques de discount en ligne génère une pression significative sur les _prix_ pour les petits business. Les sites de comparaison de prix tels que Shopping.com, que les acheteurs soucieux de leurs deniers consultent régulièrement, tirent aussi les prix vers le bas. Utilisez ces sites pour comparer vos prix à ceux de la concurrence en ligne. Etes-vous significativement plus cher, moins cher, ou compétitif ? Et vos coûts de livraison ?

Je parle plus de la livraison au Chapitre 5, mais pour l'instant, souvenez-vous que plus de la moitié des clients qui abandonnent leur panier invoquent comme raison le coût de la livraison. Si nécessaire, faites passer une partie du prix de la livraison dans le prix de base du produit pour réduire la partie visible des coûts de livraison.

Il est très difficile pour un petit business d'entrer en concurrence sur le marché des produits manufacturés tels que les habits pour bébés ou les DVD, à moins que vous ne disposiez de conditions préférentielles auprès des fabricants ou des distributeurs. Cependant, vous pouvez créer la concurrence sur les prix pour ce qui concerne les produits ou les services personnalisés ou en offrant des conditions uniques à vos clients. Si vous devez faire payer plus cher que vos concurrents en ligne, révisez votre proposition de valeur pour que les gens perçoivent bien les avantages que vous leur proposez. Cela peut être un code promotionnel à 5 euros ou une remise sur un autre achat, une politique de retour inconditionnel de marchandises, une exclusivité ou votre réputation dans le domaine de la qualité de service.

Vous n'avez pas besoin d'entrer en compétition avec les prix hors ligne car les gens valorisent le côté pratique et le gain de temps que l'achat en ligne leur procure. Il est parfaitement normal de faire payer les produits en ligne plus cher que dans un magasin bien réel.

Engagés dans la compétition, de nombreux business dot com se tirent une balle dans le pied en faisant payer les produits moins chers qu'ils ne leur coûtent. Plus ils vendent de produits, plus ils perdent d'argent. Quel modèle d'affaire ! Quoiqu'on trouve toujours des leaders qui pratiquent la vente à perte, vous devez vous imposer de couvrir vos pertes avec les bénéfices que vous générez sur d'autres produits.

Placement

Le *placement* fait référence aux canaux de distribution. Où et comment allez-vous rendre vos produits et services disponibles ? Le Web vous fournit un avantage intrinsèque, la recherche, le support et les ventes pouvant se dérouler en 24 heures/24, 7 jours/7. Cependant, vous pouvez rencontrer des problèmes de distribution, surtout si vous êtes contraint par un accord à respecter un certain territoire, ou si vous êtes le distributeur d'un fabricant qui envisage de vendre en ligne directement à ses clients.

Evitez la *cannibalisation des canaux* (l'utilisation de plusieurs canaux de distribution qui se font de la concurrence). N'entrez pas en compétition sur le prix avec vos distributeurs. Autrement, vos ventes directes risquent de vous coûter vos ventes par ailleurs, engendrant un cycle destructeur qui finira par vous tuer. Avant d'entrer en compétition avec les distributeurs, évaluez ce qu'il vous en coûtera en recrutement et en dépenses pour répondre aux attentes des clients en demande de support. Etes-vous vraiment prêt à assumer ces dépenses ? Si oui, vous voudrez peut-être ouvrir un site de distribution à une URL totalement différente de celle que vos distributeurs connaissent.

Promotion

Votre plan marketing est l'un des quatre P. Tous les moyens par lesquels vous communiquez avec les clients et les prospects relèvent de la *promotion*. Prenez aussi soin du marketing de votre site Web que vous prenez soin du marketing de votre entreprise et de vos produits. L'intégration soigneuse de la publicité en ligne et hors ligne est critique. Vos méthodes vous permettent-elles d'atteindre votre public cible ? Envoyez-vous le bon message pour encourager vos clients à acheter ? Référez-vous à la section "Comprendre pourquoi les gens achètent : le triangle de Maslow" pour comprendre comment utiliser le triangle de Maslow afin de forger un message qui fera appel aux motivations de vos clients.

Pêcher là où il y a du poisson

Lorsque vous faites de la publicité hors ligne, vous placez vos annonces là où le marché-cible est supposé les voir. Les annonces pour des voitures de sport apparaissent dans la section sport du journal ou sur les panneaux d'affichage des clubs de gym. Le même raisonnement s'applique en ligne. Vous devez placer vos appâts où vit le poisson.

La Figure 2.5 dresse la liste des méthodes de marketing dont il est question dans ce livre. Tandis que vous lisez les différents chapitres, cochez les méthodes qui vous semblent indiquées pour votre site. Je vous recommande aussi de constituer un carnet de notes marketing pour recenser les idées, les articles et les sites Web, et de créer des dossiers marketing sur votre disque dur pour stocker le fruit de vos recherches en ligne.

Avec le temps, vous rassemblerez assez d'informations pour remplir une feuille de calcul du marketing Web telle que celle représentée sur la Figure 2.6. Dans ce formulaire, vous finalisez les méthodes marketing de votre choix et vous spécifiez la méthode marketing, le public, les *impressions* (le nombre de fois dont une annonce est vue), le coût mensuel et le planning pour la mise en œuvre de chacune (dans les Chapitres 11 et 12, je vous en dis plus sur le coût d'impression par milliers. Vous devez rechercher des prix pour chaque technique). Vous pouvez incorporer le marketing hors ligne dans cette feuille de calcul ou la dupliquer pour faire le calcul des dépenses hors ligne puis ajouter les deux.

Liste de vérification pour les méthodes de marketing Web

Promotion hors ligne

- ❑ Evènements communautaires
- ❑ Mailing direct
- ❑ Marketing collatéral (brochures, documentations techniques)
- ❑ Publicité hors ligne
- ❑ Relations publiques et communiqués de presse hors ligne
- ❑ Packaging
- ❑ Placement de produit
- ❑ Produits promotionnels (spécifier)
- ❑ Activités relatives au lancement du site
- ❑ Fournitures de bureau

Techniques gratuites par email

- ❑ Répondeurs automatiques
- ❑ FAQ et baratin préformaté
- ❑ E-mail groupé
- ❑ Blocs de signature

Promotion sur le site

- ❑ Programme d'affiliation
- ❑ Mises à jour automatiques (spécifiez le contenu, comme la date)
- ❑ Distinctions
- ❑ Blog
- ❑ Rappel des favoris
- ❑ Appels à l'action
- ❑ Salon de discussion
- ❑ Mises à jour du contenu
- ❑ Concours, dessins et jeux
- ❑ Coupons et remises
- ❑ Téléchargement (ex : cartes postales, effets sonores, animations)
- ❑ Logo cautionnant votre activité (ex : VeriSign)
- ❑ Favicônes
- ❑ Forums
- ❑ Offres gratuites
- ❑ Livres d'or
- ❑ Outil Faire de cette page votre page d'accueil
- ❑ Bannières internes
- ❑ Liste d'évènements sur le site
- ❑ Logo
- ❑ Programme de fidélisation
- ❑ Donation à des organismes caritatifs
- ❑ Enchère sur le site
- ❑ Revue de produits (sur le site)
- ❑ Média riche (audio, vidéo, Flash)
- ❑ Flux RS
- ❑ Exemples

Figure 2.5a
La liste des
méthodes de
marketing Web.

❑ Réseaux sociaux (sur le site)
❑ Sondages et tests
❑ Signaler à un ami (lien)
❑ Témoignages
❑ Marketing viral
❑ Vlog (blog vidéo)
❑ Page Quoi de neuf
❑ Wiki

Promotion en ligne (campagnes de buzz)

❑ Blogging
❑ Campagne de liens entrants
❑ Communiqués de presse
❑ Podcasting
❑ Messages dans les salons de discussion, les forums
❑ Messages sur les sites de tests et d'opinions
❑ Liens réciproques
❑ Pages de réseaux sociaux
❑ Messages texte
❑ Techniques virales
❑ Vlogging
❑ Webinars ou Webcasting
❑ Annonces Quoi de neuf
❑ Marketing sans fil, messages texte, téléphones mobiles

Lettres d'informations par email
Spécifiez le public, la fréquence et la méthode

❑ Liste d'emails en propre
Public : _____ Fréquence : _____ Méthode : _____

❑ Lettres d'informations ou e-zines payants
Public : _____ Fréquence : _____ Méthode : _____

❑ Mailing lists publiques
Public : _____ Fréquence : _____ Méthode : _____

❑ Listes d'emails louées
Public : _____ Fréquence : _____ Méthode : _____

❑ E-mail virall
Public : _____ Fréquence : _____ Méthode : _____

Référencement par les moteurs de recherche

❑ 3 moteurs principaux (Google, Yahoo!, MSN)
❑ Répertoires
❑ Moteurs de recherche de secteurs d'activité
❑ Moteurs de recherches internationaux
❑ Répertoires locaux
❑ Moteurs de recherche de shopping (gratuit)
❑ Moteurs de recherche spécifiques (pour les blogs, la vidéo, les images, etc.)
❑ Service de référencement payant
❑ Optimisation du site pour les moteurs de recherche
❑ Flux XML

Figure 2.5b
La liste des
méthodes de
marketing Web.

Publicité en ligne payante

- ❑ Bannières publicitaires
- ❑ Echange de bannières
- ❑ Petites annonces en ligne
- ❑ Google AdWords et autres options PPC (pay-per-click)
- ❑ Sponsoring de lettres d'informations
- ❑ Sponsoring d'activités caritatives
- ❑ Autres moteurs et répertoires PPC
- ❑ Shopping PPC
- ❑ Sponsoring d'un site
- ❑ Yahoo! Search Marketing et autres options PPC

Figure 2.5c
La liste des
méthodes de
marketing Web.

Collez votre *nom de domaine* (c'est le terme technique pour *adresse Internet*) partout où vous laissez votre numéro de téléphone et le reste. Collez-le sur vos sacs. Collez-le sur vos panneaux. Collez-le sur votre camion. Vous pouvez même louer les services de quelqu'un qui le collera sur son crâne chauve.

Ce que vous savez déjà de votre business est vrai – le Web est un nouveau média, pas un nouvel univers. Ne laissez pas la technologie vous faire abandonner un business conquis de haute lutte, vous faire délaisser vos marchés-cibles, vous faire oublier comment les séduire. En cas de doute, suivez vos instincts et laissez-vous guidez par les fondamentaux de votre business.

Figure 2.6
La Feuille de calcul du marketing Web pour un site factice de mécanique pour vélos.

Marché-cible	Méthode marketing	Venue (nom de site ou source)	Impressions estimées par an	Coût pour 1 000 impressions	Jan.	Fev.	Coût annuel	Visites estimées @ 5 % Imp.	Conversions estimées @ 2 % visites	Coût marketing par conversion	Coût marketing commun du revenu @ x € par vente
Tous les cyclistes	Bannière publicitaire			€	€	€	€			€	%
Tous les cyclistes	Forum sur le site			€	€	€	€			€	%
Vélo & fitness Presse & commerce	Communiqué de presse			€	€	€	€			€	%
Acheteurs de vélos d'entrée de gamme	Moteur de recherche sur le cyclisme			€	€	€	€			€	%
Cyclistes de compétition	Blog tiers			€	€	€	€			€	%
Acheteurs existants &	Lettre d'information maison			€	€	€	€			€	%
Fitness	Google Ads			€	€	€	€			€	%
Fitness	Parrainage de lettre d'information			€	€	€	€			€	%
Membres d'un club de gym	e-mail par mailing list louée			€	€	€	€			€	%
Fans de	Bannière			€	€	€	€			€	%

Figure 2.6b
La Feuille de calcul du marketing Web pour un site factice de mécanique pour vélos.

	publicitaire			%
mécanique				
Femmes > 45 ans	Bannière publicitaire	€	€	€
Totaux mensuels		€	€	€
Exemples d'objectifs de vente (reprenez votre formulaire de planification)				
Au terme de la première année (après lancement)	Atteindre 25 K€ de revenus bruts mensuels			
	Atteindre 300 K€ par année supplémentaire			
	Atteindre 500 ventes mensuelles			
Au terme de la seconde année (après lancement)	Atteindre 50 K€ de revenus bruts mensuels			
	Atteindre 500 K€ par année supplémentaire			
	Atteindre 1 000 ventes mensuelles			
Montant moyen d'une commande estimé :	40 €			
Montant mensuel visé :	25 000 €			
# ventes requises par mois :	625			
# visiteurs requis pour 2 % de conversion par mois :	31 250			
# impressions requises pour un CTR mensuel de 5 % :	625 000			
# visiteurs requis pour un taux de	15 625			

Figure 2.6c
La Feuille de
calcul du
marketing Web
pour un site
factice de
mécanique pour
vélos.

conversion mensuel de 4 % :	
# impressions requises pour un CTR mensuel de 5 % :	312 500

Planifier le succès en ligne

ChicagoCondosOnline.com est un business sur Internet seulement qui se décrit comme "la base de données sur les copropriétés et les communautés la plus ergonomique, la plus fiable, la plus compréhensive". Quoique l'information disponible sur le site soit accessible aux acheteurs individuels en tant qu'"hôtes", ChicagoCondosOnline est essentiellement un service business-to-business pour des dizaines de milliers d'agences immobilières et les membres de Multiple Listing Services de l'Illinois septentrional. ChicagoCondosOnline gagne de l'argent grâce aux abonnements annuels, aux licences accordées à des brokers pour reprendre du contenu, à la publicité et aux frais de transaction.

Avec l'autorisation de Condominium Entreprises.

Planifier le succès en ligne (*suite*)

Avant de lancer son business en 2005, Ric Cox a reçu gratuitement les conseils du Service Corps of Retired Executives (SCORE.org, une association de cadres à la retraite). Dans le cadre de l'élaboration de son planning stratégique et de son processus de recherche de marchés, Cox a détaillé son business plan pour son site Web. Son plan était si bon qu'il a gagné la seconde place à la compétition des plans d'affaires organisée par le bureau du Trésor de la ville de Chicago et une consultation gratuite d'une équipe de six étudiants en MBA de l'université de la Graduate School of Business de Chicago.

Pour son plan, Cox a effectué des recherches sur les usages présents et futurs d'Internet dans l'immobilier, mis en évidence le type de contenu (données, documents et outils) qu'il utiliserait pour attirer les utilisateurs, et estimé les coûts pour réunir le contenu et créer le site Web. S'il devait écrire de nouveau son plan, il explique qu'il "parlerait plus aux clients, aux agents et aux brokers". Cox continue de réécrire des sections de son plan une fois par an. "C'est toujours en changement dans mon esprit", il note, "car il me vient toujours de nouvelles idées de services tandis que le marché évolue".

Cox met en garde les nouveaux venus sur l'estimation du coût de leur site Web et sur les plannings de développement dans le cadre de la rédaction de leurs plans d'affaire. "Triplez n'importe quelle estimation donnée par des développeurs de logiciels, et doublez au moins le temps qu'il vous faudra pour créer votre site Web ou votre application. Il m'a fallu sept tentatives pour trouver un développeur hors du commun."

Chapitre 3

Vos premiers pas vers une présence en ligne

Dans ce chapitre :

▶ Définir le succès de la conception d'un site Web.

▶ Organiser vos plans de site.

▶ Le faire vous-même ou le faire bien ?

▶ Trouver les personnes pour faire ce que vous ne pouvez pas.

▶ Communiquer sur vos attentes.

▶ Baptiser votre site.

Si vous avez terminé vos devoirs sur les objectifs marketing (voir Chapitre 2), vous êtes prêt pour créer – ou re-créer – votre site Web pour votre plus grande gloire. De nombreux entrepreneurs font l'erreur de concevoir leur site Web comme un projet distinct, indépendant du marketing et de la force de vente, même quand ils ont une boutique en ligne. En réalité, la conception d'un site est inextricablement liée à toute décision que vous pouvez prendre dans le domaine du marketing.

Dans ce chapitre, vous allez vous familiariser avec trois caractéristiques de la conception gagnante d'un site Web : un site qui attire de nouveaux visiteurs, un site qui les conserve, un site qui les fait revenir. Vous verrez comment écrire un *index de site* (une table des matières pour votre site) permet de structurer le processus de développement.

J'explique l'importance cruciale de la sélection des bons prestataires pour donner corps à votre vision dans le cyberspace. Vous verrez comment un *appel d'offres* peut vous aider à communiquer sur vos besoins techniques et marketing efficacement auprès des développeurs potentiels ainsi qu'à évaluer la pertinence de leurs réponses. Si votre budget est limité, je vous recommande de vous adresser à un hébergeur de solutions paramétrables par templates plutôt que d'opter pour un site totalement sur mesure. Vous apprendrez aussi comment choisir un bon nom de domaine.

Comprendre ce que votre site doit accomplir

Un site de business doit réussir sur plusieurs plans pour faire venir un prospect ou un visiteur dans votre orbite marketing. S'il n'attire pas l'attention, il n'y aura aucune chance pour que les visiteurs se souviennent de votre site. Sans un solide contenu, les visiteurs n'auront pas de raison de rester sur votre site assez longtemps pour réaliser ce que vous pouvez leur offrir et combien vous êtes exceptionnel. Et sans raison pour revenir, les visiteurs n'auront peut-être jamais assez confiance pour acheter vos marchandises ou vos services. Le Chapitre 4 traite de la conception d'un site dans le détail, mais la rapide introduction qui suit peut vous aider.

Attirer l'attention du visiteur

Vous n'avez que quatre secondes – c'est vrai – pour faire une première impression. Ce n'est pas assez de temps pour que le visiteur lise votre contenu ; c'est seulement assez de temps pour que notre cerveau reptilien réagisse à la couleur, à l'agencement, à la conception, à la navigation (éventuellement) et peut-être un gros titre. Si vous n'avez rien attrapé dans votre cyberfilet au bout de quatre secondes, c'est que le poisson est parti, probablement pour ne jamais revenir. Par exemple, Jetset Charter (www.jscharter.com), représenté sur la Figure 3.1,

accroche l'attention des visiteurs avec un défilé de photos, chacune
d'entre elles répétant subtilement le "swoosh" du logo. Le "swoosh"
persiste comme élément graphique dans le graphisme du titre des
pages secondaires, tandis que l'icône de l'avion y fait écho sous la
forme de tirets d'énumération décoratifs.

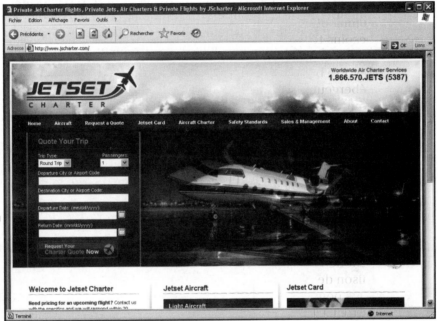

Figure 3.1
Le site de Jetset
Charter permet
de comprendre
rapidement le
concept mis en
œuvre.

Avec l'aimable autorisation de Jetset Charter.

Les polices, l'image, les activités, tout sur le site doit attirer le public
que vous cherchez à atteindre. Vous ne devriez pas utiliser de couleurs
criardes sur un site qui vend des urnes funéraires pour animaux domestiques, ni des couleurs pastel sur un site destiné aux adolescents. Un
site high-tech en argenté et noir a une apparence très différente de celle
d'un site qui vend du décorum country avec des nappes en vichy. Un
site qui vend des produits de haut de gamme doit exhiber (beaucoup)
d'espace vide pour paraître riche ; un site de discount doit être
surchargé d'images. C'est pourquoi je recommande de trouver un designer qui s'y connaît en communication marketing.

Conserver les visiteurs

Stickiness, littéralement le caractère gluant, tel est le terme technique qui désigne la capacité à conserver les visiteurs sur un site. Si vos visiteurs moyens consultent moins de deux pages sur votre site ou restent moins de 30 secondes, la plupart ne voient que votre page d'accueil et partent en courant (voir le Chapitre 14 pour plus d'informations sur les statistiques de fréquentation). Vous avez besoin d'une cybercolle. Dans l'idéal, il faut que le visiteur moyen visualise au moins trois pages et reste sur le site quelques minutes. Autrement, il n'aura pas assez passé de temps pour comprendre ce que vous proposez.

Pour rendre votre site gluant, travaillez sur le contenu, les appels à l'action, les choses à faire, les médias à télécharger, l'interaction avec les éléments du site. Chaque action entreprise par les utilisateurs, chaque clic qu'ils font doit les lier de manière kinesthésique à votre site. Par exemple, Mommysavers.com (décrit dans l'encadré ci-dessous et sur la Figure 3.2) est notoirement gluant, ce qui le rend particulièrement séduisant auprès des annonceurs.

Figure 3.2 Mommy savers propose à l'utilisateur des dizaines de bonnes raisons de coller au site : des forums, des blogs, des coupons, et des pages de conseil.

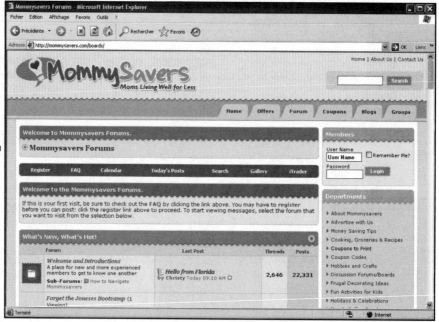

Avec l'aimable autorisation de MommySavers.com.

Mommysavers.com : plus que gluant, poisseux

Le jour où elle a quitté la maternité, Kimberly Danger a commencé à chercher des conseils d'économie pour faire face à son nouveau mode de vie. Frustrée de ne pas trouver une source unique d'informations, elle a décidé de créer le site Web de ses rêves. Elle a appris par elle-même à concevoir des pages Web, et elle a lancé une version de 20 pages de Mommysavers.com en avril 2000.

En 2007, le site comptait plus de trois millions de pages vues par mois et une moyenne Alexa de 8,4 pages vues par visiteur et par jour. La vision de Danger – et son diplôme de marketing de l'État du Minnesota – lui ont permis de faire de Mommysavers l'une des destinations préférées des mamans en quête d'économies.

Depuis, elle a révisé la conception du site au moins quatre fois et elle a essayé plusieurs formats de forums avec l'assistance d'une entreprise spécialisée dans leur conception. "Nos forums ont connu l'essentiel de leur croissance ces quatre ou cinq dernières années", explique Danger. "Les membres peuvent poser leurs questions et avoir le sentiment de faire partie d'une véritable communauté". Les forums (voir Figure 3.2) sont définitivement la partie la plus gluante du site, les 10 % des utilisateurs les plus actifs générant 90 % de son trafic.

Le site génère des revenus à l'aide de la publicité, surtout via des partenariats avec Women's Forum, un réseau de sites féminins. Le forum propose à ses partenaires de garantir de la publicité en échange d'un pourcentage des rentrées générées par cette dernière. Ayant décidé que le pay-per-click (paiement au clic) et que les publicités en ligne n'étaient pas assez rentables, Danger génère du trafic via les moteurs de recherche, l'optimisation de pages, les articles partagés en échange de liens entrants, les relations publiques. Danger accorde souvent des interviews et produit des articles lorsque les médias recherchent une "experte de la frugalité".

"Donnez à vos lecteurs un bonne raison de revenir sur votre site", conseille-t-elle à ceux qui tiennent des sites. Pour Mommysavers, cela signifie non seulement les forums, mais aussi de fréquentes mises à jour sur les dernières ristournes pour faire revenir les visiteurs.

Faites-les revenir pour plus encore

Enfin, la recherche montre que de nombreuses personnes n'achètent pas à leur première visite sur le site. Quelques-unes utilisent simplement le site pour effectuer une recherche avant de faire un achat dans un vrai magasin. D'autres font des recherches sur plusieurs sites afin de comparer les prix, mais elles ne reviennent que si elles ont une bonne raison de le faire. Le site AustinTexas.org, très riche en médias (voir Figure 3.3), donne à ses visiteurs de nombreuses raisons de revenir : des séduisants clips de musique à l'agenda des activités, en passant par la possibilité de créer son itinéraire personnel.

Figure 3.3
AustinTexas.org,
produit par
l'Austin
Convention and
Visitors Bureau,
fait revenir les
touristes et les
locaux pour en
savoir plus sur
les derniers
évènements.

Avec l'aimable autorisation d' Austin CVB.

Faire évoluer votre site pour tenir compte de l'intérêt des visiteurs

Désolé de jouer les porteurs de mauvaises nouvelles, mais les clients n'ont rien à faire de *vous*. Ils ne pensent qu'à eux-mêmes ! Pour conquérir un marché, un site Web doit clairement annoncer ce que vous pouvez faire pour le visiteur, et non pas expliquer pourquoi vous vous êtes lancé dans le business ou quels sont vos produits, vos endroits, vos films favoris (gardez tout cela pour votre blog !).

Tout au long de ce livre, vous trouverez des techniques pour vous assurer que votre site Web répond à tout instant à la question : "Qu'est ce que ce site contient pour moi ?" Tant que les visiteurs passent du bon temps, qu'ils trouvent des informations utiles, qu'ils localisent des produits et des services qui les attirent, ils resteront sur votre site. Aussitôt qu'ils n'y voient plus leur intérêt, vous ne les voyez plus.

Vous proposez des avantages aux clients via des graphismes, du contenu, de l'interactivité – et du texte séduisant. Représenté sur la Figure 3.4, BetterPhoto.com, que vous trouverez sur `www.better-photo.com/sites4photogs/free-photo-gallery.asp`, utilise des annonces d'avantages et des appels à l'action (des verbes à l'impératif) pour faire connaître au visiteur les bénéfices qu'il pourra tirer d'une adhésion, plutôt que de parler des fonctionnalités.

Verbes à l'impératif

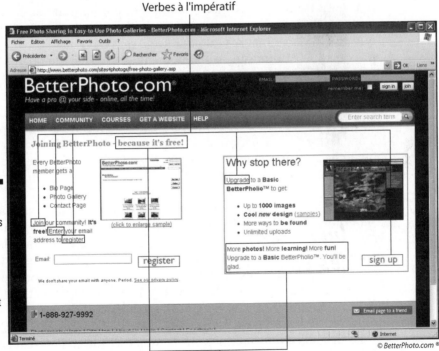

Avantages

Figure 3.4
BettePhoto.com utilise des appels à l'action et plusieurs annonces d'avantages pour répondre très exactement à la question : "Qu'est-ce que ce site contient pour moi ?"

Qu'est-ce que ce site contient pour moi ? Répondez à la question à chaque étape, et votre site Web fonctionnera comme par magie.

Créer un index de site

Un index de site préliminaire vous aidera à rassembler toutes vos idées. Souligner – comme vous l'avez appris en primaire – est l'une des méthodes les plus faciles pour organiser le contenu d'un site. Comme vous pouvez le constater sur l'index du site factice SillySox.com représenté sur la Figure 3.5, la navigation de plus haut niveau, celle qui apparaît dans le menu principal, correspond aux chiffres romains. Les pages secondaires apparaissent en lettres majuscules, tandis que les pages de troisième niveau apparaissent en chiffres arabes.

Organisez l'index de votre site stratégiquement, les informations les plus importantes relatives à chaque élément figurant au début de la section consacrée à ce dernier. Confrontez ensuite l'index aux objectifs que vous avez énumérés au Chapitre 2 (si vous avez sauté ce chapitre, pas de souci ! Retournez-y simplement et revenez quand vous avez établi vos objectifs). Continuez de modifier l'index jusqu'à ce qu'il reflète les objectifs marketing que vous vous êtes assignés. N'oubliez pas d'inclure toutes les fonctions particulières dont l'utilisateur aura besoin, comme une page Nous contacter, un formulaire pour s'abonner à une lettre d'information, des lecteurs audio/vidéo. L'index du site peut changer après une discussion avec votre développeur durant le processus de développement.

L'ordre dans lequel les éléments de navigation apparaissent à l'écran est crucial. L'œil du visiteur est accroché par l'angle supérieur droit. Placez ici l'action la plus cruciale, celle que vous souhaitez que votre public entreprenne en priorité. L'angle supérieur gauche est le second endroit important. Les activités les moins importantes occupent le milieu de la liste des activités dans l'encadré gauche ou dans le milieu de la navigation horizontale qui traverse le haut de l'écran. L'écran représenté sur la Figure 3.6 reflète l'index de la Figure 3.5. Le Chapitre 4 contient plus d'informations sur la manière dont il faut placer des éléments pour maximiser l'efficacité du marketing ; le Chapitre 5 explique comme choisir ces emplacements pour maximiser les ventes.

L'index de votre site est aussi important que l'outil de planification pour votre planning et votre budget. Dans votre appel d'offres, l'index

Exemple d'index de site pour SillySox.com (fictif)

Navigation supérieure

(de gauche à droite, les éléments en haut à droite étant les plus importants)z

I. Accueil

II. A propos

    A. Liens

    B. Publicitaires

        1. Trafic et public

        2. Kit média

III. Mes chaussettes

    A. Jeu d'enfant 1 (concours de coloriage de chaussettes)

    B. Jeu d'enfant 2 (suivez les empreintes)

    C. Jeu d'enfant 3 (le pays des chaussettes perdues)

IV. Inscrivez-vous pour être informé de nos offres promotionnelles

Navigation gauche

(de haut en bas, les éléments en haut étant les plus importants)

V. Recherche sur le site

VI. Consultez notre catalogue

    A. Chaussettes pour femmes

        1. Chaussettes montantes

        2. Chaussettes basses

        3. Chaussettes étroites

    B. Chaussettes pour enfant

        1. Chaussettes montantes

        2. Chaussettes basses

        3. Chaussettes pour bébé

    C. Lacets

    D. Accessoires

        1. Décoration pour les cheveux

        2. Echarpes

VII. Support client

    A. Emballage et transport

    B. Politique de retour

    C. Méthodes de paiement

    D. Données privées

VIII. Contactez-nous

Figure 3.5
Exemple d'index
de site pour
SillySox.com
(fictif)

doit avoir un impact déterminant sur les réponses que vous recevrez. Vous pourrez ultérieurement convertir l'index du site en tableaux pour conserver la trace des pages qui doivent être écrites, des pages pour lesquelles vous devez trouver des photographies, des pages qui sont terminées.

Figure 3.6 comme l'acquisition d'adresses e-mail est considérée comme l'activité marketing la plus importante pour SillySox.com, cette fonction apparaît dans le coin supérieur droit de la navigation.

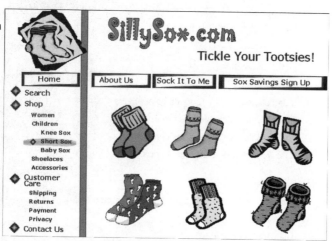

© 2008 Watermelon Mountain Web Marketing www.watermelonweb.com

Décider qui va concevoir votre site

L'oracle de Delphes était célèbre pour dire "connais-toi toi-même". La conception d'un site Web renforce la nécessité de se connaître soi-même. Soyez honnête sur vos compétences. Etes-vous un fondu de programmation ? Un photographe talentueux ? Un écrivain à succès ? Rêvez-vous d'animations Flash, de JavaScript, de Web ? Non ? Alors la conception de votre propre site Web n'est probablement pas votre point fort. Mais ne soyez pas dur avec vous-même, car à l'exception de Léonard de Vinci, s'il se réincarnait au XXIème siècle, tout le monde a besoin d'une certaine aide pour développer un site Web.

En tant que chef d'entreprise nourrissant une passion pour l'excellence, ou en tant que personne désignée pour accompagner le développement du site Web de l'entreprise, votre job est celui du *producteur*, et non celui du directeur de la création ou du directeur technique. C'est la sagesse, et non la faiblesse, qui vous pousse à concentrer vos forces sur la gestion de l'entreprise, déléguant la réalisation à d'autres. En tant que producteur, vous sélectionnez l'équipe et vous coordonnez ses efforts, vous les entourez quand des problèmes inévitables surviennent, vous répondez à leurs questions sur le marketing, vous résolvez les conflits avec votre sens aigu des affaires, vous organisez les festivités quand le site est mis sur les rails.

Comprendre pourquoi vous ne pouvez pas faire tout vous-même

En plus de prévoir le contenu, de gérer les fonds, de vous occuper du marketing, vous voudriez vous former au HTML, à PHP et à JavaScript, à la programmation de bases de données, à Dreamweaver, à FrontPage, à la communication marketing, à l'écriture, à la photographie, à la conception graphique, le tout en six semaines ? Vous rêvez de gagner le Tour de France, ou vous vivez simplement dans l'illusion que vous pourriez ainsi économiser de l'argent ? Oubliez tout ça !

À moins d'être un concepteur de site Web professionnel, ne faites pas tout vous-même ; c'est la plus grosse erreur que vous puissiez faire. Jouer avec votre site Web personnel est une chose ; créer un site Web de business réussi est un travail de pros. Laisseriez-vous quelqu'un sans expérience concevoir vos publicités, décorer la vitrine de votre boutique, servir vos clients, acheter des marchandises à d'autres vendeurs ou négocier des contrats ? Alors pourquoi confier votre site Web à un novice ?

Les novices peuvent être : des amis, des voisins, des enfants, des parents, à moins qu'ils n'aient une expérience de la création de sites Web comme activité professionnelle. Et même alors, traitez ces personnes comme vous traiteriez n'importe quel autre professionnel – écrivez un contrat pour que vos attentes soient clairement exprimées et comprises. Croyez moi, un contrat ne vous préservera pas seulement de la déception ; il peut aussi sauver votre relation.

Le temps, c'est de l'argent ! Un amateur qui fait des sites Web comme activité complémentaire et qui prend trois à quatre fois plus de temps qu'un professionnel finira par vous coûter toutes vos opportunités marketing et toutes vos ventes, ainsi que de l'argent.

Décider qui va concevoir votre site, c'est une décision stratégique. Comment votre site pourrait-il s'imposer s'il apparaît trop clairement fait avec les moyens du bord, avec des liens qui ne fonctionnent pas, alors que les sites de vos compétiteurs ont une apparence professionnelle et qu'ils fonctionnent à merveille ? Si les sites de vos compétiteurs sont aussi pauvres que le vôtre, ce ne sera pas un problème, mais pourquoi rater une occasion de prendre l'avantage ?

Utiliser un template professionnel pour créer votre site

Vous vous souvenez de l'époque où les premiers outils de publication pour ordinateur personnel sont sortis ? Des utilisateurs en rien doués distribuaient des lettres d'information qui ressemblaient à des catalogues de polices de caractères, utilisant presque tous les styles qui pouvaient exister. Les lettres d'information qui en résultaient étaient presque illisibles. Vous pouvez éviter que cela survienne sur votre site Web en recourant à un *template* (un modèle) professionnel.

Les templates ne sont pas aussi flexibles qu'un site personnalisé, mais ils peuvent vous permettre d'économiser de l'argent tout en garantissant une unité graphique. Vous pouvez lancer un site basé sur un template rapidement, en étant certain que la navigation fonctionnera. Le template prenant en charge la conception graphique et la programmation, cela vous permet de vous concentrer sur le contenu.

Pensez aux templates comme à l'équivalent de fournitures que vous achèteriez dans un magasin de fournitures de bureau. Vous pouvez louer les services d'un graphiste pour réaliser un travail sur mesure, ou alors vous pouvez commander du papier à en-tête et des cartes de visite en faisant votre choix dans le catalogue du magasin, non sans pouvoir personnaliser le papier et les couleurs. En termes plus propres au Web, vous sélectionnez un template avec sa navigation et vous le personnalisez avec vos couleurs, votre logo, votre texte et vos photographies (je discute de la manière de sélectionner des templates pour des boutiques en ligne au Chapitre 5).

Si vous ne pouvez pas vous offrir un design sur mesure lorsque vous commencez, utilisez un template stratégiquement, c'est-à-dire pour occuper l'espace. Investissez votre argent dans le marketing pour créer une présence sur le Web et générer des revenus. Plus tard, vous pourrez rénover le site avec les bénéfices que vous aurez engrangés.

Du choix, du choix ! Vous pouvez choisir des templates en fonction de trois facteurs : le coût, la personnalisation et les compétences requises :

> ✔ **Sélectionnez une solution clé en main qui tient compte de vos choix en termes de design, d'hébergement, et d'autres critères spécifiques à vos besoins**. C'est l'option la plus simple et généralement la moins onéreuse. L'inconvénient, c'est que les solutions clé en main sont généralement moins flexibles. Si vous le souhaitez, vous pouvez louer les services d'un designer pour vous conseiller sur le choix des couleurs ou modifier un peu le template. La Figure 3.7 montre le site E-Z PATCH créé avec un template d'Allwebco (`www.allwebcodesign.com`).

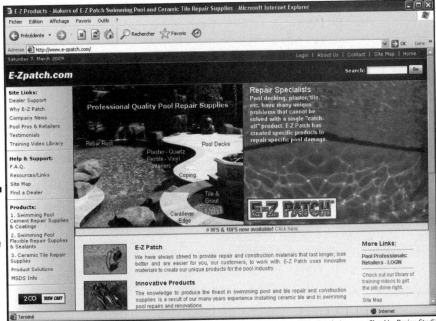

Figure 3.7
E-Z PATCH personnalisé avec un template d'Allwebco Design pour créer un site de presque 200 pages (www.e-zpatch.com).

Avec l'aimable autorisation d'Allwebco http://allwebcodesign.com ; Chuckies Design Studio http://chuckies.com ; E-Z PATCH est une marque déposée.

✔ **Achetez un template dont le design est spécifique à votre secteur d'activité et téléchargez-le sur un hôte que vous avez sélectionné séparément.** Cela requiert plus de connaissances et de compétences.

✔ **Louez les services d'une entreprise qui est spécialisée dans un certain secteur d'activité, à ce titre susceptible de vous proposer une sélection de templates parmi lesquels vous pourrez faire votre choix.** C'est une option plus onéreuse que les deux autres, mais elle prend moins de temps et elle coûte moins cher qu'un design totalement sur mesure.

Le Tableau 3.1 recense quelques-unes des nombreuses offres de templates disponibles sur des sites qui s'adressent à plusieurs secteurs d'activité et de sites qui s'adressent à quelques secteurs verticaux. Faites une recherche Internet sur *Web templates pour [votre secteur d'activité]* (comme la restauration, l'édition, etc.) pour trouver d'autres alternatives.

Parfois, Dreamweaver et d'autres logiciels de conception de sites Web fournissent des templates déjà finis que vous pouvez retravailler avec ces programmes.

Tableau 3.1 : Quelques types de templates.

Type de sites réalisés	URL	Hébergement (O/N)
Artists	www.foliolink.com	O
B&B/Hotels	www.alaskainnkeeper.com/website-templates.htm	O
B&B/Hotels	www.lynda-design.com/htm/2208.htm	N
Construction	www.visionwebservices.com/solutions/construction/webservices.php	O
Dentistes	www.dentalwebsitemarketing.com	O
Avocats	http://legalwebdesigner.com	O
Musiciens	www.qesign.com/products/website-templates/entertainmentsite-template.shtml	O

Tableau 3.1 : Quelques types de templates. (*suite*)

Type de sites réalisés	URL	Hébergement (O/N)
Musiciens	`www.musicaladvantage.com/webtemplates.htm`	O
Vétérinaires et animaux	`www.templateshunt.com/template.php?id=8066`	O
Photographes	`www.betterphoto.com/sites4Photogs.asp`	O
Immobilier	`http://corporate.homes.com/agentsWebsite.cfm`	O
Immobilier	`www.realestatelaunch.biz`	O
Restaurants	`www.menupalace.com/internetservices/websiteshtml.aspx`	O
Multiple	`http://allwebcodesign.com/setup/graphiX.htm`	O
Multiple	`www.creatingonline.com`	O
Multiple	`http://gowebsite.com/WebsiteTonight.html`	O
Multiple	`www.perfectory.com/search.htm`	O
Multiple	`www.templatemonster.com`	N
Multiple	`www.websitesource.com`	O

Opter pour les services de professionnels du Web

Si vous êtes décidé à investir dans les services d'un professionnel de la conception de sites Web, vous devez trouver le bon designer en fonction de vos objectifs.

Décider de l'expertise dont vous aurez besoin

Pour la plupart des sites de business, il est recommandé de sélectionner des designers qui ont un background dans la communication marketing, et pas seulement dans la programmation et le graphisme. Votre développeur doit pouvoir concevoir votre site en pensant à votre marché-cible, être acculturé à la problématique de conquête de marché d'un business, être assez doué pour accomplir toutes les tâches de programmation. N'importe quel concepteur ne fait pas l'affaire pour n'importe quel business. Partant, il devra éventuellement se faire assister d'une équipe pour satisfaire les besoins spécifiques que vous avez exprimés dans votre appel d'offres, décrit plus loin dans ce chapitre.

Le designer n'est que l'un des nombreux professionnels dont vous aurez peut-être besoin, comme vous pouvez le constater en consultant cette liste :

- ✔ Designer/développeur Web.

- ✔ Designer graphique.

- ✔ Illustrateur.

- ✔ Photographe.

- ✔ Expert du merchandising.

- ✔ Spécialiste de la vidéo.

- ✔ Ingénieur du son.

- ✔ Animateur (Flash, réalité virtuelle).

- ✔ Agence de publicité.

- ✔ Spécialiste du marketing en ligne.

Les développeurs assez performants peuvent vous aider dans toutes les tâches de la liste précédente. À défaut, ils pourront faire appel à de la sous-traitance, ce qui vous évitera de rechercher des prestataires par vous-même. Au minimum, ils pourront vous recommander une liste de prestataires.

La plupart des petits business ne peuvent pas s'offrir les services de tous ces professionnels. Décidez des aspects de votre site qui sont les plus importants pour garantir son succès marketing. Par exemple, les boutiques en ligne et les sites de tourisme dépendent de photographies de haute qualité. Un site riche en contenu nécessite toujours une bonne plume, tandis qu'un site multimédia peut requérir un animateur, un spécialiste de la vidéo, un ingénieur du son. Mettez les priorités en sous-traitant ce qui est le plus critique, et faites de votre mieux avec le reste.

Trouver de bons prestataires dans votre région

Trouver des professionnels qualifiés, c'est comme trouver un bon fournisseur d'accès Internet : rien ne pourra battre la valeur d'une bonne recommandation. Prenez le temps de passer en revue les portfolios en ligne des designers et autres professionnels pour vous assurer que vous appréciez leur style et pour valider leur talent. Mettez en rapport leurs compétences et leurs expériences avec les besoins spécifiés dans votre appel d'offres (je rentre dans les détails de l'appel d'offres dans la section suivante "Ecrire un appel d'offres").

Vérifiez toujours les références – pas seulement celles que les prestataires vous donnent, mais aussi celles que vous choisirez au hasard dans leurs portfolios. Vous pouvez aussi faire votre choix dans un répertoire de prestataires, par exemple parmi ceux recensés dans le Tableau 3.2. Des professionnels s'inscrivent d'eux-mêmes ou paient pour figurer dans ces répertoires, si bien qu'un listing ne donnera pas forcément d'informations sur leur qualité ou leur adéquation à vos besoins.

Tableau 3.2 : Des répertoires de prestataires de service Web.

Nom	URL	Types de prestataires listés
Freelance Designers	`www.freelancedesigners.com`	Designers publicitaires, designers Flash, graphistes, photographes, experts des moteurs de recherche, experts de la vidéo, designers Web, développeurs Web, pigistes
Design Firms	`www.designfirms.org`	Designers Flash, designers graphiques, experts vidéo, développeurs Web
Web Design Directory	`www.designdir.net`	Designers publicitaires, graphistes, marketers Internet, entreprises de relations publiques, designers Web, hébergeurs Web

---

Tableau 3.2 : Des répertoires de prestataires de service Web. (*suite*)

Nom	URL	Types de prestataires listés
Webdesign Finders	http:// www.webdesignfinders.net	Répertoire des entreprises de conception de sites Web aux US, par état
Xemion	www.xemion.com	Entreprises de conception de sites Web et indépendants

---

Voici d'autres moyens pour trouver de bons professionnels du Web :

- ✔ Si vous avez conservé dans vos favoris les sites que vous aimez depuis que vous avez lu le Chapitre 1, commencez par approcher ceux qui les ont réalisés.

- ✔ Voyez qui a réalisé les sites de vos concurrents.

- ✔ Demandez à un club d'entrepreneurs les noms des prestataires auxquels les membres ont recours.

- ✔ Recherchez sur les sites Web d'associations locales ou régionales de professionnels du Web.

Généralement, vous en avez pour votre argent ! Vous pouvez payer très cher quelqu'un qui n'est pas capable, mais vous ne pouvez pas payer une misère quelqu'un qui est vraiment bon dans ce qu'il fait.

Ecrire un appel d'offres

Vous ne pouvez pas acheter un site Web sur mesure comme vous achetez une paire de chaussures ou une séance de massage. Les gens écrivent un *appel d'offres* pour recueillir les propositions de différents prestataires de service pour la réalisation d'un ensemble de tâches.

L'écriture d'un appel d'offres peut être aussi formelle ou informelle que vous le souhaitez. Plus complexe et plus onéreux est le site, plus vous voudrez vous engager dans le formalisme, peut-être en mobilisant une équipe pour évaluer les réponses et conduire des entretiens avec les prestataires qui vous répondent.

L'appel d'offres, avec ses modifications négociées, peut être inclus au contrat. Une page d'introduction d'un appel d'offres fictif est présentée dans l'encadré "Un exemple d'appel d'offres pour SillySox.com (fictif)".

Les éléments d'un bon appel d'offres

Un bon appel d'offres explicite vos attentes marketing et vos besoins pour le site de manière concise. Il comprend souvent :

- Une lettre d'introduction, explicitant une méthode et précisant une date pour répondre.

- Un résumé des objectifs et des marchés-cibles pour le site.

- Une liste des fonctionnalités souhaitées, de la taille du site et autres détails.

- Un premier jet de l'index du site reprenant quelques idées essentielles.

- Une liste de services spécifiques souhaités.

- Un échéancier pour le développement.

- De l'information sur la manière et la date à laquelle les réponses seront étudiées.

Concevoir un échéancier pour le développement

N'oubliez pas d'inclure un échéancier pour le développement dans votre appel d'offres. Une date fixée pour un salon, une présentation, un cycle de vacances vous impose des délais pour rendre votre site disponible au public et en faire la promotion pour générer du trafic.

Sans une date butoir, le site ne sera jamais terminé. Un échéancier raisonnable allouera la moitié du temps à la planification et au développement du contenu, un quart du temps à la programmation et à

Un exemple d'appel d'offres pour SillySox.com (fictif)

SuperSillyStuff Inc., qui produit et commercialise une nouvelle ligne de vêtements, vous invite à répondre à l'appel d'offres pour le développement et l'hébergement d'un nouveau site Web de e-commerce : www.sillysox.com. Ce nouveau site commercialisera essentiellement une nouvelle ligne de chaussettes pour femmes et pour enfants, ainsi que des accessoires et des lacets associés.

Le public principalement visé pour ce site est constitué de femmes âgées de 18 à 35 avec des enfants et un statut socio-économique moyen. L'audience secondaire est constituée des femmes de 18 à 65 ans qui achètent des cadeaux. L'objectif du site est fixé à 1 000 euros de revenus bruts mensuels après 6 mois, et de 3 000 euros mensuels après 12 mois. Les chaussettes seront vendues par 2 à 4 paires de 10 euros, selon les tailles et le design. Les chaussettes de vacances et les écharpes seront vendues 8 euros, et les lacets et les décorations pour les cheveux seront vendus de 2 à 5 euros. Un montant d'achat minimal est fixé à 10 euros. Votre réponse doit comporter :

- Huit pages de HTML avec un système de gestion de contenu pour permettre une mise à jour facile.

- Une méthode d'abonnement à une lettre d'informations.

- Des bannières internes pour annoncer les produits, les promotions, les emballages gratuits pour les cadeaux, et tout autre type d'information.

- Un catalogue de 100 objets différents avec du texte, des photos, des prix et un inventaire qui peut être mis à jour sans support technique. Un choix de tailles et de couleurs devrait être accessible via des listes déroulantes.

- Un serveur sécurisé pour les transactions. Il doit comprendre un système pour éviter que les enfants trop jeunes soient en mesure de passer commande.

- Un jeu complet de statistiques de ventes et de trafic, un hébergement à l'année, une heure de maintenance par mois.

La boutique en ligne doit utiliser un générateur prépackagé de boutiques comprenant un catalogue, un panier d'achats et un comptoir avec un traitement en temps réel de la carte de crédit. Notre designer fournira les éléments de la conception graphique, sujets à modification, pour le Web. Nous fournirons toutes les photos numériques, le texte et les balises meta. Un autre prestataire aura la charge de la promotion sur le Web, dont le référencement auprès des moteurs de recherche. SuperSillyStuff, Inc. sera le propriétaire de tous les droits relatifs au site et au code produit pour ce dernier. L'appel d'offres complet contient le détail du travail, un index du site, un questionnaire de référence, les critères de sélection, une liste des sites des concurrents. Faites-nous savoir sous 4 jours si vous comptez répondre.

Un exemple d'appel d'offres pour SillySox.com (fictif) (*suite*)

- ✔ Dépôt des offres sous format électronique03/05 (à sales@sillysox.com)

- ✔ Entretiens10/05

- ✔ Sélection des développeurs17/05

- ✔ Réunion de préparation des développeurs24/05

- ✔ Remise des spécifications16/06

- ✔ Conception finale30/06

- ✔ Site prêt pour le test15/08

- ✔ Lancement du site07/09

© 2008 Watermelon Mountain Web Marketing www.watermelonweb.com

---

l'alimentation du site en contenu, et un dernier quart du temps au test et à la validation.

Alors que vous pouvez lancer de petits sites à base de templates rapidement, il est raisonnable de prévoir au moins trois mois pour des sites sur mesure. Le facteur déterminant dans l'échéancier ne sera vraisemblablement pas votre développeur, mais le temps qu'il faudra pour préparer le contenu idoine pour le site. Attendez-vous à pas mal d'allers-retours durant le processus de design et d'approbation.

Tout prendra deux fois plus d'heures de travail que la plus optimiste de vos prévisions, et tout cela vous en coûtera au moins le double !

Savoir ce que vous pouvez attendre de votre développeur

Après vous avoir posé une série de questions, portant entre autres sur les sites que vous aimez et que vous détestez, la plupart de développeurs Web vous livreront plusieurs essais de composition qui permettent de se faire une idée de l'apparence générale du site. Ils concevront ensuite dans le détail les diverses pages en fonction de l'apparence que vous avez retenue. Ce n'est qu'après que vous aurez approuvé le design que le développeur commencera à programmer. Généralement, il est plus facile et moins onéreux d'apporter des modifications durant la phase de design que durant celle de programmation. Tandis que le développeur travaille sur la programmation, vous devriez vous concentrer sur le contenu.

Trouver le bon nom de domaine pour votre site

Sélectionner ou modifier le nom de domaine (parfois appelé *URL* pour *uniform resource locator*) est une décision critique du point de vue du marketing. Le problème n'est pas seulement de rechercher un nom disponible sur Network Solutions, Register.com, BuysDomain.com ou tout autre site d'enregistrement. Les sections suivantes vous donnent quelques tuyaux pour choisir le bon nom pour votre site.

Comprendre ce qui fait un bon nom de domaine

Un bon nom de domaine, c'est :

- **Facile à dire à quelqu'un**. Rien de plus pénible que de dire "chiffre" avant de citer un chiffre dans une URL, ou de dire "barre de fraction" ou "tiret". Sans compter que les gens ont du mal à trouver le caractère barre de fraction sur un clavier. Quant aux tirets, bien qu'ils soient autorisés dans les noms de domaine, mieux vaut les éviter pour éviter toute confusion.

- Facile à comprendre à la radio et au téléphone. La prononciation ne doit pas générer d'ambiguïtés dans la manière d'orthographier, comme par exemple c/ss. Si vous faites du commerce avec d'autres pays, les ambiguïtés peuvent être différentes qu'en français, comme b/v en espagnol et r/t en japonais.

- **Facile à épeler**. Utiliser des homonymes peut être une solution futée pour contourner un concurrent qui détient un nom de domaine que vous auriez souhaité ; cependant, l'ambiguïté fera que vous risquez de générer du trafic tant sur votre site que sur celui de votre concurrent. Pour cette raison, évitez les mots étrangers, les mots qui sont délibérément mal épelés simplement parce qu'ils sont disponibles (par exemple, *chossete* plutôt que *chaussette*), les mots qui sont fréquemment mal épelés.

✔ **Facile à saisir.** Plus une URL est longue, plus vous avez de chance de faire une erreur de frappe. Votre nom de domaine peut faire 59 caractères, mais les utilisateurs peu expérimentés font une faute de frappe tous les 7 caractères !

✔ **Facile à lire et à imprimer dans les publicités en ligne.** Vous pouvez insérer des majuscules ou utiliser des couleurs diffé-rentes pour des noms de domaines composés afin de les rendre plus faciles à lire. Veillez cependant à ce que votre nom de domaine se lise facilement en noir et blanc, ainsi que dans un logo si vous en concevez un.

✔ **Facile à lire dans une barre d'adresse.** Vous ne pouvez pas utiliser de couleurs ou de majuscules pour distinguer les parties d'un nom composé ou d'un acronyme dans une barre d'adresse ou dans les champs de saisie d'un moteur de recherche. Selon les polices que l'utilisateur a imposées à son navigateur, les lettres m, n ou r juxtaposées (mrnrnm) peuvent se révéler très difficiles à distinguer, tout comme les caractères l/i (lililil), ou les combi-naisons de chiffres/lettres telles que 1/l ou O/0.

✔ **Facile à retenir.** Les mots ou les phrases sont plus faciles à retenir que les séquences de lettres qui forment un acronyme, à moins que votre public-cible ne connaisse déjà l'acronyme parce que ce dernier a fait l'objet d'un branding intensif. Votre nom de domaine peut être (mais ce n'est pas une obligation) le nom de votre business, à moins que vous ne bénéficiez de la réputation d'une marque bien établie.

L'une des URL les plus compliquées dont j'ai entendu parler était "1uffakind.com". L'entreprise de design qui possédait le nom voulait se distinguer de OneofaKind.com (NdT : les deux noms de domaine sont presque homophones en anglais), qui était la propriété d'une entre-prise concurrente. Le nom est mémorable, mais les annonces à la radio devaient épeler le nom de domaine "le nombre un suivi de you-eff-eff-euh point com". Ce temps précieux aurait pu servir à passer un message plutôt qu'à épeler un nom !

Restez-en à des niveaux de domaines de haut niveau (TLD, pour *top level domain*, qui désigne les premières catégories dans lesquelles les noms de domaine sont répartis) : .com pour le business, .org pour ce qui n'est pas commercial, .net pour les fournisseurs d'accès au Net. Evitez les domaines de haut niveau tels que .info, .biz, les TLD de pays étrangers ou tous les nouveaux TLD génériques (comme .nyc pour New York City) que l'ICANN (l'association qui gère les noms de domaines) a soumis à discussion en 2008, simplement pour obtenir le nom que vous souhaitez. Les gens ne s'en souviendront pas et ne retrouveront donc pas votre site.

Si votre nom de domaine comprend un nom propre qu'il est notoirement difficile d'épeler, vous pouvez acquérir aussi les noms de domaine du même TLD comportant les erreurs d'épellation les plus communes et les rediriger sur le bon site.

Ne vous ennuyez pas à prendre le même nom dans de multiples TLD, sauf si vous pensez que votre public peut être induit en confusion. Il est inutile de dépenser de l'argent pour assurer le branding de votre URL avec plusieurs extensions ; généralement, un site renvoie sur l'autre. Les seules exceptions sont les limitations imposées par la géographie ou le commerce international. Vous voudrez sans doute acheter le même nom de domaine dans plusieurs pays dotés d'un marché-cible assez conséquent, comme les pays membres de la communauté européenne ou le Japon, car vous pourrez ainsi figurer dans des moteurs de recherche nationaux.

Avec plus de 162 millions de noms de domaine enregistrés, trouver un nom peut sembler impossible. Pour vous consoler, sachez qu'il n'existe que 70 millions de .com et que de nombreux noms de domaine arrivent à expiration ou sont abandonnés.

Si votre premier choix de nom de domaine n'est pas disponible, essayez l'outil de suggestion proposé sur de nombreux sites d'enregistrement. Utilisez les noms suggérés pour réfléchir à d'autres. Tenez compte des réactions d'amis, de clients et d'étrangers sur vos options. Si vous êtes vraiment désespéré parce que votre nom n'est pas disponible, allez sur la base de données Whois sur www.networksolutions.com/whois/index.jsp ou sur tout autre site d'enregistrement de noms de domaine pour voir qui possède le nom de domaine et lui acheter. Vous pouvez aussi réserver un nom pour le cas où le propriétaire courant déciderait de ne pas le renouveler.

Renommer votre site : pour et contre

C'est toujours un défi que de renommer un site qui n'a pas une URL intéressante. Le pour, du nouveau trafic généré par le bouche-à-oreille, doit contrebalancer le contre. En l'occurrence, vous êtes exposé aux risques suivants :

- ✔ Perdre des visiteurs réguliers.

- ✔ Baisser dans le classement des moteurs de recherche.

- ✔ Perdre des liens entrants.

- ✔ Perdre la reconnaissance de votre marque.

- ✔ Des coûts supplémentaires pour les prospectus, les emballages, les documents officiels.

Ne changez de nom de domaine que si vous avez peu à perdre dans l'affaire. Un site mal classé par les moteurs de recherche, avec peu de trafic et peu de liens entrants, ne risque rien. À l'inverse, si votre marque est bien connue dans le monde réel, si vous avez largement investi dans la publicité hors ligne et si votre marque apparaît dans votre URL, restez sur votre choix initial.

Parfois, vous pouvez segmenter plusieurs domaines à des fins marketing. Consacrez le nouveau nom de domaine que vous souhaitez au commerce B2C ou à la génération de leads, et réutilisez l'ancien pour la communication institutionnelle ou le commerce B2B. Vous pouvez faire des liens entre les deux sites, si vous en avez besoin. Vous devrez alors maintenir et héberger deux sites, ce qui prend du temps et génère un coût, mais ces conséquences seront limitées en comparaison de celles auxquelles vous vous exposez si vous abandonnez purement et simplement un nom de domaine.

Si vous décidez d'abandonner votre nom de domaine primaire, demandez à votre développeur de le rediriger sur le nouveau pendant au moins quatre à six mois (voir la section suivante). Cela donnera une chance aux liens entrants, aux liens dans les images et aux moteurs de recherche de se mettre à jour. N'oubliez pas de soumettre votre nouveau nom aux moteurs de recherche et de réclamer de nouveau des liens entrants. Surtout, chaque nom de domaine a besoin d'une campagne de promotion en ligne spécifique.

Jouer avec les noms de page

Cette section risque de vous passer au-dessus de la tête ; si c'est le cas, montrez le paragraphe Machin technique à votre développeur. Lorsque vous changez de nom de domaine, rénovez votre site, supprimez une page, ou simplement déplacez une page dans un autre dossier, vous pouvez facilement frustrer les visiteurs qui ont saisi l'URL d'une page spécifique qui n'existe plus.

Généralement, les utilisateurs dans ce cas reçoivent un message 404 Page not found, et sont livrés à eux-mêmes dans le cyberespace. Plus de 99 pour cent d'entre eux se disent "oublions ça" et vont sur un autre site, ce qui vous coûte une visite, un prospect, peut-être même un client. Ce n'est pas un bon choix marketing ! Alors, qu'est-ce que le propriétaire d'un site peut y faire ?

Essayez une redirection 404 telle que http://www.apple.com/anypage. Plutôt que de se retrouver confronté à un message abscons Page not found, les utilisateurs peuvent accéder à la navigation sur le site et à un répertoire de liens qui les aide à se rendre là où ils veulent aller. Vous pouvez changer le message de redirection 404 comme vous le souhaitez. Vous pouvez le faire à l'aide d'une balise HTML meta de redirection (vous pouvez aussi le faire en JavaScript) pour laisser un temps à l'utilisateur de lire le message, ou vous pouvez le faire instantanément. Un message d'erreur personnalisé sans redirection ni liens n'est pas très utile. Quoiqu'il ne s'agisse pas de la solution la plus appréciée des moteurs de recherche, c'est l'une des techniques les plus utilisées pour venir en aide aux internautes égarés.

Une redirection 301 est une meilleure solution si le site est hébergé sur un serveur qui utilise Apache. C'est efficace, ergonomique et compatible avec les moteurs de recherche. Interprété comme "déplacé pour toujours", la *redirection 301* renvoie les visiteurs sur une page que vous désignez. Vous pouvez aussi renvoyer toute page non trouvée sur le page d'accueil par défaut. Demandez à votre hébergeur la manière dont vous pouvez mettre en œuvre la redirection 301 dans votre cas. Essayez l'une de ces références :

> ✔ www.pandia.com/sew/163-301-redirect.html
>
> ✔ www.isitebuild.com/301-redirect.htm
>
> ✔ www.webconfs.com/how-to-redirect-a-webpage.php
>
> ✔ http://websitehelpers.com/seo/redirecting.html

Ne prenez pas l'habitude de dupliquer le contenu de deux pages à deux URL différentes. Les moteurs de recherche penseront que vous essayez de les tromper, et ils vous pénaliseront.

Un autre type de redirection a une fonction marketing. De nombreuses entreprises de noms de domaine comme MyDomain.com (http://mydomain.com/domains_urlfwd.php) redirigeront un nom de domaine nouvellement acquis vers une page Web portant un autre nom et se trouvant hébergée ailleurs. C'est une solution bon marché pour rediriger le trafic d'un site d'une à deux pages que vous hébergez gratuitement chez votre FAI vers une portion de votre propre site lorsque vous réalisez une opération promotionnelle particulière. Vous pouvez utiliser le nouveau nom dans votre marketing hors ligne sans problème.

Quelques moteurs de recherche (dont Google), quelques sites de publicités pay-per-click et quelques sites de bandeaux publicitaires ne reconnaissent pas un nom de domaine qui redirige de cette manière. Ne le faites donc que pour une raison tactique, par exemple pour évaluer l'impact d'une publicité imprimée, d'une campagne de promotion, d'un salon, et uniquement durant un court laps de temps. Je présente d'autres solutions pour mesurer le trafic généré par les publicités dans les Chapitres 12 et 14.

Maintenant que vous maîtrisez les bases, vous êtes fin prêt pour jouer ! Dans les deux chapitres suivants, vous allez apprendre à concevoir un site qui va servir votre business.

Deuxième partie

Construire un site efficace sur le plan marketing

Dans cette partie...

Un site Web ne réussit pas par hasard. Cette section traite de tout le marketing mis en œuvre pour y parvenir. Si vous tenez compte de votre public et des objectifs de votre business pour concevoir les fonctionnalités et le design de votre site, vous éviterez la moitié des obstacles du marketing Web.

De l'apparence de votre site Web à la navigation en passant par le contenu et les fonctionnalités, le Chapitre 4 examine la manière dont le marketing impacte les divers éléments du design d'un site Web.

Le Chapitre 5 fait de même, en se concentrant sur les sites des entreprises qui font du commerce en ligne. Ouvrir une boutique en ligne, c'est comme ouvrir une boutique bien réelle : il faut tout autant de planification, de temps, d'argent, de maintenance et de soin. Oubliez ces publicités qui vous promettent de gagner de l'argent en restant assis derrière votre bureau !

Le Chapitre 6 traite des techniques spécifiques que vous pouvez mettre en œuvre sur votre site pour attirer de nouveaux visiteurs, les conserver sur votre site et les faire revenir régulièrement. Le marketing en ligne est plutôt bon marché. Il requiert plus de travail et de créativité que d'argent.

Chapitre 4

Produire un site de business à succès

Dans ce chapitre :

▶ Appliquer les méthodes de mailing direct aux sites Web.

▶ Evaluer les sites Web.

▶ Concevoir le design en fonction de votre public.

▶ Produire du contenu dans une perspective marketing.

▶ Créer une navigation qui attitre l'attention.

▶ Décorer un site Web pour donner corps à votre vision.

▶ Utiliser des appels à l'action efficacement.

L es sites Web à succès n'arrivent pas par hasard. Les entreprises qui disposent d'une équipe de marketing Web sophistiquée placent avec soin chaque élément à un endroit bien particulier dans une page Web, elles méditent sur chaque titre, elles réfléchissent à l'impact de chaque élément graphique et chaque photographie. Elles ne dépensent pas des milliers d'euros en se contentant d'espérer que leurs sites atteindront les objectifs marketing et commerciaux qu'elles leur fixent.

Si ces entreprises peuvent s'organiser, vous le pouvez aussi. Porter une telle attention à votre marketing en ligne peut vous prendre plus de temps, mais cela ne vous coûtera pas forcément plus d'argent.

La conception de votre site doit être guidée par les objectifs assignés à votre business et par la définition de votre public cible. Ces facteurs déterminent la manière dont un site se présentera à l'écran et comment les visiteurs navigueront dessus, ce qui est aussi appelé l'*apparence et l'ergonomie* d'un site. Ce chapitre aborde des aspects marketing valables pour n'importe quel site. Le chapitre suivant traitera plus spécifiquement des aspects marketing des boutiques en ligne à succès.

Tenez compte des objectifs de votre business, de votre liste de concurrents et de votre public cible dans la rédaction de votre appel d'offres (voir le Chapitre 3 pour plus d'informations sur les appels d'offres). Si vous avez déjà sélectionné un développeur, emportez votre planning ainsi que la liste des sites que vous aimez et celle des sites que vous appréciez à votre première réunion. Un bon développeur doit demander toutes ces informations, que vous y soyez préparé ou non.

Penser à la structure de votre site Web

Le critère le plus important pour déterminer la réussite d'un site de business, c'est de savoir s'il atteint ou non ses objectifs. Votre site n'a pas besoin d'être beau ou à la pointe de la technique du moment pour impacter positivement votre business. Le second critère le plus important, c'est de savoir si votre site fonctionne du point de vue de l'utilisateur. Plus vous permettez aux utilisateurs d'effectuer facilement ce qu'ils veulent – acheter un produit, obtenir une information, se connecter avec quelqu'un – plus votre site s'envolera vers le succès.

Utiliser AIDA pour guider les visiteurs vers des actions spécifiques

Les techniques de marketing direct sont extrêmement utiles pour encourager les utilisateurs à agir comme vous le souhaitez. Les quatre étapes standards du marketing direct (ou AIDA) s'appliquent à la structure des sites Web :

> ✔ **Attention :** attirez l'attention du visiteur par des graphismes, un titre qui accroche, des avantages mis en avant. Vous avez quatre secondes pour convaincre le visiteur qu'il trouvera quelque chose d'intéressant sur le site.

✔ **Intérêt :** générez de l'intérêt par le design du site et par sa navigation. Faites figurer des options intrigantes, qui attirent les visiteurs vers d'autres pages de votre site Web pour vous donner le temps et l'espace requis pour leur présenter vos produits, vos services et les avantages que vous proposez.

✔ **Désir :** suscitez le désir et un sentiment d'urgence pour inciter les visiteurs à passer à l'action. Si vous pensez que vos visiteurs sont presque tous prêts à acheter, affichez un `Commandez maintenant pour une livraison gratuite`. Si vous pensez qu'ils sont en train de rechercher, affichez `Marquer cette page` ou `Faire connaître ce site à un ami`. C'est délicat, mais vous pouvez pousser vos visiteurs à faire ce que vous souhaitez. Utilisez tous les outils qui vous permettent de créer du désir chez votre public : des photographies, des offres spéciales, des activités en ligne, des jeux.

✔ **Action :** Dès le départ, faites clairement comprendre ce que vous souhaitez que le visiteur fasse, qu'il s'agisse d'acheter en ligne, de passer un appel, d'envoyer un e-mail, de s'abonner à une lettre d'informations. Garantissez ensuite aux visiteurs qu'il leur sera très facile d'entreprendre ces actions.

Contrairement aux livres, les sites Web ne sont pas des médias linéaires, qui se lisent de la première à la dernière page. Les visiteurs risquent de ne pas arriver par la page d'accueil et ils peuvent passer d'une page à n'importe quelle autre. Tous les visiteurs ne veulent pas la même chose, si bien que vous devez jongler entre des appels destinés à tous les segments de votre public cible.

Évaluer votre site Web et les autres

La plupart des entrepreneurs disent : "Je ne sais rien de la conception de site Web, mais je sais ce que j'apprécie dans un site." Est-ce votre cas ? Si oui, quelques termes élémentaires peuvent vous aider à mettre les mots sur vos réactions pour évaluer plus précisément d'autres sites Web, concevoir le vôtre, communiquer efficacement avec votre designer Web et son équipe. Bien que le vocabulaire puisse varier, les cinq termes suivants permettre de couvrir les différents aspects de la conception d'un site Web :

✓ **Concept :** l'idée qu'il y a derrière le design de votre site, directement inspirée par votre marque et votre public cible.

✓ **Contenu :** tous les mots, les produits, les images, les sons, les fonctionnalités interactives et tout autre matériau que vous mettez sur votre site.

✓ **Navigation :** la manière dont les utilisateurs se déplacent sur le site en utilisant des menus, des liens et des plans de site.

✓ **Décoration :** tous les éléments de la conception graphique, tels que les boutons, les polices et les graphismes que votre designer aura créés.

✓ **Efficacité marketing :** des méthodes telles que les appels à l'action et les formulaires à remplir, qui encouragent les utilisateurs à faire ce que vous attendez d'eux.

Le formulaire d'évaluation de site Web (représenté sur la Figure 4.1) vous servira de guide pour évaluer un site Web. Essayez-le sur votre site si vous en disposez d'un ou sur n'importe lequel des sites qui figurent dans ce livre. Notez ce qui se passe quand d'autres personnes évaluent les mêmes sites en utilisant le même formulaire. Vous risquez d'être surpris ! Plus le score est élevé, mieux c'est, mais vous risquez de découvrir que d'autres personnes n'évaluent pas un site comme vous. Si plusieurs personnes notent un même site sous 50, c'est que le site pose un vrai problème (si une question ne s'applique pas au site, ignorez-la et réduisez le total possible de 5 points).

La suite de ce chapitre revient dans le détail sur les points énumérés dans la liste précédente.

Créer un concept

Un concept une métaphore graphique qui donne sa cohérence à votre site. Par exemple, jetez un œil sur AcomaSkyCity.org repris sur la Figure 4.2, un site créé par Webb Design Inc. (www.webbdesigninc.com). Acoma Pueblo, au Nouveau Mexique, est la plus ancienne communauté habitée de l'Amérique du Nord. Célèbre dans le monde entier pour ses poteries élaborées, Acoma utilise la forme d'une poterie sur sa page

Formulaire d'évaluation de site Web

Concept ou Présence	Mauvais			Très bon	
Le site fait-il référence à une métaphore visuelle cohérente ?	1	2	3	4	5
Cette métaphore est-elle bien reprise dans chacune des pages du site ?	1	2	3	4	5
Cette métaphore colle-t-elle bien à l'image de l'entreprise ?	1	2	3	4	5
Cette métaphore correspond-elle bien à l'objet du site ?	1	2	3	4	5
Cette métaphore correspond-elle bien au public ciblé par le site ?	1	2	3	4	5

Sous-total Concept _____

Contenu	Mauvais			Très bon	
L'intensité du texte est-elle appropriée ?	1	2	3	4	5
Le site répond-il bien aux questions que vous pourriez vous poser	1	2	3	4	5
Si certaines de vos questions n'ont pas de réponse, est-il facile de poser des questions via email ou téléphone ? La réponse est-elle rapide ?	1	2	3	4	5
Le contenu est-il adapté au sujet du site ?	1	2	3	4	5
Le contenu est-il adapté au public ciblé ?	1	2	3	4	5

Sous-total Contenu _____

Navigation	Mauvais			Très bon	
La navigation est-elle cohérente ?	1	2	3	4	5
La navigation est-elle simple, évidente, intuitive ?	1	2	3	4	5
Est-il facile d'accéder au menu, à l'index du site, à la page d'accueil depuis chaque écran ?	1	2	3	4	5
Les outils de navigation sont-ils visibles ?	1	2	3	4	5
Les liens internes sont-ils utilisés efficacement pour permettre de se déplacer sur le site ?	1	2	3	4	5
Le contenu est-il bien organisé (nombre de cliques requis pour l'atteindre) ?	1	2	3	4	5

Sous-total Navigation _____

Décoration	Mauvais			Très bon	
La décoration est-elle attirante ?	1	2	3	4	5
La décoration convient-elle au concept ?	1	2	3	4	5
La décoration convient-elle au contenu ?	1	2	3	4	5
La décoration convient-elle à la navigation ?	1	2	3	4	5
La décoration est-elle adaptée au sujet du site ?	1	2	3	4	5
La décoration est-elle adaptée au public ciblé ?	1	2	3	4	5

Sous-total Décoration _____

Efficacité marketing	Mauvais			Très bon	
Le site convoie-t-il efficacement le message ?	1	2	3	4	5
Le site répond-il bien aux besoins d'achats du public ciblé ?	1	2	3	4	5
Le site appelle-t-il efficacement à l'action ?	1	2	3	4	5
Le site fait-il bien sa propre promotion dans ses pages ?	1	2	3	4	5

Sous-total Efficacité marketing _____

Total du site _____

Figure 4.1
Vous pouvez utiliser ce formulaire pour évaluer votre site ou ceux des autres.

d'accueil pour faire valoir les différentes facettes de son nouveau musée et centre culturel. Chaque fois qu'un visiteur arrive ou clique sur "Actualiser", de nouvelles photos apparaissent au hasard dans les quadrants de la poterie.

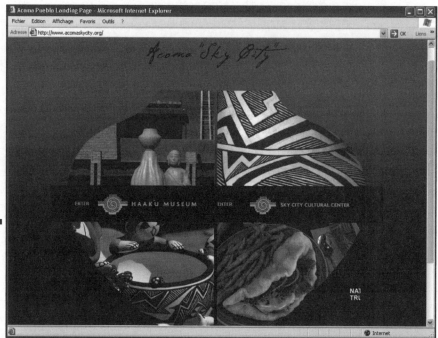

Figure 4.2
SkyCity.org
d'Acoma
exploite le
concept de ses
fameuses
poteries partout
dans le site.

Avec l'aimable autorisation d'Acoma Business Enterprises.

Les pages secondaires répètent le logo sur la bordure ; elles reprennent aussi les couleurs et la texture des bâtiments et du plateau que ces derniers occupent. Après tout, la terre est la source de l'argile qui permet de réaliser les poteries et les murs en pisé.

Un bon designer met en œuvre les concepts de la communication marketing et du branding en tenant compte des particularités de votre public cible pour concevoir votre site Web.

Appliquer les principes de la communication marketing à votre design

La *communication marketing* vise à intégrer les principes du marketing et du commerce au design graphique pour atteindre les objectifs assignés à votre business. Cette communication se base sur l'idée que la manière dont l'information est présentée suscite de l'émotion et influence par ce biais les décisions d'achat. C'est pour cette raison que les designers vous interrogent sur vos publics : ils veulent être certains de sélectionner les éléments de design qui seront les plus efficaces.

Quoiqu'elle soit indispensable à toute démarche commerciale, la communication marketing est particulièrement critique sur le Web du fait que l'opportunité de capter l'attention d'un visiteur est particulièrement limitée. Les designers Web expérimentés ajustent intuitivement le style de la police, le style graphique, les couleurs, les images et les espaces blancs pour impacter positivement votre processus marketing tout en renforçant votre marque.

Par exemple, comparez les sites pour Soonr (`http://public.soonr.com`), qui commercialise une plate-forme high-tech pour l'informatique itinérante, et le site des crèmes glacées Ben & Jerry (`www.benjerry.com`), sur la Figure 4.3. Avec son élégance contrainte par une grille, ses images d'individus en costume, sa gamme chromatique à base de bleu, de noir et de gris, Soonr.com suinte la finance, la technologie et les solutions B2B élaborées. En comparaison, le code couleur exubérant de Ben & Jerry crie "Je veux des crèmes glacées". Ses graphismes animés, son texte jubilatoire et ses polices amusantes hurlent à la joie.

Travaillez à l'envers lorsque vous tentez d'analyser la communication marketing de sites au design à succès. Comment décririez-vous les publics que ces sites adressent ? Quels peuvent être les statuts économiques de leurs utilisateurs ? Pouvez-vous identifier des similarités entre les sites ?

La signification de la couleur varie selon les cultures. Si vous vendez à l'international, recherchez la signification des couleurs dans chaque pays cible. Par exemple, dans de nombreux pays asiatiques, c'est le blanc et non le noir qui signifie la mort ; le rouge, et non le vert, symbolise la prospérité.

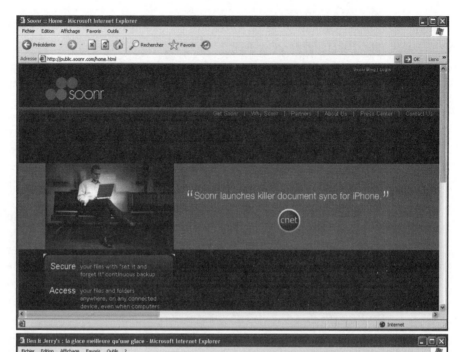

Figure 4.3
Comparez les concepts mis en œuvre dans les conceptions graphiques de Soonr et de Ben & Jerry's. Les deux sites s'adressent à des publics totalement différents, mais vous savez immédiatement lesquels.

Avec l'aimable autorisation de Soonr © 2008 (en haut) ; avec l'aimable autorisation de Ben & Jerry's Homemade, Inc. (en bas).

Faire du branding avec des logos et des favicônes

Affichez le logo de votre entreprise sur votre site Web, tout comme vous le feriez sur n'importe quelle publicité ou packaging. C'est une composante essentielle de votre marque. Si vous n'avez pas de logo, c'est le bon moment pour en faire réaliser un. Demandez à votre graphiste d'en concevoir un, utilisez un site tel que LogoMaker.com ou cherchez *logos gratuits* pour trouver le nom d'entreprises qui vendent des logiciels pour créer des logos ou des logos déjà faits à bon prix.

L'angle supérieur gauche de la page est l'emplacement standard pour un logo (voir Figure 4.4) ou pour un *logotype* (un logo qui n'est composé que de lettres). Cela peut varier selon le design général du site. Générale-ment, l'utilisateur qui clique sur le logo est renvoyé sur la page d'accueil.

Favicône

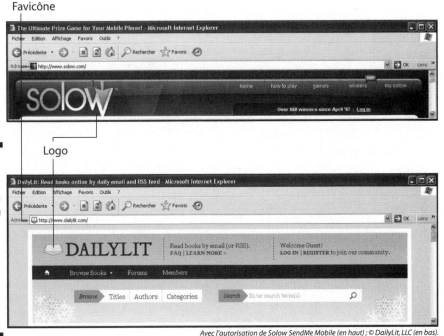

Logo

Figure 4.4
Les favicônes dans les barres de navigation de Solow.com et de DailyLit.com contribuent au branding des logos apparaissant dans l'angle supérieur gauche.

Avec l'autorisation de Solow SendMe Mobile (en haut) ; © DailyLit, LLC (en bas).

Les *favicônes*, une contraction d'*icônes favorites*, sont des outils relativement récents pour du branding secondaire. Elles apparaissent à gauche de l'URL dans la barre d'adresse du navigateur, comme sur la Figure 4.4, ainsi que dans le menu déroulant des favoris, dans la barre historique et dans la barre d'outils des liens. Les favicônes sont visibles dans la plupart des navigateurs, dont Internet Explorer (version 5 ou ultérieure), Opéra (version 7 ou ultérieure) et Netscape (version 7 ou ultérieure). Cependant, une favicône n'apparaît pas dans Internet Explorer si c'est la première fois que l'utilisateur visite le site – elle n'apparaît que si l'utilisateur a marqué le site dans ses favoris.

Pour plus d'informations sur le moyen de créer ces petites icônes (16x16 pixels), rendez-vous sur `www.webdevelopersjournal.com/articles/favicon.html` ou sur `www. make-a-favicon.com`. Vous pouvez réaliser une favicône gratuitement sur `www.favicongenerator.com`.

Développer du contenu

Le *contenu* fait référence à tout ce que vous fournissez pour le site Web, des textes aux photographies, des informations sur les produits pour une base de données à l'agenda des évènements. Comme je l'ai évoqué au Chapitre 3, vous pouvez décider de sous-traiter la production de contenu à un pigiste, de désigner un ou plusieurs de vos salariés comme *experts de contenu*, ou encore de combiner les deux solutions. Dans ce cas, vous-même ou un de vos salariés devra disposer du temps requis pour fournir une version préliminaire des matériaux, répondre aux questions, valider la qualité et la pertinence du contenu. Personne ne connaît mieux que vous-même votre business.

L'écriture et la photographie pour le Web sont soumises à des contraintes différentes que dans le contexte de la production d'un imprimé ou d'un film. Cependant, écriture et photographie restent tout aussi cruciales dès lors qu'il s'agit de téléguider vos prospects par AIDA (attention, intérêt, désir et action). Vous avez toujours besoin de **gros titres** pour attirer l'attention, d'images qui suscitent l'intérêt, de **textes** qui génèrent du désir et d'**appels à l'action** qui conduisent les visiteurs de votre site à acheter.

Ecrire une copie efficace du point de vue marketing

Les gens ne lisent pas en ligne : ils lisent en diagonale pour gagner du temps. La démarche a du sens, car lire un même texte à l'écran prend 25 pour cent de plus de temps que de le lire sur du papier. Du fait des contraintes de temps et d'espace à l'écran, vous devez adapter votre style d'écriture au Web. Essayez de suivre les préceptes suivants :

- **Utilisez la pyramide inversée**. Utilisez la convention journalistique de la pyramide inversée, avec l'information la plus importante au début de chaque page. Les lecteurs n'atteindront jamais la fin du premier paragraphe, perdu tout en bas de la page.

- **Accrochez les lecteurs avec des titres**. De bons titres attirent les lecteurs. Les sous-titres permettent d'aérer le texte dans la page, ce qui en facilite la lecture. Si vous utilisez des tailles de police, des styles ou des couleurs différentes pour vos titres et si vos titres ou sous-titres comprennent un terme recherché, vous pouvez gagner des places dans le classement des moteurs de recherche.

- **Ecrivez des accroches percutantes**. La première phrase dans une page s'appelle *l'accroche*. Accrochez les lecteurs en exposant des avantages, en leur expliquant ce qu'ils vont trouver sur le site, la boutique ou la page. Vous améliorez votre classement dans les moteurs de recherche si vous faites figurer trois ou quatre termes recherchés dans le premier paragraphe.

- **Restez dans la partie visible**. Gardez l'information la plus importante dans la partie de la page que les utilisateurs n'ont pas à faire défiler pour la lire. Il se peut que seulement 50 pour cent des visiteurs fassent défiler la page pour lire ce qui n'est pas visible immédiatement à l'écran.

- **Evitez les pages défilantes**. Mieux vaut plusieurs pages courtes de 150 à 200 mots que quelques pages longues. Si un texte long est inévitable, créez des fichiers HTML que les utilisateurs peuvent télécharger et imprimer facilement. Autrement, utilisez le format FAQ (questions les plus fréquemment posées). En haut de la page, créez une liste de liens vers des *paragraphes ancres* (du texte, souvent dans la partie de la page qu'il faut faire défiler pour la voir, auquel les utilisateurs peuvent accéder d'un clic).

✔ **Limitez l'usage des fichiers PDF.** Bien que les designers adorent les fichiers PDF car ce format permet de préserver la mise en page, le PDF n'est pas intéressant pour les utilisateurs. Utilisez-le pour distribuer des documents destinés à être imprimés et non à être lus en ligne.

✔ **Utilisez la voix active.** Préférez la voix active à la voix passive. Autrement dit, le sujet doit effectuer l'action plutôt que de la subir. La forme active "Les moteurs de recherche ne tiennent pas compte des pages Flash" est préférable à la forme passive "Les pages Web ne sont pas lues par les moteurs de recherche". Une astuce pour savoir si vous utilisez la voix passive : les formes du verbe *être*, ainsi que des constructions telles que *il y a*, *c'est*.

✔ **Utilisez la seconde personne du pluriel.** Utilisez *votre* ou *vous* explicitement pour sujet, ou implicitement avec des verbes impératifs tels que *achetez*, *testez*, *appelez* ou *enregistrez*. La seconde personne vous oblige à parler de vos avantages, pas des fonctionnalités, et donc de mettre en évidence ce que les utilisateurs trouveront sur votre site. Même le *New York Times* note l'usage croissant de *vous*, *vos*, *mon* et *notre*, tant la tendance est à la personnalisation. Pensez à MySpace.com. Les possessifs suggèrent la propriété, ils mettent en valeur le client. Votre texte doit créer une relation au-delà de l'écran.

✔ **Utilisez la troisième personne du pluriel à bon escient.** Vous pouvez parfois vous laisser aller à parler à la troisième personne (*notre* ou *nous*, surtout dans les phrases telles que "Nous vous offrons une garantie de remboursement"). Simplement, ne passez pas trop de temps à parler de vous-même et de votre business. Vos lecteurs n'en ont cure. Sur la plupart des sites, les descriptions à la troisième personne d'un produit (*il* ou *ils*) conviennent parfaitement, mais ne confrontez pas vos visiteurs à de longues pages écrites de cette manière. Ces pages deviennent souvent impersonnelles et donc distantes.

✔ **Restez informel.** À quelques exceptions près, un ton informel, sur le mode de la conversation, est plus adapté qu'un style de dissertation en bon français. Cependant, ce n'est pas une excuse pour commettre d'évidentes erreurs de grammaire telles que le non-respect de l'accord du verbe et du sujet.

✔ **Faites bref**. Les gens sont occupés et n'ont pas le temps de tout lire. Utilisez des mots courts, des phrases courtes, des paragraphes courts, des pages courtes, en plaçant toujours les mots et l'information importants près du début.

✔ **Utilisez des énumérations**. Les fragments de phrases sont indiqués, surtout dans les énumérations. Pensez au style Power-Point, pas au style essai littéraire. Les listes aident les lecteurs à passer rapidement le texte en revue.

✔ **Rajoutez des liens**. Reliez généreusement votre texte aux autres parties de votre site. Ces liens contextuels aident les utilisateurs à trouver l'information rapidement ; ils permettent aussi de leur montrer plusieurs pages de votre site. Par ailleurs, si le texte en lien est l'un de vos termes de recherche, vous pouvez être mieux classé par les moteurs de recherche.

Bien entendu, les principes de base d'une bonne écriture s'appliquent. En particulier, gardez ces points en tête :

✔ **Soyez vivant**. Utilisez des noms et des verbes spécifiques plutôt que des collections gratuites d'adjectifs et d'adverbes.

✔ **Evitez tout jargon**. Utilisez le langage naturel de vos lecteurs.

✔ **Soyez vous-même**. En dépit de toutes ces indications, laissez libre court à votre personnalité. Inséré au bon moment, une saute d'humeur ou un mot d'humour peut faire mouche.

✔ **Vérifiez l'orthographe et la grammaire**. Si vous n'utilisez pas un système de gestion de contenu (voir la section "Sélectionner un moyen pour mettre à jour votre contenu", plus loin dans ce chapitre) qui vérifie l'orthographe et la grammaire, écrivez d'abord le texte dans un traitement de texte. Sauvegardez votre texte une fois corrigé dans une fichier .txt, ou copiez/collez-le dans les Bloc-Notes pour enlever la mise en forme.

✔ **Faites relire ce que vous avez écrit**. Il est trop facile de se persuader que sa prose est la meilleure. Faites relire par quelqu'un qui jugera de la clarté, de la précision, des oublis.

✔ **Eprouvez votre texte**. Lisez votre texte à voix haute. C'est la manière la plus rapide et la plus facile pour trouver des erreurs. Un site plein d'erreurs donne aux visiteurs l'impression que vous êtes négligent. Si vous ne vous souciez pas de votre propre site, comment les visiteurs sauront-ils que vous vous souciez de vos clients ?

Sélectionner des polices

Plus vous facilitez la lecture de votre contenu, plus il sera absorbé. La basse résolution des écrans d'ordinateurs fatigue les yeux. Même s'ils ne savent pas pourquoi, vos visiteurs vous seront reconnaissants de vos efforts pour rendre le texte plus facile à lire à l'écran. Consultez votre designer sur ces questions :

✔ Lorsque vous utilisez du HTML, sélectionnez des polices qui sont conçues pour le Web : Verdana et Trebuchet pour les polices sans empattement et Georgia pour les polices avec empattement (cela ne s'applique pas au texte qui figure dans les images).

✔ Limitez la longueur d'une ligne de texte à moins de la moitié de l'écran, même si cela signifie que seuls 8 à 12 mots sont utilisés par ligne.

✔ Entourez votre texte d'un espace blanc. Permettez aux marges de reposer l'œil plutôt que de caler le texte sur la gauche ou la droite de l'écran.

✔ Evitez l'italique en HTML.

✔ Par convention, utilisez le texte souligné seulement pour représenter les liens.

✔ Limitez l'usage du texte en vidéo inversé (couleur claire sur fond sombre). C'est trop difficile à lire et cela peut être compliqué à imprimer.

> ✔ Si vous utilisez des couleurs différentes pour faire la distinction entre les liens visités et pas visités, vérifiez que les couleurs sont assez contrastées pour faire la différence.
>
> ✔ Si vous ciblez un public de personnes âgées de plus de 40 ans, adoptez une taille de police supérieure à l'habitude. C'est plus facile à lire.

Raconter des histoires avec des images

La photographie est une méthode très efficace pour toucher votre public. Bien qu'il soit absolument essentiel d'utiliser des photos – dont des gros plans – de tous les produits que vous vendez, ce n'est pas la seule raison pour recourir à la photographie. Des images soigneusement sélectionnées et positionnées peuvent raconter une histoire sur votre business, sur vos processus, sur votre destination touristique et, plus important que tout, sur vos salariés. De bonnes photos sont de bons outils pour vendre !

Parfois, le Web semble exister dans un univers étrangement dépeuplé. De nombreux sites omettent les photographies, peut-être parce qu'ils s'inquiètent des temps de téléchargement. D'autres n'utilisent que des photos de bâtiments, de machines, de produits, de paysages, de nature ou d'objets d'art.

Pas de problème, mais les images les plus puissantes du monde ont des visages : nos cerveaux humains sont programmés pour y réagir. Lorsque les visiteurs voient une image avec des gens, ils peuvent s'imaginer en train de visiter l'endroit, de se livrer à l'activité, d'utiliser le produit. Ils font un pas de plus dans le processus d'achat.

Bien que l'accès haut débit facilite l'usage des photos, une page qui prend plus de huit secondes à télécharger perdra l'essentiel de son public.

Pour réduire le temps de téléchargement, veillez à sauvegarder chaque photo dans le format recommandé pour le Web : JPG avec une taille de fichier limitée à 85Ko ; encore moins si vous utilisez plusieurs photos sur une page. Utilisez des images de 10-20 Ko, nommées *miniatures*, que les gens peuvent cliquer pour en visualiser une version agrandie dans une fenêtre pop-up. Ce processus est très utilisé dans les pages qui comportent plusieurs photos, telles que les pages de catalogue d'une boutique en ligne. Voici quelques conseils supplémentaires pour utiliser des photos sur votre site Web :

- ✔ **Des photos qui passent bien en impression ne passent pas toujours bien en ligne, surtout en miniatures**. Les vues de loin et les images comportant plusieurs centres d'intérêt produisent un bon résultat lorsqu'elles sont agrandies, mais pas quand elles sont petites.

- ✔ **Coupez les photos pour supprimer les informations superflues dans le fond qui pourraient brouiller le message que vous souhaitez faire passer.**

- ✔ **Cela vaut la peine de retoucher votre image numériquement si elle vous aide à raconter votre histoire**. Quelques photos ont besoin d'un traitement supplémentaire dans Photoshop pour améliorer leurs couleurs, leur contraste, leur luminosité, leur saturation, ou pour supprimer un détail que vous ne voulez pas voir. Bien entendu, des contraintes éthiques et professionnelles limitent la manipulation d'images pour d'autres motifs que leur qualité.

- ✔ **Commencez avec une photo en haute résolution redimen-sionnée et sauvegardée pour le Web au format JPG.** Vous ne pouvez pas améliorer la qualité d'une image en basse résolution, mais vous pouvez facilement réduire une image en haute résolu-tion tout en préservant sa qualité.

- ✔ **Si vous espérez que les utilisateurs impriment des pages avec des photos, vérifiez que ces dernières sont "lisibles" en noir et blanc**.

Si les photographies font partie de l'histoire que vous racontez, elles doivent être réussies ! Une photo trop petite, floue, surchargée ou mal cadrée donnera une piètre image de vos produits et de votre entre-prise. Louez les services d'un pro, achetez des photos d'une source telle que www.istockphoto.com ou recherchez des images dans le domaine public (c'est-à-dire, libres de droits) sur images.google.com.

Pour l'exemple, notez le rôle joué par des photos de qualité sur Soaring-Colorado.com, un site d'acrobranche représenté sur la Figure 4.5.

Figure 4.5
SoaringColorado
.com utilise des
photos pour
raconter une
histoire et
impliquer le
visiteur. La vidéo
qui figure en haut
à droite de la
page d'accueil
restitue la
sensation
d'ivresse
ressentie sur la
plate-forme haut
perchée.

Avec l'aimable autorisation de Soaring Tree Top Adventures et Snowshoe, LLC.

Utiliser des médias riches

Le multimédia, parfois appelé *média riche*, est devenu populaire tandis que le haut débit se démocratisait. Les clips audio, vidéo, la réalité virtuelle et les animations Flash relèvent de cette catégorie. Si le média riche vous séduit, voici quelques raisons pour lesquelles il peut être indiqué pour votre site :

✔ **Le média ajoute de la valeur marketing**. Il peut contribuer à votre branding, aider à vendre un produit – comme une visite virtuelle d'un appartement ou d'un produit complexe – ou expliquer un processus ou un service – comme le permet une vidéo. Il peut aussi démontrer vos compétences, comme des clips de musique pour un compositeur vendant des musiques en ligne ou des animations pour un designer Web. Reportez-vous au Chapitre 13 pour plus d'informations sur l'usage de la vidéo comme outil marketing pour votre site.

✔ **Il rend le site plus facile à utiliser ou améliore autrement l'expérience de l'utilisateur.** Par exemple, un livecam dans une garderie rassure les parents – en supposant que l'accès aux images est protégé par mot de passe pour que seuls les parents puissent y accéder.

✔ **L'objectif de votre site Web l'exige.** Un site qui génère son revenu par la publicité peut utiliser des techniques de médias riches pour conserver les visiteurs sur le site plus longtemps, pour les encourager à visualiser plus de pages, pour les faire revenir.

✔ **Votre public ciblé en veut ou en attend.** Le public jeune est bien plus attiré par le média riche que le plus âgé ; un public de clients à la recherche de loisirs est plus sensible au média riche qu'un public d'ingénieurs pressés – à moins qu'il n'y ait une bonne raison pour recourir au média riche, comme une démonstration de produit.

✔ **Vous avez besoin de média riche pour rester à la hauteur de vos concurrents ou pour les devancer.**

Si vous êtes convaincu que le média riche est indiqué pour votre site, voici quelques autres considérations dont il faut tenir compte avant de faire le plongeon final :

✔ **Votre public cible dispose-t-il des plug-ins, du savoir-faire et du débit nécessaires pour tirer parti du média riche ?**

✔ **Pouvez-vous vous offrir ce luxe ?** Le bon multimédia est rarement bon marché. Si vous ne pouvez pas vous l'offrir, n'y recourez tout simplement pas. Les visiteurs ne sauront pas ce qu'ils auront manqué, mais ils sauront si quelque chose ne fonctionne pas ou a l'air horrible.

✔ **Pouvez-vous localiser des professionnels pour créer du média riche, que ce soit un bon studio d'enregistrement, un expert de la vidéo ou un animateur ?** Très peu de designers Web peuvent faire tout à la fois, mais ils peuvent connaître des sous-traitants qui peuvent vous aider. Comme toujours, passez en revue leurs portfolios, recueillez plusieurs propositions et vérifiez leurs références.

✔ **Pouvez-vous lancer votre site Web sans média riche et en rajouter plus tard, ou le média riche est-il incontournable étant donné l'objectif et le design de votre site ?** Ajouter des fonction-nalités plus tard vous permet de tester le site et d'évaluer sa pertinence pour votre business d'abord. Par la suite, vous pouvez annoncer de nouvelles fonctionnalités dans vos e-mails, vos lettres d'information, des communiqués de presse et sur le site lui-même. Mettre en œuvre du média riche peut retarder le lance-ment de votre site, car ce peut être l'élément de votre site le plus complexe et qui prend le plus de temps à réaliser.

✔ **Pouvez-vous afficher votre Flash, votre vidéo ou tout autre média riche dans une page différente de la page splash ?** (une page *splash* est une page Web d'introduction qui est utilisée avant d'afficher la page d'accueil. Les pages splash débordent générale-ment de graphismes et utilisent du média riche, mais elles sont dépourvues de toute autre navigation qu'un lien donnant accès à la page d'accueil. Une page splash dotée d'une navigation s'appelle une page d'entrée). Les moteurs de recherche ne peuvent pas lire les pages en Flash.

✔ **Pouvez-vous offrir à vos visiteurs le choix entre visualiser une version Flash et une version non-Flash de votre site ?**

✔ **Pouvez-vous offrir à vos visiteurs le choix d'activer la vidéo et l'audio ?** Ne jouez pas quelque chose que l'utilisateur ne voudrait pas voir ou écouter.

✔ **Quel niveau d'utilisation justifierait la dépense ?** Vos statisti-ques (voir Chapitre 14) vous permettent-elles de connaître le nombre de visites ou de téléchargements de votre média riche ? Pouvez-vous faire le lien entre l'accès au média riche et le revenu que cela génère ?

N'utilisez pas un média riche simplement parce que vous le pouvez. Trouvez une justification, un objectif à atteindre, un moyen de mesurer l'impact sur autre chose que votre ego.

La Figure 4.6 montre une page du site tout en Flash pour la chaîne de restaurants Tijuana Flats (www.tijuanaflats.com/index.php). Il semble que presque tout est en mouvement sur ce site. Sur la page d'accueil, Flash (en musique) anime presque tous les objets et les mots dans la navigation lorsque vous passez le pointeur dessus. Des animations supplémentaires viennent "nettoyer la table" entre les pages.

Figure 4.6
Le site de la chaîne de restaurants Tijuana Flats utilise Flash, des musiques torrides et des couleurs pimpantes pour mettre les gens dans l'ambiance insouciante et décontractée typique du restaurant.

Avec l'aimable autorisation de Tijuana Flats, site Web conçu par Push/X Studios.

Si vous n'êtes par sûr qu'il faut utiliser du média riche, appliquez le principe anglais KISS (*Keep it simple, stupid*, soit littéralement Fais simple et trivial). Assurez-vous qu'un média riche et sophistiqué vaut vraiment l'argent et le temps que vous y consacrerez. C'est bien de gagner le droit de se vanter, mais c'est mieux de gagner de l'argent.

Sélectionner une solution pour mettre à jour votre contenu

Le Chapitre 6 explique combien il est important de mettre à jour régulièrement le contenu et précise le type d'information qui doit être plus particulièrement revisité. Pour que la mise à jour reste rentable, vous avez besoin d'une méthode pour modifier le contenu qui ne requiert aucune connaissance du HTML, de sorte que vous n'aurez pas à payer votre designer Web chaque fois que vous apporterez la moindre modification.

Les mises à jour sont critiques pour l'image que vos clients se font de votre entreprise, ainsi que pour le classement dans les moteurs de recherche. Décidez de la manière dont vous mettrez à jour votre site avant de vous lancer dans son développement. Vous avez plusieurs possibilités, nulle ne requérant de connaissances techniques au-delà de la maîtrise d'un traitement de texte :

- **Déléguez les mises à jour à votre développeur.** Sur un petit site, en HTML uniquement, les mises à jour sont plutôt faciles. Demandez à votre développeur de vous donner un prix pour le développement et l'hébergement qui comprend une heure de support technique par mois.

- **Faites les mises à jour vous-même**. Les sites à base de templates vous permettent de mettre à jour le contenu à n'importe quel moment, sans connaissance particulière.

- **Utilisez un logiciel de mise à jour de contenu**. Adobe Contribute (www.adobe.com/products/contribute) et Easy WebContent (www.easywebcontent.com) sont deux solutions abordables. Contribute peut être acheté pour 120 euros ; Easy WebContent coûte 10 dollars par mois. Les deux solutions vous permettent (ainsi qu'à toute autre personne en charge de votre contenu) de mettre à jour un site sans connaître le HTML. Indiquez à votre développeur que vous souhaitez utiliser l'un de ces logiciels pour qu'il conçoive un site compatible.

- **Utilisez un CMS Open Source**. Des logiciels de gestion de contenu (CMS, pour *content management system*) Open Source (qui fait référence au code source mis à disposition des développeurs pour utiliser, modifier et redistribuer le logiciel sans frais) tels que Drupal, Joomla et Mambo disposent de nombreuses options paramétrables. Ces outils sont généralement conçus pour des sites plutôt importants avec de nombreuses pages, une base de données de produits, un processus structuré de validation. Votre développeur retiendra une solution parmi les dizaines disponibles en fonction du type de site Web que vous utilisez, du langage dans lequel il est écrit, des fonctionnalités que vous mettez en œuvre, des compétences de votre équipe et de ce qui leur est familier. La plupart des packages de boutiques en ligne (voir Chapitre 5) incorporent déjà la possibilité pour n'importe quel membre d'une équipe de gérer un catalogue de produits et une boutique ; vous avez besoin d'un CMS pour les pages qui ne font pas partie de la boutique.

✔ **Acheter un CMS commercial**. Des solutions CMS existent pour toutes les bourses et tous les niveaux de complexité. Ils sont souvent intégrés à des systèmes de développement Web sophistiqués, destinés aux entreprises. Dans les grandes entreprises, de nombreux experts du contenu ont besoin de différents niveaux d'accès à des pages spécifiques. Quelques packages de développement Web sont conçus pour certains environnements, comme les universités ou les publications.

Certains CMS disposent d'options d'administration puissantes pour un site important, dont la possibilité de déléguer des autorisations à des personnes pour éditer le contenu, publier des pages, en supprimer ou en créer. D'autres ressources relatives aux CMS sont listées dans le Tableau 4.2.

Tableau 4.1 : Des ressources sur les CMS.

Type de ressource	URL
Liste des CMS Open Source	www.oscom.org/matrix/index.html
Revue de CMS	www.infoworld.com/article/07/10/08/41TCopen-source-cms_1.html
Revue de CMS	http://www.adobe.com/newsletters/edge/april2008/articles/article4/index.html
CMS Open Source	www.mamboserver.com
CMS Open Source	http://joomla.org
CMS Open Source	http://drupal.org

Garantir une navigation facile : un site ergonomique

Vous avez des objectifs marketing pour votre site, mais si les visiteurs ne peuvent pas trouver l'information qu'ils désirent ou s'ils ne peuvent pas effectuer une action qu'ils souhaitent, vous ne pourrez jamais les atteindre. La plupart des sites Web dont le marketing est bon appliquent quelques principes essentiels de navigation :

- ✔ **Le menu principal des options apparaît sur chaque page et au même endroit.**

- ✔ **Le pied-de-page de chaque page contient des liens vers les pages principales de sorte que les utilisateurs n'ont pas à faire défiler la page vers le haut pour se rendre ailleurs** (c'est aussi utile pour l'optimisation pour les moteurs de recherche).

- ✔ **Les menus secondaires donnent aux utilisateurs un aperçu de ce qu'ils trouveront dans les sections.**

- ✔ **Un plan du site ou un index interactif offre une vision générale du site en un coup d'oeil** (cela aussi favorise un meilleur classement par les moteurs de recherche).

- ✔ **L'apparence des liens contextuels et des liens de navigation change pour indiquer aux utilisateurs où ils sont et par où ils sont passés.**

- ✔ **Un moteur de recherche en ligne est disponible sur les grands sites d'information et de produits pour permettre aux visiteurs de trouver rapidement ce qu'ils cherchent.** La recherche sur le site a une grande valeur marketing. Veillez à ce que votre développeur vous restitue la liste des recherches infructueuses. Ce retour des clients vous indiquera ce qui manque sur votre site.

- ✔ **Tous les liens contextuels et les liens de navigation sont vérifiés pour s'assurer qu'ils fonctionnent et qu'ils renvoient au bon contenu.**

Zopa, un réseau social de la finance représenté sur la Figure 4.7 (https://us.zopa.com) utilise plusieurs éléments de navigation pour aider les utilisateurs à trouver leur chemin. La barre entre chaque élément de la navigation horizontale en haut de l'écran adopte un code couleur. Les pages de chaque section partagent la même couleur pour les titres, les guides, les boutons et autres éléments afin de permettre aux utilisateurs de savoir où ils se trouvent.

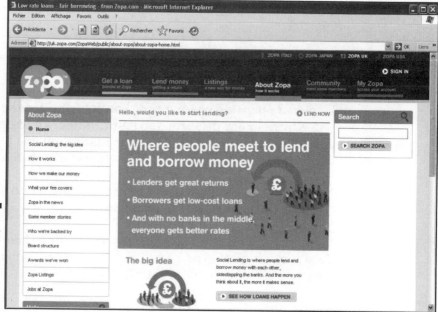

Figure 4.7
La navigation sur Zopa est évidente, aidée par un code couleur et ergonomique.

Avec l'aimable autorisation de Zopa, Zopa Loan, Zopa CD.

La navigation de gauche affiche une navigation secondaire dans chaque section, la page active étant désignée par un ombrage et un point de couleur. Les appels à l'action les plus importants (Sign In et Registrer : s'identifier et s'enregistrer) apparaissent dans le coin supérieur droit.

Maîtriser l'ergonomie

La navigation n'est qu'un des divers facteurs qui affectent l'ergonomie de votre site Web et déterminent ainsi son succès. Un site qui est évident et facile à utiliser donne aux visiteurs une bonne impression de votre entreprise. Un site qui ne fonctionne pas sur leur navigateur produit l'effet exactement inverse !

Généralement, vous ne savez pas comment des utilisateurs particuliers configurent les options de leurs navigateurs – s'ils bloquent tous les pop-ups, quels plug-ins ils ont installés, comment leur écran affiche les couleurs, quelle est la résolution de l'écran qu'ils utilisent ou quel est le débit de leur connexion Internet. Quelques développeurs d'applications achètent BrowserHawk (`www.cyscape.com/products/bhawk`) pour détecter les paramètres du navigateur.

Le reste d'entre nous forme la masse. Par exemple, presque 80 pour cent des personnes qui disposent d'un accès Internet domestique en 2008 utilisent une connexion haut débit. Plus de 85 pour cent utilisent un écran capable d'afficher en 1024 x 768 ou plus.

Même si les personnes aux plus bas revenus et quelques foyers ruraux doivent encore se débrouiller avec de vieux navigateurs et des connexions bas débit, la population adopte rapidement le haut débit.

Vous devez tenir compte de ces statistiques pour décider de recourir ou non à du média riche et pour concevoir votre site.

Vous pouvez recueillir quelques statistiques sur les navigateurs utilisés pour visiter votre site (voir Chapitre 14) et rechercher la configuration utilisée par un groupe particulier d'utilisateurs dans votre marché-cible. Comme cela ne vous dira toujours pas ce qui se passera avec un utilisateur en particulier, vous devrez sans doute prévoir des liens pour installer automatiquement les plug-ins. Proposez des versions sans Flash pour les connexions lentes, comme Santa Cruz River Band (`www.santacruzriverband.com`) le fait sur la Figure 4.8.

Testez votre site sur tous les navigateurs les plus utilisés, dans toutes leurs versions et avec toutes les vitesses de connexion. Un peu plus de la moitié des internautes utilisent Internet Explorer version 6 ou 7 ; 43 pour cent utilisent Firefox ; moins de 5 pour cent utilisent Safari ou Opéra. Des sites tels que `http://www.netmechanic.com/products/browse-rindex.shtml` ou `http://www.browsercam.com/Default2.aspx` commercialisent des logiciels pour les développeurs pour fonctionner avec plusieurs clients.

Une alternative sans Flash

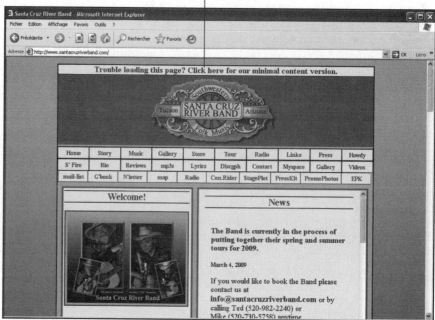

Figure 4.8
Le site de Santa
Cruz River Band
de Tucson
permet d'opter
pour une version
si votre
connexion est
bas débit.

Avec la permission de Santa Cruz River Band.

Prendre les facteurs humains en considération

Tout site Web impose une charge cognitive non négligeable à ses utilisateurs, qui doivent apprendre à utiliser une nouvelle application pour chaque site qu'ils visitent. Plus votre site se conforme aux conventions du Web et à la réalité du cerveau humain, plus il est facile à utiliser. Les visiteurs vous récompenseront de vos efforts en restant sur le site.

Le Tableau 4.3 dresse la liste de sources d'informations sur les facteurs humains, dont UseIt.com, le site Web créé par Jakob Nielsen, l'un des grands-pères de la recherche dans le domaine des interfaces homme-machine.

Quelques facteurs humains dont vous devez tenir compte tandis que vous concevez votre site :

Tableau 4.2 : Ressources sur l'ergonomie et le design Web.

Nom	URL	Ce que vous trouverez
UseIt.com de Jakob Nielsen	www.useit.com/papers/heuristic/heuristic_list.html	Des principes de l'ergonomie et du design Web
Les 10 plus grosses erreurs du design Web selon Jakob	www.useit.com/alertbox/9605.html	Mémos annuels du maître de l'ergonomie
Les recommandations sur l'ergonomie de Microsoft	http://msdn.microsoft.com/en-us/library/aa934595.aspx	Principes de l'ergonomie et du design Web
Web Pages That Suck	www.webpagesthatsuck.com	Les erreurs des autres tournées en ridicule
Yahoo! Directory	http://dir.yahoo.com/Arts/design_arts/graphic_design/web_page_design_and_layout	Répertoire d'articles sur l'ergonomie et le design Web

✔ **Le cerveau est fait pour reconnaître, pas pour se rappeler**. N'obligez pas vos utilisateurs à se rappeler ce que les icônes signifient ou comment trouver de l'information.

✔ **Le cerveau est comme le nombre 7**. Sept secondes, c'est la limite de la mémoire à court terme. C'est aussi le nombre de choses dont la plupart des gens peuvent se souvenir à la fois (alors ne les confrontez pas à des multitudes de choix) et le nombre de fois qu'ils doivent rencontrer un nom ou une publicité pour s'en souvenir.

✔ **Le contraste aide l'esprit à organiser l'information**. Vous pouvez produire du contraste à l'aide des polices, des couleurs, des espaces vides, de la taille.

✔ **Le cerveau aime les motifs**. Groupez les objets par fonction ou par apparence et utilisez un design consistant dans toutes les pages du site pour aider vos utilisateurs à s'y retrouver.

✔ **Les utilisateurs ont besoin d'être rassurés**. Fournissez un retour dans un délai raisonnable, par exemple en remerciant le visiteur pour avoir soumis un formulaire.

✔ **L'expérience kinesthésique de cliquer pour exécuter une action renforce le message**. Demandez au visiteur de cliquer pour demander quelque chose, pour télécharger un élément ou pour soumettre une information. L'acte de cocher une case sur un bon de commande met les clients dans l'état d'esprit d'acheter.

✔ **Fournissez une recherche sur le site pour que les utilisateurs puissent trouver rapidement de l'information**. Plusieurs options figurent dans le Tableau 4.3. Reportez-vous au Chapitre 5 pour une discussion approfondie.

✔ **Fournissez une aide facilement accessible pour utiliser le site**.

Rendre votre site accessible

Vous devez concevoir votre site en tenant compte de facteurs humains spécifiques lorsque votre public cible comprend des enfants, des seniors ou des personnes handicapées. L'accessibilité est particulièrement importante pour les sites d'information, les organismes sociaux, les sites politiques, les journaux et autres médias.

Vous devez vous soucier des niveaux de lisibilité jusqu'à l'usage de balises `<alt>` qui permettent aux synthétiseurs vocaux de lire des images ainsi que du texte à haute voix. Au minimum, essayez de rendre votre site accessible conformément au niveau 1 du standard Web Accessibility Initiative (`www.w3.org/WAI`).

Jouer la carte de l'accessibilité permet d'élargir votre public en accueillant des utilisateurs âgés, des visiteurs qui ne savent pas bien lire ou qui ne parlent pas très bien le français, des personnes qui utilisent un vieil équipement ou un équipement lent, ainsi que d'épisodiques utilisateurs du Web. Google fournit une version de son moteur de recherche `http://labs.google.com/accessible` aux 1,5 million de personnes malvoyantes ou aveugles que comptent les Etats-Unis.

Adobe fournit des conseils pour gérer l'accessibilité en Flash et dans d'autres formats sur `www.adobe.com/accessibility`. Pour tester l'accessibilité de jusqu'à cinq pages de votre site Web, rendez-vous sur `www.adobe.com/macromedia/accessibility/tools/lift.html`.

Décorer votre site Web

Lorsque les gens parlent de sites Web, ils pensent souvent à la décoration de surface. La *décoration* comprend les couleurs, les boutons, les fonds, les textures, les guides, les polices, les graphismes, les illustrations, les photos, les sons et tout autre élément qui participe au décorum.

Demandez à votre designer de réaliser une charte graphique qui spécifie les couleurs, les polices et autres éléments qui doivent être respectés quand des pages sont rajoutées au site. Autrement, le site perdra sa cohérence visuelle tandis que les gens qui en ont la charge vous quitteront et que la mémoire de ce qui a été fait se perdra. Une charte graphique peut spécifier :

✔ Les icônes.

✔ La typographie.

✔ La photographie.

✔ Les fenêtres.

✔ Les sons.

✔ Les formats de fichier.

Le site de Thunder Scientific (représenté sur la Figure 4.9) est un excellent exemple d'usage de la décoration pour habiller un concept. Cette entreprise, qui vend des instruments de mesure de l'humidité aux industriels et aux scientifiques, utilise un motif de grille dans le fond et dans le graphisme du titre pour suggérer l'idée de précision scientifique.

Le Tableau 4.4 liste quelques-unes des nombreuses ressources en ligne d'éléments de décor, que vous pourrez utiliser sur votre site.

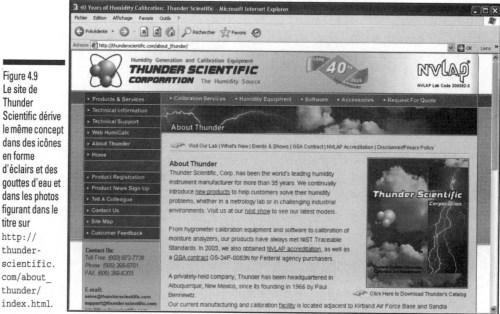

Figure 4.9
Le site de Thunder Scientific dérive le même concept dans des icônes en forme d'éclairs et des gouttes d'eau et dans les photos figurant dans le titre sur http://thunder-scientific.com/about_thunder/index.html.

Avec l'aimable autorisation de Thunder Scientific Corp.

Tableau 4.3 : Quelques sites de ressources pour le design Web.

Description	URL	Gratuit (O/N)
Listes, flèches, icônes	www.stylegala.com/features/bulletmadness/	Oui
Script pour ajouter aux favoris	http://netmechanic.com/news/vol4/javascript_no1.htm	Oui
Calendriers, dates, favoris et plus	http://dynamicdrive.com	Oui
Feuilles de styles	www.csszengarden.com	Oui
Dessins, jeux complets	http://resources.bravenet.com/clipart	Oui
Dessins, jeux complets, graphismes, dessins animés	www.desktoppublishing.com/free.html	Oui
Dessins, jeux complets, photos	http://build.tripod.lycos.com/imagebrowser/index.html	Oui

Tableau 4.3 : Quelques sites de ressources pour le design Web. (*suite*)

Description	URL	Gratuit (O/N)
Polices	www.1001freefonts.com	Oui
Polices	www.urbanfonts.com	Oui
Photos	www.sxc.hu	Oui
Photos	www.istockphoto.com/index.php	Non, mais très bon marché
Moteur de recherche	www.wrensoft.com/zoom/index.html	Oui, pour les petits sites
Moteur de recherche	www.freefind.com	Oui avec des publicités ; sinon, non
Effets sonores	www.partnersinrhyme.com/pir/PIRsfx.shtml	Oui
Effets sonores	www.thefreesite.com/Free_Sounds/Free_WAVs	Oui

Utiliser des gadgets et des widgets

Les *widgets* (ou *gadgets*) sont de petites applications qui ne requièrent qu'un clic pour être activées. Vous pouvez les installer sur votre site Web pour ajouter de la valeur et faire revenir les visiteurs. Les widgets, qui fournissent de l'information et des fonctionnalités sans avoir à programmer, peuvent être utilisés pour de nombreuses tâches : pour calculer un taux d'intérêt, convertir des devises, afficher les cours des actions, voir la météo, afficher les dernières nouvelles, jouer à des jeux, consulter un calendrier, personnaliser une liste de musiques, traduire du texte ou écrire une entrée sur un blog. L'application fonctionne à partir de plusieurs serveurs, et non du vôtre.

Les widgets sont de deux sortes : pour le bureau et pour le Web. Les widgets pour le bureau fonctionnent lorsque l'ordinateur n'est pas connecté à Internet. Les widgets pour le Web fonctionnent sur un site Web ; il faut un navigateur. Lorsque vous recherchez un widget à ajouter à votre site, prenez la version Web.

Veillez à récupérer des widgets auprès de sources sûres. Un widget créé par un tiers peut contenir du code malveillant qui exploitera vos pages une fois qu'il sera installé. N'installez pas les gadgets "en ligne" qui accèdent à des informations relatives au compte de l'utilisateur.

Améliorer l'efficacité marketing

L'efficacité du marketing fait référence aux autres techniques qui encouragent les utilisateurs à faire ce que vous voulez qu'ils fassent. Le Chapitre 6 traite des nombreuses techniques qui permettent d'attirer des visiteurs sur le site, de les garder assez longtemps pour créer une mémoire positive et de les faire revenir. Une technique mérite ici toute notre attention : l'appel à l'action. Les appels à l'action sont généralement, mais pas systématiquement, des verbes impératifs (tels que *achetez*, *regardez*, *enregistrez* et *obtenez*). Ils poussent les visiteurs à se déplacer d'une page à une autre du site, faisant naître l'intérêt et le désir jusqu'à ce que les visiteurs passent à l'action attendue.

En moyenne, un site perd la moitié de ses visiteurs à chaque clic supplémentaire. Si les visiteurs se promènent sur votre site sans trouver ce qu'ils veulent, ils ne reviendront probablement jamais.

L'entonnoir de conversion

L'entonnoir de conversion est l'une des statistiques les plus importantes que vous puissiez générer sur votre site. C'est le nombre de personnes qui entreprennent l'action désirée divisé par le nombre de personnes qui visitent. Le taux de conversion moyen est seulement de 2 à 4 pour cent, comme sur la Figure 4.10. C'est un nombre affligeant. Quoique les taux de conversion varient beaucoup – de 0,1 pour cent à 30 pour cent – de site en site, la plage de 2 à 4 pour cent est généralement considérée comme une référence pour prédire et diagnostiquer le succès.

Pour atteindre ce taux de conversion standard, vous devez faire venir 25-50 fois plus de visiteurs sur votre site que le nombre de conversions que vous cherchez à générer. En retour, ce nombre impose certaines décisions dans votre plan marketing. En moyenne, seulement 5 pour cent des personnes qui voient votre URL quelque part finissent par visiter votre site. C'est pourquoi vous devez montrer approximative-

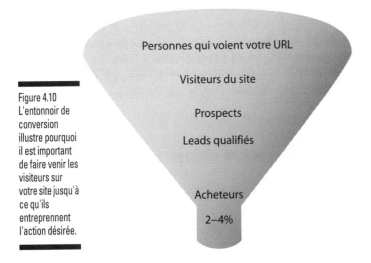

Personnes qui voient votre URL

Visiteurs du site

Prospects

Leads qualifiés

Acheteurs

2–4%

Figure 4.10
L'entonnoir de conversion illustre pourquoi il est important de faire venir les visiteurs sur votre site jusqu'à ce qu'ils entreprennent l'action désirée.

ment à 500-1000 personnes votre URL pour chaque conversion que vous souhaitez réaliser.

Les appels à l'action

Quelques règles simples appliquées aux appels à l'action peuvent permettre d'améliorer le taux de conversion de votre site.

- ✔ **Restez à 2 clics de l'action**. Permettez aux utilisateurs d'effectuer l'action ou les actions qu'ils souhaitent en deux cliques ou moins. Conservez vos appels à l'action primaire, comme Ajouter au panier ou S'enregistrer pour sauver, dans la navigation principale ou dans les pages du catalogue, tout le temps. Un second clic doit permettre de soumettre la requête.

- ✔ **Générez des leads**. Dans le monde du marketing Web, les adresses e-mail valent de l'or. Si vous n'avez pas de lettre d'information, inventez une raison pour collecter les adresses, comme `Nous vous enverrons une version de notre livre blanc. Communiquez votre e-mail maintenant.` **Offrez un avantage quelconque lorsque vous demandez aux visiteurs de s'enregistrer. Bien entendu, laissez-leur la possibilité de vous donner la permission de les contacter par e-mail dans le futur.**

> ✔ **Utilisez les liens comme des incitateurs internes**. Un lien est un appel implicite à l'action, `cliquez ici` étant ce que presque tous les utilisateurs du Web comprennent. Avec le bon phrasé, un lien appelant à l'action peut attirer le visiteur vers une nouvelle page où il croira pouvoir satisfaire son intérêt personnel. Par exemple, `Vivre plus vieux`, `Nuits torrides`, `Boissons fraîches`, `Rendez-vous coquins`.

Le mot magique du marketing

Gratuit : c'est le mot magique du marketing. Surtout sur Internet, où l'information est censée être gratuite, les visiteurs s'attendent à obtenir quelque chose pour rien. Ce peut être des frais de transport gratuits, un cadeau gratuit pour toute commande, une lettre d'information gratuite, une garantie gratuite de cinq ans, un emballage cadeau gratuit, des conseils de maintenance gratuits, un support technique gratuit. Offrez n'importe quoi, pourvu que ce soit gratuit. *Gratuit* fonctionne même lorsque vous ciblez les clients riches ou les prospects B2B.

Gratuit est l'un des appels à l'action qui n'a pas besoin de verbe. Par lui-même, le mot *gratuit* génère une pulsion à agir. Sans aucun doute, *gratuit* est l'outil le plus puissant de toute votre boite à outils de marketer en ligne.

High Country Gardens (`www.highcountrygardens.com`) utilise huit différents appels à l'action sur sa page d'accueil représentée sur la Figure 4.11.

Le zen des sites Web : intention et attention. Elaborez votre site dans un objectif ouvertement marketing et faites attention constamment pour vous assurer que votre site travaille pour vous.

Comme vous pouvez le déduire de l'encadré suivant, Mountain Springs Lake Resort (`www.mslresort.com`) a absorbé de nombreuses leçons de ce chapitre quand ils ont réalisé leur site, représenté sur la Figure 4.12.

© highcountrygardens.com

Figure 4.11
Il y a huit appels à l'action sur le site de High Country Garden pour faire clairement comprendre aux utilisateurs les actions qu'ils peuvent entreprendre.

Figure 4.12
La version améliorée de Mountain Springs Lake Resort qui comprend du nouveau texte optimisé et des menus déroulants réorganisés.

Avec l'aimable autorisation de Moutain Springs Lake Resort. Photo : Karen Pearson.

Restez un instant : sur le lieu et sur le site

Mountain Spring Lake Resort est un lieu de vacances familial pour les familles dans les montagnes Pocono de la Pennsylvanie, comprenant 39 cottages, réputé pour sa gastronomie. Lorsque la nouvelle génération a pris le relais, elle a voulu renforcer sa présence sur le Web pour attirer l'attention sur les nouveaux aménagements et les offres spéciales pour les mariages, les séminaires d'entreprise, les manifestations sociales.

Le site existant disposait d'une navigation claire, avec des photos magnifiques, mais les visiteurs du site ne se convertissaient pas en hôtes payants. "Nous ne tirions pas assez de business du site, explique Robin Rader, vice-président et directeur du Lodge, où les événements particuliers sont organisés.

Une analyse des statistiques du trafic a montré que les personnes qui arrivaient sur le site le quittaient rapidement, mais il n'était pas évident de savoir pourquoi.

"Nous avions vraiment besoin d'aide sur l'écriture du texte, raconte Rader. Un écrivain a non seulement optimisé le texte pour les moteurs de recherche, mais il a aussi réorganisé le contenu dans la perspective d'un hôte, en utilisant la seconde personne, la forme active, la mise en exergue d'avantages et des appels à l'action. L'écrivain a supprimé l'ancienne information contradictoire, fruit de la production de plusieurs mains au fil des ans.

Une autre modification fondamentale : le sous-menu de navigation a été arrangé. Un formulaire pour demander de l'information a été créé et placé à la fin des sections dédiées au mariage, aux entreprises, aux occasions spéciales. "J'ai été étonné", s'enthousiasme Rader. "Nous avons commencé à recevoir plusieurs demandes par jour, et non plus par mois".

En même temps qu'il investissait dans des annonces PPC (paiement au clic), Reader a investi dans la publicité imprimée et dans d'autres types de publicités hors ligne pour accroître son taux de réservation dans un environnement très concurrentiel.

Les statistiques du site confirment des hypothèses intuitives : le temps passé sur le site, les pages vues par visite et le taux de conversion croissent tous. "Cela valait l'investissement que nous avons consenti une fois que nous avons trouvé les bons prestataires", raconte Rader. "D'autres business qui souhaitent rénover leur site devraient rencontrer des commerciaux, plutôt que se contenter de la première personne qu'ils trouvent."

Chapitre 5

Créer une vitrine efficace du point de vue marketing

- -

Dans ce chapitre :

▶ Se mettre à la vente en ligne.

▶ Comparer les boutiques B2B et B2C.

▶ Pourvoir votre boutique.

▶ En avoir pour votre argent.

▶ Clore une vente en ligne.

▶ Choisir une vitrine.

▶ Ce qu'il faut et ce qu'il ne faut pas.

- -

I l existe deux formes de commerces en ligne : les *purs joueurs* qui n'existent qu'en ligne et les *briques-et-clics* qui complètent une boutique bien réelle avec une cyberboutique. Dans chaque cas, il faut prendre aussi soigneusement ses décisions que pour ouvrir une boutique sur les Champs-élysées. Les commerces en ligne génèrent le maximum de revenus lorsqu'ils sont centrés sur le client, c'est-à-dire lorsqu'ils anticipent les besoins des utilisateurs et savent les satisfaire.

Ne vous laissez pas abuser par les publicités à la télévision qui vous montrent l'argent coulant à flots des boutiques en ligne montées en claquant des doigts. Pour réussir, vous devez procéder à une estimation réaliste du temps et de l'argent que vous devrez inévitablement investir. Vous devez aussi appliquer ce que vous savez déjà du marketing en ligne à votre cyberboutique.

Ce chapitre se concentre sur les caractéristiques marketing d'une boutique en ligne à succès plutôt que sur les détails techniques des solutions permettant sa mise en œuvre. Il traite de merchandising, de la simplification du processus de vente, de l'amélioration des revenus, du support client.

Examiner les éléments clés d'une boutique en ligne

Lorsqu'on vend en ligne, il faut acheter en ligne. Si vous n'êtes pas déjà un acheteur en ligne, tel sera donc votre première mission. Observez les autres boutiques, en particulier celles de vos concurrents. Achetez des produits. Evaluez non seulement les produits et les prix de vos concurrents, mais aussi la facilité d'utilisation de leurs sites, le support client, les politiques de retour, la qualité des produits, le passage de commande, le processus de livraison.

Etudiez les boutiques en ligne régulièrement classées parmi les meilleures pour avoir des idées sur la manière dont un bon commerce fonctionne : Amazon.com, BarnesandNoble.com, eBags.com ou LLBean.com.

Ce n'est qu'alors que vous serez prêt pour créer votre boutique. Elle partagera quelques éléments avec les autres, telles que :

- ✔ **Un catalogue de produits** : le catalogue organise votre inventaire et présente les produits de manière cohérente. À moins de n'avoir que quelques produits, vous saisissez une liste de produits dans une base de données ou une feuille de calcul qui comprend au moins le nom du produit, la catégorie, la description, le prix et le nom de fichier d'une photo.

- ✔ **Un panier d'achat** : les utilisateurs stockent leurs achats dans un panier qui en conserve la trace, qui leur permet de supprimer des objets ou de modifier des quantités, qui indique le total à payer. Si vous tenez une petite boutique de quelques articles, vous pouvez utiliser un formulaire en ligne plutôt qu'un panier. Veillez à ce que votre développeur programme le formulaire pour effectuer les calculs automatiquement. Malheureusement, trop de personnes ne peuvent pas multiplier un prix par deux ou ajouter des nombres en colonnes.

- ✔ **Un comptoir** : cette portion de votre boutique en ligne calcule les frais de port et les taxes, fait le total de la facture et prend les informations de facturation et d'expédition (dont les numéros de cartes de crédit) de manière sécurisée. Le comptoir ou tout autre élément de votre boutique doit afficher un message `Merci` pour confirmer l'enregistrement de la commande, et aussi faire parvenir un e-mail de confirmation.

- ✔ **Statistiques et suivi des commandes** : à moins que votre boutique en ligne ne soit très petite, il est fort utile de disposer d'états faciles à comprendre sur les ventes, les clients et la popularité des produits. Plus votre boutique est grande, plus vous aurez besoin de statistiques. Le suivi des commandes vous permet, ainsi qu'à votre client, de connaître le statut d'une commande : où en est-elle de son traitement et de son acheminement ?

- ✔ **Autres éléments** : les grandes boutiques en ligne peuvent s'interfacer avec des inventaires, des points de vente, des systèmes de comptabilité. Elles peuvent aussi intégrer des fonctionnalités permettant d'entrer en contact avec des commerciaux, des systèmes de gestion de la relation client (CRM, pour customer relationship management) qui conservent la trace de votre relation avec le client, et d'autres solutions réservées aux entreprises.

Les acheteurs en ligne achètent de la commodité et du temps, pas seulement des produits.

Les mêmes quatre P dont j'ai parlé au Chapitre 2 en traitant de votre commerce général s'appliquent à votre boutique en ligne :

✔ **Produit** : les produits qui se vendent bien en ligne ne sont pas nécessairement les mêmes que ceux qui se vendent bien hors ligne.

✔ **Prix** : vous n'avez pas à fixer le même prix aux produits en ligne et hors ligne, à moins que votre public puisse se rendre dans votre magasin pour acheter. Votre compétitivité, vos frais généraux, les prix de produits et les frais de transport peuvent différer entre vos boutiques en ligne et hors ligne, tout comme ils peuvent différer entre des boutiques installées à des endroits différents. Si vous décidez de pratiquer les mêmes prix en hors ligne comme en ligne, vous devrez peut-être relever ces prix sur ces deux canaux de distribution pour préserver votre marge.

✔ **Placement** : le placement des objets sur une page détermine le niveau de l'attention qui leur est accordée, et donc la facilité avec laquelle ils se vendent. Représentez-vous votre site comme un ensemble de canaux de distribution internes.

✔ **Promotion** : vous pouvez utiliser la promotion sur le site, comme les bannières internes, les remises, la vente additionnelle, et autres techniques pour mettre en évidence les produits et améliorer les ventes.

Pour plus d'informations sur chacun de ces P, référez-vous à "Le merchandising de votre boutique en ligne", plus loin dans ce chapitre.

Vendre en B2B (business-to-business) avec une boutique en ligne

Vous serez surpris d'apprendre que 93 pour cent des transactions en ligne en Amérique du nord sont des ventes B2B (d'entreprise à entreprise) et non B2C (business-to-customer, d'entreprise à client).

Selon le rapport E-Stats du Census Bureau américain, le commerce B2B représentait 2 700 milliards de dollars et approximativement 93 pour cent des ventes en ligne en 2006. Les 7 pour cent restants (soit 221 milliards de dollars) sont générés par la vente de produits ou de services en B2C. Bien que les ventes B2C s'accroissent plus rapidement d'année en année que les ventes du commerce en général, elles représentent toujours moins de 3 pour cent des ventes en magasin.

Même si les entreprises sont vos principaux clients, vous pouvez organiser votre boutique en ligne comme vous organiseriez un magasin de détail. L'ergonomie et la facilité d'utilisation restent essentielles. Plutôt que d'appliquer une autre stratégie promotionnelle en ligne, vous changerez surtout les prix, le merchandising (comment vous présentez ce que vous vendez) et le packaging – la plupart des entreprises achètent en plus gros volumes que les individus.

Si vous recherchez des revendeurs et des franchisés, ajoutez un formulaire d'adhésion sécurisé comportant des espaces pour le numéro de revendeur et les références. Au minimum, demandez leur d'appeler ou d'envoyer un e-mail ! Vous pouvez aussi leur proposer un formulaire en ligne pour leur permettre de créer un compte et payer à la commande. Sur `www.carrollfineart.com/forthetrade_form.php`, représenté sur la Figure 5.1, vous pouvez voir comment Carroll Fine Art, une entreprise de production artistique raffinée, gère la demande de création d'un compte. Il faut un peu de travail pour accepter d'enregistrer les adhésions en ligne et pour les interfacer avec le logiciel de comptabilité afin de permettre une bonne facuration.

Si vous êtes grossiste ou fabricant, mettez en œuvre un accès protégé par identifiant et mot de passe de sorte que seuls les vendeurs agréés puissent visualiser vos prix de gros et passer des commandes.

Ne vous coupez pas de vos revendeurs en entrant directement en compétition avec eux sur le prix. Comme je l'ai mentionné au Chapitre 2, vous perdrez plus de revenu par la cannibalisation de canaux que vous n'en ferez en vendant directement. À la place, renvoyez vos clients sur les sites Web de vos revendeurs pour acheter, et faites en sorte que les revendeurs renvoient sur votre site pour les détails des produits et le support technique. Offrez votre collaboration à vos revendeurs pour passer de la publicité en ligne – cela générera des revenus supplémentaires pour votre entreprise.

Si vous devez vendre en B2C, parce que vous entreprenez la conquête d'un nouveau territoire ou parce que votre business plan nécessite une seconde source de revenus, vendez vos produits au prix suggéré par le fabricant et laissez vos revendeurs offrir des ristournes.

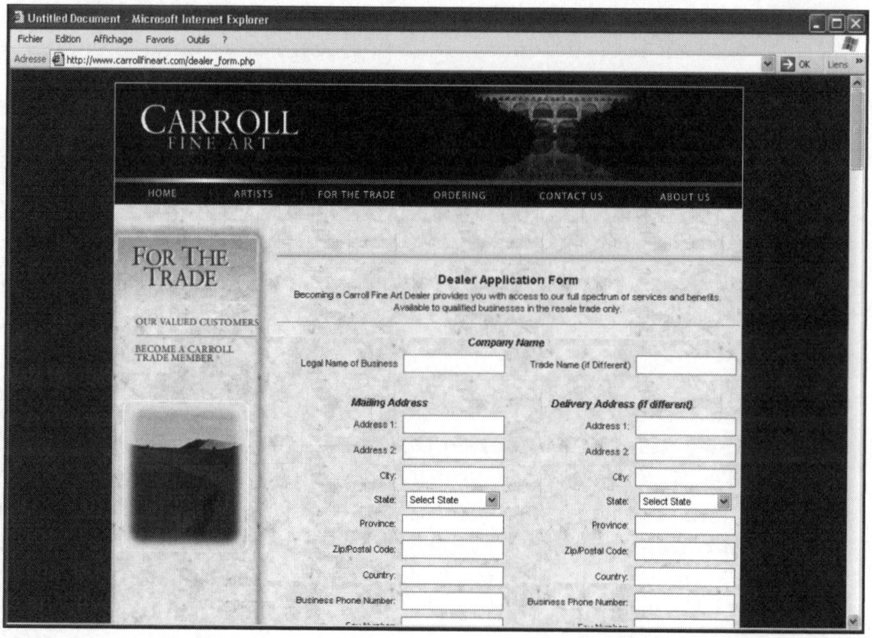

Figure 5.1
Des entreprises
qualifiées
peuvent solliciter
un compte chez
Carroll Fine Art.

Avec l'aimable autorisation de Carroll Fine Art

Le merchandising de votre boutique en ligne

Le *merchandising* fait référence à la sélection et à la présentation de
produits dans votre magasin. Si vous avez un magasin bien réel, vous
n'êtes en rien contraint de vendre *n'importe lequel* de vos produits en
ligne et hors ligne, et encore moins *chacun* d'entre eux. Par exemple,
Jelly Belly a découvert que les paquets d'une livre de jellybeans, très
demandés dans leurs magasins, ne se vendaient pas du tout en ligne,
mais que les paquets cadeau à haute valeur ajoutée partaient bien
mieux sur le site. Les clients peuvent toujours acheter des jellybeans en
ligne, mais JellyBelly.com met en œuvre un merchandising différent que
dans ses magasins au sein des centres commerciaux.

Sélectionner et fixer le prix des produits

Votre sélection de produit et vos niveaux de prix sont des éléments
essentiels pour votre succès en ligne. Quelques produits se vendent
mieux en ligne que d'autres, tout comme différents produits se vendent

différemment selon l'endroit où vous les commercialisez. En même temps, la compétition sur les prix en ligne est intense.

Vous devez opérer des choix intelligents concernant ce que vous vendrez et le prix auquel vous le vendrez. N'ayez pas peur de vous livrer à des projections financières ou de demander conseil à votre comptable.

Déterminer le type des produits à vendre

Tout d'abord, déterminez ce que vous allez vendre : un sous-ensemble de votre catalogue ou l'intégralité de ce dernier. Si vous ne faites que commencer votre business, consultez les critères pour sélectionner les produits indiqués pour le commerce en ligne sur `http://tihomir.org/ the-most-profitableproducts-to-sell-online`. Les objets qui se vendent bien sur Internet changent avec le temps. La liste de 2007 est comparée avec les projections de 2012 sur la Figure 5.2.

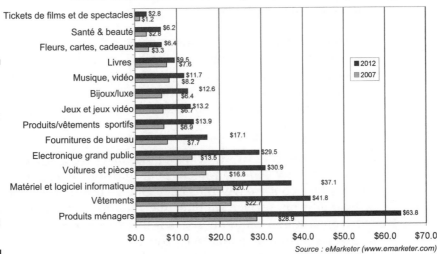

Figure 5.2
Les ventes du commerce électronique aux Etats-Unis pour diverses catégories de produits, pour 2007 et 2012. Les voyages et l'immobilier ne figurent pas dans la liste.

Sélectionner des objets spécifiques à inclure à votre catalogue

Votre seconde décision, c'est le nombre d'objets que votre catalogue comportera. La taille du catalogue est l'un de facteurs principaux dont il faut tenir compte pour sélectionner une solution de vitrine. Etant donné l'intensité de la concurrence en ligne et le désir des acheteurs pour les bonnes sélections, vous devez réunir une masse critique de produits et de choix – à moins que vous ne soyez positionné sur une niche étroite à forte demande.

Si vous n'avez qu'un ou deux produits à vendre, révisez votre business plan pour déterminer si une boutique en ligne serait profitable. Demandez-vous aussi si vous ne feriez pas mieux de vendre chaque article comme s'il était unique via un point de distribution tel que :

- eBay ou tout autre site d'enchères.

- La place de marché d'Amazon (www.amazon.com/gp/help/ customer/display.html?nodeId=1161232).

- Un distributeur sur une autre boutique en ligne.

- Une publicité sur un site tel que Craigslist.org.

Fixer le prix de vos produits

Pour finir, fixez les prix. Vos guides de planification du Chapitre 2 peuvent se révéler pratiques pour cela (si vous avez sauté ce chapitre, pas de problème. Jetez-y un œil quand vous aurez le temps). Consultez les prix des concurrents sur l'un des nombreux sites de comparaison tels que PriceGrabber.com, Shopzilla.com, MySimon.com ou BizRate.com.

Si vos prix doivent être clairement plus élevés, veillez à formuler votre proposition de valeur clairement pour que les clients perçoivent l'intérêt qu'ils ont à payer plus cher. Offrez-vous un meilleur support, une garantie, un service sur site, une garantie de remboursement, une livraison gratuite, une réduction sur un prochain achat, des suppléments gratuits ou un emballage cadeau ?

Vos prix en ligne peuvent différer de ceux que vous pratiquez dans vos magasins, sauf si le site leur crée de la concurrence. Dans ce cas, les prix doivent rester les mêmes. N'oubliez pas de tenir compte des frais de transport pour finaliser les prix.

Dans la plupart des cas, pensez à fixer un minimum de 10 euros si vous comptez faire de l'argent (les musiques et les téléchargements similaires à 1 ou 2 euros sont une exception). Les frais de livraison, d'acquisition du client, de marketing peuvent grignoter vos bénéfices. Indiquez rapidement à vos visiteurs le montant de la commande minimale. Vous pouvez aussi vendre par lots des objets bon marché, comme trois paires de chaussettes pour 9,99 euros.

Présenter les produits

La plupart des boutiques en ligne adoptent un classement hiérarchique. Au plus haut niveau, la page vitrine affiche des miniatures représentant chaque catégorie (l'équivalent d'un rayon). Selon la nature et la taille de l'inventaire, des catégories sont parfois divisées en sous-catégories significatives pour les clients. Par exemple, vous pouvez diviser la catégorie des chaussures en chaussures pour hommes, femmes et enfants. Lorsqu'il clique sur une catégorie ou une sous-catégorie, l'utilisateur accède à une présentation en miniatures des produits qu'elle contient. En cliquant sur la miniature d'un produit, l'utilisateur accède à la page qui détaille ce produit.

Prenez des décisions clés sur le plan du merchandising pour chaque catégorie de produits :

✔ **Sélectionnez les produits à mettre en avant** : vous mettrez en avant des produits dans une catégorie parce que ce sont des bestsellers, parce qu'ils génèrent une plus grosse marge ou parce que vous souhaitez en arrêter la commercialisation. Placez ces objets tout en haut de l'affichage de la catégorie, et surtout *dans la partie immédiatement visible de la page* (pour que les utilisateurs n'aient pas à faire défiler la page pour les voir). Placez les autres produits par ordre décroissant d'importance. De la sorte, les nouveaux clients peuvent rapidement trouver les produits qu'ils sont supposés rechercher le plus.

✔ **Triez les produits** : quoiqu'il soit approprié de proposer une option pour trier par ordre alphabétique ou par prix, ne vous contentez pas de cela. Parfois, vous pouvez insérer un espace supplémentaire avant le nom d'un produit pour qu'il soit affiché en première place dans la liste alphabétique, un peu comme rajouter un "A" devant le nom de votre entreprise pour qu'elle figure en première place dans les pages jaunes.

✔ **Fournissez des pages détaillant les produits** : une page indépendante pour chaque produit permet d'afficher plus facilement du texte dans lequel il est possible d'effectuer des recherches, de choisir des couleurs et des tailles, de visualiser des produits complémentaires et des photos additionnelles. Cela permet aussi à l'utilisateur d'accéder directement au produit désiré lorsqu'il effectue une recherche ou lorsque qu'il clique sur une annonce.

✔ **Placez les promotions sur la page** : pensez à une épicerie. L'angle supérieur droit de votre page d'accueil ou des pages de votre catalogue joue le rôle d'une tête de gondole dans un super-marché – c'est là où les promotions sont placées. Vous pouvez utiliser cet espace pour les ventes, les cadeaux, les objets saison-niers ou une bannière interne. Reliez l'endroit directement à la page détaillant le produit depuis laquelle les utilisateurs pour-ront l'acheter.

Les lignes de produits dans la partie immédiatement visible de la page sont comme les étagères placées à hauteur des yeux ; il faut y placer les objets qui doivent être particulièrement promus, comme le muesli ou les soupes fantaisies qui génèrent beaucoup de marge. Les lignes qui se trouvent dans la partie de la page qu'il faut faire défiler contiennent les objets que les gens doivent rechercher, même si ce n'est pas pratique, comme les corn-flakes ou les bouillons, sur l'étagère du bas à l'épicerie. Par voie de conséquence, il vaut mieux afficher des catégories de trois ou quatre objets sur chaque ligne plutôt que de les afficher sous la forme d'une haute colonne d'un objet de large.

Proposer des choix pour un produit

Les pages donnant les détails d'un produit devraient permettre aux utilisateurs de choisir parmi des couleurs, des tailles et autres attri-buts, comme sur la page de détails de Outdoor Divas (www.outdoor-divas.com) représentée sur la Figure 5.3. Les attributs peuvent varier selon ce que vous commercialisez.

Si votre vitrine ne permet pas de gérer des attributs, toute combinaison d'attributs requiert une entrée distincte et un numéro unique de stock.

Figure 5.3
Outdoordivas
.com permet à
ses clients de
sélectionner des
combinaisons de
couleurs et de
tailles dans ses
pages de détails
d'un produit.

Avec l'aimable autorisation d'Outdoor Divas.

La plupart des logiciels de vitrines ne vous permettront pas d'assigner le même numéro à deux entrées distinctes.

Vous (ou votre équipe) saisissez toutes ces informations dans la base de données des produits, généralement après une formation technique minimale. Essayez de constituer une équipe qui connaît votre stock pour effectuer la saisie. Veillez à designer toutes les catégories possibles dans lesquelles un produit doit figurer.

Vérifiez l'orthographe des noms et des descriptions de vos produits avant d'ouvrir la boutique. Vérifiez aussi les prix, les numéros d'inventaire, les catégories auxquelles les produits sont affectés, les attributs des produits et les photos. Les erreurs de saisie sont très fréquentes.

Si un produit est à court de stock, retirez-le immédiatement du catalogue ou notifiez les clients sur la page de la catégorie. Offrez une alternative et/ou indiquez aux personnes combien de temps elles devront attendre une commande en retard. Si vous attendez jusqu'au comptoir pour informer le client que le produit n'est pas disponible, vous risquez de perdre ce client pour toujours.

Accroître vos revenus avec les ventes additionnelles, les achats impulsifs et plus encore

Selon le logiciel de boutique en ligne que vous utilisez, vous pouvez mettre en œuvre des fonctionnalités permettant d'accroître le montant d'une commande moyenne ou la probabilité que les clients effectuent des visites répétées. Vous trouvez presque tous ces concepts mis en œuvre sur les sites de commerce bien classés, comme Amazon.com, qui affiche huit options permettant d'améliorer ses revenus sur la Figure 5.4. L'option Gift Organizer (mémo des cadeaux), qui se trouve sous Your Lists (vos listes), comprend un service de remémoration. Today's Deals (promotions du jour), avec l'icône en forme de coffre au trésor, mène droit à des promotions limitées dans le temps, dont une liste de choix rapides personnalisés en fonction de vos centres d'intérêt.

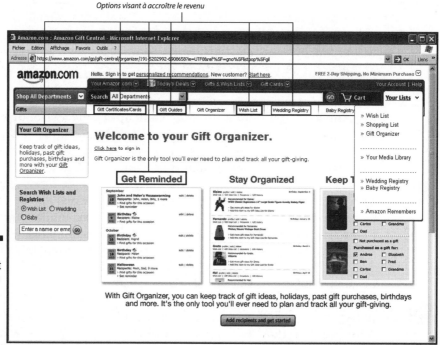

Figure 5.4
Amazon.com est un excellent site pour étudier les options visant à accroître le revenu.

Etant donné vos produits et vos marchés-cibles, notez les fonctionnalités de la liste suivante que vous pensez les plus pertinentes à mettre en œuvre :

- **Les ventes croisées (cross-sales)** figurent généralement dans la page de détail d'un produit, avec une phrase telle que `Les gens qui ont acheté cet article ont aussi acheté...` Les recommandations, qui sont dérivées de l'enregistrement de tout ce que les gens ont mis dans leur panier, portent sur des produits en relation avec les centres d'intérêt du client, comme les nourritures pour oiseaux pour celui qui achète des niches pour oiseaux.

- **Les ventes additionnelles (upsales)** apparaissent généralement dans la page de détail d'un produit, avec une phrase telle que `Si vous avez été intéressé par ceci, vous serez sans doute intéressé par...` ou un terme tel que `Accessoires complémentaires`, comme sur le site de Bennington Potter (`www.benningtonpotters.com`) représenté sur la Figure 5.5. Les ventes additionnelles, que vous codez dans la base de données, sont directement liées au produit actuellement affiché. Il peut s'agir de versions un peu plus chères, un peu plus grandes, un peu plus puissantes du même objet, ou alors d'accessoires qui rendent le produit plus attrayant ou plus fonctionnel.

- **Les recommandations personnelles** peuvent apparaître lorsqu'un client se connecte. Elles sont dérivées de l'historique des achats du client plutôt que de ceux d'autres clients.

- **Les bestsellers** apparaissent souvent sous la forme d'une catégorie dans votre vitrine. Généralement, le logiciel détermine cette liste automatiquement en réunissant tous les articles les plus vendus sur une certaine période. Certains logiciels peuvent vous permettre de spécifier des bestsellers pour une catégorie spécifique. Une liste de bestsellers est généralement une recommandation subtile. Quelle marque ou quel modèle de caméra numérique les autres personnes achètent-elles ? Comment pourraient-elles faire une erreur ?

- **Quoi de neuf** apparaît sous la forme d'une catégorie dans votre vitrine. C'est en codant les produits comme `nouveau` dans votre base de données que vous permettez à vos visiteurs fréquents d'y

Figure 5.5
Pour aller avec
son ensemble de
tasses en pierre,
Bennington
Potter suggère
un pot de crème
ou un sucrier
comme objets
complémentaires.

© Bennington Potters, Inc.

accéder rapidement. Une excellente fonctionnalité pour les sites qui proposent des objets de collection ou des objets uniques.

✔ **Offre spéciale ou Promotion** apparaît sous la forme d'une catégorie dans votre vitrine. Cette catégorie attire les amateurs de soldes aux intérêts très divers. Comme vous pouvez coder ces produits dans votre base de données, vous pouvez les changer à n'importe quel moment.

✔ **Les suggestions de cadeaux** peuvent être présentées sous la forme d'une catégorie ou d'une sous-catégorie et codées dans la base de données. Par essence, des résultats de recherches prédéfinies facilitent le travail des clients en quête de cadeaux mais qui n'ont aucune idée de ce qu'ils pourraient offrir. Ces recommandations sont tout particulièrement utiles aux clients qui sont dans l'urgence. Sur la Figure 5.6, SERRV International affiche des objets dans une sous-catégorie de la catégorie "Gifts for Her" (cadeaux pour elle), comme les produits Hobbies sur www.serrv.org/Gifts/

Her.aspx. Le site propose aussi des objets à moins de 10 dollars et des bons cadeaux pour fêter des évènements.

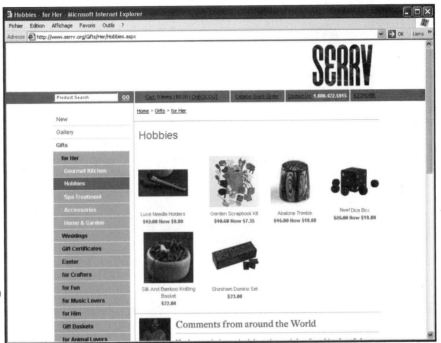

Figure 5.6
Encore des
cadeaux.

- ✔ **Les achats impulsifs** sont les achats de dernière minute qui sont proposés sur le comptoir pour provoquer des associations d'idées. De nombreuses solutions de boutiques en ligne vous permettent de placer un ou plusieurs achats impulsifs sur les pages du panier ou du comptoir. Avec cette fonctionnalité, vous pouvez offrir quelque chose (un vase pour des fleurs, une écharpe pour aller avec un vêtement) au moment crucial où les clients ont figurativement tiré leur portefeuille de leur poche.

- ✔ **Les listes de cadeaux** sont des fonctionnalités de navigation comme les listes de mariage ou de naissance proposées par tous les grands magasins. Les destinataires désignent les objets dans le magasin qu'ils souhaiteraient se voir offrir. La liste conserve la trace des objets qui ont été achetés et permet de les faire parvenir facilement. Les destinataires font venir leurs amis sur votre site pour acheter.

✔ **Les listes de vœux** sont une variante des listes de cadeaux. Les utilisateurs peuvent recenser les objets qu'ils souhaitent acheter pour eux dans le futur, en attendant d'avoir encaissé leur salaire ou d'avoir effectué des recherches supplémentaires. Ceux qui veulent leur offrir des cadeaux peuvent consulter ces listes pour savoir ce que leurs auteurs désirent pour leur anniversaire. Les listes de vœux font revenir les clients pour un autre achat ; elles font aussi venir de nouveaux clients.

✔ **Les services de remémoration de dates** envoient un e-mail aux clients une ou deux semaines avant un événement pour leur rappeler d'envoyer un cadeau. Equivalent d'un carnet des anniversaires pour ceux qui ont tendance à oublier, cette fonctionnalité est une simple variation d'un logiciel d'agenda. L'e-mail contient un lien pour acheter un cadeau sur votre site. L'option apparaît généralement quelque part dans la navigation.

✔ **Les évaluations de produits par les clients** sont une nouveauté toujours plus appréciée sur les boutiques en ligne. Les clients font confiance aux témoignages des autres clients, et vous pouvez lire ces revues pour être alerté des problèmes rencontrés avec un produit ou un service donné.

✔ **Les chèques cadeaux** doivent être prévus à l'avance. Assurez-vous que le comptoir permet non seulement de saisir l'adresse du destinataire, mais aussi un message et de choisir l'emballage. Si vous faites payer ce dernier, vous devez inclure le prix dans le calcul du total. Toutes les solutions de boutiques en ligne ne vous permettent pas de délivrer des chèques cadeaux et de suivre leur usage, même s'il existe des alternatives telles que BoomTime.com.

✔ **Les codes promotionnels** doivent aussi être pensés à l'avance. La plupart des vitrines peuvent calculer et appliquer certains types de promotion, dont l'option favorite du marketing : gratuit. Comme les utilisateurs saisissent les codes au comptoir, il faut être en mesure de les appliquer à la volée. Vous spécifiez parfois des règles telles que la liste des produits auxquels les codes s'appliquent, leur date d'expiration, s'ils peuvent être cumulés. C'est une bonne pratique que d'insérer des codes promotionnels non seulement dans votre lettre d'information, mais aussi dans les publicités et à l'écran pour encourager l'achat.

Inclure le détail des produits

Dans le monde réel, les clients peuvent utiliser leurs cinq sens pour évaluer un produit et prendre leur décision. Le shopping en ligne contraint l'utilisateur à n'utiliser que la vue et l'ouïe dans le meilleur des cas. Les utilisateurs ne peuvent absolument pas humer le parfum de vos cookies au chocolat fraîchement sortis du four ou la flagrance d'un parfum, passer leurs doigts sur un cuir aussi doux que de la soie ou qu'un velours pelucheux. Aucun moyen de présenter une bague étincelante à la lumière du jour ou de savoir si les étiquettes noires sur fond noir sur un lecteur de DVD seront lisibles.

Vous devez compenser autant que possible ces limitations avec du texte, de la photographie, de la 3D ou de la réalité virtuelle dans les pages de détail des produits. La photographie des produits est absolument essentielle sur un site de commerce. Les gros plans sont indispensables, parfois sous plusieurs angles. Les objets complexes, tels que les sculptures, que les visiteurs ont besoin de visualiser sous plus d'un angle gagnent à être représentés en 3D, en réalité virtuelle ou en vidéo. Si vous ne pouvez vous offrir les services d'un professionnel, songez au moins à :

✔ Lire des conseils pour la pratique de la photographie d'objets sur `www.tabletopstudio.com/documents/HowTo_page.htm` ou `www.short-courses.com/tabletop`.

✔ Acheter un appareil photo numérique décent.

✔ Créer un studio pour nature morte avec deux lumières inclinées à 45 degrés au-dessus du produit et un fond de couleur unie.

✔ Utiliser un trépied.

✔ Couper et agrandir l'apparence de vos photos en utilisant Photoshop ou un logiciel similaire.

✔ Si vous vendez des cadeaux, montrer l'apparence de l'emballage tel qu'il sera, avec le ruban.

✔ Photographier des ensembles d'articles sous la forme d'un panier ou d'un kit.

✔ Lorsque c'est possible, montrer des personnes utilisant ou portant vos produits. Ceci permet d'améliorer les ventes. HatsintheBelfry (`www.hatsinthebelfry.com`) fait figurer des personnes comme modèles sur son site, comme sur la Figure 5.7.

Figure 5.7 HatsintheBelfry. com utilise des modèles vivants ainsi que des photographies sous différents angles de ses produits. Oui, ils vendent aussi des chapeaux sérieux.

Avec l'aimable autorisation de Hats in the Belfry.

Vous saisissez les noms des fichiers des photos dans votre base de données de produits, avec les descriptions des produits. Ecrivez un texte brillant, comme je l'explique au Chapitre 4, énumérant des avantages et distinguant les produits qui sont les meilleurs pour chacune des applications. Autrement dit, anticipez les réponses aux questions que les clients pourraient poser.

N'omettez pas des informations sur la garantie, le service, le support technique et toute autre spécification du produit. Si vos produits sont disponibles dans plusieurs couleurs, affichez une palette de couleurs sur la page de détail. Ce n'est pas trivial : différents fabricants utilisent différentes palettes de couleurs.

Permettre à vos clients d'acheter facilement

D'un point de vue marketing, vous devez convertir les visiteurs en acheteurs. Facilitez cela. Des études montrent que de nombreux visiteurs abandonnent tôt le processus, bien avant d'avoir ouvert leur panier. Les plaintes de nombreux visiteurs sont les mêmes pour tout site Web : navigation insuffisante, temps de téléchargement trop longs, impossibilité de trouver ce qu'ils veulent. Les sections suivantes détaillent quelques solutions pour rendre plus agréable le shopping de vos clients.

Proposer un moteur de recherche de produits

Plus grand et plus complexe est votre boutique, plus vous avez besoin d'un moteur de recherche de produits pour cette dernière. Au-delà des catégories et sous-catégories évidentes parmi lesquelles choisir, les utilisateurs voudront effectuer des recherches en fonction des critères suivants, séparément ou en les combinant :

- ✔ **Nom du produit.**

- ✔ **Type du produit.**

- ✔ **Prix.**

- ✔ **Attributs du produit, comme la taille, la couleur ou le matériau.**

- ✔ **Marque.**

Selon la solution de boutique en ligne que vous utilisez et la nature de votre site, vous voudrez peut-être utiliser deux moteurs de recherche : un qui recherche dans la base de données de produits, l'autre qui recherche dans les pages HTML du site.

Comme toujours, il faut faire un compromis entre la flexibilité et la complexité. Ne compliquez pas la fonction de recherche plus que ce que la plupart de vos utilisateurs en attendent.

Les moteurs de recherche peuvent localiser des articles seulement si le mot-clé saisi apparaît quelque part dans l'enregistrement du produit. Demandez quels sont les champs d'un enregistrement sur lesquels la recherche se base. Les moteurs de recherche de qualité peuvent répondre par algorithme (règle) aux fautes d'orthographe et aux synonymes. Autrement, vous devrez inclure des fautes et des synonymes dans un champ non affiché de chaque enregistrement.

Essayez d'utiliser des critères de recherche sous la forme de listes déroulantes partout où il pourrait y avoir erreur de saisie, comme lorsqu'il s'agit de mentionner le signe euro dans un prix ou d'épeler une marque. Les listes déroulantes qui fonctionnent avec les moteurs de recherche permettent aux visiteurs de faire leur choix dans une liste d'options plutôt que de saisir un mot (cela vous permet aussi de classer des produits dans certaines catégories et de proposer ces choix dans la boutique sous la forme de destinations possibles dans la navigation).

La recherche de produits est une grande source de renseignements sur votre marché ! Assurez-vous qu'il est possible de récupérer des rapports sur les recherches fructueuses et infructueuses. Ces dernières vous diront ce que vos clients recherchent, mais qu'ils n'ont pas pu trouver. Ça, c'est du renseignement !

Quelques solutions de boutiques en ligne comprennent un moteur de recherche intégré, qui peut être totalement paramétrable ou complètement figé. Votre développeur peut installer une solution tierce sur certaines solutions de boutiques en ligne ; d'autres l'interdisent.

Le puissant algorithme de recherche de Google est disponible pour moins de 100 dollars pour des résultats sans publicité sur au plus 5 000 pages sur www.google.com/sitesearch/index.html. Vous trouverez des informations sur la version entreprise, plus puissante, sur www.google.com/entreprise/products.html. Vous pouvez rechercher d'autres moteurs de recherche gratuits ou financés par la publicité, tels que Zoom, qui est gratuit pour les petits sites et disponible sur www.wrensoft.com/zoom/index.html.

Permettre d'acheter en deux clics

Le même principe que "À 2 clics de l'action" dont je discute au Chapitre 4 s'applique à votre boutique en ligne. Pour conduire les clients à acheter le plus rapidement possible, ajoutez un bouton Achetez maintenant (bien) ou Ajouter au panier (mieux, car cela ne rappelle pas aux clients qu'ils sont en train de dépenser de l'argent) au niveau des pages des miniatures des catégories ainsi que des pages de détail des produits. Ne forcez pas les utilisateurs à cliquer plus que nécessaire s'ils sont disposés à acheter.

Le bouton standard Voir le panier ouvre généralement une fenêtre pleine page contenant le contenu du panier. À la place, ouvrez une petite fenêtre ou un pop-up qui contient le contenu du panier, ou affichez ce contenu dans chaque page du site Web (les développeurs Web appellent cela un minipanier). Cela permet d'économiser deux clics à l'utilisateur : un pour visualiser le panier, un autre pour retourner faire des achats.

Barnhill Bolt (www.barnhillbolt.com), dont les écrans avant et après sont présentés sur la Figure 5.8, met en œuvre nombre de dispositifs ergonomiques pour son panier d'achats. Les détails figurent dans l'encadré.

Proposer plusieurs solutions de paiement

Faciliter le travail des utilisateurs, c'est aussi leur faciliter le paiement. Même si passer une commande en ligne est devenu plus courant et plus sécurisé, de nombreux clients ont peur de communiquer des informations sur leur carte de crédit. Un bonne pratique consiste à proposer la possibilité d'appeler pour passer une commande, d'imprimer et de faxer le contenu du panier et des informations de paiement, de poster une commande accompagnée d'un chèque. Par ailleurs, proposer plusieurs solutions de paiement permet d'augmenter votre taux de conversion.

Toute boutique en ligne qui se respecte doit accepter les cartes de crédit. Demandez à votre développeur ou à votre hébergeur quelles sont les solutions disponibles.

Si vous disposez déjà d'un compte marchand, vous pouvez traiter les transactions par cartes de crédit hors ligne, du moment que vous

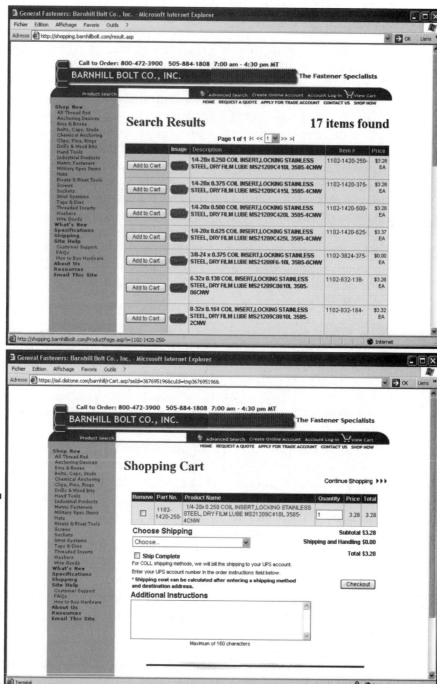

Figure 5.8
Les écrans du panier d'achat de Barnhill Bolt, avant (en haut) et après (en bas). Comparez-les pour voir les innovations ergonomiques introduites dans la nouvelle version.

Chronique d'une boutique réussie

Barnhill Bolt est une entreprise familiale basée à Alburquerque depuis 1960, qui distribue tous types de fermoirs. Pionnier improbable du cyberespace, Barnhill a élaboré une boutique en ligne sur mesure fondée sur une base de données (l'écran du haut sur la Figure 5.8) vers la moitié des années 90, bien longtemps avant que les solutions de niveau entreprise soient facilement disponibles.

Avec un inventaire comportant plus de 20 000 références, Barnhill a été plus que réticent à remplacer ce système, qui produisait des ventes régulières sinon extraordinaires. Mais les inventaires en ligne et hors ligne divergeant avec le temps, maintenir deux bases de données distinctes, l'une pour les magasins, l'autre pour Internet, s'est révélé toujours plus coûteux.

L'entreprise a intentionnellement sélectionné un système de point de vente doté d'un gestionnaire d'inventaire permettant de pratiquer le e-commerce spécifiquement avec les grossistes (l'écran du bas sur la Figure 5.8). Le nouveau système propose une fonction plus élaborée de recherche de produits, des catégories qui restent toujours visibles lors de la navigation, et un processus de règlement simplifié.

"Le changement était aussi culturel que numérique", expliquent le responsable de l'informatique, Jo Ella Silver, et la directrice générale, Dee Silver, représentants de la troisième génération de la famille Barnhill à travailler dans le business. Les salariés qui connaissaient toutes les références des 20 000 articles par cœur devaient désormais retrouver les articles dans la base de données pour effectuer une vente en magasin.

Une fois que le système de point de vente a été mis en place, l'équipe s'est confrontée à la fusion de la base de données propriétaire en ligne avec le nouveau système. Transférer la base de données de l'inventaire s'est avéré un véritable défi, avec des champs ne correspondant pas, de multiples types d'images, de nombreux produits qui avaient besoin d'être codés pour être associés à d'autres afin de permettre la vente croisée ou additionnelle. Le projet tout entier a pris deux ans.

Tout cela est le fait du président de Barnhill, Mary Silver, qui a vu de nombreux bouleversements technologiques en 48 ans. Lorsqu'elle demandait durant le processus quand le site serait "mis en ligne", elle entendait généralement des rires hystériques.

disposez d'un serveur sécurisé (https) pour cette partie de votre site. Une fois que aurez atteint approximativement dix ventes par jour, vous avez intérêt à basculer sur le *traitement des transactions en temps réel* (les cartes sont vérifiées en ligne avant que la transaction ne soit enregistrée dans votre système, plutôt que hors ligne comme pour les commandes par téléphone). À ce point, l'économie de travail dépasse le coût de la mise en œuvre du traitement en temps réel.

Les *portails temps réel* (le logiciel qui gère le traitement des transactions par cartes de crédit) valide aussi l'adresse des cartes, leur numéro de vérification, leur plafond de dépenses, tout ce qui peut réduire le risque que vous prenez en tant que marchand. Consultez votre développeur ou votre hébergeur pour connaître le prix de la solution. Sauf s'ils sont inclus dans votre package de boutique en ligne, le serveur sécurisé et le portail temps réel se paient généralement d'un coût à l'achat et d'un abonnement à l'année.

D'autres solutions de paiement, dont les suivantes, sont disponibles pour des situations particulières :

- ✔ **PayPal** : maintenant propriété d'eBay, PayPal vous permet de recourir au paiement par carte de crédit sans disposer d'un compte marchand. Le tarif s'élève à 1,4 à 3,4 pour cent, plus 25 cents par transaction. Vous trouverez plus d'informations sur `www.paypal.com`. De nombreux hébergeurs de sites de e-commerce utilisent des services similaires.

- ✔ **Google Checkout** : fournit un comptoir pour les boutiques compatibles. Un acheteur s'inscrit pour créer un profil sauvegardé sur Google, qu'il utilisera pour remplir les formulaires de commande sur d'autres sites en un seul clic. Ceux qui font de la publicité pour Google reçoivent l'argent après que Google a prélevé sa part (2 pour cent, plus 20 cents de dollars par transaction). Reportez-vous à `http://checkout.google.com/sell` pour plus d'information.

- ✔ **Des dépôts prépayés** : des débits pour de petits achats, comme télécharger des articles, de la musique, des photos. Cette solution réduit les coûts par transaction qui seraient autrement appliqués, rendant l'usage de cartes de crédit trop onéreux pour ce type d'achat (à moins que ne généreiz le volume d'iTunes). Elle permet aussi de fixer un montant minimal à la commande.

- ✔ **Le traitement électronique de la facturation (EBPP)** : fonctionne bien pour la facturation et le paiement mensuel, ou pour les magasins B2B qui utilisent des bons de commande. Sommaire-

ment, EBPP vous permet de délivrer des factures électronique-
ment et de recevoir le paiement par un transfert de fonds
électronique du compte bancaire du client vers le vôtre. Ce
service est proposé par de multiples fournisseurs, tels qu'Anypay
(`www.anypay.com/site/ml/eng/htm/business/eft.htm`), Electronic
Banking Systems EFT (`www.ebseft.com/dpage.php?idp=9&idt=1`), et
Inovium Electronic Funds (`http://electronicfunds.com`).

Le support client

La satisfaction des clients se joue en ligne, mais elle se joue aussi hors
ligne, quand les clients sont heureux des produits qu'ils reçoivent.

Répondez toujours aux requêtes par e-mail et par téléphone dans le
délai d'un jour ouvrable. Malheureusement, trop d'entreprises enfrei-
gnent cette règle élémentaire, tant en ligne que hors ligne. Si un
problème survient lors du passage d'une commande ou de la livraison,
faites-le savoir à vos clients aussitôt que vous en êtes informé et offrez
une compensation. Un effort sincère permet de retenir les clients ; faire
traîner ou dénier les problèmes vous les fait perdre pour toujours.

Pour offrir un support à vos clients tout au long du cycle de vente,
essayez les solutions suivantes :

- **Permettez à vos clients de communiquer avec une vraie
  personne**. Si vous vendez en ligne, obtenez un numéro d'appel
  gratuit. Mettez bien en évidence sur votre site les heures
  auxquelles vous répondez au téléphone. Si l'implantation géographique de votre clientèle est assez dispersée, vous devrez peut-
  être créer ou externaliser un centre d'appels pour le support
  commercial ou technique. Autrement, vous pouvez proposer un
  chat en temps réel, des appels en ligne ou une option cliquez-
  pour-appeler qui permet de contacter votre bureau.

- **Construisez la confiance**. Publiez vos horaires de bureau et une
  adresse physique (pas une boîte postale), pour asseoir votre
  crédibilité. Affichez des logos de toutes les organisations qui
  certifient la qualité de votre prestation, de préférence en bas
  pour qu'ils apparaissent sur toutes les pages. Au minimum, faites-
  les figurer sur la page À propos. N'oubliez pas les logos de :

- L'entreprise qui vous fournit un certificat de sécurité, comme VeriSign (`www.verisign.com`) ou Authorize.net (`www.authorize.net`).

- Les services de shopping sécurisé, comme Better Business Bureau (`www.bbbonline.org`), ePublicEye (`www.epubliceye.com`), ou TRUSTe (`www.truste.org`).

- Le services de notation de business, tels que le programme gratuit Shopzilla Customer Certified Rating (`http://merchant.shopzilla.com/oa/registration`).

- L'adhésion à des associations d'entreprise.

✔ **Déchiffrez les politiques de garantie, de remboursement et de retour.** Regardez sur les sites Web de vos concurrents pour comprendre ce qui est standard dans votre secteur d'activité. Si vous proposez quelque chose de spécial, comme `Satisfait ou remboursé` ou `Transport gratuits en cas de retour`, n'oubliez pas de le promouvoir sur votre site. Tout ce qui réduit le risque perçu par le client encourage l'achat. C'est tout aussi important d'être clair sur les contraintes ; par exemple, `Les DVD ne peuvent être retournés que s'ils ne sont pas ouverts`, `Echange uniquement`, ou `Pas de remboursement après 30 jours`. Quelques sites vont jusqu'à mentionner leur politique de garantie et de retour sous la forme d'éléments spécifiques de la navigation. D'autres les regroupent dans un énoncé plus général sur la protection des données privées, dans un onglet Support client.

✔ **Garantissez la confidentialité et la sécurité des données privées.** Rassurez vos clients sur le fait que leurs informations personnelles, dont leur adresse e-mail, ne seront pas utilisées par ailleurs, louées ou vendues. Dites-leur que vous encryptez les données – non seulement quand elles sont transmises, mais aussi quand elles sont stockées sur vos ordinateurs. En ces jours où l'usurpation d'identité est monnaie courante, ne demandez jamais à quelqu'un un numéro de carte d'identité. Le Chapitre 15 contient plus d'informations sur les politiques de protection des données privées.

✔ **Signalez à vos clients si vous installez des cookies sur leur ordinateur.** Pour réduire le nombre de données à saisir à chaque achat, de nombreux sites créent un compte protégé par mort de passe pour le client sur le serveur. D'autres installent un cookie (un petit fichier de données avec des numéros uniques d'identification) sur le disque dur du client, ce qui permet de reconnaître le client chaque fois qu'il visite le site. Les cookies permettent la personnalisation, l'historique des achats, l'enregistrement du contenu du panier, la reprise pratique d'une commande. Cependant, quelques clients s'inquiètent à leur sujet. Si les cookies sont obligatoires, vous devez indiquer aux gens comment modifier les paramètres de gestion des cookies de leur navigateur ; la plupart ne le savent pas.

Traiter les commandes

Un client ne fait pas la distinction entre votre site Web et les autres aspects de votre business. S'il ne reçoit pas le bon objet ou si son paquet est perdu durant le transport, il vous blâmera pour ne pas avoir mis en place un processus de traitement des commandes digne de ce nom, et non pour avoir choisi un mauvais livreur. Vous devez vous assurer que l'heureuse expérience que le client fait de vos services sur votre site se prolonge jusqu'au terme du traitement de la commande.

Dans le meilleur des mondes possibles, un client reçoit un e-mail de confirmation lorsqu'il achève sa commande, ainsi qu'un récapitulatif à imprimer du détail de sa commande. Si votre processus de livraison assigne un numéro de suivi unique à la commande, il peut accéder à un lien qui renvoie directement sur le site du transporteur pour surveiller le progrès de sa livraison, que vous utilisiez La Poste, UPS, FedEx ou un autre transporteur.

Des packages de boutique en ligne sophistiqués comprennent des fonctionnalités additionnelles, telles que :

- **Un bordereau de livraison et des étiquettes de livraison** : les systèmes bien intégrés impriment des bordereaux de livraison et des étiquettes de livraison. Il faut éventuellement acheter un module ou un logiciel tiers supplémentaire.

- **Suivi de la production** : quelques systèmes suivent une commande depuis la production, ce qui est particulièrement utile si vos produits impliquent la personnalisation ou s'ils ont des cycles de réalisation prolongés. Un client reçoit un e-mail lorsque le produit qu'il a commandé, comme des serviettes avec ses initiales, entre en production. Des sites de B2B complexes s'interfacent avec les systèmes de production pour permettre aux clients de suivre les progrès de leurs commandes.

✔ **Confirmation d'envoi** : vous pouvez configurer une boutique en ligne sophistiquée pour envoyer un autre e-mail au client lorsque le paquet est parti. Ceci indique aux acheteurs quand ils peuvent s'attendre à recevoir leur commande et comment vous joindre en cas de problème. Cela fournit aussi une occasion pour remercier les clients de leur commande, leur rappeler les conditions de votre politique de retour et les renvoyer sur votre site. C'est aussi une occasion pour faire parvenir un questionnaire de satisfaction, mais faites-le bref !

Une bonne pratique consiste à ne débiter le client que lorsque le produit est parti. Vérifiez si votre logiciel ou votre processus de transaction manuelle peut s'en accommoder.

De grands magasins peuvent sous-traiter le traitement de leurs commandes et de leurs expéditions. Amazon.com, qui s'est distingué jusqu'à la perfection dans le commerce en ligne, sous-traite son service de traitement des commandes de ses nombreux partenaires marchands.

Souvenez-vous qu'il est beaucoup moins onéreux de vendre quelque chose à un client satisfait que d'acquérir un nouveau client.

La livraison est une question pour le marketing

Rien n'enrage plus les acheteurs en ligne que le prix de la livraison. En réalité, la livraison coûte cher, surtout quand le prix du pétrole grimpe. Effectuez des recherches en amont pour décider des possibilités de transport et de livraison que vous proposerez. Bien entendu, tout ne peut pas être transporté par terre – les produits alimentaires et les fleurs fraîchement coupées doivent toujours être livrées rapidement.

Le taux moyen d'abandon d'un panier est de 60 pour cent. C'est vrai, 60 pour cent de tous les paniers ne débouchent jamais sur un achat. Parmi ceux-ci, des études montrent que les clients abandonnent plus d'une fois sur trois à cause des frais de transport élevés ou des frais dissimulés.

Décider ce qu'il faut facturer pour la livraison

Décidez si le prix de la livraison est forfaitaire par commande ou objet, s'il varie en fonction du prix ou s'il varie en fonction du poids. Si vous décidez de vous baser sur le poids, vous devrez saisir le poids de chaque produit dans votre base de données de produits. Une fois que vous aurez estimé le volume de livraison, vous serez en mesure de programmer les enlèvements et de négocier une ristourne avec le transporteur.

La manutention n'est pas gratuite non plus. Vous générez des coûts en achetant le matériau d'emballage, en retirant les marchandises des stocks, en emballant, en étiquetant.

Si vous êtes nouveau dans le business, testez vos choix en matière d'emballage et de transport, surtout si vous expédiez des choses fragiles ou périssables. Envoyez tout simplement des échantillons à vous-même (ou à vos amis).

Votre logiciel de boutique en ligne devrait vous fournir séparément des états des revenus générés par la vente des produits, des taxes et des frais de livraison. Si vous faites attention à vos états financiers, vous pouvez comparer ce que vous coûtent la livraison et la manutention avec les revenus générés par les frais de livraison que vous facturez pour vous assurer que vous ne perdez pas d'argent sur ce poste. Si vous incorporez une portion des frais de transport et de manutention dans le prix du produit, ajustez les calculs pour en tenir compte.

Dans de nombreux cas, il vaut mieux intégrer un peu des frais de transport et de manutention dans le prix du produit en ligne et réduire en rapport les frais de livraison. Cette stratégie permet de réduire la résistance du client face à des frais de livraison perçus comme trop élevés en comparaison du prix du produit. Les gens rechignent à payer 10 euros de frais de livraison pour un objet à 20 euros, mais ils paieront ce prix pour un objet à 70 euros.

Faire connaître votre politique de livraison

Créez une page distincte pour les informations sur la livraison, qui soit facilement accessible depuis la navigation principale ou secondaire. Expliquez aux gens combien de temps il faudra pour que les produits quittent vos entrepôts ou votre centre de traitement des commandes – le même jour pour les commandes reçues avant 13h ? Le jour ouvré suivant ? Une semaine pour les produits sur mesure ? Veillez à ce que votre page soit accessible depuis la fonctionnalité de recherche de votre site. Votre politique devrait clairement informer les acheteurs des possibilités de livraison et s'il y a des limitations.

Par exemple, La Poste livre à des boîtes postales, mais pas FedEx ni UPS. Vous ne payez pas de supplément pour une livraison le samedi via La Poste, mais FedEx en fait payer ; UPS ne livre pas du tout le samedi. Quelques entreprises ne livrent que dans certains pays ; certains produits ne se livrent pas partout non plus. Des entreprises ne livreront pas des produits tels que du chocolat en toutes saisons à moins que l'acheteur ne paie pour emballage spécial, réfrigéré et pour une livraison dès le lendemain.

Ne surprenez pas les utilisateurs au comptoir en annonçant les tarifs de livraison. Les gens doivent pouvoir évaluer par avance ce qu'il en coûtera, surtout quand les transporteurs appliquent des frais supplémentaires du fait des variations du prix du pétrole.

Vos choix relatifs à la livraison peuvent affecter de nombreux éléments de votre business plan, de la fabrication au merchandising, de la fixation des prix aux projections de revenus.

Spécifier les prérequis pour la boutique en ligne

Planifiez votre marketing et votre processus commercial avant de développer votre boutique en ligne. Votre angle d'attaque marketing détermine grandement la sélection du bon package de boutique en ligne. Par exemple, vous pouvez souhaiter des codes de promotion pour des offres spéciales, des statistiques qui ventilent les ventes par catégories et sous-catégories, et/ou la possibilité de spécifier l'ordre dans lequel les produits doivent apparaître dans une page du catalogue.

La Liste de vérification de la boutique en ligne que vous trouverez en téléchargement sur le site Web des Editions First peut vous aider à penser ce processus. Une fois que vous avez pris des décisions stratégiques en termes de business et décidé de votre budget, vous pouvez classer par priorité les conditions que la vitrine doit satisfaire. Si vous publiez un appel d'offres (j'en discute au Chapitre 3), n'oubliez pas de faire figurer cette information. Comme le choix final peut avoir des conséquences techniques, signalez à votre développeur le package qu'il doit utiliser.

Evaluez l'expérience en e-commerce des développeurs que vous pressentez et déterminez les solutions qu'ils sont capables de mettre en œuvre. Comme certains systèmes de boutique en ligne sont complexes, des développeurs se spécialisent souvent dans une ligne de produits. Vos choix de logiciels, d'hébergement et de développeur sont interdépendants.

Pour vendre en ligne, vous pouvez partir du plus simple – un listing sur eBay – ou un template bon marché pour les boutiques en ligne dont le catalogue est réduit. De là, vous avez accès à tout un éventail de solutions, jusqu'à des solutions de niveau entreprise pour des magasins proposant des milliers de produits, qui intègrent un contrôle de l'inventaire, la comptabilité et un logiciel pour les points de vente. Comme toujours, plus le magasin est flexible et compliqué, plus le produit est cher et plus les compétences techniques requises sont pointues.

Sélectionner le bon type de boutique en ligne

Les solutions de boutique en ligne les plus faciles et les moins chères sont les moins flexibles et proposent moins de fonctionnalités. Si vous vous lancez tout juste dans le business, vous pouvez utiliser l'une de ces solutions pour créer votre boutique en ligne. Investissez ensuite dans des solutions de e-commerce plus complexes, plus riches en fonctionnalités. Les sections suivantes vous expliquent les options possibles, présentées approximativement dans un ordre de complexité croissante.

Les solutions sans boutique en ligne

La solution la moins coûteuse pour commencer à vendre en ligne est de loin celle qui consiste à ne pas utiliser de vitrine. Autrement dit, oubliez tous les efforts requis pour monter un site Web et une boutique en ligne : vendez directement vos produits sur Amazon Marketplace, eBay ou d'autres sites d'enchères, Craiglist.org ou d'autres sites de petites annonces. Vous n'aurez pas votre propre nom de domaine, mais vous pourrez faire le lien depuis un petit site Web vers la liste de vos produits sur la plupart de ces sites.

Les solutions clé en main

Variante des templates de site dont j'ai parlé au Chapitre 4, les solutions clé en main sont des solutions génériques, vaguement flexibles, mais qui ont le mérite de résoudre rapidement la plupart de vos problèmes – sauf celui posé par le contenu. C'est vrai, ce type de solution vous aide à acheter un nom de domaine, à créer des pages Web basées sur des templates, à alimenter un catalogue de produits, à proposer un panier et un comptoir, un système de paiement via PayPal ou un portail marchand, à héberger votre site. Fort bon marché et relativement faciles à utiliser, les versions d'entrée de gamme sont clairement indiquées pour les petites boutiques. De nombreux hébergeurs proposent ces solutions packagées, mais elles sont aussi disponibles via les boutiques eBay (`http://stores.ebay.fr/`), Yahoo! Stores (`http://smallbusiness.yahoo.com/ecommerce/?p=PASSPORT`), et ailleurs.

Les galeries marchandes

Les galeries marchandes ont une mission. Généralement, l'hébergeur décide de se focaliser sur un secteur d'activité ou une zone géographique et produit des templates de e-commerce spécifiques aux besoins du public considéré. L'hébergeur crée ensuite un répertoire de toutes les boutiques formant la galerie marchande virtuelle et fait la promotion de cette dernière. Quelques galeries marchandes haut de gamme, telles que Shop.com, permettent aux acheteurs d'utiliser un panier universel pour toutes les boutiques, ce qui facilite le shopping et permet de gagner du temps.

Faites attention aux galeries marchandes qui ne sont rien de plus que des répertoires de liens. Posez des questions sur le trafic et sur la promotion de la galerie. Vérifiez aussi si la galerie vous laissera utiliser votre propre nom de domaine. Si ce n'est pas possible, cela signifie que vous ne pouvez pas faire la promotion de votre boutique dans les moteurs de recherche ; vous aurez besoin de créer un autre site Web pour cela.

Les boutiques mutualisées

De nombreuses entreprises hébergent une solution de boutique en ligne sur leur serveur sur laquelle vous pouvez renvoyer depuis votre site, où que ce dernier soit hébergé. Ces boutiques assemblées disposent de tous les composants pour le e-commerce, mais vous avez besoin d'assistance technique pour rendre l'intégration insensible. En gros, vous créez et gérez deux sites qui partagent la même apparence. Si vous commandez un livre sur `www.dummies.com`, vous verrez que l'URL dans la barre d'adresse devient `http://customer.wiley.com` lorsque vous ajoutez quelque chose à votre panier. Elle se change encore en `https://customer.wiley.com` (serveur sécurisé) lorsque vous cliquez sur Checkout Now.

Les boutiques intégrées

Les développeurs intègrent des composants de e-commerce commerciaux ou Open Source à votre site Web pour réaliser une boutique en ligne qui est graphiquement et fonctionnellement intégrée au site. Selon votre taille et d'autres facteurs, votre boutique en ligne peut être hébergée sur un serveur dédié, sur votre serveur mutualisé ou sur le serveur du développeur. Cette approche est plus complexe, mais elle est aussi plus personnalisable et plus flexible que les autres. Traduction : elle est moins coûteuse. Quelques développeurs achètent une licence et revendent la même solution de boutique en ligne à tous leurs clients du e-commerce. C'est bien, du moment que c'est la boutique en ligne dont vous avez besoin. Vous avez l'avantage de travailler avec quelqu'un qui est expert d'un package particulier et vous êtes protégé : si quelque chose arrive à votre développeur, vous pouvez trouver quelqu'un d'autre qui connaît ce package.

Les solutions de e-commerce

Pour un maximum de flexibilité et de contrôle, quelques développeurs préfèrent écrire leurs propres packages de e-commerce. L'avantage : une boutique en ligne qui est sur mesure peut être très rentable pour votre business. L'inconvénient : selon le nombre de boutiques qui utilisent le logiciel, ce dernier sera plus ou moins débogué parce qu'il requiert plus ou moins de tests. Si vous changez de développeur, vous risquez de perdre votre boutique.

Les solutions de e-commerce pour les entreprises

Généralement onéreuses, les solutions intégrées pour les grandes boutiques en ligne haut de gamme s'interfacent avec la distribution, les systèmes de points de vente, la comptabilité, l'inventaire, la fabrication, la relation client (CRM), les progiciels de gestion intégrés et autres systèmes. Sélectionner une solution de ce niveau signifie que vous avez consacré un investissement significatif et que vous disposez d'une équipe de développeurs versés dans le contenu, la technique et le merchandising. Une solution de niveau entreprise de NetSuite a été assemblée pour créer la boutique en ligne de SmithsonianFolkways.com, représentée sur la Figure 5.9.

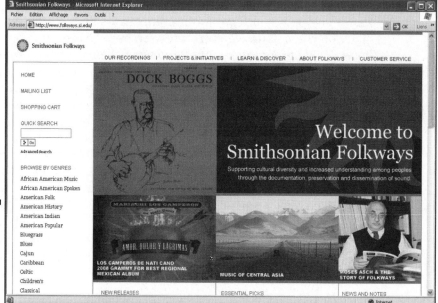

Figure 5.9
Le site pour Smithsonian Folkways est une solution d'entreprise de NetSuite.

Avec l'aimable autorisation de © Smithsonian Folkways Recordings, www.folkways.si.edu.

Faire une sélection

Le Tableau 5.1 liste quelques solutions de boutique en ligne relevant des catégories décrites dans les sections précédentes, non pour les recommander, mais à titre d'exemple pour vous guider dans vos recherches. Malheureusement, il n'existe pas de moyen facile pour trouver la meilleure solution pour votre business parmi les centaines qui existent. Etant donné la compétition, vous pouvez trouver une solution abordable qui réponde à vos besoins. Basez votre décision sur le type de produits que vous vendez, la taille de votre catalogue, votre budget et les délais que vous accordez au développement, ce que la concurrence propose et les attentes de votre marché-cible.

Tableau 5.1 : Quelques solutions de boutiques en ligne.

Nom	URL	Taille du catalogue	Coût mensuel minimum
BizLand ShopSite	`www.bizland.com/bizland/commerce.bml?t=1`	15-illimité	6 $-35 $
CafePress (graphics products w/mfg)	`www.cafepress.com/cp/info/sell/shops`	80–illimité	7 $
Connected Commerce	`www.uniteu.com/uniteu`	Illimité	Sur devis
CPOnline for Synchronics POS	`www.synchronics.com/products/cpol.htm`	10 000 +	125 $ pour les utilisateurs de système POS
eBay Stores	`http://pages.ebay.com/storefronts/start.html`	Illimité	16 $
GlassArtWorld Mall	`www.glassartworld.com/SignUp/MerchantOverview.asp`	Illimité	20 $
Go Daddy	`www.godaddy.com/gdshop/ecommerce/cart.asp`	20-illimité	10-50 $
HyperMart	`www.hypermart.com/hypermart/hosting.bml?feature=ecommerce`	15-illimité	4,25-20 $
Microsoft Office Live Small Business	`http://smallbusiness.officelive.com/GetOnline/Commerce`	15-10 000	40 $
Miva Merchant	`www.mivamerchant.com`	Illimité	Licence logicielle

Tableau 5.1 : Quelques solutions de boutiques en ligne. (*suite*)

Nom	URL	Taille du catalogue	Coût mensuel minimum
NetSuite Small Business	`www.netsuite.com/portal/products/nsb/webstore.shtml`	Illimité	Sur devis
osCommerce	`www.oscommerce.com`	Illimité	Grauit (Open Source)
ProStores	`www.prostores.com`	20-illimité	10-30 $ + coût par transaction
Website Source	`www.websitesource.com/ecommerce/overview.shtml`	Illimité	7-15 $
Yahoo! Small Business	`http://smallbusiness.yahoo.com/ecommerce/plans.php`	50 000	40 $ + coût par transaction

Commencez par lire les revues listées dans le Tableau 5.2. Vous pouvez aussi poser des questions aux propriétaires de boutiques en ligne sur les solutions qu'ils ont mises en œuvre (si ceci n'est pas évident sur leur site), ou interroger des confrères. La Liste de vérification de la boutique en ligne (que vous pouvez télécharger sur le site Web des Editions First) vous permet de comparer votre liste des souhaits avec les fonctionnalités des solutions de boutique en ligne.

Tableau 5.2 : Des ressources sur le commerce de détail en ligne.

Nom	URL	Ce que vous trouverez
ClickZ-Retailing	`www.clickz.com/show-Page.html?page=stats/sectors/retailing`	Statisitiques sur le commerce de détail en ligne
c|Net Download	`www.download.com/E-commerce/3150-2649_4-0.html?tag=dir`	Revue de logiciels de e-commerce
Direct Marketing Association	`www.dmaresponsibility.org/SH`	Fixer les prix du transport et de la manutention

Tableau 5.2 : Des ressources sur le commerce de détail en ligne. (*suite*)

Nom	URL	Ce que vous trouverez
eCommerce Times	`www.ecommercetimes.com`	Informations sur le e-commerce
Internet Retailer	`www.internetretailer.com`	Stratégies et nouvelles pour les distributeurs en multicanal
MarketingProfs. com	`www.marketingprofs.com/2/dixon1.asp` "Ce que les e-distributeurs peuvent apprendre des distributeurs" enregistrement gratuit requis	
PC Magazine	`www.pcmag.com/category2/0,1874,4808,00.asp`	Revues de logiciels de e-commerce
Pew Internet & American Life	`http://www.pewinternet.org/pdfs/PIP_Online%20Shopping.pdf`	Rapport sur le commerce en ligne
Practical eCommerce	`www.practicalecommerce.com/articles/276/shopping-cart-checklist`	Liste de vérification pour le panier ; e-zine et magazine pour le e-commerce
Shop.org	`http://shop.org`	Réseau pour les distributeurs en ligne ; membre de la National Retail Federation
Shopping Cart Index	`www.shoppingcartindex. com`	Comparaison et notation des logiciels de gestion de panier
TopTen Reviews	`http://ecommercesoftware-review.toptenreviews.com`	Revues de logiciels de e-commerce
TopTen Reviews	`http://shopping-cartreview.toptenreviews.com`	Revues de logiciels de gestion de panier

À faire et à ne pas faire sur une boutique en ligne

Vous n'êtes peut-être pas un vendeur expérimenté, mais je suis certain que vous êtes un acheteur expérimenté – du moins, hors ligne. Laissez-vous guider par votre bon sens tandis que vous planifiez puis construisez votre boutique.

La règle d'or du marketing : ne faites pas à vos clients ce que vous ne voudriez pas qu'on vous inflige.

Ce que les utilisateurs détestent dans le shopping en ligne

D'après une étude de 2008 par Pew Internet & American Life Project (`http://pewresearch.org/pubs/733/online-shopping`), approximativement 75 % de internautes n'apprécient pas de donner leur carte de crédit ou des informations personnelles en ligne.

Même si le shopping en ligne s'est banalisé, plus de la moitié des internautes se déclarent frustrés par les informations confuses, les informations insuffisantes, le déluge d'informations.

Ce que les utilisateurs adorent dans le shopping en ligne

La même étude montre que ceux qui achètent en ligne sont enchantés de leur expérience parce que le shopping en ligne :

- **C'est la solution pour trouver des objets rares.**

- **C'est la solution pour trouver des ristournes.**

- **C'est pratique.**

- **Ca permet de gagner du temps.**

Ces résultats sont consistants avec les trouvailles de Pew au fil de ces dernières années. Dans des études précédentes, les utilisateurs signalaient la facilité d'utilisation, ce qui était étayé par une autre trouvaille : les internautes qui vont sur le Web pour rechercher des produits et des services sont 25 % plus nombreux que ceux qui achètent finalement un produit quelconque en ligne.

La démographie des acheteurs recoupe celle des internautes dans la dernière étude de Pew, avec certaines exceptions. Ceux qui appartiennent aux catégories socio-économiques les plus élevées (diplômés de l'université, revenus par foyer d'au moins 60 000 $) et ceux âgés de 30-49 sont toujours plus représentés parmi les acheteurs que parmi les utilisateurs.

La recherche montre que les internautes sont d'autant plus enclins à devenir acheteurs qu'ils ont passé de temps en ligne. Finalement, les derniers arrivés des catégories socioprofessionnelles les moins favorisées deviennent des acheteurs, aussi.

En dépit de tous ces chiffres réconfortants, ne fermez pas tout de suite votre magasin sur la rue ! La distribution sur Internet représente un volume de 204 milliards de dollars en 2008. Cependant, ce n'est que 3 pour cent des 10 000 milliards de dollars que totalisent les ventes de la distribution aux Etats-Unis.

Tenez compte de cette recherche pour élaborer un business plan qui tienne la route. Faire fortune sur Internet peut s'avérer plus difficile que vous ne le pensiez, mais ce sera amusant.

Chapitre 6

Faire revenir les visiteurs grâce à des techniques de marketing

. . . .

Dans ce chapitre :

▷ Améliorer la valeur marketing avec du contenu mis à jour.

▷ Créer des communautés en ligne avec des techniques du Web 2.0.

▷ Annoncer en fanfare vos succès.

▷ Attirer les utilisateurs avec du gratuit et des distractions.

▷ Créer des clients vraiment loyaux.

▷ Pratiquer le bouche-à-oreille sur le Web.

▷ Faire du marketing viral.

. . . .

A vez-vous déjà entendu la phrase "le marketing n'est qu'une facette du business, mais tout le business, c'est du marketing" ? Si vous regardez un organigramme, vous pouvez pointer les cases étiquetées Ventes et Publicité et dire "Voilà notre département marketing". Mais la réceptionniste qui répond au téléphone ? Mais le technicien qui se déplace au bureau d'un client ? Mais la propreté de votre magasin ? Mais la fraîcheur de vos produits ?

Tout dans votre entreprise affecte le client d'une manière ou d'une autre. Tout contribue à l'image qu'il se fait de votre business et affecte ses attentes en termes de qualité de service. Tout cela, c'est donc du marketing.

Il en va de même pour votre site Web : le marketing n'est qu'une partie de votre site Web, mais tout votre site Web, c'est du marketing. Au Chapitre 3, j'ai identifié les trois objectifs que votre site Web doit atteindre pour se révéler être un outil utile à votre business :

- **Attirer de nouveaux visiteurs.**

- **Les conserver sur votre site.**

- **Les faire revenir souvent.**

Dans ce chapitre, je décris quelques-unes des techniques de marketing qui vous aideront à atteindre ces objectifs. Le marketing en ligne présente un immense avantage sur les autres formes de publicité : il est très bon marché, il requiert plus de travail et de créativité que d'argent. Je recommande des idées qui permettent d'accroître le trafic et de gagner des clients. Aucun site Web n'a besoin de toutes. Le défi, c'est de sélectionner celles qui sont le plus indiquées étant donné votre business.

Sélectionner les techniques de marketing en ligne à utiliser

Malheureusement, aucune règle ne dit "faites un blog ou un média interactif seulement si vous vous adressez à un public jeune" ou "les femmes réagissent plus aux témoignages". Vous pouvez mettre en œuvre de nombreuses combinaisons des techniques de marketing en ligne décrites dans ce chapitre pour créer un site qui attire votre public et qui le fidélise.

Notez les possibilités sur votre Liste de vérification des méthodes de marketing Web du Chapitre 2 tandis que vous lisez ce chapitre (vous pouvez télécharger ce formulaire pratique sur le site Web des Editions First).

Lorsque vous aurez terminé votre plan marketing en ligne, vous aurez une bonne idée des techniques à retenir comme étant les plus indiquées pour votre site, votre équipe et votre budget. Il serait trop coûteux de les mettre toutes en œuvre !

Effectuez toujours, toujours, des mises à jour pour que votre contenu reste frais. Ensuite, intégrez les trois solutions (bannières internes, témoignages et l'outil Signaler à un ami), car elles sont fort peu coûteuses à mettre en œuvre. Enfin, ne sélectionnez pas plus d'une ou deux des autres techniques décrites dans ce chapitre pour le lancement ou la mise à jour de votre site.

Quoique vous fassiez sur le Web, suivez le principe KISS ("Keep it simple, stupid" : faire simple, quoiqu'il arrive). Vous pouvez toujours noter des solutions à implémenter pour plus tard, aux phases 2, 3 ou 12 du développement de votre site Web. Dès lors qu'il est question de sélectionner les techniques de marketing en ligne pour démarrer, tenez compte de ces facteurs :

✔ **Ce que vous cherchez à faire avec votre site.**

✔ **Votre marché-cible.**

✔ **Le budget que vous avez alloué au développement du site.**

✔ **La manière dont votre serveur est configuré.**

✔ **Ce que votre développeur sait faire.**

✔ **Le temps dont vous disposez avant de lancer le site.**

✔ **Le temps que vous pourrez consacrer à la maintenance de l'activité.**

✔ **L'équipe que vous pourrez affecter à la maintenance.**

✔ **L'intérêt que vous avez pour la technique.**

✔ **Si le retour sur investissement en vaut la peine.**

Quelles que soient les techniques que vous sélectionnez, n'oubliez pas de les inclure dans votre appel d'offres (présenté au Chapitre 3) ou d'en discuter avec votre développeur Web. C'est essentiel pour obtenir un prix et un planning précis. Même si vous ne mettez pas en œuvre toutes les fonctionnalités spéciales à la fois, il est important que votre développeur Web sache ce que vous avez en tête pour l'avenir. Parfois, un développeur peut procéder à des aménagements de sorte qu'il soit facile de rajouter des fonctionnalités ultérieurement. Autrement, vous risquez d'avoir à dépenser beaucoup d'argent dans le développement pour intégrer une fonctionnalité qui n'a pas été prévue.

Maintenir la fraîcheur de votre contenu

Le contenu frais n'est pas une option mais une obligation dans ce chapitre. Si vous visitez un site Web signalant Dernière mise à jour le 14 mars 2004, vous allez probablement immédiatement vous déconnecter pour passer à un autre site. Pourquoi perdre votre temps si précieux à contempler un contenu obsolète alors qu'il existe des dizaines, des centaines d'autres sites Web plus à jour ? Même si vous recherchez un simple site d'information dont vous avez saisi l'URL figurant sur une carte de visite, vous ne pouvez pas être certain que les heures d'ouverture et l'adresse sont corrects. Sachant que vous allez devoir appeler l'entreprise pour le vérifier, vous allez plutôt être encouragé à vous rendre sur un autre site Web.

Le contenu mis à jour produit un effet sur les clients et les prospects. Il démontre que vous vous consacrez à votre site Web, et même plus, que vous respectez le temps de vos clients. Ainsi, un site mis à jour permet d'attirer de nouveaux clients durant ces premières secondes si cruciales, et à les faire revenir régulièrement.

Quelques moteurs de recherche tiennent compte du contenu à jour pour classer votre site dans leurs résultats. Plus un site est à jour, plus le moteur de recherche considère qu'il est pertinent. Comme vous le découvrirez au Chapitre 7, vous devez tirer parti de tous les avantages pour bien vous positionner dans les classements sans pitié que les moteurs de recherche établissent.

Définir un planning de mise à jour

Comme le montre le Tableau 6.1, le planning de mise à jour de votre contenu dépend de la nature de votre site. Au grand minimum, révisez tout le contenu du site au moins une fois par an, et prévoyez une rénovation complète du site au bout de quelques années. Durant cette période, les attentes des visiteurs changent tandis que la technologie et les styles graphiques évoluent.

Tableau 6.1 : un exemple de planning de mise à jour.

Fréquence	Tâche
Tous les 3-5 ans	Revoir le design du site, son contenu, ses fonctionnalités
Année	Réviser tout le contenu et les photos si requis
Mois	Mettre à jour au moins une page sur le site avec des informations plus actuelles
Semaine	Nouveaux produits, promotions spéciales
Jour	Changement automatique de date
Au besoin	Inventaire des produits, surtout les changements de prix, les suppressions et les ruptures de stock

Mettre à jour une partie du contenu tous les mois, c'est bien mieux pour les moteurs de recherche et un rythme praticable pour la plupart des business. Plus vous mettez votre site à jour avec du nouveau contenu, plus vous avez besoin d'un accès facile et peu coûteux pour modifier ce dernier, comme un système de gestion de contenu, un package d'administration de boutique en ligne ou un logiciel tel que EasyWebContent ou Contribute d'Adobe, dont je discute au Chapitre 4.

Payer un développeur pour des mises à jour peut se révéler très onéreux, même si certains commercialisent un package qui contient un service de mise à jour mensuelle. En dernier ressort, un de vos salariés qui connaît le HTML ou des outils de mise à jour Web peut effectuer les modifications sur votre site et les télécharger via FTP (le protocole de transfert de fichiers).

Quelle que soit la fréquence des mises à jour, désignez qui devra les effectuer et qui devra vérifier que le travail a été fait. Autrement dit : organisez-vous ! Il faudra me montrer quel site n'a pas besoin de mise à jour...

Identifier le contenu à mettre à jour

Il existe une règle très simple pour savoir quelles parties de votre site il convient de mettre à jour : tout et n'importe quoi ! Pas besoin de vous confronter au problème de la page blanche. Même des petites modifications peuvent tenir votre site à jour. Par exemple :

✔ Votre page d'accueil peut avoir besoin de modifications, peut-être parce que vous avez ajouté un nouveau produit ou parce que vous souhaitez promouvoir une offre spéciale.

✔ Votre page Contact peut avoir besoin d'être modifiée pour tenir compte des mouvements au sein de vos équipes. Peut-être avez-vous modifié les horaires d'été, changé d'adresse, créé une nouvelle adresse e-mail pour vous contacter.

✔ Vos pages des produits peuvent devoir être modifiées pour refléter de changements de prix, des ajouts, des suppressions.

✔ Si vous avez une page consacrée à la revue de presse, vous voudrez sans doute ajouter de nouveaux articles dans les journaux ou toute autre mention dans un média.

N'oubliez pas que vos visiteurs sont intéressés par ce qui les affecte, et non ce qui vous importe. Vous pouvez bien être fier de votre dernier contrat, cette information n'a sans doute pas besoin de figurer sur votre page Web à moins que votre public ne soit constitué d'investisseurs ou de journalistes de la presse financière.

Quelques personnes créent une page Quoi de neuf qui recense toutes les modifications apportées lors des mises à jour du site. Les pages Quoi de neuf sont utiles si vous publiez un flux régulier d'informations, mais vous gagnerez plus de terrain dans les moteurs de recherche en mettant à jour plusieurs pages. Par exemple, le département des ressources naturelles du Missouri publie des informations et retire celles qui ne sont pas à jour en permanence sur www.MOstateparks.com/new.htm. Sur la Figure 6.1, sa page What's New affiche quatre catégories d'informations :

Items of Interest (éléments intéressants), Advisories and Notices (annonces), Special Happening (événements) et News (informations). Un lien vers What's New figure sur la page d'accueil du site.

Figure 6.1
La page What's New de MOstate.parks .com contient quatre catégories d'informations.

Avec l'aimable autorisation de la division des parcs de l'Etat du département des ressources naturelles du Missouri.

Votre développeur peut rajouter un lien qui vous permettra de modifier vos dernières informations ou promotions facilement et rapidement. Testez ces idées :

✔ De nouveaux produits et services.

✔ Des offres spéciales ou une apparence saisonnières, surtout pour la distribution.

✔ Des offres spéciales.

✔ Des modifications et des suppressions de produits.

✔ Des modifications de prix.

✔ Les salons auxquels vous participez, surtout si vous avez des places à offrir.

✔ Des conférences, des signatures et toute autre occasion où vous vous produisez en public et lors desquelles vous pouvez rencontrer vos clients.

✔ De nouveaux distributeurs où les clients peuvent acheter vos produits.

✔ Un lien vers des formations ou des activités programmées.

✔ De modifications d'horaires, de numéros de téléphone, d'adresses, de cartes.

✔ Des copies de communiqués de presse, de lettres d'information, de mentions dans les autres médias.

✔ Des informations financières, comme de nouveaux contrats ou de nouvelles installations.

✔ Un lien vers un agenda des événements que vous pouvez mettre à jour facilement, avec un logiciel tel que CalendarScript (`www.calendarscript.com`).

Utiliser un contenu qui se met à jour automatiquement

Si vous souhaitez jouer au plus futé, utilisez un service automatique qui alimente votre site en informations telles que la date, la météo, les informations et les cours de la Bourse. Vous pouvez aussi trouver des sites qui fournissent des proverbes, des blagues ou des citations quotidiennes, ce qui vous permettra de faire croire que le contenu de votre site a changé – et c'est vrai, du moins pour ce que les utilisateurs en savent !

Les mises à jour automatiques sont une solution qui convient aux sites de business strictement informatifs dont le contenu reste plutôt figé, du moment que le contenu correspond à l'objectif de votre site et se révèle approprié à votre public. Par exemple, un courtier peut afficher les cours de la Bourse, mais afficher une blague du jour peut se révéler inapproprié. Faites attention si vous utilisez un service de blagues religieuses ou politiques, sauf si vous êtes certain que votre public ne sera pas choqué. Les mises à jour automatiques peuvent vous permettre d'être mieux classé par les moteurs de recherche, mais elles ne constituent pas un substitut à une véritable révision régulière de votre contenu.

Quelques services de contenu sont gratuits, d'autres nécessitent que vous publiiez un lien de retour vers la source, et d'autres encore font payer un abonnement mensuel. Votre développeur peut insérer un script de date, de cours de la Bourse ou de météo directement dans des fichiers inclus sur le serveur (SSI) ou dans le pied de page, de sorte que ces informations figurent dans chaque page. Au lieu d'utiliser des scripts, vous pouvez maintenant utiliser des flux RSS (syndication de contenu) pour fournir des informations, la météo et d'autres informations sur votre site. Je traite de RSS au Chapitre 10.

Le Tableau 6.2 recense quelques-unes des nombreuses sources de scripts (code) que votre développeur peut insérer dans votre site. Parfois, ce sont de simples liens vers un site tiers ; d'autres fois, il faut insérer un morceau de code. Vous pouvez trouver bien d'autres scripts de ce genre en saisissant *scripts pour _* (remplissez le blanc avec ce que vous recherchez) dans votre moteur de recherche favori.

Les tableaux de ce chapitre fournissent des exemples représentatifs des nombreuses solutions disponibles pour diverses catégories de logiciels ; ces listes ne signifient pas que les produits mentionnés sont recommandés. Votre développeur doit sélectionner le bon logiciel ou le bon lien en fonction de votre budget, des fonctionnalités requises, de la facilité de mise en œuvre et de maintenance, de la structure technique de votre site.

Tableau 6.2 : Des exemples de sources de contenu automatiquement mis à jour.

URL pour le site	Prix
Citations financières	
`http://en.thinkexist.com/DailyQuotation/customize.asp`	Gratuit, liens vers la source

Tableau 6.2 : Des exemples de sources de contenu automatiquement mis à jour. (*suite*)

URL pour le site	Prix
www.quotationspage.com/useourquotes.php	Gratuit, liens vers la source
www.sitescripts.com/Remotely_Hosted/Website_Content/Quote_of_the_day_Script.html	Gratuit
Date / heure	
http://javascript.internet.com/time-date Freewww.cgiscript.net/site_javascripts_date_time.htm	Gratuit
http://scriptsearch.internet.com/JavaScript/Scripts/Calendarsk	Gratuit
www.webreference.com/js/scripts/basic_date	Gratuit
Cotations boursières	
www.phpmaniacs.com/scripts/view/3256.php	Gratuit
www.scripts.com/javascript-scripts/textscrolling-scripts/stock-market-javascriptticker	Gratuit
Météo	
www.weather.com/services/oap.html?from=servicesindex	Gratuit
www.wunderground.com/about/faq/weathersticker.asp	Gratuit

N'utilisez pas de compteur de pages automatique visible sur votre site Web. Même si cela peut être considéré comme une mise à jour pour tromper les moteurs de recherche, un compteur de pages peut produire un effet négatif. Si les visiteurs tombent sur un compteur qui indique 56 visites depuis 1999, ils peuvent se demander si cela vaut vraiment la peine de lire la page. Le compteur de page devient un témoignage à charge de la faible audience de votre site. Au Chapitre 14, vous trouverez des compteurs de page "invisibles" et d'autres options relatives aux statistiques Web pour déterminer le nombre de visiteurs de votre site.

Les techniques interactives du Web 2.0

En tant qu'humains, nous avons non seulement besoin, mais nous voulons aussi communiquer avec autrui. Le Web offre toute une série de techniques pour ce faire – les blogs, les wikis, les salles de discussion, les forums, les réseaux sociaux et plus encore. Toute technique qui permet aux utilisateurs d'interagir ou de générer du contenu est souvent désignée par "Web 2.0".

Les communautés virtuelles en ligne établissent une forme d'échange entre des internautes qui partagent un même centre d'intérêt. Les communautés se sont développées sur la plupart des sujets, des sites de fans d'une star de cinéma aux conseils pratiques de type "comment le faire soi-même", en passant par le support technique en informatique à l'aide sur les investissements en ligne. Des sites d'informations médicales, qui comptent parmi les cibles les plus fréquentes des moteurs de recherche, font partie des endroits où il est le plus possible de trouver des communautés.

Héberger une communauté sur votre site Web constitue le moyen le plus certain de vous assurer que les visiteurs reviendront régulièrement sur votre site. Les communautés en ligne peuvent générer du trafic, du temps passé sur le site, un retour sur investissement. Vous découvrirez éventuellement qu'il vous faut promouvoir cet aspect du site pour générer du trafic et recruter des membres jusqu'à ce que vous ayez réuni une masse critique, autosuffisante, de participants.

Les communautés en ligne utilisent n'importe quel moyen de communication : de plusieurs à plusieurs, du haut vers le bas, d'un à plusieurs. Chaque style se décline en *synchrone* (lorsque de nombreuses personnes peuvent être en ligne simultanément) comme dans les salles de discussion, les wikis ou la messagerie instantanée, ou *asynchrone* (lorsque les participants doivent poster des messages de manière différée) comme sur les forums, les blogs ou les livres d'or.

N'oubliez pas que toute communauté en ligne exige que vous lui consacriez du temps, des personnes, de l'attention pour éviter qu'elle ne se délite. Il faut du savoir-faire et du jugement pour surveiller les messages, corriger les inexactitudes techniques, supprimer les gros mots avant de publier les messages, éviter les responsabilités, garder un œil sur les désaxés dans un réseau social, écrire du contenu pour un blog, recruter des participants. Les communautés en ligne consomment une telle énergie que certaines, telles que YouTube.com, exigent que leurs membres se surveillent les uns les autres et notifient à l'administrateur toute intervention litigieuse.

Si vous n'avez pas le temps de superviser ces communautés, vous devriez plutôt opter pour d'autres dispositifs de promotion. La taille de la communauté, le nombre de participants et la nature du thème déterminent le temps requis et le niveau d'exposition de votre responsabilité qui en découle. Sur les thèmes médicaux notamment, consultez votre avocat pour déterminer le contenu du message d'avertissement que vous devez publier.

Rendez-vous au principe de réalité avant de commencer : avez-vous assez d'intérêt pour tenir la communauté durant longtemps ? L'objet de la communauté correspond-il à celui de votre site ? La communauté sert-elle les objectifs de votre business, directement ou indirectement ?

Les blogs

Les blogs (Web logs : journaux du Web) supplantent les forums en tant que technique favorite de discussion asynchrone. Un blog est une forme de journal en ligne qui permet de déployer toute votre éloquence sur un sujet auquel vous vous intéressez et de solliciter des suggestions et des commentaires des lecteurs. Contrairement aux forums, les blogs ressemblent à des pages Web comprenant des liens, des images, du son et de la vidéo.

Autrefois considéré comme une solution de facilité pour les individus souhaitant publier en ligne sans disposer d'un nom de domaine et sans maîtriser le HTML, les blogs sont rapidement devenus des journaux personnels en ligne. Des chroniqueurs de sites de média et de sites politiques utilisent les blogs en étant libérés des restrictions imposées par les médias imprimés, en premier lieu pour engager les dialogues avec leurs lecteurs. Bien entendu, sur les sites de ce genre financés par la publicité, un blog controversé qui génère des pages vues constitue une source de revenus publicitaires.

Sur les sites de business, de finance, de distribution et de services aux professionnels, les blogs sont parfois comme des caméléons. En plus de servir à fédérer une communauté comme les forums, un blog peut emprunter les traits d'un e-zine ou d'une lettre d'informations. Vous pouvez utiliser le vôtre comme une opportunité pour informer vos prospects sur les différents aspects de votre business ou de vos produits tout en apprenant de leurs questions et de leurs commentaires. La Figure 6.2 présente un exemple de blog de business en la matière de Carlisle Wide Plank Floors sur `www.hardwoodsurface.com`. Le Tableau 6.3 liste quelques sources de logiciels de blog.

Figure 6.2
En janvier 2008, Carlisle Wide Plank Floors a lancé un blog nommé Surface pour mieux faire connaître sa marque et faciliter la discussion sur ses produits. En utilisant son propre nom de domaine et en renvoyant sur le site parent, le blog améliore le classement du site dans les moteurs de recherche.

Avec l'aimable autorisation de Carlisle Wood Plank Floors

Selon la stratégie marketing pour laquelle vous optez, vous préférerez héberger votre blog sur un autre site, comme `www.blogger.com`, ou utiliser un nom de domaine distinct, si bien que vous pourrez créer des liens vers votre site. Les liens entrants contribuent beaucoup au classement de votre site dans Google.

Les experts du marketing ont découvert qu'un blog offre des opportunités pour :

✔ Attirer et retenir du trafic sur le site.

Tableau 6.3 : Un échantillon de sources de logiciels de blog.

Nom	URL	Prix
Blogger	www.blogger.com/start	Gratuit
Blog Software Evaluation Site	http://weblogs.about.com/od/ weblogsoftwareandhosts/a/topfreeblogs.htm	N/A
Greymatter	http://noahgrey.com/greysoft	Gratuit
Movable Type	www.movabletype.com	200 à 600$
Serendipity	http://s9y.org	Gratuit
Typepad	www.typepad.com	A partir de 5 $ / mois
WordPress	http://wordpress.org	Gratuit

✔ Obtenir des retours positifs et négatifs des clients.

✔ Générer des liens vers d'autres pages sur le site Web.

✔ Annoncer de nouveaux produits et tester des seuils de prix.

✔ Développer la notoriété d'une marque.

✔ Recruter des beta-testeurs.

✔ Faire connaître des promotions de produits.

✔ Identifier les leaders d'opinion.

Comme tous les autres moyens pour fédérer une communauté, un blog prend du temps. Ce n'est une solution intéressante que si vous aimez vraiment écrire. Vous devez poster au moins un message par semaine pour conserver le blog en vie et encourager les commentaires.

Un blog peut faire mal ! Quoiqu'un blog puisse être une excellente solution pour vous positionner en tant qu'expert, la fenêtre de communication qu'il ouvre peut vous mettre à rude épreuve. Vous voudrez certainement surveiller la manière dont les gens répondent à vos messages, mais ne restez pas sur la défensive si vos clients, et sans doute vos concurrents, font des commentaires négatifs. Quelques entreprises telles que Comcast surveillent nos seulement leurs propres blogs, mais aussi ceux d'autrui, des forums et des sites Web pour détecter des plaintes formulées par leurs clients, déminer les situations et éviter ainsi toute mauvaise publicité.

Les wikis

Les wikis sont liés aux blogs, mais plutôt qu'un seul auteur échange avec une multitude de répondants, tout le monde joue le rôle d'auteur sur un wiki. Ils permettent à de multiples utilisateurs d'ajouter, de supprimer et de modifier les contributions des autres rapidement et sans connaissances techniques. Les wikis sont particulièrement indiqués pour l'écriture à plusieurs mains, comme sur le wiki de la communauté des petites entreprises de Hewlett-Packard représenté sur la Figure 6.3.

Figure 6.3
Le wiki de la communauté des petites entreprises de HP permet aux utilisateurs d'échanger des conseils et des ressources sur le marketing à l'adresse http://expressioncentersmb.wetpaint.com.

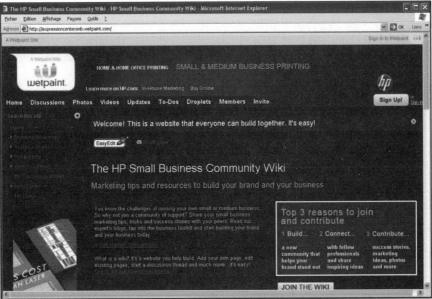

Avec l'aimable autorisation de Hewlett-Packard

L'encyclopédie gratuite Wikipedia est un formidable exemple de contenu collectif qui reflète bien des opinions – y compris certaines qui sont erronées ou malfaisantes. Encyclopedia Britannica (www.britannica.com) entend combiner son contenu écrit par des experts à des contributions d'utilisateurs sur un wiki. Pour trouver un logiciel de wiki que vous installerez sur votre site ou vers lequel vous créerez un lien, reportez-vous au Tableau 6.4.

Tableau 6.4 : Quelques sources de logiciels pour wiki.

MediaWiki	`www.mediawiki.org/wiki/MediaWiki`	Gratuit
MindTouch	`wiki.mindtouch.com/Landing/WikiMatrix01`	Gratuit
MoinMoin Wiki	`http://moinmo.in`	Gratuit
UseModWiki	`www.usemod.com/cgi-bin/wiki.pl`	Gratuit
Wetpaint	`www.wetpaint.com`	Gratuit
Wiki Software Evaluation Site	`http://en.wikipedia.org/wiki/ Comparison_of_wiki_software`	N/A
Wiki Wiki Web	`www.wikiweb.com`	50$
Zoho Wiki	`http://wiki.zoho.com/jsp/ wikilogin.jsp?serviceurl=%2Fregister.do`	Gratuit

Les réseaux sociaux

Les sites sophistiqués réseaux sociaux permettent aux visiteurs de votre site de se connecter à un autre site à l'aide de profils personnalisés. Les sites de réseaux sociaux à succès tels que MySpace.com, Facebook.com, Friendster.com, BlackPlanet.com et Classmates.com témoignent du désir des gens de former une communauté avec d'autres partageant un centre d'intérêt commun, présent ou passé.

En brisant la glace, les réseaux sociaux permettent aux gens de faire connaissance rapidement : les étudiants en première année d'université pensant prendre la même orientation ; les gens à la recherche d'un compagnon de voyage pour une conférence, un circuit, une retraite ; n'importe qui souhaitant faire connaissance de quelqu'un d'autre le temps d'une expérience brève mais intense. Vous pouvez protéger par mot de passe cette section de votre site pour garantir la confidentialité.

Si vous vous interrogez toujours sur le facteur de sociabilité, sachez que Comscore estime que le nombre de visiteurs du monde entier sur les sites de réseaux sociaux a progressé de 34 pour cent en 2007 et 2008, pour atteindre approximativement 530 millions, soit 2 tiers des internautes.

Vous pouvez soit vous relier à des sites de réseaux sociaux, soit installer un logiciel de réseaux sociaux sur votre site Web pour permettre aux visiteurs de former leurs propres groupes de passionnés de Harley, de scientifiques amateurs, ou tout autre thème qui fait sens étant donné votre public cible.

Par exemple, la Figure 6.4 reprend Meet the Phlockers qui a créé un réseau social très vivant pour les gens qui apprécient le style de vie tropical en utilisant la solution de www.ning.com. Le Tableau 6.5 de la section suivante contient des informations sur les logiciels de réseaux sociaux.

Figure 6.4
MeetThePhl
ockers.com
contient
plusieurs
groupes et
"phorums" basés
sur une solution
de réseaux
sociaux de
www.ning
.com.

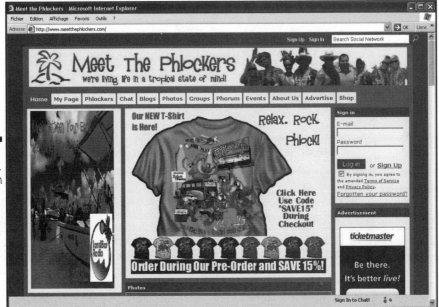

Avec l'aimable autorisation de Meet the Phlockers, LLC.

Les autres moyens pour fédérer une communauté

Les idées pour créer une communauté ne sont limitées que par votre imagination. Les gens aiment qu'on leur demande leur opinion et reviennent souvent pour consulter les résultats de sondages. Vous pouvez facilement ajouter un script qui renvoie vers un simple sondage (D'après vous, qui va remporter tous les Oscars ?) sur n'importe quelle question susceptible d'intéresser votre public.

D'autres techniques plus anciennes remontant au temps des premiers sites Web ont été recyclées pour créer des communautés. Les forums permettent la discussion asynchrone sur votre site. Historiquement, les forums sont la première forme d'utilisation d'Internet, bien avant le développement du Word Wide Web. Les scientifiques travaillant sur Internet ont initialement créé ces forums pour encourager les discussions ouvertes sur des sujets techniques. La Figure 6.5 montre divers thèmes des forums de Dogster.com.

Figure 6.5 Dogster.com propose plusieurs forums sur www.dogster.com/forums/home.php. Il dispose aussi d'un réseau social pour les amis des chiens.

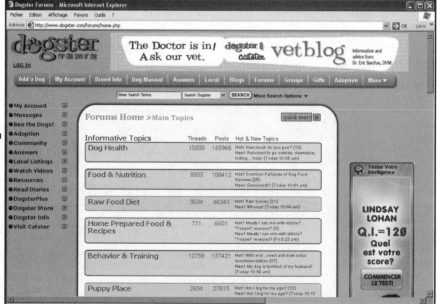

Avec l'aimable autorisation de Dogster, Inc.

Vous pouvez utiliser un logiciel de forums pour héberger une discussion sur un ou plusieurs thèmes, permettre à certains ou à tout le monde de participer, sélectionner si les forums sont *modérés* (quelqu'un relit tous les messages pour vérifier leur conformité) ou non (tous les messages sont publiés).

Les logiciels de livres d'or – une variante non modérée des forums – étaient auparavant utilisés pour conserver la liste des visiteurs d'un site Web et collecter éventuellement leur e-mail. Ces fonctions ayant été remplacées par des fonctions plus perfectionnées, les livres d'or sont maintenant utilisés pour partager des expériences collectives, pour solliciter un retour des participants à un événement, pour collecter des félicitations pour un mariage, voire même pour recueillir des messages de condoléances.

Les logiciels de salons de discussion fonctionnent d'une manière similaire, mais de multiples participants peuvent être en ligne simultanément. Il peut être très difficile de gérer ces discussions en temps réel ; souvent, un expert assure les réponses tandis qu'un modérateur filtre et ordonne les questions.

Le Tableau 6.5 recense quelques sources pour créer des communautés en ligne sur votre site Web à l'aide de ces moyens interactifs du Web 2.0. Comme toujours, le choix du logiciel dépend de votre public, de la manière dont il utilise votre site, et du niveau d'expertise de votre développeur dans le logiciel qui répond le plus à vos besoins. Il peut explorer des solutions alternatives ou renvoyer sur un site tiers qui fournit ce type de service.

Tableau 6.5 : Sources de logiciels pour créer des communautés.

Logiciel	URL	Prix
Chat Room		
Bravenet	www.bravenet.com/webtools/chat	Gratuit
2 Create a Website	www.2createawebsite.com/enhance/create-chatroom.html	Gratuit
Chat Software Evaluation Site	http://wdvl.internet.com/Software/Applications/Chat/#resources	N/A

Tableau 6.5 : Sources de logiciels pour créer des

Logiciel	URL	Prix
Guestbook		
Chipmunk Scripts	www.chipmunk-scripts.com/page.php?ID=13	Gratuit
Big Nose Bird	http://bignosebird.com/carchive/bnbbook.shtml	Gratuit
CGI Extremes	www.cgiextremes.com/Scripts/Guestbooks	Gratuit
Message Board		
Simple Machines	www.simplemachines.org	Gratuit (script)
PHP Junkyard.com	www.phpjunkyard.com/phpmessage-board.php	Gratuit (script)
CuteCast	www.cutecast.org	Gratuit (hébergement distant)
Message Board Evaluation Site	http://personalweb.about.com/od/addforumsandboards/Add_Forums_and_Message_Boards_to_Your_Web_Site.htm	N/A
Social Networks		
Build a Community	http://buildacommunity.com/bacfriends/index.html	Package 8 Community Builders 399 $
E-friends	www.alstrasoft.com/efriends.htm	A partir de 240 $
Ning.com	www.ning.com	Gratuit
Survey/Poll		
SurveyMonkey.com	www.surveymonkey.com	20 $/mois ou 200 $/an ; service de base gratuit

Tableau 6.5 : **Sources de logiciels pour créer des**

Logiciel	URL	Prix
Hosted Survey	www.hostedsurvey.com/home.html	Premières 250 réponses gratuites, puis tarif à la réponse
Hot Scripts	www.hotscripts.com/Detailed/47579.html	Script de sondage gratuit
Zoomerang	www.zoomerang.com	599 $/an ; service de base limité gratuit

Claironner votre site Web

Ce n'est pas sur votre site Web qu'il faut vous montrer timide ! Comme vous n'avez qu'une seule chance de faire une première impression, vous devez la saisir. Utilisez des techniques éprouvées sur votre site pour la promotion sans complexe : la publicité (des bannières internes), des témoignages, des revues, des distinctions. Ces outils peuvent vous aider à accroître le temps que les gens passent sur votre site.

Afficher des bannières internes

Vous connaissez ces bannières publicitaires omniprésentes sur le Web (j'en parle en détail au Chapitre 12) ? Vous pouvez tirer parti de bannières de ce genre sur votre propre site. Plutôt que de la publicité payante qui renvoie sur le site de quelqu'un d'autre, reliez vos bannières internes à des pages de votre propre site. Guider les visiteurs vers d'autres pages permet d'accroître le temps qu'ils passent sur votre site et la probabilité qu'ils se souviendront de votre business ou qu'ils achèteront votre produit.

Bien que les fonctionnalités spéciales de votre site devraient être facilement accessibles via la navigation, l'œil de l'utilisateur ne se reporte pas à cette dernière tout d'abord. Attirez l'attention des visiteurs avec une bannière accrocheuse qui fait la promotion d'une offre spéciale du mois, qui les renvoie sur une page d'inscription à la lettre d'informations, ou alors qui leur donne accès à la page de la communauté que vous tentez de fédérer. Les bannières internes apparaissent comme une des solutions de facilité pour le marketing en ligne, mais intégrez-les dans la conception graphique de votre site.

Collecter des témoignages et des validations

Les témoignages en ligne rassurent les prospects sur la qualité du produit ou du service que vous offrez. Les témoignages peuvent provenir de classements effectués objectivement par la presse, d'une célébrité, d'experts dans le domaine ou d'autres clients. Collectez les témoignages des clients satisfaits et les mentions dans les médias en permanence, et non seulement lorsque vous travaillez sur le contenu du site (le témoignage de votre maman ne compte pas. Désolé). Ces recommandations sont triviales. Il vous en coûtera un peu d'effort pour les collecter au départ et pour les tenir à jour, mais vous n'aurez rien à payer.

Si vous avez un site de B2B (business-to-business), obtenez l'autorisation de vos clients avant d'utiliser leurs noms, titres et les noms de leurs entreprises. Quelques entreprises ne permettent pas que leur nom ou les noms de leurs salariés soient utilisés comme caution ; vous ne voulez pas prendre le risque de perdre leur clientèle. Parfois, vous pouvez obtenir le même effet en utilisant le titre et une description de ce dernier, comme Directeur de l'ingénierie d'une entreprise du CAC. Le même principe s'applique si vous avez pour client une célébrité ou un expert dont le nom est connu de prospects : obtenez d'abord la permission de l'utiliser.

Quoique cette situation soit moins sensible avec les clients "ordinaires", vous seriez ici encore bien inspiré de leur demander leur permission. Si vous ne pouvez identifier la source, vous pouvez utiliser un prénom et une initiale, ou inversement, et le nom de la ville ou du pays : J Zimmerman, Albuquerque, Nouveau Mexique ou Jan Z, Albuquerque, NM. Si votre client vient d'une petite ville où il risque d'être reconnu, ou s'il porte un nom peu courant, n'utilisez que son nom ou celui de son pays : P Tchaikovsky, Russie. Cependant, moins la source est identifiée, moins le témoignage a d'impact.

L'endroit présente un intérêt, surtout si vous souhaitez communiquer auprès de prospects que votre produit a "atteints" ou que vous avez été capable de satisfaire des clients résidant au même endroit que vos prospects.

Il est inutile de coller une longue liste de témoignages sur une seule page Web – personne ne la lira ! Essayez ces suggestions pour tirer le meilleur parti de cette technique de marketing en ligne :

- **Répartissez les témoignages sur tout le site.**

- **Sélectionnez judicieusement des phrases courtes qui sont en relation avec le contenu de la page où vous les ferez figurer.** Considérant qu'un média Web diffère d'un média imprimé, un témoignage en ligne est plus efficace quand il est court et pertinent.

- **Vous pouvez découper un long témoignage en plusieurs messages de soutien sur autant de pages du site.**

- **Intégrez la rotation des témoignages à votre stratégie de mise à jour.** Vous pouvez le faire manuellement ou demander à votre développeur de créer une base de données des citations qui permettra d'afficher un témoignage différent chaque jour, ou chaque fois que quelqu'un se connecte à votre site. Les témoignages peuvent être efficaces sur presque tous les sites, du moment que vous n'en abusez pas.

La Figure 6.6 montre comment Absolute Nirvana (`www.absolutenirvana.com`), un spa indonésien basé à Santa Fe, affiche des témoignages extraits de revues de presse sur sa page d'accueil ; des liens renvoient sur des témoignages plus longs sur une page distincte.

Un autre type de caution vous permet de créer de la confiance sur votre site. Si vous êtes membres d'un groupement quelconque qui répond de la qualité de ses membres, mettez son sceau bien en évidence sur votre site. Vous devrez pour cela peut-être verser une cotisation et éventuellement soumettre votre site à un audit, mais vous en tirerez un avantage compétitif qui n'est pas à négliger sur le Web.

Concourir pour obtenir des distinctions

Quelques sites Web gagnent des visiteurs et de la crédibilité en étant distingués pour leur qualité. C'est particulièrement vrai pour les sites

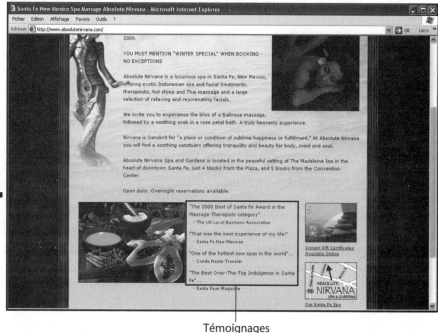

Figure 6.6
Le site
d'Absolute
Nirvana utilise
de manière
efficace des
témoignages de
clients et des
revues de
presse.

Témoignages

Avec l'aimable autorisation de Douglas Merriam et Jennifer Esperanza (photos). Conception du site et hébergement par Studio X.

de conception graphique et de développeurs Web, les sites spécialisés dans certains secteurs d'activité, les sites de services aux professionnels et les sites d'informations. Il existe des sites opérant des classements généraux, dont le bien connu Webby Awards, et toute une palanquée d'autres qui opèrent des classements spécifiques à certains types de business ou certaines fonctionnalités, comme la qualité d'une base de données ou de l'animation Flash.

Recherchez des distinctions et essayez de les obtenir pour votre business et pour la conception de votre site. Si vous gagnez, affichez la distinction sur votre site ! Le Tableau 6.6 recense des URL de sites qui dressent la liste de distinctions ainsi que les URL de quelques-unes de ces dernières auxquelles vous pouvez concourir.

Tableau 6.6 : **Exemple de sites de distinction.**

Distinction	URL	Thème
Cool Netsites	`http://members.aol.com/skycheetah/awardsites.html`	Liste de sites de distinctions
Davey Awards	`www.daveyawards.com`	Sites Web réalisés par des petites agences de publicité et de création
EduNET	`www.edunetconnect.com/awards/index.php`	Sites éducatifs
Interactive Media Awards	`www.interactivemediaawards.com/default.asp`	Diverses catégories de business
Internet Advertising Competition	`www.advertisingcompetition.org/iac`	Publicité en ligne
Kasina's awards for financial professionals	`www.kasina.com/Page.asp?ID=493`	Services financiers
MuniNetGuide	`www.muninetguide.com/top_picks.php`	Gouvernement local
W3 Awards	`http://www.w3award.com/`	Sites Web, vidéo sur le Web, publicité sur le Web
Web Marketing Association's WebAward	`www.webaward.org`	Divers thèmes
Webby Awards	`http://webbyawards.com`	Divers thèmes

Intégrer du gratuit et du divertissement

Les techniques de marketing en ligne présentées dans cette section sont conçues d'abord pour générer du trafic sur votre site, pour encourager les visites répétées, pour accroître votre ROI. Pour utiliser ces techniques efficacement, vous devez en faire connaître l'existence sur le Web sur des listes de liens vers des coupons, des offres gratuites, des jeux et des concours. Le Tableau 6.7 recense des sites relevant de cette catégorie.

Tableau 6.7 : Sources et sites de listings pour du gratuit et du divertissement.

Nom du site	URL	Fonction
ContestAlley.com	www.contestalley.com	Site de soumission de concours
ContestGuide.com	www.contestguide.com	Site de soumission de concours
DynaPortal	www.dynaportal.com/software/contests.cfm	Logiciel de concours, payant
FatWallet	www.fatwallet.com	Site de soumission de coupons
Free Stuff Channel	www.freestuffchannel.com	Site de soumission d'offres gratuites
Miniclip	http://www.miniclip.com/games/en/webmaster-games.php	Jeux gratuits téléchargeables
myClipper.com	www.myclipper.com	Site de soumission de coupons
RefDesk	www.refdesk.com/free.html	Répertoire des sites pour soumettre des offres gratuites
UbiDog Productions	www.ubidog.com/cgi-bin/downloader/downloader.pl	Concours téléchargeables gratuits

Les coupons et les remises

Les coupons et les remises fonctionnent hors ligne et en ligne, surtout si votre marché-cible recherche les économies. Cependant, même le public haut de gamme aime à penser qu'il a fait une bonne affaire. Même si la plupart des coupons ne sont finalement jamais utilisés, ils participent à la reconnaissance de votre marque. La mise en œuvre d'une remise en ligne s'effectue à l'aide d'un code promotionnel que les utilisateurs saisissent en passant à la caisse sur votre site Web, tandis qu'un coupon peut être imprimé pour être utilisé dans vos magasins bien réels. Vous devez vous faire une idée du coût engendré par de telles remises étant donné votre revenu brut et la valeur moyenne d'une vente.

Tous les paniers électroniques n'acceptent pas toutes les formes de remises. Il faut demander à votre développeur ce que votre logiciel peut gérer avant d'établir un plan de remise. Par exemple, quelques sites peuvent réduire un prix total d'un certain pourcentage, mais ils ne peuvent le faire sur un produit particulier, ni même appliquer une réduction forfaitaire. Quelques-uns ne peuvent pas faire le lien entre deux achats pour appliquer une formule complexe comme Pour deux achetés, le second est à moitié prix. Quelques paniers ne peuvent pas du tout gérer les codes promotionnels.

Les offres gratuites

Gratuit est le mot préféré du marketing (je parle du pouvoir de *Gratuit* au Chapitre 4). Vous pouvez lier une offre gratuite à un autre achat, comme deux pour le prix d'un, ou à un produit qui est apparié, comme Les chaussettes sont gratuites si vous achetez les chaussures ou Bracelet gratuit si vous vous abonnez à notre lettre d'information. Dans tous les cas, n'oubliez pas d'intégrer le coût des produits promotionnels et celui de leur livraison dans votre budget marketing.

Faites attention ! Starbucks s'est grillé en 2006 avec une offre pour un café glacé gratuit envoyée par e-mail à un certain groupe de salariés qui pouvaient la partager avec des amis ou leurs familles. L'e-mail s'est diffusé si rapidement que Starbucks a dû annuler la promotion tant son coût devenait important. Vous devriez aussi consulter votre service de livraison pour vous assurer qu'il peut emballer et livrer les produits promotionnels.

Les jeux et concours

Les jeux et le concours en ligne attirent souvent un public d'un certain âge et/ou d'un certain genre. Le bon jeu correspondant au bon public peut générer un trafic significatif sur votre site et des visites répétées. Pour que le résultat dépasse ces visites, vous devez vendre de la publicité sur votre site ou trouver une autre justification commerciale au jeu. Il peut aussi être utile de lier la récompense au public. De nombreux jeux ne proposent pas de prix, contrairement à la plupart des concours.

Quelques concours font appel aux compétences (par exemple des questionnaires ou des compétitions interactives) ; d'autres, comme les loteries ou les tirages au sort, sont seulement basés sur la chance.

Si vous utilisez une loterie ou un tirage au sort sur votre site, n'oubliez pas d'inclure une page exposant le règlement dans son détail. Consultez un avocat si vous vous posez des questions ; il existe des règles très strictes en la matière.

Créer des programmes de fidélisation en ligne

Ces petites étiquettes omniprésentes que nous accrochons à nos porte-clés sont des programmes de fidélisation. Ces cartes "acheteur fréquent" sont des programmes de fidélisation. Ces dispositifs tirent leur popularité de ces maximes du marketing embarrassantes :

- **80 pour cent de vos ventes sont générées par 20 pour cent de vos clients.**

- **Il en coûte un tiers de plus pour vendre un objet à un nouveau client qu'il n'en coûte pour vendre le même objet à un client qui existe déjà.**

- **Les clients fidèles dépensent un tiers de plus que les nouveaux clients chaque année.**

- **Il est cinq fois plus profitable de vendre à un client qui existe déjà qu'à un nouveau client.**

- **Les clients fidèles ont deux fois plus de chance de faire venir un nouveau client.**

Récompenser les clients et les conserver

Il est indispensable de retenir les clients. Bien entendu, tout commence avec un bon service client, des marchandises de qualité, et la valeur perçue. Mais dans la compétition sans pitié qui se déroule dans le cyber-respace, ça n'est pas un luxe que de proposer au client quelques motivations supplémentaires. C'est le rôle du programme de fidélisation.

Les récompenses peuvent prendre la forme de points donnant droit à un cadeau, d'une remise sur de futurs achats, d'une livraison gratuite, d'un droit à participer à un tirage au sort, d'un accès en avant-première à un produit nouveau ou exclusif, ou tout autre privilège qui peut paraître pertinent étant donné votre marché-cible et votre business.

Evaluez ce que vous avez les moyens d'offrir pour récompenser la fidélité. Lorsque vous tenez compte du prix des récompenses dans le prix de vos ventes, demandez-vous ce qui se passe au niveau du point mort et des marges que vous dégagez. Si vous êtes en position enviable d'être le fournisseur exclusif d'un produit unique, vous n'avez peut-être pas besoin d'un programme de fidélisation – la qualité et le service suffiront à faire tourner votre business.

Mettre en œuvre un programme de fidélisation

La complexité du programme que vous proposez détermine la solution dont vous avez besoin. Le programme de points de TriathlonLab.com (`http://triathlonlab.com/content/customer-rewards.html`) est clairement plus compliqué que le code promotionnel permettant d'obtenir 15 pour cent de réduction sur des achats futurs que Guaranteed Fit Tango Shoes (`www.guaranteedfittangoshoes.com/scripts/akmod/repeatcust.asp`) envoie par e-mail. Quelques programmes de fidélisation requièrent une adhésion payante, d'autres sont gratuits. Votre public-cible et votre stratégie marketing déterminent si vous devez proposer une remise à des clients surtout motivés par le prix ou une autre forme d'incitation.

Vous pouvez passer un accord avec un site tiers spécialisé dans la fidélisation, comme dans le Tableau 6.8, pour suivre les achats et accorder des récompenses. La solution la plus simple est souvent un module de fidélisation proposé par le fournisseur de votre solution de boutique en ligne. Elle ne sera peut-être pas très flexible, mais elle peut suffire pour commencer.

Vous devez éventuellement modifier la navigation et l'index de votre site pour y faire figurer votre programme de fidélisation. Evidemment, il est plus facile d'implémenter cette option lorsque vous l'avez prévue dès le départ dans vos plans.

Restez simple ! Vous n'avez peut-être pas besoin de recourir à des plans aussi complexes que ceux que des programmes de fidélisation tiers

Tableau 6.8 : Ressources pour un programme de fidélisation.

Nom	URL	Ce que vous trouverez
Entertainment Corporate Marketing Solutions	www.entertainment.com/cms/programs-loyalty.htm	Héberge des programmes de fidélisation en ligne
Entrepreneur Magazine	www.entrepreneur.com/ebusiness/gettingtraffic/article173388.html	Article sur les programmes de fidélisation qui marchent
Loyalty Lab	www.loyaltylab.com/public	Héberge des programmes de fidélisation en ligne
Online-Rewards	www.online-rewards.com/index.html	Héberge des programmes de fidélisation en ligne
Practical eCommerce Magazine	www.youngcopy.com/loyalty-programs.pdf	Article expliquant comment le programme de fidélisation peut générer des visiteurs réguliers
Webloyalty	www.webloyalty.com/partnerad.asp	Héberge des programmes de fidélisation en ligne
USA Today	www.usatoday.com/money/smallbusiness/columnist/abrams/2006-04-14-creating-loyalty_x.htm	Article sur le moyen de fidéliser les clients

peuvent proposer. Pour toute commande, MamasMinerals.com livre un coupon "Mama's Dollars" qui contient un code promotionnel donnant droit à une remise de 5 pour cent sur le prochain achat (www.mamasminerals.com/mamasdollars.html). Pas besoin de logiciel ou de comptabilité complexes !

Faire parler les autres

La meilleure forme de publicité est aussi la moins coûteuse : c'est le bouche-à-oreille. Il n'existe pas de forme de recommandation plus efficace pour un produit – ou un site Web – que le jugement exprimé par un ami digne de confiance. Heureusement, le Web propose des dispositifs pour faire ainsi passer le mot : les fonctionnalités Recommander à un ami et le test de produits.

Proposer une option Recommander à un ami

Les scripts Recommander à un ami permettent aux visiteurs du site de faire parvenir par e-mail un lien vers votre site à d'autres personnes. Le message arrive signé de l'adresse de son auteur, et non de la vôtre, ce qui accroît la probabilité que le destinataire le lise. Mieux encore, Recommander à un ami est une solution triviale en matière de marketing d'un site. Elle ne coûte pas cher, elle est facile à maintenir à moins que vous ne proposiez une récompense à ceux qui vous recommandent.

Nombreux sont les hébergeurs de sites ou les fournisseurs de templates qui offrent à leurs clients une option Recommander à un ami. À défaut, vous pouvez utiliser la fonctionnalité identique proposée par un prestataire de lettres d'information comme ConstantContact.com. Le Tableau 6.9 recense quelques sites qui proposent des scripts gratuits permettant de mettre en œuvre la fonctionnalité. N'oubliez pas que le script doit contenir un message de confirmation ou de remerciements lorsque le formulaire est validé, ainsi qu'un test d'erreurs pour vérifier qu'aucun champ n'est vide ou que l'adresse e-mail de l'ami respecte le bon format. Vous voudrez éventuellement renommer la fonctionnalité pour l'accorder à votre site et à votre public-cible : Recommander à un collègue, Recommander à ma fiancée, Recommander à un randonneur, par exemple.

Tableau 6.9 : Sources pour des scripts Recommander à un ami.

Nom du site	URL	Coût
BigNoseBird.com	http://bignosebird.com/carchive/birdcast.shtml	Gratuit
SWS-Tech	www.sws-tech.com/scripts/tellafriend.php	Gratuit
Tell-a-Friend Wizard	www.tell-a-friend-wizard.com	6 $/mois à 30 $/an

Il est recommandé d'inclure une fonctionnalité Recommander à un ami sur presque tous les sites Web afin de générer du trafic grâce à la recommandation d'un vaste public composé de personnes similaires. C'est l'équivalent le plus simple du bouche-à-oreille sur le Web. Pour accroître le nombre de ceux qui vous recommandent, vous pouvez leur offrir une motivation mineure ou l'opportunité de participer à un tirage au sort pour chaque personne à laquelle ils vous recommandent.

Restez simple ! Pour offrir une récompense, vous devrez programmer, superviser et gérer. Il est bien plus efficace de vous contenter d'offrir un coupon pour une tasse de café gratuite que de demander à quelqu'un de vous recommander auprès de quatre personnes, dont l'une au moins doit finalement s'abonner, afin d'avoir la chance de gagner un dîner à 50 euros dans un restaurant à la mode !

Solliciter les évaluations de produits

Quelques personnes préfèrent vivre dans l'illusion qu'ils prennent des décisions rationnelles plutôt qu'émotionnelles en achetant. Les tests de produits effectués par un tiers constituent une source d'information objective aux yeux de ces clients. Parfois, vous pouvez obtenir des tests en proposant vos produits ou vos services à des magazines, à des journaux ou autres médias. Vous pouvez aussi payer pour faire référencer votre site sur un site de comparaison de prix comme Bizrate.com afin de solliciter des évaluations (voir Chapitre 11 pour plus d'informations sur les moteurs de recherche de shopping).

Si vous avez confiance dans vos produits, ouvrez votre site à l'évaluation de vos clients avec un lien `Evaluer ce produit`. Des sites tels que Hotscripts.com proposent des scripts d'évaluation gratuits pour votre site. Allez sur `www.hotscripts.com/php/scripts_and_programs/reviews_and_ratings/index.html` pour plus d'informations. Si vous sollicitez un retour de vos clients, ne publiez pas que les bons. Si toutes les évaluations sont excellentes, les lecteurs ne les croiront pas. De nombreux sites qui proposent aux clients d'évaluer les produits sont des distributeurs plutôt que des créateurs, si bien qu'ils ne courent aucun risque. Par exemple, les utilisateurs évaluent les films sur Netflix.com, et ils peuvent évaluer presque n'importe quoi sur Amazon.com. Ces énormes sites compilent les évaluations, ainsi que des statistiques sur ce que les gens achètent, afin de recommander des produits en fonction de ce que le client a déjà acheté.

Faire du marketing viral sans attraper la grippe

Les techniques de *marketing viral* utilisent les clients pour faire connaître votre produit ou votre site. Généralement, mais pas systématiquement, le marketing viral se base sur un message e-mail qui est transmis à l'infini de personne en personne. Les scripts Recommander à un ami (dont j'ai parlé à la section précédente) sont des exemples triviaux, mais tout lien, toute publicité, tout graphisme, toute vidéo ou tout clip sonore qui est passé d'un utilisateur à un autre peut être considéré comme relevant du marketing viral. Mais trouver une bonne idée de marketing viral peut se révéler difficile.

Souvent ciblé sur un public d'une vingtaine ou d'une trentaine d'années amateur de technologie, le marketing viral est une tâche créative à la pointe des techniques de publicité. Jetez un œil sur les sites de ressources recensés dans le Tableau 6.10 pour vous faire une idée.

Tableau 6.10 : Ressources de marketing viral.

Nom	URL	Description
ClickZ Network	www.clickz.com/experts/brand/brand/article.php/3573036	Article sur le marketing viral
2CreateAWebsite	www.2createawebsite.com/traffic/viralmarketing.html	Recension d'articles sur le marketing viral
Marketing Sherpa	www.marketingsherpa.com/article.html?ident=30374	Distinctions pour marketing par e-mail
Marketing Sherpa	www.marketingsherpa.com/article.html?ident=30625	Distinctions pour marketing viral
Web Marketing Today	www.wilsonweb.com/cat/cat.cfm?page=1&subcat=mm_Viral	Recension d'articles sur le marketing viral
Word of Mouth Marketing Association	www.womma.org/casestudy/wommies	Distinctions pour marketing viral
Word of Mouth Marketing Association	www.womma.org/casestudy	Etudes de cas de marketing viral

Le marketing viral peut être mis en œuvre via e-mail ou via le Web en utilisant toute une variété de techniques. Voici quelques exemples de réussites :

✔ **Envoyer un e-mail :** Sunflower Markets a habilement combiné une activité sur son site avec un e-mail pour annoncer l'ouverture d'un nouveau magasin. Les utilisateurs pouvaient télécharger une application pour faire pousser un "tournesol virtuel" sur leur ordinateur. Ils pouvaient envoyer par e-mail leur "tournesol" à des amis pour faire passer un message personnel – et donc une information sur le marché. Cette campagne qui comprenait aussi du marketing hors site a obtenu le Viral Award décernée par Marketing Sherpa en 2007 (`www.marketingsherpa.com/viralawards2007/1.html`).

✔ **Faire quelque chose qui a du sens :** FreeRice (`www.freerice.com`) est un simple jeu de vocabulaire Internet qui aide à combattre la faim dans le monde. Pour chaque réponse correcte, 20 grains de riz sont donnés au Programme alimentaire des Nations Unies par divers sponsors. Le site a été lancé en octobre 2007. Le premier jour, 830 grains de riz ont été donnés ; vers août 2008, plus de 40 milliards de grains de riz avaient été envoyés dans les pays affamés. Plus d'un demi-million de personnes visitent FreeRice chaque jour. Des bannières et des liens pour ajouter FreeRice à d'autres sites Web peuvent être récupérés sur `http://freerice.com/banners.html`.

✔ **Créer un jeu interactif :** Häagen-Dazs a fait très fort avec son "micro-site pour aider les abeilles" (`www.helpthehoneybees.com`), représenté sur la Figure 6.7, qui faisait aussi partie d'une campagne plus générale de marketing viral. Le site informe les visiteurs sur les conséquences de la diminution de la population des abeilles. En plus de décrire ce que Häagen-Dazs fait pour lutter contre le problème, le site permet aux visiteurs de person-naliser et d'envoyer un "bee-mail" pour apporter leur aide. Une description plus détaillée de la campagne "Häagen-Dazs aime les abeilles" figure dans l'encadré ci-après.

✔ **Jouer sur l'ego du créatif :** Plusieurs sites, dont Converse (`www.converse.com/#CATEGORYC1`), permettent aux visiteurs de personnaliser les produits. MasterCard leur permet de proposer leurs idées pour créer des publicités (`http://submit.priceless.com/intro.asp`). L'attrait exercé par la possibilité de créer

Figure 6.7
La campagne de marketing viral de Häagen-Dazs comprend la vidéo "La troupe de danse des Bee-boy se meurt" diffusée sur YouTube (en haut à gauche) qui renvoie le spectateur sur le micro-site Aidez les abeilles (en bas à gauche). Le site propose entre autres de personnaliser et d'envoyer un "bee-mail" (en bas à droite), variante du Recommander à un ami.

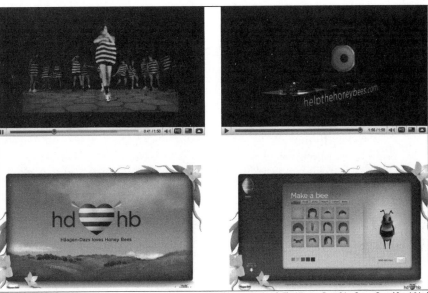

© HDIP, Inc. Avec l'aimable autorisation de The Häagen-Dazs ® Ice Cream Brand & unit9 Ltd.
Image du danseur avec l'aimable autorisation de Beau "Casper" Smart, www.cleartalentgroup.com.

quelque chose encourage les visiteurs à partager leurs créations et le site avec d'autres. Tout cela accroît profondément l'empreinte de la marque dans les esprits d'un large public que ces entreprises tentent d'atteindre. Par ailleurs, c'est un excellent exercice pour quiconque donne un cours sur la publicité.

Dans le meilleur des mondes, une campagne de marketing viral réussie offre quelque chose au client, souvent un bon éclat de rire. Le message viral doit être facile à envoyer et ne rien contenir qui puisse alarmer le lecteur, comme un énorme graphisme ou une ligne de sujet qui fait croire à du spam ou du porno (reportez-vous au Chapitre 9 pour une discussion sur la ligne de sujets dans les e-mails). Comme le message viral peut circuler durant des années, il se peut qu'il ne fonctionne pas bien pour faire la promotion d'une offre limitée dans le temps. Si vous êtes chanceux, vous pourrez suivre le nombre de personnes qui se passent l'e-mail. La plupart des services de lettres d'information vous permettent d'établir des statistiques sur l'usage de liens Recommander à un ami si vous passez par eux pour envoyer votre message initial.

Comme de nombreuses techniques de la guérilla marketing, le marketing viral repose plus sur l'imagination et la créativité que sur l'argent que vous y consacrez. Vous en apprendrez plus sur les formes créatives du marketing Internet aux Chapitres 10 à 13.

Une ruche d'activités sur HelptheHoneyBees.com

Häagen-Dazs a besoin des abeilles, et les abeilles ont besoin d'amour – surtout que leur population est dévastée par de "syndrome de dislocation des colonies". Les abeilles pollenisent un tiers de notre nourriture, dont de nombreux fruits et noix que Häagen-Dazs utilise dans ses crèmes glacées. Pour attirer l'attention sur le problème, et pour contribuer à la recherche sur les abeilles, Häagen-Dazs a lancé une ambitieuse campagne de marketing viral au printemps 2008. La campagne a été méticuleusement chorégraphiée, donnant lieu à une danse de la pollenisation des abeilles.

Tout a commencé par un spot à la télévision et sur un canal YouTube (youtube.com/user/helpthehoneybees) lié à un micro-site Flash sur www.helpthehoneybees.com. Plusieurs mois plus tard, Häagen-Dazs a posté une vidéo de hip hop sur YouTube, "Bee-Boy Dance Crew Drops Dead" (la troupe de danse des bee-boys se meurt). Une fois que les danseurs ont disparu les uns après les autres, la vidéo renvoie les spectateurs sur le même lien.

En quelques semaines, la vidéo a été regardée plus de 2 millions de fois, générant approximativement la moitié du trafic de YouTube à elle seule. Pour générer un tel trafic, Häagen-Dazs a loué les services d'une entreprise de réseaux sociaux qui a "implanté" l'annonce de la vidéo sur plus de 130 blogs, réseaux sociaux et sites de vidéo. Ces sites étaient consacrés à la publicité, à l'action sociale, à l'agriculture, plus particulièrement en direction d'un public jeune. Le bouche-à-oreille a fait le reste, générant quelques 11 000 messages dans les forums de discussion vers août 2008 et hissant le site parmi les 250 000 les plus fréquentés que recense Alexa.

Ces messages ont constitué autant d'opportunités de faire passer la nouvelle via des liens renvoyant sur la vidéo et/ou le site Web. Sur le site, les visiteurs peuvent envoyer un "bee-mail" personnalisé. Pensez à M. Patate en abeille dont vous pourriez changer les cheveux, la tête, les yeux, la bouche, le col et le corps. Le site propose aussi un économiseur d'écran, un fond d'écran, plein d'informations, la possibilité de procéder à une donation, et une note expliquant qu'acheter des parfums de Häagen-Dazs dépendant des abeilles ou la crème glacé Vanilla Honey Bee de la campagne entraîne automatiquement un don à la recherche.

Une ruche d'activités sur HelptheHoneyBees.com (*suite*)

La campagne complète comprend de nombreux éléments : un kit presse, un million de paquets de semences de fleurs sauvages (écrire à hdloveshd@gmail.com), et une publicité imprimée sur un papier prêt-à-planter comprenant des semences de fleurs sauvages.

## Troisième partie

Explorer les bases du marketing en ligne

"Nous n'avons pas de problème pour financer votre site Web, Franck. De tous les éleveurs de poulets, vous êtes celui qui pond le plus d'articles."

Dans cette partie...

Nous voici au cœur de ce livre. Une fois que vous avez lancé un site Web efficace, comment générer du trafic ? Cette section traite des composants essentiels du marketing en ligne, de l'utilisation du bouche-à-oreille sur le Web pour informer votre marché-cible de l'existence de votre site et le convaincre de s'y rendre. Etant donné qu'il existe 162 millions de sites Web concurrents, il vous faudra de l'agilité, de l'obstination et de la patience pour attirer l'attention. Plus important encore, diversifiez vos approches du marketing Web.

Les gens arrivent sur les sites Web par seulement trois voies : en utilisant les moteurs de recherche, en cliquant sur des liens dans d'autres pages, en saisissant une URL après en avoir entendu parler ou l'avoir vue quelque part. Les moteurs de recherche doivent impérativement faire partie de votre mix-marketing, mais ils ne sont pas suffisants. Le Chapitre 7 vous explique comment optimiser votre site pour que les moteurs de recherche lui accordent la visibilité dont vous avez besoin.

Le Chapitre 8 passe en revue les techniques – généralement gratuites ou bon marché – que vous pouvez utiliser pour promouvoir votre site en prenant appui sur d'autres ressources en ligne : une forme de jujitsu marketing, si vous voulez. De parler de votre site sur les blogs et les réseaux sociaux à conduire l'incontournable campagne de liens entrants, vous pouvez faire votre choix parmi les techniques de promotion de votre site. Comme tout ce qui est basé sur le Web, ces techniques évoluent avec Internet.

L'e-mail est l'une des plus efficaces de toutes ces techniques en ligne. Le Chapitre 9 traite des meilleures pratiques pour faire parvenir des e-mails et des lettres d'information sans devenir un spammer. Les techniques d'e-mail vont du simple bloc de signature aux campagnes de lettres d'information ciblant divers segments.

Chaque site Web a ses propres besoins. Vous pouvez faire votre choix parmi les méthodes du Chapitre 10 pour atteindre les objectifs propres à votre business : intégration avec le marketing hors ligne ; lancement d'un site de gala ; évènements en ligne et en temps réel ; vendre à l'international : programmes d'affiliation ; syndication de contenus (RSS).

Chapitre 7

Maîtriser les secrets des moteurs de recherche

Dans ce chapitre :

▶ Comprendre le fonctionnement des moteurs de recherche.

▶ Faire le bonheur des moteurs de recherche.

▶ Vous lier avec Google.

▶ Etre remarqué par Yahoo!, MSN et d'autres moteurs de recherche.

▶ Maîtriser les balises META.

▶ Viser les moteurs de recherche spécialisés.

▶ Conserver votre rang dans le classement des résultats des moteurs de recherche.

Les gens parviennent sur les sites Web par seulement trois moyens : en utilisant des moteurs de recherche, en cliquant des liens dans d'autres pages, en tapant une URL après en avoir entendu parler ou après l'avoir vue quelque part. En août 2008, le Pew Internet & American Life Project a établi que "presque la moitié de tous les utilisateurs d'Internet utilisent maintenant des moteurs de recherche quotidienne-ment". Ce chiffre comprend les recherches pour toutes sortes de raisons – le business, l'information, les numéros de téléphone, la santé, etc.

Dans le domaine de la distribution, les moteurs de recherche sont peut-être nécessaires, mais ils ne sont certainement pas suffisants. Comme eMarketer (www.emarketer.com) l'a rapporté dans un sondage en septembre 2007, les Américains qui achètent en ligne parviennent sur les sites Web de distribution de diverses manières (les utilisateurs devaient signaler une ou plusieurs possibilités) :

62% ont répondu à une promotion par e-mail.

38% ont obtenu un lien auprès du marchand.

24% ont saisi directement l'URL.

20% ont utilisé les favoris.

13% ont utilisé les moteurs de recherche.

Comme vous pouvez le constater dans ces deux études, la plupart des business devraient retenir l'optimisation pour les moteurs de recherche comme technique dans leur liste des méthodes de marketing Web du Chapitre 2 (vous pouvez télécharger une copie de ce formulaire sur le site Web des Editions First). Plutôt que d'essayer de vous classer dans les premiers sites pour tous les mots-clés – surtout si vous avez un site B2C – investissez raisonnablement dans le marketing pour les moteurs de recherche et réservez du temps pour d'autres techniques.

Avec plus de 162 millions de sites Web en 2008 (dont la moitié en .com ou .net), vous devez penser qu'il faudrait un miracle ou un million de dollars pour être remarqué par les moteurs de recherche. Bien que la moitié des noms de domaine actuellement enregistrés soient effectivement actifs, un site qui n'apparaît pas dans la première page des résultats d'une recherche demeure pratiquement invisible.

En fait, les études sur le mouvement des yeux montrent que votre site doit apparaître dans le "Triangle d'or" – en haut à gauche de la partie immédiatement visible d'une page de recherche – pour être vu par tous les internautes. Les spécialistes du marketing pensent que l'endroit où vous figurez dans les résultats d'une recherche est si important que l'optimisation pour les moteurs de recherche est l'un des domaines où les investissements connaissent la plus grande croissance.

Le jargon des moteurs de recherche

Il est utile de maîtriser la terminologie que vous rencontrerez sur les sites de ressources sur les moteurs de recherche ou dans les articles :

- **Les araignées, les crawlers ou les robots (bots)** sont des programmes automatiques utlisés par des moteurs de recherche pour visiter les sites Web et indexer leur contenu.

- **L'optimisation pour les moteurs de recherche (SEO en anglais)** consiste à ajuster les sites et les pages Web pour gagner des places dans le classement des résultats produits par les moteurs de recherche.

- **La recherche organique ou naturelle** fait référence aux résultats produits par les algorithmes (règles) des moteurs de recherche lorsqu'ils indexent des sites référencés gratuitement.

- **Les résultats de recherches payantes** sont ceux pour lesquels vous avez payé afin d'apparaître dans des bannières de sponsors en haut d'une page, dans les annonces pay-per-click (PPC, paiement au clic) dans la marge de droite, ou parfois en haut de la liste des résultats de recherche. Le Chapitre 11 traite dans le détail de ces techniques payantes.

- **Le marketing des moteurs de recherche (SEM en anglais)** combine les activités de recherche payante et naturelle.

Plutôt que d'attendre un miracle, ce chapitre vous propose une solution qui devrait vous permettre d'atteindre des objectifs raisonnables.

Qui utilise les moteurs de recherche ?

L'étude de Pew fournit quelques indications intéressantes sur les utilisateurs des moteurs de recherche :

- **Plus le niveau de formation est élevé, plus les utilisateurs ont tendance à utiliser un moteur de recherche.**

- **Plus le revenu du foyer est élevé, plus les utilisateurs ont tendance à utiliser un moteur de recherche.**

- ✔ Ceux qui disposent d'une connexion haut débit chez eux ont plus tendance à utiliser des moteurs de recherche que ceux qui n'en ont pas.

- ✔ Plus l'utilisateur est jeune, plus il a tendance à utiliser un moteur de recherche.

- ✔ Quoique les internautes soient approximativement autant des hommes que des femmes, et que tous ont approximativement tout autant utilisé un moteur de recherche, les hommes adultes sont 53 pour cent à utiliser des moteurs de recherche quotidiennement alors que la proportion des femmes adultes se limite ici à 45 pour cent.

Tous les moteurs de recherche sont créés égaux ! Concentrez vos efforts d'optimisation sur le moteur de recherche utilisé par votre marché-cible. Par exemple, différentes strates socio-économiques utilisent différents moteurs de recherche, comme l'explique la Figure 7.1 qui compare les utilisateurs de Google à ceux de Yahoo! par style de vie. En général :

- ✔ Les utilisateurs de Yahoo! sont plus jeunes et moins nantis.

- ✔ Les utilisateurs de Google sont plus souvent des hommes, plus âgés et plus aisés (et ils ont donc plus d'argent à dépenser).

- ✔ À l'inverse, les utilisateurs de MSN sont plus probablement des femmes, plus âgées et qui ont plus de chance de se convertir en acheteurs.

Avez-vous besoin des moteurs de recherche ?

Voici une bonne nouvelle. Si vous consultez le graphique des relations entre les moteurs de recherche sur `www.bruceclay.com/searchenginerelationshipchart.htm`, vous constaterez que seuls trois sites – Google, Yahoo! et MSN – génèrent les résultats visualisés sur les principaux moteurs de recherche.

Vous n'avez qu'à faire connaître votre site auprès des ces trois sites pour maximiser la visibilité de votre site.

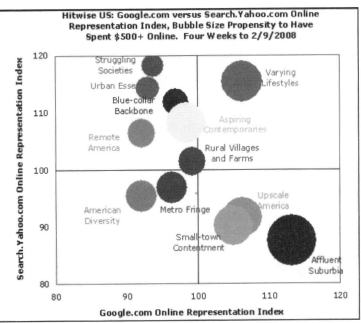

Figure 7.1
L'analyse par
quadrants des
styles de vie. Les
utilisateurs de
Yahoo! occupant
le quadrant
supérieur
gauche
dépensent moins
d'argent (de
petits cercles)
que les
utilisateurs de
Google,
concentrés dans
le quadrant
inférieur droit (de
gros cercles).

Avec l'aimable autorisation de Hitwise et Experian Company.

La version sous forme d'histogramme du graphique de BruceClay.com montre comment ces relations ont évolué dans le temps tandis que les entreprises rachetaient leurs concurrents. Elles évolueront certainement encore, Yahoo! et MSN se battant contre le titan Google pour conquérir des parts de marché. Gardez un œil sur les informations pour vous tenir au courant. Quoiqu'il se passe, les recherches payantes et naturelles risquent d'en être affectées.

Ignorez les spams qui vous promettent de vous référencer sur des centaines ou des milliers de moteurs de recherche. Vous n'en avez pas besoin, et le processus peut nuire à votre standing auprès des moteurs de recherche primaires. Aussi, supprimez tous ces e-mails qui vous promettent d'être classé en première position dans les moteurs de recherche. Aucune entreprise spécialisée dans l'optimisation pour les moteurs de recherche (SEO) n'osera vous promettre un tel résultat. Il est *toujours* possible d'être classé numéro 1 sur un mot-clé qui n'est utilisé que rarement.

Le classement ne fait pas rentrer d'argent par lui-même. Vous faites de l'argent lorsqu'un moteur de recherche fait venir des visiteurs qualifiés à votre porte.

Rendez-vous sur ces URL pour entreprendre votre référencement manuel.

- ✔ **Google** alimente quatre autres moteurs de recherche :

  www.google.com/addurl/?continue=/addurl

- ✔ **Yahoo!** alimente trois autres moteurs de recherche :

  http://search.yahoo.com/info/submit.html

- ✔ **MSN** est un loup solitaire qui n'alimente ni ne s'alimente à d'autres moteurs de recherche :

  http://search.msn.com/docs/submit.aspx?FORM=WSDD2

Le réseau de la marque Google, qui concentre 62 pour cent de toutes les recherches dans le sondage de comScore en juin 2008, est tout indiqué si vous ciblez un public plus âgé, axé sur le business et légèrement plus aisé.

En préservant leur réputation de portails vers d'autres services, Yahoo! (21 pour cent des recherches) et dans une moindre mesure MSN (légèrement plus de 9 pour cent des recherches) attirent de nombreux utilisateurs, mais pas tant que les moteurs de recherche.

Tous les autres moteurs de recherche se partagent les 8 pour cent des quelques 11 milliards de recherches effectuées aux Etats-Unis en juin 2008. C'est pourquoi référencer son site auprès de milliers de moteurs de recherche ne signifie pas grand-chose. Cependant, il est intéressant d'obtenir des liens entrants de 10 à 50 moteurs de recherche utilisés par votre marché-cible (voir Chapitre 8).

Créer un site apprécié des moteurs de recherche

Les moteurs de recherche appliquent des algorithmes sophistiqués pour produire des résultats pertinents. Aussi futés qu'ils puissent paraître, les ordinateurs sont bêtes. Pour produire de bonnes données, ils ont besoin de bonnes entrées. Un site bien structuré, conçu pour plaire aux moteurs de recherche, permet à ces derniers de scruter votre site facilement. Presque la moitié des sites sont si mal structurés que les moteurs de recherche ne les "voient" jamais en premier lieu.

Il est bien plus facile de concevoir un site qui plaît aux moteurs de recherche dès le départ que de réviser la conception d'un site pour parvenir à ce résultat.

Les sites qui utilisent des cadres ou des pages dynamiques contenant des données extraites de bases de données donnent une indigestion aux moteurs de recherche. D'un autre côté, les pieds-de-page, un index de site et des flux XML sont comme des desserts ; les moteurs de recherche les dévorent !

En consultant leurs portfolios et leurs états de service, vous pouvez savoir si des développeurs sont familiers des techniques d'optimisation de moteurs de recherche. Sinon, demandez-leur de lire cette section du livre et de consulter des sites de ressources. S'ils ne le peuvent pas ou s'ils ne le veulent pas, vous devrez demander à une entreprise spécialisée dans l'optimisation de les assister – ou trouver d'autres développeurs.

La structure du site

Les nombreux articles recensés dans le Tableau 7.1 traitent de la structure des sites appréciés des moteurs de recherche. Ils traitent aussi des techniques utilisant JavaScript et les feuilles de styles (CSS) que les moteurs de recherche ne digèrent pas. Les exigences pour être appréciés des moteurs de recherche évoluent tandis que la technologie et les algorithmes de recherche se perfectionnnent.

Les moteurs de recherche ne peuvent pas lire les informations suivantes dans vos pages :

✔ **Les mots dans les images, les graphismes ou les fichiers multimédia tels que Flash. Le graphique que vous insérez dans votre en-tête n'est généralement pas un problème.**

Tableau 7.1 : Ressources sur les moteurs de recherche.

Nom	URL	Ce que vous trouverez
Digital Point	www.digitalpoint.com/tools/suggestion	Outil de suggestion de mots-clés
Digital Point	www.digitalpoint.com/tools/keywords	Outil de suivi des mots-clés et outil de mesure de leur classement
Google Webmaster	www.google.com/supportv/webmasters/bin/answer.py?answer=35769	Recommandations pour optimiser un site
Internet Public Library	www.ipl.org/div/searchresults/?searchtype=traditional&words=search+engine+directory	Répertoire de moteurs de recherche
Keyword Discovery	www.keyworddiscovery.com	Outil de suggestion de mots-clés
LLRX.com	www.llrx.com/llrxlink.htm	Répertoire des moteurs de recherche spécialisés dans le juridique
Marketing Sherpa	www.marketingsherpa.com/exs/Search09Excerpt.pdf	Banc test 2009 des moteurs de recherche (extrait gratuit)
Nichebot	http://nichebot.com	Outil de suggestion de mots-clés
Pandia Search Central	www.pandia.com	Informations sur les moteurs de recherche
ZoomRank	www.zoomrank.com	Surveillance du classement dans les moteurs de recherche
Refdesk.com	www.refdesk.com/newsrch.html#type	Répertoire de moteurs de recherche
Search Engine Guide	www.searchengineguide.com/marketing.html	Articles sur les moteurs de recherche, les blogs, le marketing

Tableau 7.1 : Ressources sur les moteurs de recherche. (*suite*)

Nom	URL	Ce que vous trouverez
Search Engine Journal	www.searchenginejournal.com/seo-bestpractices-for-urlstructure/7216	Bonnes pratiques pour vos URL
SearchEngine Watch (ClickZ)	www.searchenginewatch.com	Articles, didacticiels, forums, blogs, articles sur l'optimisation et conseils
SEOmoz	www.seomoz.org	Ressources sur l'optimisation, blog, détecteur de spam, adhésion
WebPosition	www.webposition.com	Optimisation, logiciel de référencement et d'évaluation du classement, suggestions pour l'optimisation
WordPot	www.wordpot.com	Outil de suggestion de mots-clés
Wordtracker	www.wordtracker.com	Outil de suggestion de mots-clés

✔ **Le contenu dans les *cadres* (une ancienne méthode de programmation qui permet d'insérer plusieurs pages Web dans une seule).**

✔ **Chercher à duper les moteurs de recherche peut vous coûter cher. Votre site pourrait être mis sur une liste noire pour tentative d'intoxication.**

✔ **Le contenu des *pages dynamiques* (les pages qui sont composées à la volée à partir du contenu d'une base de données – comme les pages d'une vitrine).**

Les pages splash

Une *page splash* est une page qui contient beaucoup de graphismes ou de multimédia pour afficher un charmant "Youhou !". Votre développeur peut se faire un peu d'argent en en développant une, mais elle ne vous sera d'aucune aide. À moins que vous ne soyez spécialisé dans le design ou le divertissement, une page splash ne vous fera rien gagner si ce n'est l'énervement de votre public.

Les pages splash peuvent vous coûter très cher au niveau de votre classement dans les moteurs de recherche, car elles peuvent interdire l'accès à l'index de votre site à un crawler. Il vaut bien mieux déplacer votre multimédia sur une autre page de votre site où les utilisateurs pourront choisir de le visualiser plutôt que de les forcer à passer du temps sur quelque chose dont ils n'ont cure. Si vous insistez pour avoir une page splash, employez-vous du moins à en limiter l'impact :

✔ **N'oubliez pas d'ajouter un lien Accéder directement au site bien en évidence en haut à droite ou quelque part dans la partie immédiatement visible de la page.**

✔ **Ajoutez une balise ALT pour l'image qui reprendra approximativement le premier paragraphe du texte de la page d'accueil.**

✔ **Si possible, ajoutez un paragraphe de texte au-dessus de l'image ou du Flash.**

✔ **Convertissez votre page splash en une page d'entrée en incluant une navigation.**

✔ **Nommez la page splash autrement que votre URL principale.** Référencez la page d'accueil auprès des moteurs de recherche plutôt que la page splash.

Les URL appréciées des moteurs de recherche

Lorsque votre développeur crée votre site, il donne des noms à vos pages. C'est une tâche très facile sur des petits sites, mais elle devient rapidement fastidieuse sur les sites comportant des centaines de pages. À la place, les développeurs utilisent souvent de la gestion de contenu ou des systèmes de vitrines qui génèrent automatiquement des URL pour les pages dynamiques extraites des bases de données, comme les pages d'un catalogue. Malheureusement, les moteurs de recherche se débrouillent mieux quand il s'agit de passer en revue des pages statiques ; ils peuvent rencontrer des problèmes avec des pages dynamiques, voire même les ignorer.

Faites figurer plusieurs mots-clés dans les URL des pages plutôt que d'utiliser des noms de fichier arbitraires. Par exemple, l'URL d'un site de pâtisserie pourrait s'écrire : `www.votrepatisserie.com/vitrine/petits_pains.html`. Il est plus utile d'insérer quelques mots-clés (pas plus de 3 à 5) dans la partie du nom de fichier de l'URL (après le dernier /) que dans le nom répertoire ou le sous-répertoire (là où le mot vitrine apparaît dans cet exemple).

La longueur d'une URL importe peu aux yeux d'un moteur de recherche, mais plus elle est courte, mieux c'est – une recherche récente de Marketing Sherpa montre que les URL courtes sont cliquées deux fois plus ! Les URL sont sensibles à la casse. Utilisez des URL simples en utilisant des caractères minuscules.

L'utilisation de symboles dans une URL peut donner des maux de crâne. Si vous en utilisez trop, votre URL deviendra toxique pour les moteurs de recherche. Comparez le nombre de caractères – autres que le tiret (-), l'underscore (_), les lettres ou les chiffres – dans les versions "bonnes" et "mauvaises" des exemples qui suivent. Pour éviter les problèmes, limitez l'usage de symboles tels que %, & ou = à pas plus de trois occurrences. Vraiment, moins vous en faites, mieux ce sera.

De nombreux systèmes génèrent aussi des URL inutilisables lorsqu'ils génèrent une recherche sur le site, y faisant figurer des codes, un identifiant de session, bref des informations permettant de reconstituer la recherche.

Les meilleures URL sont des adresses courtes et statiques n'utilisant que des caractères alphanumériques, des traits d'union, les tirets bas. Comparez ces URL :

```
www.bonproduitURL.com/cgi-bin/shop.pl?magasin=voir_
categorie&categorie=vis%20camion&sous_categorie=&groupe=2&total=
www.mauvaisproduitURL.com/consulter/4396.htm
www.meilleurproduitURL.com/cadeaux/boucle_oreilles.htm
www.mauvaiscontenuURL.com/Regional/web/Content.jsp?nodeId=160&lang=en
www.boncontenuURL.com/incitations/Impot_Credit_1_2_2.htm
www.meilleurcontenuURL.com/incitations/impots/credits
www.mauvaisesessionID.com/index.htm?&CFID=1180599941&CFTOKEN=37702390
www.bonnesessionID.com/gp/votremagasin/ref=pd_irl_gw/002-9876543-1234567
www.meilleuresessionID.com/boutiqueenligne/123
```

C'est surprenant, mais les pires infractions à ces règles sont le fait de sites basés sur des systèmes de gestion de contenu de classe entreprise branchés sur des bases de données, totalement dispendieux. Quelle honte ! Les éditeurs de ces logiciels pourraient faire mieux.

Fort heureusement, il existe plusieurs solutions au problème des URL détestées des moteurs de recherche. La plus commune est le module Rewrite d'Apache. Demandez à votre développeur de faire un tour sur `http://httpd.apache.org/docs/1.3/mod/mod_rewrite.html` pour découvrir comment convertir ces affreuses URL en URL appréciées des moteurs de recherche à la volée. Comme je l'explique plus loin, des pieds-de-page avec des liens, un index de site et/ou des sitemaps à base de XML peuvent aussi aider à résoudre le problème.

Les pieds-de-page

Placez un pied-de-page comportant un lien en texte HTML au bas de chacune des pages de votre site. C'est extrêmement pratique pour les moteurs de recherche, surtout si votre navigation apparaît sous la forme d'éléments graphiques. Et même, c'est pratique pour les humains qui peuvent se rendre à une autre section sans avoir à faire défiler la page de nouveau jusqu'en en haut. Faites figurer le copyright, l'adresse, le téléphone et une adresse e-mail, tant que vous y êtes. Même si vous affichez ici la même information que dans la page *Contactez-nous*, plus vous faciliterez le travail des utilisateurs pour trouver ces informations, mieux ce sera. Dans l'exemple qui suit, le texte souligné représente des liens. La date qui apparaît dans le pied-de-page change automatiquement.

Dernière mise à jour le 28 août 2009 © 2000-2009 HotShot Co.

Rue | Code postal, Ville Contactez-nous par e-mail ou appelez le 800-123-4567

Accueil | Quoi de neuf | Magasins près de chez vous | Liens | Index du site | Contactez-nous

Pour plus de simplicité, demandez à votre développeur de placer le pied-de-page dans une feuille de styles (CSS).

L'index du site

Un *index de site* comme celui du Southwestern College représenté sur la Figure 7.2 expose brièvement le contenu de votre site Web sous la forme de liens. Si votre site Web adopte le schéma que vous avez défini durant le processus de développement, l'index ressemblera à ce schéma.

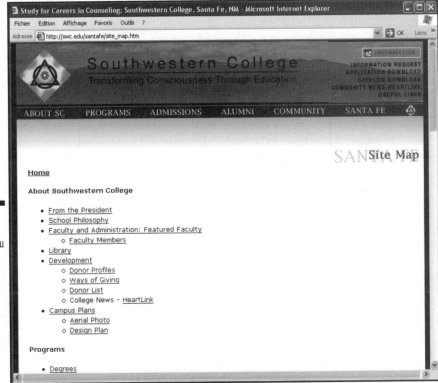

Figure 7.2
Cet index sous forme de liens du Southwestern College permet aux utilisateurs d'accéder facilement aux éléments qui apparaissent dans le second et le troisième tiers du site.

Avec l'aimable autorisation du Southwestern College.

Quelques index de site devraient permettre d'accéder au moins au troisième tiers des pages internes de sorte que les utilisateurs n'aient pas à partir à la chasse aux pages. Les index sont essentiels sur les sites d'information massifs ainsi que sur les sites qui n'utilisent pas des URL bien formées.

Les moteurs de recherche utilisent l'index du site comme un chemin pour leurs robots afin de visiter toutes les pages qui y sont recensées.

Les sitemaps

Si votre site est volumineux, demandez à votre développeur Web de convertir votre index de site en une sitemap à base de XML et de la référencer sur Yahoo! et Google. Les *sitemaps* permettent aux moteurs de recherche d'identifier des pages générées dynamiquement aussi bien que des pages statiques.

Un flux RSS associé à votre sitemap dans Google permet d'informer le moteurs de recherche de toute modification apportée au contenu de votre site. RSS est particulièrement indiqué pour les gros sites ou pour ceux qui mettent à jour en permanence une base de données de produits ou d'informations. Donnez les liens suivants à votre développeur s'il n'est pas familier de la cartographie d'un site :

✔ Information sur les sitemaps Google :

```
https://www.google.com/webmasters/tools/docs/en/protocol.html
www.google.com/support/webmasters/bin/topic.py?topic=8467
```

✔ Information sur les flux RSS pour les sitemaps Google :

```
www.google.com/support/webmasters/bin/answer.py?answer=34654
```

✔ Informations sur les sitemaps Yahoo! :

```
www.antezeta.com/yahoo/site-map-feed.html
http://help.yahoo.com/l/us/yahoo/search/siteexplorer/manage/siteexplorer-
37.html
```

✔ Informations sur les sitemaps de MSN :

```
http://help.live.com/help.aspx?mkt=en-us&project=wl_webmasters
```

✔ Générateur de sitemaps gratuit pour Google, Yahoo! et MSN :

```
www.xml-sitemaps.com
```

✔ Ressources pour des générateurs de sitemaps :

```
www.vbulletin.org/forum/showthread.php?t=100435
```

Optimiser pour Google

Google compte pour 62 pour cent de toutes les recherches et cette part ne fait que s'accroître. Du fait de sa domination du monde des moteurs de recherche, Google impose ses règles pour le classement des sites et les modifie souvent. Certaines modifications résultent de son effort permanent de recherche ou des pressions exercées par la concurrence. Google remet aussi les règles en jeu pour empêcher que des grandes entreprises aux moyens considérables dominent de manière permanente les résultats ou pour contrecarrer les stratégies déployées par des individus pour améliorer le classement de sites dans les résultats produits par les moteurs de recherche.

C'est la pertinence d'un site telle qu'un humain pourrait la définir qui guide la manière dont Google classe les résultats d'une recherche. Cette approche exerce une pression considérable sur les sites pour générer des liens entrants sur d'autres sites. En théorie, un site qui est bien conçu et bien connecté à d'autres sites est bien classé sous Google. Mais c'est de la théorie. Les sections suivantes détaillent quelques-unes des meilleures pratiques pour vous aider à lutter contre tous les autres sites qui se battent pour être aussi visibles que le vôtre.

Fixez des objectifs raisonnables à votre effort marketing dans le domaine du classement par les moteurs de recherche. Votre objectif est qu'une page de votre site soit associée à quelques mots-clés que les gens utilisent vraiment. Il n'est pas nécessaire que *toutes* les pages apparaissent sur la première page des résultats pour chaque mot-clé. Sélectionnez les mots-clés qui sont les plus essentiels, surtout si vous n'avez qu'un temps limité à consacrer à l'optimisation pour les moteurs de recherche et que vous n'avez pas les fonds requis pour vous offrir les services d'un spécialiste.

Jouer dans le bac à sable de Google

Appelez ça de la mise à l'épreuve. Appelez ça de l'évaluation. Appelez ça un *bac à sable* comme le font certains développeurs. Un site qui utilise un nouveau nom de domaine peut n'être toujours pas classé par Google jusqu'à six mois après son lancement, même si Google peut en indexer les pages principales dans les jours ou les semaines qui suivent ce lancement.

Il existe tout un débat au sein de la communauté des moteurs de recherche pour savoir si le bac à sable existe vraiment ou si Google tente délibérément de ne pas gaspiller des ressources en évitant de recenser des sites éphémères. Quoi qu'il en soit, la situation peut se révéler particulièrement frustrante si vous avez besoin de classer un site à une brève échéance.

Saisissez votre URL dans le champ de recherche `www.google.com` ; si votre site apparaît dans les résultats, Google l'a indexé. Sinon – et si cela fait plus d'un mois que vous l'avez fait référencer – recommencez la procédure de référencement sur `www.google.com/addurl/?continue=/addurl`.

Vous pouvez acheter des publicités pay-per-click (PPC, paiement au clic) entre-temps pour que les moteurs référencent votre site. Cependant, il existe une solution plus économique pour que Google fasse avancer les échéances. Demandez à votre développeur de mettre un site de deux pages en ligne très rapidement après avoir acheté le nom de domaine.

Ecrivez plusieurs paragraphes sur vos produits ou services pour la page d'accueil et préparez une seconde page qui contient des informations pour vous contacter et quelques mots sur votre entreprise. Ajoutez quelques mots-clés et des bons titres de page avec des balises META (voir la section "Optimiser pour Yahoo!, MSN et autres moteurs de recherche avec des balises META", plus loin dans ce chapitre). Référencez ensuite cette version préliminaire de votre site auprès des trois principaux moteurs de recherche.

Pour être particulièrement productif, commencez à collecter des adresses e-mail pour informer les abonnés quand le site est ouvert. Cela vous permettra de proposer une offre spéciale de bienvenue à ceux qui se sont fait connaître les premiers.

Une notice ou une icône "en construction" sans autre contenu ne sert qu'à gaspiller une opportunité marketing et peut empêcher l'indexation de votre site Web.

Même si vous avez déjà un site, Google peut prendre quelques semaines pour indexer sa nouvelle version. Généralement, vous voyez apparaître d'abord votre page d'accueil puis les autres pages avec le temps, selon la taille du site. Comme Google indexe en permanence, vous n'avez pas à attendre un temps prédéfini. Dans tous les cas, il s'écoulera au moins quatre à huit semaines pour que votre requête de référencement porte ses fruits, si bien que votre classement dans Google peut évoluer plus lentement que vous ne vous y attendez.

Améliorer votre classement dans Google

Secret Google ! Google classe les pages sur une échelle de 1 à 10, 10 étant le meilleur score. Pour visualiser le PageRank de votre site ou de n'importe quel autre, vous devez télécharger et installer la barre d'outils Google à l'URL qui figure dans le Tableau 7.2 à la mention Information sur le PageRank.

Tableau 7.2 : Liens vers des ressources sur Google.

Ce que vous trouverez	URL
Instructions pour ajouter un site	www.google.com/support/webmasters/bin/ answer.py?answer=34397&ctx=sibling
Statistiques d'exploration	www.google.com/support/webmasters/bin/ answer.py?answer=35253&query=crawl%20statistics&topic=&type =

Tableau 7.2 : Liens vers des ressources sur Google. (*suite*)

Ce que vous trouverez	URL
Conseil sur les domaines (avec ou sans www.)	www.google.com/support/webmasters/bin/answer.py?answer=44232
Cartographies Google	http://maps.google.com
Conseils sur les sites appréciés par Google	www.google.com/support/webmasters/bin/answer.py?answer=40349&ctx=related
Liste des produits Google	www.google.com/options
Guide sur les statistiques de recherche	www.google.com/support/webmasters/bin/answer.py?answer=35256&query=crawl%20statistics&topic=&type=PageRank information
Information sur le PageRank	http://www.google.com/corporate/tech.html et www.google.com/support/webmasters/bin/answer.py?answer=34432
Information sur les sitemaps	www.google.com/support/webmasters/bin/answer.py?answer=40318
Guide de soumission	www.google.com/support/webmasters/bin/answer.py?answer=35769
Instructions pour soumettre du contenu	www.google.com /submit_content.html
Barre d'outils	www.toolbar.google.com
Présentation générale des outils pour webmaster	www.google.com/webmasters/sitemaps/docs/en/about.html
Centre pour les webmasters	www.google.com/webmasters

Le PageRank apparaît chaque fois que vous passez la souris sur Page-Rank dans la barre d'outils, comme sur la Figure 7.3. Google et www.usa.gov (le portail du gouvernement américain) sont notés 10, mais bien d'autres sites le sont aussi. L'échelle du PageRank n'est pas linéaire : chaque point supplémentaire quantifie approximativement une pertinence 10 fois supérieure à celle quantifiée par le point précédent – comme pour les tremblements de terre !

Figure 7.3
La barre d'outils Google affiche le PageRank sous forme de texte et sous forme graphique. Le classement correspond à celui de la page, pas du site.

Copies d'écran Google © Google Inc. Avec son autorisation.

Le PageRank varie parfois de manière erratique de jour en jour, voire même d'heure en heure. Si votre classement semble exceptionnellement bon ou mauvais, ou s'il tombe soudain à zéro, cliquez sur le bouton Recharger de votre navigateur ou consultez de nouveau le PageRank après quelques heures.

L'équation du PageRank est un secret bien gardé. N'exprimant pas seulement la popularité d'un site en fonction des liens entrants comme cela est expliqué au Chapitre 8, le PageRank de Google semble affecté par les critères suivants (entre autres) :

- Les liens sur des sites en rapport dotés d'un PageRank élevé semblent procurer un avantage.

- Les liens sur des sites .edu, .gov et .org semblent plus valorisés.

- Les liens sur des blogs et des communiqués de presse semblent procurer un avantage.

✔ Les liens sur des fermes de liens ou sur d'autres sources misérables de liens entrants diminuent le PageRank.

✔ Les liens sortants vers des sites bien classés et pertinents – c'est-à-dire, des sites qui partagent au moins un mot-clé de recherche – semblent procurer un avantage.

✔ La taille et la complexité de votre site semblent affecter le Page-Rank. Les sites d'information semblent s'en sortir le mieux, quoique Google n'indexe pas le contenu Web "profond" (l'information dans les bases de données) des sites académiques, des journaux, des annuaires et autres bases de données.

✔ Une sitemap Google procure un avantage, tandis que des sites mal structurés peuvent nuire au PageRank.

✔ Les sites qui utilisent les techniques non conformes à l'éthique peuvent non seulement être moins bien classés, mais même disparaître.

✔ Les plus vieux sites ont tendance à être mieux classés que les nouveaux, alors soyez patient.

✔ Les sites dont le contenu est nouveau ont tendance à être mieux classés.

✔ Les sites qui apparaissent dans les 10 premiers résultats d'une recherche par carte locale semblent plus souvent apparaître dans les premiers résultats d'une recherche organique. Reportez-vous à la section consacrée au référencement sur des moteurs de recherche spécifiques, plus loin dans ce chapitre.

✔ Un titre visible et des balises ALT contenant des mots-clés a plus d'influence que les balises META.

✔ Le contenu des pages environnantes procure un avantage s'il est en rapport.

✔ Utiliser des mots-clés dans les sous-titres, dans la navigation et dans les liens procure un avantage car Google analyse la différence entre les tailles de police, les styles, les couleurs et l'emplacement.

✔ Le trafic du site, le nombre de visiteurs et de pages vues peuvent affecter le PageRank en fournissant des informations sur la qualité et la quantité du public.

Trouver des liens entrants qualifiés pour Google

Commencez votre recherche de liens entrants avec Google, comme décrit au Chapitre 8. Tapez `link:www.undomaine.com` (remplacez `undomaine` par le nom de domaine que vous souhaitez) dans le champ de recherche pour obtenir les sites des concurrents et les sites qui apparaissent en haut de la liste des résultats de Google parce qu'ils partagent des mots-clés. En parcourant la liste, ciblez les sites dont le Page-Rank est de 5 et plus.

Tous les développeurs Web n'ont pas la compétence ou les équipes pour prendre en charge l'optimisation pour les moteurs de recherche ou pour gérer une campagne de liens entrants afin de bien classer votre site dans Google. Si cela prend trop de temps de le faire chez vous, adressez-vous à un prestataire spécialisé.

Votre développeur Web demeure essentiel pour réaliser un site bien structuré, avec pied-de-page, index de site, bonnes URL et sitemap. Il doit aussi éviter les pratiques que Google n'apprécie pas : les liens cachés, le texte caché, les pages camouflées (on parle de *cloaking* quand les lecteurs voient une page, les moteurs de recherche en voient une autre) ou les redirections insidieuses. Pour plus d'informations, référez-vous aux pages qui donnent des informations sur les sites appréciés par Google et sur les règles de soumission de contenu recensées dans le Tableau 7.2.

S'ajuster aux danses de Google

La communauté des spécialistes de l'optimisation appelle *danse de Google* ce moment où Google révise son algorithme. Comme dans un jeu de chaises musicales, quelques sites gagnent des places dans le classement du moteur de recherche, tandis que d'autres en perdent quand la musique s'arrête. Vous pouvez anticiper les modifications si vous vérifiez régulièrement le classement de votre site dans Google ou si vous vous abonnez à une lettre d'information d'une des ressources sur les moteurs de recherche recensées dans le Tableau 7.1.

Ne vous affolez pas si vous perdez des places. Référez-vous aux liens recensés dans le Tableau 7.2 pour consulter des statistiques d'examen des sites et le guide des statistiques d'indexation pour comprendre ce qui s'est passé dans le cas particulier de votre site. Lisez ce que vous pouvez trouver sur la manière d'optimiser de nouveau votre site ou de trouver d'autres types de liens. Opérez vos ajustements et soumettez de nouveau votre site à Google manuellement, avec une nouvelle sitemap ou via RSS.

Optimiser pour Yahoo!, MSN et les autres moteurs de recherche avec des balises META

Alors que Google se focalise sur les liens entrants, la plupart des autres moteurs de recherche se focalisent sur la cohérence du contenu d'un site et les mots-clés pour générer des résultats de recherche. Yahoo!, un des pionniers de l'Internet, a commencé en 1994 avec un répertoire du Web plutôt qu'un index soumis à la recherche. Un *répertoire hiérarchique* est structuré en thèmes prédéfinis, comme les pages jaunes ou les livres sur les étagères d'une bibliothèque, et non généré à la volée en fonction de la requête formulée.

En utilisant des humains pour consulter les sites et les classer dans les catégories, Yahoo! est rapidement devenu l'une des destinations préférées des internautes. Durant les dix années suivantes, le programme payant d'inscription dans le répertoire a été délaissé et l'entreprise a acquis sa propre technologie de moteur de recherche (reportez-vous au Chapitre 11 pour plus d'informations sur les répertoires payants : `https://ecom.yahoo.com/dir/submit/intro`).

Alexa.com classe encore Yahoo! comme le site le plus visité sur Internet, plus en tant que portail de services donnant entre autres accès à l'e-mail et aux informations qu'en tant que moteur de recherche. Cependant, de nombreuses personnes restent fidèles à Yahoo! : des millions d'utilisateurs l'utilisent comme page d'accueil par défaut.

Vous ne pouvez pas faire l'impasse sur Yahoo! si vous recherchez des moteurs de recherche qui génèrent des résultats à partir de balises META. Essentiels dans les premiers temps du Web, les *balises META* fournissaient alors une description structurée d'un site Web pour aider au catalogage. Les balises META apparaissent au début de `<head>` dans le code de chaque page Web pour fournir des informations aux navigateurs et aux moteurs de recherche. La plupart des balises META ne sont plus requises, mais trois conservent quelque valeur : les balises title, page et keywords.

Tandis que les algorithmes de recherche s'amélioraient, ces balises META ont pris moins d'importance pour le classement. Cependant, elles peuvent être discriminantes dans certains cas, et elles vous aident à structurer votre contenu d'une manière pratique.

Il est facile de voir ces balises META pour n'importe quel site – visualisez simplement le code source dans votre navigateur Web. Dans Internet Explorer, cliquez simplement du bouton droit sur une page Web et sélectionnez Afficher la source (ou Afficher le code source de la page dans Firefox). Vous pouvez aussi utiliser la barre d'outils du navigateur. Sélectionnez Affichage->Source dans Internet Explorer (ou Afficher->Code source de la page dans Firefox). Les balises META devraient apparaître vers le haut dans une fenêtre distincte, juste sous la balise `<head>`, comme sur la Figure 7.4.

Utiliser les balises META

Comme les balises META sont en voie de disparition, n'y consacrez pas trop de temps. Si les balises d'une page sont en relation avec son contenu, elles peuvent constituer un avantage pour le classement de votre site par les moteurs de recherche.

Les balises efficaces comprennent des mots-clés, mais vous ne pouvez pas optimiser une page avec tous les mots-clés qui s'appliquent à votre site. Ne répétez pas plus de quatre mots-clés à différents endroits d'une page. Optimisez une page différente avec quatre autres mots-clés, et ainsi de suite. Si vous procédez ainsi, une page de votre site Web apparaîtra dans les résultats pour la plupart des mots-clés qui y sont utilisés.

Balise keywords

Balise title   Balise page

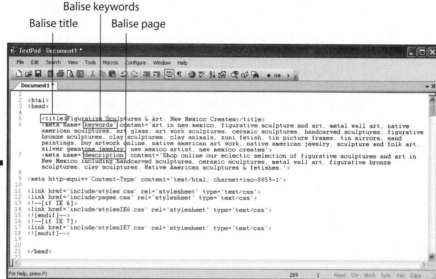

Figure 7.4
Les balises
META title,
keywords et
page pour la
page Sculpture
de NewMexico-
Creates.org.

Avec l'aimable autorisation de workfolkart.org et de newmexicocreates.org.

Les balises META title

La balise *title* est sans doute celle qui est encore la plus utilisée. Elle apparaît au-dessus de la barre d'outils du navigateur quand le site s'affiche. Limitez-la à pas plus de 6 à 10 mots, ou peut-être 50 caractères, dont 1 ou 2 termes spécifiques à la page.

La Figure 7.5 montre comment la balise title utilisée sur la Figure 7.4 apparaît à l'écran. Notez que divers termes de la balise keywords montrée sur la Figure 7.5 apparaissent dans le texte des liens, ainsi que dans la balise title.

Il y a des années de cela, lorsque la navigation était plus problématique, la balise title reprenait souvent le titre de la page, un peu comme l'entête des pages d'un livre reprend le titre du chapitre. Ce n'est plus nécessaire maintenant, et les noms de page tels que À propos n'ont aucune signification pour les moteurs de recherche. Faites plutôt figurer un ou plusieurs de vos mots-clés dans la balise title.

Comme différents moteurs de recherche découpent la balise title différemment, insérez d'abord votre mot-clé puis le nom de l'entreprise – et

Figure 7.5
La balise title,
Figure
Sculptures & Art
New Mexico
Creates, apparaît
au-dessus de la
barre d'outils du
navigateur sur la
page New
Mexico Creates.

Avec l'aimable autorisation de workfolkart.org et de newmexicocreates.org.

non l'inverse. Le nom de votre entreprise apparaît si souvent sur votre site que ce n'est pas grave qu'il soit éliminé lors de la découpe.

Les balises META page

Comme vous pouvez le constater sur la Figure 7.6, tout ou une partie de la balise page ou du premier paragraphe de texte est généralement affiché dans les résultats des moteurs de recherche. Les résultats de recherche de Google pour le terme *folk art sculpture new mexico* contiennent deux pages du site NewMexicoCreates en première et seconde positions, sous les liens sponsorisés. La seconde entrée, qui inclut le titre de la page, reprend un extrait du premier paragraphe de texte de la page sur la Figure 7.5.

Encore une fois, différents moteurs de recherche découpent différemment cette balise pour n'en conserver que 150 à 255 caractères, espaces compris. Utilisez vos quatre mots-clés dans la description en les faisant figurer aussi près du début que possible, tout en préservant l'intelligibilité du texte. Ne répétez pas les mêmes mots-clés, car ce serait considéré comme du spam.

Figure 7.6
Une portion de la description figurant dans la balise META page pour NewMexico-Creates.org apparaît dans les résultats d'une recherche sur sculpture and folk art new mexico.

La balise page est une opportunité pour le marketing. Si vous êtes rusé, faites-y figurer un appel à l'action, un avantage ou une annonce pour encourager l'internaute à cliquer sur le résultat retourné par le moteur de recherche.

Le mot-clé keywords

Bien qu'il ne soit plus aussi important qu'auparavant, le mot-clé keywords est utile pour organiser votre travail d'optimisation. Encore une fois, différents moteurs de recherche découpent cette balise différemment. Faites-y figurer les quatre mots-clés que vous avez choisis en première position, puis le nom de votre entreprise et d'autres termes moins importants pour finir. Voici quelques petites choses à garder à l'esprit :

✔ **Limitez les termes de recherche à 30 au plus ; le plus court sera le mieux**. Vous pouvez répartir les autres termes de recherche sur d'autres pages. Certains recommandent de limiter la longueur de cette balise entre 200 et 500 termes.

- ✔ **Assurez vous que vos mots-clés sont pertinents étant donné le contenu de la page.**

- ✔ **Les phrases sont plus utiles que des mots isolés.** Il est presque impossible de faire gagner des places au classement d'une page en recourant à des mots isolés.

- ✔ **Les virgules ne sont pas utiles pour séparer les termes de recherche, mais elles sont utiles pour vous permettre de lire votre travail.** Les moteurs de recherche tenteront de renverser l'ordre des mots dans la phrase, ou alors ils mélangeront les mots pour trouver toutes les combinaisons possibles. Cela peut être très utile pour des sites régionaux dont vous souhaitez spécifier la localité et le type de business, comme *restaurants paris*, *cafés paris*, *dîner paris*. Cependant, lorsque plusieurs mots sont énumérés sans lien entre eux, le résultat généré peut ne pas être aussi bon que s'ils figurent dans une phrase.

- ✔ **Vous n'avez pas besoin d'inclure des articles (*le*, *la* ou *les*) ou des prépositions (*à*, *chez*, *sur*, et ainsi de suite).**

- ✔ **Utilisez toujours des mots en basse casse pour satisfaire toutes les formes de casse.** Si vous mettez en majuscules un mot dans la balise keywords, il faudra que le mot-clé soit saisi en majuscules pour qu'il y ait correspondance.

- ✔ **Les pluriels comprennent les singuliers, du moment qu'ils sont formés à partir de la même racine.** Par exemple, le terme de recherche *plantes* comprend le terme *plante*, mais le terme *chevaux* ne comprend pas le terme *cheval*. Le même principe s'applique aux participes présents et aux participes passés.

- ✔ **Les phrases comprenant des espaces comprennent le même terme sans espace.** Par exemple, le terme de recherche *coffe shop* comprend le terme *coffeeshop*, mais l'inverse n'est pas vrai.

- ✔ **S'il est essentiel de conserver une phrase de plusieurs mots pour l'identification, délimitez-la par des guillemets.** Par exemple "*intelligence économique*" ou "*santa fe*".

- ✔ **Dans le classement des résultats, les sites dont les phrases de la balise keywords correspondent exactement à celles saisies**

> pour la recherche précèdent généralement ceux dont les
> balises keywords contiennent les mots recherchés, mais
> séparés d'autres mots.

Google utilise rarement la balise keywords, et quelques moteurs de recherche l'ignorent même dorénavant. À la place, ils déduisent les mots-clés importants de leur fréquence d'utilisation (tant que vous n'en abusez pas) et de leur position dans la page. La balise keywords est cependant utile pour conserver la trace des pages que vous avez optimisées en fonction de certains termes. Autrement, vous aurez probablement besoin d'en conserver la trace dans une feuille de calcul.

Sélectionner les bons mots-clés

Sélectionner les bons mots-clés pour votre site tient plus de l'art que de la science. Les meilleurs termes sont ceux que les gens utilisent finalement – et ceux pour lesquels la compétition est limitée. Donnez-vous au moins une chance d'apparaître sur la première page. Les phrases sont presque toujours plus indiquées que les mots isolés, sauf dans les applications très spécialisées qui utilisent leurs propres terminologies.

Chaque cerveau fonctionne différemment. Vous pouvez penser que les termes de recherche que vous utilisez sont si évidents que tout le monde devrait les utiliser. Ce n'est pas le cas. Demandez à des amis ou à des clients quels termes ils utiliseraient pour rechercher des choses telles que des pneus ou pour trouver votre site Web. Vous risquez d'être surpris.

Trouver les mots

Lorsque vous choisissez des mots-clés, commencez par étudier les sites des concurrents et les sites qui figurent aux trois premières positions des résultats de recherche portant sur les termes évidents. Affichez la source de leurs pages et dressez une liste des mots-clés qu'ils utilisent. Imaginez d'autres termes à partir de votre texte. Utilisez alors cette liste comme entrée pour différents outils qui identifient les bons termes de recherche et qui suggèrent des alternatives.

N'utilisez pas des termes de recherche qui ne sont pas pertinents pour votre site. Des entreprises ont remporté des procès contre des sites qui utilisaient des termes déposés dans leurs listes de mots-clés, espérant ainsi détourner le trafic des sites qui en étaient les propriétaires légitimes. Si vous n'êtes pas un revendeur agréé pour un produit dont la marque est déposée, révisez votre accord de distribution. Il spécifie généralement les conditions dans lesquelles vous pouvez utiliser les termes déposés. Quant à supercalifragilisticexpialidocious, oubliez-le : il apparaît déjà dans 409 000 pages.

Les mots-clés dans un nuage

Avez-vous déjà rencontré un paragraphe contenant une liste de mots classés par ordre alphabétique apparaissant sur le côté d'un blog ou d'un site Web, les mots utilisant différentes polices et tailles de caractères ? Ces nuages de mots sont des ensembles de mots-clés utilisés pour indexer le contenu d'une page, représentés à l'aide d'une métaphore visuelle qui suggère leur importance relative. Plus un terme apparaît en grand et en gras, plus il est utilisé fréquemment, soit dans le contenu soit en tant que terme de recherche. Recherchez ces termes sur les sites de concurrents ou sur des blogs et des sites d'information en relation avec votre site pour avoir des idées.

Utiliser des outils de mots-clés

Vous pouvez choisir parmi plusieurs outils de suggestion de mots-clés gratuits, du moins pour les évaluer. Par exemple, l'outil de Google est disponible sans posséder de compte AdWords sur `https://adwords.google.com/select/KeywordToolExternal`. En plus de recueillir des synonymes et des idées afférentes, vous pouvez apprendre la fréquence relative d'un terme utilisé dans Google durant l'année dernière et le nombre relatif d'AdWords concurrents pour ce terme.

La fréquence à laquelle des termes de recherche sont utilisés varie selon la saison, les vacances, les évènements sportifs, l'actualité.

Wordtracker propose un outil légèrement différent, disponible gratuitement durant une période d'évaluation de 7 jours sur `www.wordtracker.com`.

Voici le détail de l'information que ce rapport contient :

- ✔ **Searches :** dans cette colonne, Wordtracker affiche le nombre de fois qu'un terme a fait l'objet de requêtes durant les 90 derniers jours, tous moteurs de recherche confondus (Wordtracker extrait ces données de MetaCrawler et Dogpile, des méta-moteurs de recherche).

✔ **Predict** : cette colonne prédit combien de fois le mot sera exacte-ment utilisé dans une requête, tous moteurs de recherche confondus.

✔ **Competing pages by search engine** : cette colonne affiche le nombre total de résultats qui apparaissent quand vous recher-chez le terme exact dans chacun des moteurs de recherche. C'est le nombre qui apparaît généralement en haut à droite de la page des résultats.

✔ **KEI Analysis** : Wordtracker déduit son propre index d'efficience des mots-clés (KEI) pour chaque terme sur chaque moteur de recherche en observant la fréquence de l'usage du terme et le nombre de sites en compétition pour ce dernier. Plus le KEI est élevé sur un moteur de recherche donné, plus il est probable que votre site apparaîtra dans la première page des résultats de recherche.

Wordtracker, Google et les autres sites de suggestion de mots-clés recensés dans le Tableau 7.1 produisent des résultats variés sur la fréquence. C'est en partie parce que des sites tels que Wordtracker évaluent chaque variante séparément (singulier/pluriel, passé/présent, avec ou sans espaces ou ponctuation). C'est aussi en partie parce que les outils attaquent différentes bases de données de recherche, consti-tuées de données collectées à des périodes différentes correspondant à des public différents.

Comme pour toute statistique sur Internet, ne vous inquiétez pas des valeurs absolues. Ce sont les valeurs relatives qui importent. La fréquence relative d'utilisation de différents termes est bien plus importante que leur fréquence propre.

Aucun de ces chiffres ne vous dira quels termes sont les plus appro-priés pour votre public ou si votre public les utilise vraiment. C'est ici que l'art – ou le sens du marketing – entre en jeu.

Testez toujours les mots-clés suggérés en les saisissant dans les moteurs de recherche d'où ils sont censés provenir. De temps en temps, vous serez surpris de découvrir qu'un mot-clé est associé à un type de business radicalement différent de celui auquel vous pouviez vous attendre.

 Quelques développeurs Web peuvent vous aider sur cette partie de l'optimisation pour les moteurs de recherche, mais ils sont rares. Recherchez l'assistance d'éditorialistes expérimentés dans l'optimisation du texte pour le Web ou alors celle d'entreprises spécialisées dans l'optimisation.

L'optimisation des pages

À moins d'être une très grande entreprise, contentez vous d'optimiser votre site pour le moteur de recherche que votre public est le plus susceptible d'utiliser. Si vous avez déjà un site, consultez les statistiques du trafic sur votre site (voir Chapitre 14) pour identifier les moteurs de recherche qui génèrent le plus de trafic.

Les moteurs de recherche spécifient généralement leurs préférences dans des pages de conseils aux webmasters ; vous pouvez aussi trouver ces informations sur des sites de ressources recensés dans le Tableau 7.1. Suivez ces conseils pour insérer des mots-clés afin de mettre en valeur votre site :

✔ **Utilisez les mots-clés dans les URL de vos pages.**

✔ **Faites-les figurer dans la navigation (cela ne vous aide que si votre navigation est à base de textes et non de graphismes).**

✔ **Faites figurer les mêmes quatre mots-clés dans les balises ALT.** Ces balises apparaissent sous la forme de petites boîtes de texte quand l'utilisateur attarde le pointeur de la souris sur une photo ou un graphisme. Des balises ALT évocatrices permettent aux malvoyants d'accéder au site, mais vous pouvez généralement y insérer un ou plusieurs de vos termes.

✔ **Utilisez les mots-clés dans des liens plutôt que d'écrire de simples liens** `cliquez ici`.

✔ **Quelques moteurs de recherche interprètent le code HTML pour distinguer le texte qui apparaît en titre ou en sous-titre ; ils sont généralement affichés en plus grand et dans une**

couleur différente. Si les mots-clés figurent dans des titres H1 ou H2, certains moteurs de recherche peuvent améliorer votre classement.

✔ **Demandez à votre développeur d'ajouter les balises META tout en haut du code source.**

✔ **Les moteurs de recherche devraient toujours d'abord tomber sur du texte quand ils accèdent à une page.** Si une photo figure sur la gauche, la droite ou au-dessus du premier paragraphe de texte à l'écran, demandez à votre développeur de modifier le code source pour que le texte apparaisse d'abord.

Ne sacrifiez pas la lisibilité lorsque vous cherchez à utiliser des mots-clés. Ce sont les visiteurs qui achètent vos produits, pas les moteurs de recherche. Comme vous êtes probablement la personne responsable de la validation du contenu, voire même que vous en êtes l'auteur, vous devez évaluer l'utilisation des mots-clés. Votre développeur n'a généralement pas à intervenir ici, mais une entreprise spécialisée dans l'optimisation interviendra certainement.

Vous avez peut-être entendu parler de la *densité des mots-clés* ou du *ratio des mots-clés*. Ces termes font référence au pourcentage du nombre de mots-clés rapporté au nombre de mots dans la page. Tant que vous évitez les techniques malignes telle que le *bourrage de mots-clés* (l'usage excessif de mots-clés dans une page), vous ne devriez pas rencontrer de problème. Si le ratio des mots-clés approche 20 à 25 pour cent, la plupart des moteurs de recherche deviendront suspicieux. Vous n'avez rien à mesurer ! Il est presque impossible d'écrire du texte bourré de mots-clés qui conserve un sens quelconque pour un visiteur. Si vous écrivez un bon texte, tout ira bien.

Evitez d'utiliser d'autres techniques ésotériques, comme le *pixel magique* (un lien sous la forme d'un pixel de 1x1 qui ne peut être vu) ou le *texte invisible* (des mots-clés écrits dans la même couleur que celle du fond). Ces techniques vous feront chuter dans le classement des moteurs de recherche. Si vous écrivez un site Web d'information qui est utile aux visiteurs, vous n'avez pas à recourir à la magie noire de l'optimisation.

MSN utilise sa propre technologie pour indexer le Web. Autrefois, son algorithme ne semblait pas aussi précis que celui des autres moteurs de recherche et tendait à récompenser les pages d'accueil. Récemment, MSN a prétendu avoir apporté des modifications pour produire des résultats plus pertinents pour l'utilisateur.

Se faire référencer auprès des moteurs de recherche et de répertoires spécialisés

Ce n'est pas parce que vous avez toqué à la porte de Google, Yahoo! et MSN que vous en avez terminé pour autant. Il faut maintenant identifier les moteurs de recherche et les répertoires spécialisés que votre public utilise. Tirez parti des répertoires de moteurs de recherche recensés dans le Tableau 7.1 ou recherchez simplement des répertoires et des moteurs de recherche par thème.

Utilisez la barre d'outils Google ou Alexa.com pour évaluer rapidement le PageRank et le trafic de ces moteurs de recherche spécialisés. Ne vous préoccupez que des moteurs qui attirent votre public et qui semblent bien maintenus.

Le projet Open Directory nommé dmoz (`http://dmoz.org`) alimente en données des milliers de répertoires spécialisés du Web. Si vous n'avez pas le temps d'identifier et de soumettre votre site à de nombreux petits répertoires, faites-vous connaître au moins sur `www.dmoz.org/add.html`. *Attention* : comme des relecteurs humains s'assurent que les sites sont classés dans les bonnes catégories de dmoz, cela peut prendre des mois (voire plus) pour être recensé.

Vous trouverez sans doute plus facile de conserver la trace de vos soumissions aux moteurs de recherche et aux répertoires si vous créez une feuille de calcul qui correspond à celle que vous avez élaborée pour conserver la trace de vos requêtes de liens entrants, comme cela est décrit au Chapitre 8. Quelques répertoires et moteurs de recherche acceptent les soumissions par e-mail, mais la plupart proposent un formulaire en ligne semblable à celui de dmoz, ou légèrement plus complexe.

Vous n'avez pas à soumettre votre site aux méta-moteurs de recherche tels que Metacrawler ou Dogpile, car c'est impossible ! Ces moteurs de recherche compilent des résultats issus d'autres moteurs de recherche. Ne confondez pas les méta-moteurs de recherche avec les *méta-index*, qui sont des répertoires de répertoires.

Visez les moteurs de recherche et les répertoires ciblés sur un marché vertical, un secteur d'activité, des applications, mais n'oubliez pas quelques cibles essentielles :

✔ Les pages jaunes et les pages blanches (voir Tableau 7.3).

Tableau 7.3 : Quelques répertoires gratuits.

Nom	URL	URL pour référencement
Alexa.com	www.alexa.com	www.alexa.com/data/details/ editor?type=contact&url=
AnyWho	www.anywho.com	www.superpages.com/about/new_chg_ listing.html
Google Local Business Center & Maps	http:// local.google.com	https://www.google.com/local/add/ login
Superpages	www.superpages.com	http://advertising.superpages.com/ spportal/business-listing
		www.superpages.com/about/new_chg_ listing.html
Yahoo! Local & Maps	http:// local.yahoo.com	http://searchmarketing.yahoo.com/ local/lbl.php
Yahoo! Yellow Pages	http://yp.yahoo.com	http://dbupdate.infousa.com/dbupdate/ yahoo1.jsp
Yellow Pages.com	www.yellowpages.com	http://store.yellowpages. com/post (renouveler chaque année)

✔ Les cartes et les répertoires locaux, surtout si vous disposez d'un magasin bien réel (voir Tableau 7.3).

✔ Les répertoires de business, les associations de chefs d'entreprises, les groupements d'intérêt (voir Tableau 7.4).

Tableau 7.4 : Quelques répertoires de business gratuits.

Nom	URL	URL pour référencement
B2B Guide	www.bocat.com	Par e-mail à bocatb2b@yahoo.com
Business.com	www.business.com	https://secure.business.com/crm/ signup/Standard1.do
Business Directory Pages	www.directorypages.com	www.directory-pages.com/botw-web-directory-submissions.htm
ComFind.com	www.comfind.com/directory	www.comfind.com/directory/ addsite.htm
CompletePlanet	http://aip.completeplanet.com	Soumettre individuellement
IndustryLink	www.industrylink.com	www.industrylink.com/cgi-bin/list_ 01.asp
Jayde B2B	www.jayde.com	http://submit2.jayde.com
MacRAE's Blue Book	www.macraesbluebook.com	www.macraesbluebook.com/PAGES/free_ lst.cfm
ThomasNet	www.thomasnet.com	http:// promoteyourbusiness.thomasnet.com/ free_listing.html

✔ Les répertoires d'images, d'audio, de vidéo et/ou de multimédia (voir Tableau 7.5).

Tableau 7.5 : Quelques répertoires d'audio, de vidéo, d'images et de multimédia.

Nom	URL	URL pour référencement
AOL Video	http://video.aol.com	http://uncutvideo.aol.com/my/submit
iTunes Music Store	www.apple.com/itunes	https://phobos.apple.com/ WebObjects/MZLabel.woa/wa/apply
Fagan Finder	www.faganfinder.com/img	Soumettre à des répertoires individuellement

Tableau 7.5 : Quelques répertoires d'audio, de vidéo, d'images et de multimédia. (*suite*)

Google Images	`http://images.google.com`	`www.google.com/accounts/ ManageAccount` (télécharger via Google Account)
Google Video	`http://video.google.com`	`www.google.com/accounts/ ManageAccount` (télécharger via Google Account)
MusicMoz	`http://musicmoz.org`	`http://musicmoz.org/add.html`
Multimedia Search Engines	`http://searchenginewatch.com/ showPage.html?page=2156251`	Soumettre aux répertoires individuellement
Scala.com	`www.scala.com/multimedia/ search- enginesdirectories.html`	Soumettre aux répertoires individuellement
Yahoo! Audio	`http:// audio.search.yahoo.com/`	`http://search.yahoo.com/mrss/submit`
Yahoo! Images	`http:// images.search.yahoo.com/`	`http://search.yahoo.com/mrss/submit`
Yahoo! Video	`http://video.yahoo.com`	`http://video.yahoo.com/ upload?tag=featureitvyc`
YouTube	`http://www.youtube.com/ signup?next=/my_videos_ upload%3F`	Soumettre à YouTube (sera indexé par Google aussi)

✔ Cuil, le nouvel index de recherche supposé être le plus grand, lancé en 2008 pour faire concurrence à Google (soumettez votre site sur `www.cuil.com/info/contact_us/feedback.php?to=crawl%20me`).

Si votre site Web utilise certains des éléments de la liste suivante, soumettez-le aux répertoires indiqués :

✔ Répertoires de blogs, salons de discussion, forums ou réseaux sociaux (voir Chapitre 8).

✔ Moteurs de recherche internationaux (voir Chapitre 10).

✔ Répertoires d'agendas publics et d'évènements en direct (voir Chapitre 10).

✔ Moteurs de recherche de shopping, comme Google Product Search ou Shopzilla (voir Chapitre 11).

✔ Répertoires de sites technologiques à base de vlogs, de podcasts et de messageries (voir Chapitre 13).

Garder votre rang

Une fois que vous êtes parvenu à bien vous classer dans un moteur de recherche, ne vous endormez pas sur vos lauriers. Tout d'abord, une autre entreprise va essayer de conquérir votre position. Ensuite, les choses changent perpétuellement. Les liens entrants apparaissent et disparaissent et les moteurs de recherche modifient leurs algorithmes ou achètent la technologie d'autres compagnies. Vous devez rester vigilant pour garder votre rang.

Vous devez mettre à jour le contenu de votre site pour continuer d'attirer l'attention des moteurs de recherche, comme je l'explique au Chapitre 6.

Vérifier votre classement

Si votre site est petit, il suffit de vérifier tous les trimestres votre classement dans les moteurs de recherche, la popularité des liens et les requêtes de liens. Si vous savez en quoi consiste la danse de Google, si vous avez un gros site, ou si vous faites un effort significatif en termes d'optimisation pour la recherche naturelle, vous devrez peut-être faire un bilan plus fréquemment.

Voici quelques détails sur la manière de procéder :

✔ **Vérifiez votre classement dans les moteurs de recherche**. Vous pouvez utiliser le lien pour obtenir les statistiques de recherche mentionné dans le Tableau 7.2 pour vérifier votre classement dans Google. Cela peut être suffisant, selon le public que vous adressez. Ou alors achetez un logiciel tel que Web Position

L'optimisation pour réussir

Tres Mariposas (trois papillons, en espagnol) a la réputation d'être le magasin le plus raffiné de lingerie pour femmes depuis 30 ans à El Paso. La réputation du magasin attire des femmes soucieuses d'être à la mode, de Mexico, de la Californie, de la Floride, ainsi que du Nouveau Mexique voisin et de certaines parties du Texas. La boutique est légendaire pour sa sélection scrupuleuse, l'attention qu'elle porte à sa clientèle.

Nan Napier, le propriétaire, voulait que le site Web de Tres Mariposas soit à l'image de ces valeurs. Le site, qui ne fait pas de vente en ligne, fait la promotion d'évènements organisés dans le magasin pour attirer les clients. Tres organise des évènements éducatifs sur la mode ou des défilés chaque mois et parfois chaque semaine.

Le défi de Napier était d'améliorer la visibilité du site dans les moteurs de recherche. Pour cela, elle a sollicité l'assistance d'une entreprise spécialisée dans l'optimisation, qui a optimisé le texte à placer au-dessus des images et des pages tout en graphismes, créé des tags META et lancé une campagne cohérente de liens entrants.

Lorsque le processus a commencé, Tres Mariposas n'avait ni balises, ni mots-clés ; le site figurait dans 13 moteurs de recherche, mais seulement sous son nom. Après la campagne, qui utilisait aussi des mots-clés en langue locale pour attirer les gens au magasin, Tres Mariposas était associé aux termes de recherche dans le top 10 des résultats des moteurs de recherche.

Le reste de la campagne de marketing électronique de Tres comprenait une lettre d'informations, tandis que les méthodes de marketing hors ligne comprenaient du téléphone personnel, du mailing direct, des annonces, l'implication communautaire, des défilés de mode et un nouvel éditorial de Napier pour le magazine hebdomadaire d'El Paso consacré au business.

(http://webposition.com) ou Search Engine Tracker (www.netme-chanic.com/products/tracker.shtml) pour vérifier automatiquement votre classement en fonction de plusieurs mots-clés sur plusieurs moteurs de recherche.

✔ **Générez un rapport de popularité de liens pour être certain que vos liens entrants sont solides** : vous pouvez découvrir qu'approximativement 25 pour cent des sites disparaissent dans un délai de deux ans. Si vous faites l'effort de solliciter 10 nouveaux liens entrants chaque trimestre, vous vous en sortirez.

✔ **Relisez vos feuilles de calcul contenant vos requêtes de liens et vos soumissions à des moteurs de recherche et des répertoires**. Si votre site n'apparaît pas à un endroit que vous souhaitez après trois mois, soumettez-le de nouveau. Si votre site n'apparaît toujours pas après ces deux requêtes, remplacez la requête par une nouvelle, sauf sur dmoz.

Soumettre de nouveau votre site

Si tout va bien, il n'y a pas de raison pour que vous soyez contraint de soumettre de nouveau votre site aux moteurs de recherche. Si votre classement dans un moteur de recherche s'effondre brutalement pour une raison inconnue, regénérez un rapport quelques jours plus tard pour confirmer la situation. Resoumettez alors votre site aux trois moteurs de recherche principaux.

Si vous modifiez ou ajoutez de nouvelles pages à votre site, soumettez une de ces URL à vos trois moteurs de recherche principaux. Cela leur indiquera qu'ils doivent de nouveau examiner votre site. Mieux encore, faites parvenir une nouvelle sitemap à Google et Yahoo! ou vérifiez que le flux RSS de votre sitemap fonctionne.

Pour que la charge de travail reste raisonnable, étalez les tâches relatives à l'optimisation des pages supplémentaires pour différents mots-clés. Modifier le texte, ajouter des descriptions de produits plus longues, réviser les balises META et les ALT ou modifier l'emplacement des mots-clés sur une page graduellement améliore votre classement dans les moteurs de recherche.

Tres Mariposas (représenté sur la Figure 7.7), un magasin bien réel de lingerie fine, croit en la valeur de l'optimisation. Comme cela est expliqué dans l'encadré précédent, Tres Mariposas utilise l'optimisation pour les moteurs de recherche comme une technique rentable pour attirer des clients dans son magasin.

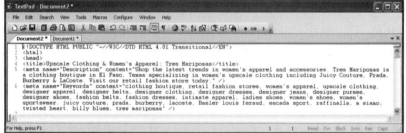

Figure 7.7
Tres Mariposas utilise l'optimisation pour les moteurs de recherche afin d'atteindre les clients avides de mode à El Paso, au Texas. Ses balises META sont représentées sous la page d'accueil.

Avec l'aimable autorisation de Tres Mariposas

Chapitre 8

Faire du marketing basé sur le buzz en ligne

Dans ce chapitre :

▶ Faire de la guérilla marketing.

▶ Parler, parler et parler encore sur un blog.

▶ Créer de la convivialité sur les sites.

▶ Placer vos produits avec enthousiasme.

▶ Réaliser des communiqués de presse.

▶ Activer vos liens internes.

L e Chapitre 6 couvre les techniques de création de communautés déployées sur votre site afin d'encourager vos visiteurs à revenir ou à rester plus longtemps. Ce chapitre couvre des techniques similaires mais fait levier sur d'autres ressources du Web. Vous pouvez y penser comme à du jujitsu en ligne. Cerise sur le gâteau, la plupart de ces méthodes sont gratuites ou relativement peu onéreuses.

Vous pouvez tenir votre audience informée – et laisser les gens parler entre eux – de vos produits, services, entreprise et site Web en employant les ressources suivantes:

- ✔ Blogs.

- ✔ Réseaux sociaux.

- ✔ E-influencers.

- ✔ Placement de produits.

- ✔ Communiqués de presse.

- ✔ Liens entrants.

Ces techniques, que nous aborderons dans ce chapitre, sont composées d'un mélange de marketing viral, de média conçu par les clients, de bouches à oreille et de buzz internet. Ne vous inquiétez pas de la technologie sous-jacente, contentez-vous juste de noter celles qui vous paraissent les plus importantes pour votre cible et votre secteur économique sur votre liste de méthodes de marketing pour le Web du Chapitre 2. (Vous pouvez également les télécharger sur le site des Edtions First.)

Les méthodes basées sur le bouche à oreille fonctionnent mieux lorsque l'on souhaite toucher des segments de marché étroits et bien déterminés plutôt qu'avec du marketing de masse. Votre site devra être animé et fonctionnel avant que vous ne puissiez rabattre vers lui un trafic significatif. À partir de ce moment, vous devrez allouer environ une demi-journée par semaine pour votre marketing en ligne.

Devenez un seigneur de la jungle en ligne en pratiquant la guérilla marketing

Le terme *guérilla marketing* désigne le recours à des méthodes de promotion non conventionnelles (en ligne et hors ligne) pour atteindre votre clientèle à moindre coût. Ces méthodes recourent à l'imagination et à l'énergie plutôt qu'à l'argent. Néanmoins lorsqu'elles sont bien employées, il n'est pas rare qu'elles rapportent leurs lots de visiteurs déjà triés sur le volet.

Consacrer du temps et de l'argent pour ces techniques de guérilla marketing en vaut vraiment la peine pour tous les sites commerciaux, à l'exception des sites destinés uniquement à une audience très déterminée.

Les clés du succès

Les techniques de bouche à oreille sont consommatrices de temps. Rappelez-vous cet adage concernant des petites entreprises : la bourse ou la vie. Comme certaines de ces techniques peuvent consommer une part importante de votre vie, commencez par n'en mettre qu'une ou deux en œuvre. Vous pourrez toujours en ajouter plus ensuite. Voici quatre règles simples de succès :

✔ Ferrer votre poisson. Ne perdez pas de temps avec les techniques qui ne vous permettent pas de toucher directement votre clientèle.

✔ 7 est votre numéro porte-bonheur. Il s'agit d'un nombre magique correspondant au nombre de fois qu'une personne doit voir votre nom ou celui de votre site Web avant de s'en souvenir. Et devinez quoi ? 7 est le nombre de fois où vous devez intervenir sur les blogs, les forums, les chats ou les réseaux avant d'obtenir des résultats.

✔ Planifier votre travail et travailler votre planning. Vous n'obtiendrez aucun succès si vous postez un message une semaine et vous disparaissez ensuite durant un mois. Simplifiez votre vie en programmant vos activités marketing durant une demi-journée par semaine ou une demi-heure chaque jour.

✔ Gardez une trace de vos résultats. Sinon comment sauriez-vous quelles sont les techniques qui fonctionnent ? Mettez en place une feuille de calcul qui contiendra le nom du site, son activité, la date et les bénéfices obtenus.

Estimer votre efficacité peut s'avérer complexe. Vos statistiques listent généralement des URL qui correspondent à un clic sur un site tiers vers le vôtre (nous verrons ce point de détail au Chapitre 14). Cependant, vous devez disposer de méthodes vous permettant de capturer la source des appels, des e-mails, ou des URL entrées dans le champ d'adresse d'un navigateur.

Demandez à votre développeur de créer une liste d'URL de redirection (par exemple, www.votre domaine.com/R1) afin d'avoir une trace de vos activités marketing, comme vous le feriez en incluant le numéro de département dans l'adresse de retour d'un courrier papier. Vous pouvez faire pointer ces URL vers n'importe quelle page Web de votre site, mais elles apparaîtront dans vos statistiques comme s'il s'agissait de la page d'accueil. Demandez également à votre développeur une liste d'adresses e-mail que vous pourrez utiliser pour suivre les réponses des différents postes marketing. Pour les appels téléphoniques, mettez en place différentes extensions téléphoniques ou demandez simplement comment les gens ont entendu parler de vous. Et enregistrez ensuite les réponses dans votre feuille de calcul.

Marketing de niche

Pour devenir un puissant seigneur de la jungle marketing, pêchez là où se trouvent les poissons. En d'autres termes, ciblez votre audience avec grand soin. Ainsi il n'y a que relativement peu de seniors qui utilisent MySpace.com comme réseau social, cependant ils emploieront peut-être les chats d'un site spécialisé dans le domaine de la santé. Ainsi, si vous disposez d'un site B2B dédié à l'équipement océanographique, concentrez-vous uniquement sur ce point, la clientèle Internet est si grande que même une petite niche peut être rentable.

Pensez carabine, pas fusil. Vous n'avez pas les moyens de vous disperser. Ciblez un marché à la fois, créez du trafic en employant une ou deux des techniques de guérilla décrites dans ce chapitre, puis rendez-vous sur le marché suivant.

Même si vous ne sélectionnez que la méthode du bouche à oreille, testez-la de nombreuses fois sur différents sites, qu'il s'agisse de blogs, de Chats ou de forums. Un nombre important d'apparitions en ligne augmentera la crédibilité de votre site.

Guérilla B2B

Parfaitement, vous pouvez utiliser les techniques de guérilla en ligne pour le marketing B2B. Il existe de très nombreux donneurs d'ordres, ingénieurs ou distributeurs, qui sont l'affût du Web à la recherche de nouveaux produits et services.

Il est important de connaître le cycle de ventes correspondant à votre industrie car les personnes occupant des postes différents auront des comportements différents. Ils préféreront différentes techniques de marketing, visiteront des sites différents et recevront des recommandations provenant de collègues différents.

Knol (http://knol.google.com) offre une excellente opportunité de vous promouvoir vous-même expert. En effet, lancé durant l'été 2008, Knol est la réponse de Google à Wikipedia. En contribuant à un article et en fournissant votre bio, vous pouvez insérer un lien vers votre site Web. Si Google opère comme par le passé, les entrées de Knol risquent de monter dans la liste des résultats de recherche en langage naturel ; ne soyez pas surpris d'obtenir une annonce Google par la même occasion.

Au risque de trop caricaturer, nous pouvons dire que les ingénieurs aiment les articles techniques ou les blogs où les utilisateurs discutent des fonctionnalités des produits, et ce de préférence sur des sites ayant acquis une crédibilité technique.

Pour obtenir plus d'informations concernant la guérilla marketing, rendez-vous sur www.gmarketing.com afin de vous informer des dernières tendances concernant le buzz sur www.nielsenbuzzmetrics.com/cgm.asp.

Faire du buzz dans la blogosphère

Bla, bla, blog ! Sur votre site ou ceux des autres, vous pouvez créer du buzz via l'incarnation la plus contemporaine des forums : le blog. Cela ne fait aucun doute, le blog est un phénomène en expansion. En avril 2007, Technorati dénombrait 70 millions de blogs. En juillet 2008, il en dénombrait plus de 113 millions contenant plus de 250 millions d'éléments référencés comme médias sociaux.

Rendu populaire par les experts politiques et les journalistes, les blogs, bien que leur nombre augmente rapidement, ne sont toujours pas destinés au grand public.

Ne vous souciez de ce support que si votre clientèle l'utilise.

Déterminer si les blogs vous seront utiles

Si l'on se réfère à l'étude réalisée par Pew Internet & American Life Project parue en 2008, seuls 33 % des Américains utilisateurs d'Internet lisent des blogs et seulement 12 % d'entre eux en écrivent. La plupart des autres n'ont même pas une vague idée de ce que peut être un blog.

Assurez-vous que votre clientèle utilise les blogs. En effet, plus de la moitié des blogueurs avaient moins de 30 ans en 2006, avec à peu près autant d'hommes que de femmes. Cependant d'autres études indiquent que la distribution des genres change de manière significative avec l'âge, ainsi les femmes représentent 63 % des blogueurs entre 13 et 17 ans mais n'en représentent plus que 26 % au-delà de 48 ans.

La plupart des professionnels n'ont pas le temps d'écrire des blogs. Cependant s'ils le font, le blog sera un moyen privilégié de communiquer avec eux plutôt que via des forums ou des e-mails envahissants. Vous pouvez rechercher des blogs correspondant à votre centre d'intérêt en effectuant une recherche sur www.blogpulse.com/trend.

Choisir les blogs adéquats

Avant d'intervenir ou de poser des questions dans les blogs, il vaut mieux en parcourir au préalable un certain nombre. Le répertoire de blogs du Tableau 8.1 est un bon point de départ. Pour votre premier filtre, essayez Technorati.com.

Concentrez-vous seulement sur les 10 premiers pour cent, les autres ne sont sans doute vus que par leurs auteurs et quelques amis.

Tableau 8.1 : Ressources sur les blogs et moteurs de recherche.

Nom	URL
Big List of Blog Search Engines	www.aripaparo.com/archive/000632.html
Big List of International Blog Search Engines	http://www.aripaparo.com/archive/000654.html

Tableau 8.1 : Ressources sur les blogs et moteurs de

Nom	URL
BlogPulse: Trends from Nielsen	http://blogpulse.com
Blog Search Engine	www.blogsearchengine.com
Business Blog Consulting (un blog sur les blogs)	www.businessblogconsulting.com
Google Blog Search	http://blogsearch.google.com
Robin Good's Top 55	http://www.masternewmedia.org/rss/top55
SiteReference.com Blog Article	www.site-reference.com/articles/General/Using-Blog-PR-to-Promote-Your-Site.html
Technorati Blog Search and Ranking	www.technorati.com

Lorsque vous explorez le contenu d'un blog, rechercher les balises qui apparaissent sur votre liste de mots-clés (voir le Chapitre 7 pour plus d'informations sur les mots-clés.)

Lorsque vous aurez ainsi obtenu une liste raisonnable de blogs à visiter, penchez-vous sur la fréquence d'utilisation, la qualité des participants (sont-ils là pour influencer les autres ?), le point de vue de l'auteur et la qualité générale du dialogue.

Tirer le meilleur parti des blogs

Si vous pensez que l'intervention sur un blog vous sera favorable, vous disposez de différentes options :

> ✔ **Faire un commentaire sur un article écrit par le blogueur.** Donner des informations additionnelles et non des critiques. Bien que vous souhaitiez être perçu en tant qu'expert dans le domaine, ne vous confrontez pas directement avec l'auteur du blog, car ce dernier pourrait simplement supprimer vos

messages. Il s'agit de business ; mettez votre ego de côté. Comme dans les chats et les forums ne pontifiez pas. Faites des réponses courtes et compréhensibles. Et assurez-vous d'inclure un lien vers votre site.

✔ **Écrivez un mail à l'auteur afin de lui demander de vous mentionner dans son blog.** Expliquez-lui pourquoi vos informations/produits/services peuvent intéresser ses lecteurs. Vous pouvez lui proposer un article gratuit à mettre en ligne ou au moins un lien vers votre site. Remerciez-le pour le temps, quoi qu'il vous réponde.

✔ **Laissez toujours votre URL et votre adresse e-mail lorsque vous intervenez sur un blog.** Votre but est d'être "trouvé". Ce n'est pas le moment de faire le discret.

✔ **Notez, pour un usage ultérieur, les blogs qui acceptent la publicité payante.** Certains blogs acceptent en effet les bannières publicitaires, les sponsors en ligne, ou le PPC des moteurs de recherche. (Voir Chapitre 12.)

Les blogueurs échangent fréquemment des liens de sites ou de blogs. Faites-le aussi ! Créer un lien vers votre site Web dans un blog crédibilise votre site et peut améliorer les résultats des moteurs de recherche.

Contrôlez les blogs que vous avez sélectionnés et essayez d'y intervenir une fois par semaine durant plusieurs mois. Encore une fois, utilisez des adresses e-mail différentes pour chaque blog afin de déterminer lequel d'entre eux génère des retours.

Ce n'est pas une science exacte ; c'est du marketing. Si cela fonctionne, continuez ; sinon changez de blog ou de tactique.

Envoyez votre propre URL de blogs autant que faire se peut dans toutes les entrées listées au Tableau 8.1. Apparaître dans des répertoires peut drainer de nombreux lecteurs vers votre blog. Encouragez les liens depuis d'autres blogs, cela vous permet d'améliorer votre classement dans les moteurs de recherche.

Faire du buzz avec les réseaux sociaux

Les réseaux sociaux sont-ils la réponse du Web aux humains qui recherchent l'appartenance à une communauté dans un monde technologique les isolant ? Ou est-ce seulement la dernière activité en ligne à la mode ?

Les sites de réseaux sociaux, qu'ils soient orientés business ou personnels, encouragent leurs participants à agir les uns avec les autres afin de partager leurs intérêts ou leurs objectifs mutuels. Comme avec les blogs, votre cible commerciale déterminera les réseaux sociaux dans lesquels intervenir. Le Tableau 8.2 vous propose une sélection des plus grands réseaux sociaux existants.

Tableau 8.2 : Ressources des sites principaux de réseaux sociaux.

Non	URL	Ce que vous y trouverez
SMALLWORLD	www.asmallworld.net	Réseau exclusivement sur invitation
BlackPlanet	www.blackplanet.com	Réseau social personnel
Facebook	www.facebook.com	Réseau social personnel
Flickr	www.flickr.com	Site de partage de photos
Friendster	www.friendster.com	Réseau social personnel
LinkedIn	www.linkedin.com	Réseau B2B
Marketing Profs Today	http://www.marketingprofs.com/webnews/8/news7-15-08_0.asp?adref=mpt378	article "50 Ways Marketers Can Leverage social Media"
Meetup	www.meetup.com	Réseau facilitant l'organisation de rencontres (parfait pour l'organisation de ventes privées)
MySpace	www.myspace.com	Réseau social personnel
StrikeFile	http://strikefile.com	Il s'agit d'un éditeur de profil MySpace simple d'emploi

Tableau 8.2 : Ressources des sites principaux de réseaux sociaux. (*suite*)

Non	URL	Ce que vous y trouverez
The Virtual Handshake	http://thevirtualhandshake.com	Réseau facilitant la réalisation d'accords commerciaux
Top Ten Reviews	http://social-networking-websites-review.toptenreviews.com	Réalise une comparaison des 10 meilleurs sites de réseaux sociaux pour l'année 2008
ZDNet	http://blogs.zdnet.com/social/?p=114	Classements des 20 meilleurs sites de réseaux sociaux pour l'année 2007

Les réseaux sociaux personnels

MySpace.com et Facebook.com sont les deux plus grands sites de réseaux sociaux personnels existants. Ils se sont talonnés pour la première place en 2008. Cependant, selon comScore Networks, MySpace serait leader aux Etats-Unis.

Ces sites permettent à leurs utilisateurs de partager des blogs, des photos, des vidéos et de l'audio. Il existe également des sites de réseaux sociaux spécialisés dans tous les types d'intérêt, allant du jeu vidéo (Xfire.com) à ceux focalisés sur l'univers du lycée (Bebo.com).

De nombreux réseaux proposent à présent non seulement d'établir un profil business personnalisé, mais également d'utiliser des gadgets (voir le Chapitre 13) qui permettent aux utilisateurs de créer des listes de souhaits, des pense-bêtes ou encore de bénéficier de bons de réduction. Les utilisateurs peuvent même cliquer directement sur des produits recommandés par des applications telles que Amazon Giver sur Facebook ou obtenir une commission en réalisant une vente depuis leur page MySpace.com ou Facebook via l'application Market Lodge de bSocialNetworks.com.

Les réseaux sociaux personnels, en mettant l'accent sur les profils individuels, attirent particulièrement des jeunes à la recherche de leur identité. En effet, à moins que cette activité ne fasse partie de leur travail, la plupart des adultes sont bien trop occupés pour avoir le temps de développer un réseau social.

Comme avec les blogs, cette technique B2C est particulièrement utile dans les domaines de la mode et de la technologie qui attirent un public jeune et adulte célibataire, allant de 15 à 34 ans. S'il ne s'agit pas de votre clientèle, dépensez votre énergie dans d'autres méthodes de marketing.

Cependant même dans cette tranche d'âge, tous les réseaux sociaux ne sont pas égaux ; choisissez avec prudence. Par exemple une étude de Rapleaf datant de 2008 indique que les femmes entre 14 et 24 ans utilisent de préférence MySpace (et ce particulièrement pour les plus jeunes) et Facebook, alors que les hommes entre 25 et 34 ans utilisent le plus fréquemment LinkedIn et Flickr.

Pour obtenir un exemple de site qui utilise les réseaux sociaux pour sa promotion, observez sur la Figure 8.1 le texte à côté de la l'accélérateur vertical concernant Popejoy dont la traduction est "Popejoy Hall, intervenant majeur dans le monde du divertissement d'Albuquerque, New Mexico, utilise les réseaux sociaux afin d'attirer un public jeune vers des événements spécifiques".

Vous pouvez poster à moindre effort un profil sur de très nombreux sites de réseaux sociaux personnels, mais ne comptez pas trop dessus à moins que vous ne soyez dans un des secteurs clés. Même dans ces enceintes, le retour commercial reste incertain. Les gens doivent trouver votre profil parmi des centaines de milliers d'autres. Ce qui rend difficile la promotion de votre site Web. Les grands succès sont généralement dus à de larges campagnes publicitaires investissant massivement dans la publicité sur le Web plutôt qu'à de petites initiatives locales.

L'engouement suscité par les réseaux sociaux finira par passer lui aussi. Comme tout le reste en marketing, les réseaux sociaux passeront par des cycles allant de l'engouement d'une élite à l'utilisation massive, puis à l'abandon au profit de la future nouvelle incarnation d'internet. Dans le processus classique consistant à prendre le train du changement en marche, les entreprises et les agences publicitaires pèseront inévitablement sur ces changements.

La presse finira par découvrir une nouvelle tendance à la mode, qui sera sans doute déjà délaissée par ses inventeurs. La technologie aura

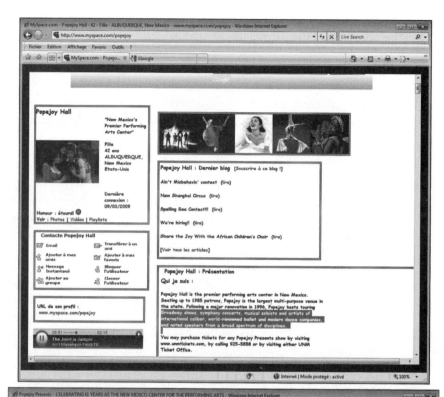

Figure 8.1
La page
MySpace
Popejoy Hall's et
son site Web ne
constituent
qu'une partie
des activités de
Popejoy
concernant les
réseaux sociaux.

Se faire des amis pour l'avenir

Popejoy Hall, le plus grand centre culturel d'Albuquerque, a effectué pendant des dizaines d'années sa publicité via des méthodes traditionnelles telles que : radio, télévision, cartes postales, prospectus et lettres d'information. Situé sur le campus de l'université du Nouveau Mexique, il sut créer rapidement un site Web (Popejoy-Presents.com) dans le milieu des années 90 et réalisa une lettre d'information électronique comptant près de 27 000 souscripteurs.

Cependant pour atteindre l'audience de la génération X (née entre 1965 et 1979), puis celle de la génération) Y(née entre 1980 et 1995), Popejoy mit en place, en janvier 2007, sur une page MySpace, une campagne de réseau social agressive. Cette campagne fut suivie d'une autre sur Facebook puis d'une troisième sur Twitter, Bebo et sur un blog du site local DukeCityFix.com.

Bien que MySpace soit probablement le site de réseaux sociaux le plus utilisé, Patricia O'Connor, collaboratrice marketing à Popejoy, souhaite étendre la présence de Popejoy sur Facebook et tenter l'aventure sur Hi5.com et sur le nouveau réseau social de Google, Orkut.com.

Membre elle-même de MySpace, O'Connor explique : "J'ai vraiment réalisé qu'il s'agissait du meilleur moyen d'atteindre un public jeune ainsi que des membres de la communauté universitaire... qui ne figurent pas dans ma liste d'e-mails."

D'une manière générale les membres de la génération XY ne répondent pas aux e-mails de la même façon que les baby-boomers.

Popejoy utilise les réseaux sociaux afin de transmettre à ses audiences des informations sur les spectacles les concernant directement. Il lance fréquemment des concours différents offrant différents prix simultanément sur des listes d'informations et sur MySpace et Facebook. Les prix - des places gratuites pour des spectacles - attirent généralement plusieurs centaines de réponses.

"Réaliser des pages de réseaux sociaux est une chose simple. Par contre les concevoir et les maintenir est très consommateur de temps", nous expose O'Connor. En effet, les blogs tels que ceux de MySpace et de DukeCityFix ne prennent pas beaucoup de temps à réaliser pour des personnes ayant l'expérience de l'écriture. "Le truc est d'être dans le ton, et ce spécialement avec des sites tels que Duke City Fix où vous serez ou ne serez pas mis en lumière selon le style de votre page d'accueil."

"La chose la plus importante est de conserver le lien social entre vous et les connectés", nous dit-elle. "Aussi, la mise à jour de vos pages est une opération importante... Vous devez rester très réactif." Tout cela en vaut-il la peine ? O'Connor nous répond sans détour : "Nos 'amis' des réseaux sociaux constituent le futur de Popejoy, c'est pourquoi nous tissons des liens avec eux."

toujours une longueur d'avance sur vous. Si vous courez après ce type d'audience, votre marketing doit toujours être en mouvement et vos antennes doivent toujours être tournées pour capter les dernières rumeurs. Bonne chance !

Les réseaux sociaux commerciaux

Basés sur la théorie des six de séparation (chacun d'entre nous est connecté à n'importe quelle personne sur la terre via une chaîne de relations composées au plus de cinq maillons), les réseaux sociaux B2B tels que LinkedIn.com et la section business de Plaxo.com sont employés principalement pour le recrutement, la recherche d'un emploi, le rapprochement vers un passeur d'ordre, et pour obtenir des trucs et des astuces dans le domaine de la vente. Ils ne sont pas utilisés pour réaliser du marketing direct.

Vous pouvez très facilement réaliser une promotion croisée entre votre site Web et les profils de réseaux sociaux.

Les sites de réseaux sociaux comptabilisent généralement le nombre de fois où votre profil est apparu, le nombre de commentaires que vous avez reçus et le nombre 'd'amis' que vous vous êtes faits. Encore une fois, vous pouvez utiliser différentes adresses e-mail pour garder une trace de vos prospects en provenance des réseaux sociaux.

Les chats et les forums

N'oubliez pas d'utiliser les bons vieux chats (conversations simultanées avec de multiples personnes) et forums (messages postés et lus en différé) où vous pourrez toucher votre audience de manière subtile. Les entreprises et les personnes utilisent fréquemment les chats et les forums sur d'autres sites Web pour promouvoir les films (allant du *Projet Blair Witch* à *Des serpents dans l'avion*), pour attirer l'attention sur des miliciens ou des groupes, ou pour rediriger les participants vers d'autres sites Web tels que YouTube.com pour les vidéos.

Vous êtes peut-être déjà un familier de ce type de sites Web. Si tel n'est pas le cas, utilisez ceux indiqués dans le Tableau 8.3 ou effectuez une recherche en ligne des chats et des forums qui correspondent à votre marché. Si, par exemple, vous réalisez des ventes locales, recherchez les chats et les forums de votre région.

Tableau 8.3 : Chat et forums.

Entreprise	URL
Chatmag.com Directory	`www.chatmag.com`
Construction Web Links	`www.constructionweblinks.com/industry_topics/` `specifications_technical_data/specifications_and_` `technical_d/technical_forums/technical_` `forums.html`
Google Groups	`http://groups.google.com`
MSN Groups	`http://groups.msn.com`
Network World Tech Forums	`www.networkworld.com/community/?q=forum!`
Yahoo! Groups	`http://dir.yahoo.com/computers_and_internet/` `internet/chats_and_forums`

Communiquer sur d'autres sites

Lorsque vous commencerez à rechercher des forums et des chats, je vous recommande d'en visiter un certain nombre et de réduire votre sélection à deux ou trois d'entre eux. Connectez-vous-y et observez pendant plusieurs jours ce qui s'y passe afin de vous faire une idée de leur audience.

Puis lorsque vous serez prêt à y apporter votre contribution, gardez les points suivants à l'esprit :

✔ **Utilisez votre titre professionnel ou le nom de votre entreprise afin d'établir votre crédibilité en tant qu'expert pour un champ donné, proposez votre opinion et vos suggestions en les appuyant de votre expérience.**

✔ **Plutôt que de pontifier, essayez de conclure avec une question en invitant les autres à y répondre.**

✔ **Observez l'étiquette de chaque site.** La plupart ne voudront pas vous laisser faire une publicité ouverte dans les forums. Invitez plutôt les autres participants à visiter votre site ou envoyez-leur un e-mail leur proposant une communication privée.

✔ **Terminez systématiquement avec un bloc de signature qui inclut toutes les informations permettant de vous contacter.** Vous pouvez y inclure un slogan marketing pour le produit ou le service que vous souhaitez valoriser. (Reportez-vous au Chapitre 9 pour obtenir plus d'informations concernant les blocs de signature.)

Lorsque vous aurez trouvé quelques forums ou chats dignes d'intérêt pour vos projets, postez-y un message environ une fois par semaine durant plusieurs mois. Comme avec les blogs, utilisez une de vos URL redirigées et/ou une adresse e-mail différente pour chacun des sites afin d'évaluer si vos efforts auront été payants. Avec le temps, vous dégagerez certainement un ou deux sites particulièrement intéressants. Lorsque ces sites ne seront plus effectifs, changez de location ou de tactique.

Les chats modérés, c'est-à-dire ceux qui sont surveillés par une personne, peuvent programmer "un intervenant". Si vous êtes un expert, contactez le modérateur en dehors du site et faites-vous connaître en temps qu'"intervenant" volontaire et motivé. Une fois que vous aurez répondu à des questions concernant votre domaine d'expertise - qu'il s'agisse de décoration d'intérieur, de réparation d'ordinateurs, de recherches généalogiques - les visiteurs viendront sur votre site Web pour obtenir plus de services.

Vous pouvez démarrer le processus en demandant à quelques employés ou amis de se joindre à vous en postant un message sur un forum ou un chat que vous aurez sélectionné au préalable. Il existe des entreprises de promotion qui fournissent ce type de service pour leurs clients (BzzAgent.com, Tremor.com, Streetwise.com).

Un peu de jujitsu. Si vous installez un forum ou un chat sur votre site Web, proposez-le dans la mesure du possible à tous les liens cités dans le Tableau 8.3. Vous pourrez obtenir ainsi plus de trafic sur votre site et cela vous aidera à améliorer votre place dans les résultats des moteurs de recherche.

Faire du buzz avec les créateurs de tendances

Le monde du Web inclut des sites tiers qui collectent des opinions, des évaluations de produits et des notes de vendeurs. Ces "créateurs de tendances" en ligne peuvent avoir une influence bénéfique ou désastreuse sur les blogs, forums ou sites. Ils sont fréquemment les tout premiers utilisateurs de médias émergents. Ils sont très sensibles à la publicité. Avec un peu de prudence, vous pouvez tirer un grand avantage de ces sites tiers en promouvant vos produits, services, ou entreprises. Le Tableau 8.4 ne liste que quelques-uns des dizaines de sites de ce type existant.

Tableau 8.4 : Les sites qui influencent les achats.

Nom	URL	Type de critique
Amazon Reviews	www.amazon.com/gp/help/customer/display.html/002-5030947-8079226?ie=UTF8&nodeId=16465311	Produit, livre et critique musicale
Angie's List	www.angieslist.com	Services locaux et évaluation d'entreprises
BzzAgent	www.bzzagent.com	Devenir un faiseur d'opinons
eBay Reviews	http://pages.ebay.com/learn_more.html	Critique de produits
Epinions	www.epinions.com	Critiques de produits
GreenBook	www.greenbook.org	Repertoires du Market
PlanetFeedback	www.planetfeedback.com	Site de réclamations
Ratings.net	www.ratings.net	Critique de produits
Shopzilla (section de BizRate)	http://merchant.shopzilla.com/oa/registration	Classement des fournisseurs
Streetwise	www.streetwise.com/indexnew.php	Site d'opinion d'adultes et d'adolescents
Tremor	www.tremor.com	Opinions d'adolescents

Un avertissement : Ne faites pas l'article vous-même ! Les utilisateurs sont plutôt intuitifs. Ils savent lorsqu'un client écrit une critique ou lorsque le département marketing le fait à sa place. Encouragez plutôt vos clients satisfaits à poster eux-mêmes leurs commentaires et leurs critiques sur ces sites, demandez-leur la permission de poster un message en leur nom propre.

Poster des témoignages existants quelque part est une excellente méthode. Vous pouvez en retour offrir par exemple des bons de réduction pour remercier vos bons clients de leurs achats.

Faire du buzz avec le placement de produits

Avoir un produit qui apparaît sur un site de jeu en ligne, sous la forme d'un fragment vidéo dans un clip sur YouTube, sur une photo de Facebook (appelé aussi plinking), ou encore dans un monde virtuel tel que SeconLife.com n'a de sens que si, et seulement si, votre clientèle cible a l'habitude de passer du temps sur ces derniers. Contrairement aux autres méthodes que nous avons évoquées dans ce chapitre, le placement de produits peut générer un coût, sous forme de frais publicitaires et de frais de production.

Les sites de jeux en ligne

Selon Forrester Research, le volume publicitaire sur les sites de jeux en ligne atteignait 300 millions de dollars en 2007, il devrait atteindre entre 732 millions et 1 milliard de dollars en 2010. De fait, les sites de jeux en ligne proposent une grande gamme de possibilités publicitaires :

- Un jeu spécifique autour de votre produit.

- Les références à votre produit sur des panneaux et des posters vus à l'intérieur du jeu, comme l'illustre la Figure 8.2. La référence aux produits peut être soit statique (codée en dur lorsque le jeu est développé) soit dynamique, permettant ainsi aux références de s'adapter à l'âge, à la zone géographique, à la l'époque ou encore à d'autres caractéristiques concernant spécifiquement les joueurs.

Figure 8.2
Le réseau
Massive propose
de nombreux
exemples de
placements de
produits dans
des jeux vidéo
classique ou en
ligne à l'adresse
www.massive-
incorporated
.com/network
content.html.

Avec l'aimable autorisation de Massive, Inc., Verizon, and Verizon Wireless. T-Mobile advertisement @@cw 2008 T-Mobile USA, Inc. T-MOBILE, the T-MOBILE logo, and the color magenta are registered trademarks of Deutsche Telekom. SIDEKICK, and the SIDEKICK design are registered service marks of T-Mobile USA, Inc.

✔ Les placements traditionnels que les personnages du jeu utiliseront sous forme de produits ou de services afin d'accroître le
réalisme.

De manière générale, la clientèle de ces sites est composée pour
60 % d'hommes âgés de 18 à 34 ans. En vieillissant, les "gamers"
semblent conserver leur passion, ce qui augmente régulièrement
l'âge des utilisateurs de ce profil.

Les mondes virtuels

Sur des sites de simulation tels que There.com, SecondLife, Moove
Online ou ActiveWorlds, les utilisateurs créent leur alter ego animé que
l'on appelle *avatar* qui les entraîne dans des activités de type jeux de
rôle. Au sein de ces communautés virtuelles, certains de ces avatars

ont pour centres d'intérêt l'écriture de logiciels, la création d'entreprises ou réalisent encore des recherches universitaires. D'autres recherchent plus particulièrement des contacts sociaux sur les chats.

Les entreprises ont de nombreuses opportunités pour s'autopromouvoir dans ces mondes virtuels. Il existe plus de 60 organisations du monde réel, dont Nike, MTV, et l'église unitarienne, qui maintiennent une activité permanente sur une ou plusieurs de ces communautés virtuelles. En fait, Garner Consulting prévoit pour 2011 que 80 % des entreprises listées dans Fortune 500 seront présentes d'une manière ou d'une autre dans ces mondes 3D.

D'autres entreprises utiliseront ces sites de simulation pour réaliser le lancement virtuel d'un produit, comme l'a fait American Apparel pour le lancement d'une ligne de jeans.

J'ai conscience que l'utilisation de mondes virtuels puisse paraître tirée par les cheveux, cependant ces sites totalisent des millions de membres, ils sont à prendre au sérieux lorsqu'il s'agit de promouvoir vos produits ou vos services, car leur impact dans le monde réel est bien tangible.

Faire du buzz avec les communiqués de presse

Contrairement aux catégories précédentes de buzz en ligne, les communiqués de presse ne sont pas bidirectionnels ni générés par le client. Cependant, ils contribuent à votre promotion en ligne lorsqu'ils sont visibles sur de multiples sites, où ils convoient l'information à très bon prix. La Figure 8.3 illustre la manière dont AHAnews.com affiche les communiqués de presse de sources tierces.

Peu importe la manière dont votre entreprise est présentée ou ce qu'écrit un journaliste au sujet de votre site, vous gagnerez toujours en intérêt et en crédibilité si l'on parle de vous.

Les moteurs de recherche adorent les communiqués de presse presque autant qu'elles adorent les blogs. Comme ils apparaissent fréquemment sur des sites populaires tels que Yahoo!News et Google News, les communiqués de presse gagnent des "points supplémentaires" avec les liens entrants vers votre site. Utilisez des mots-clés dans les gros titres

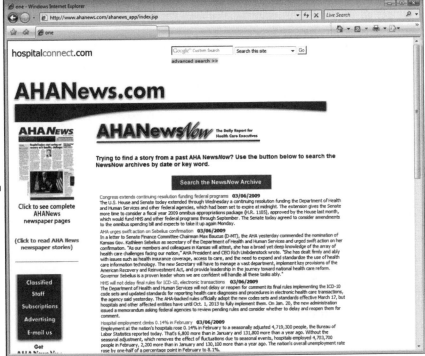

Figure 8.3
AHAnews.com,
un site de
nouvelles
appartenant à
l'American
Hospital
Association, qui
compile des
informations au
profit de ses
lecteurs.

Avec l'aimable autorisation de l'American Hospital Association.

ou les slogans afin d'augmenter encore votre rang dans les résultats des moteurs de recherche.

Bien sûr, vous pouvez également poster votre communiqué de presse sur votre propre site, par exemple sur votre page dédiée aux médias.

Les communiqués de presse en ligne ont deux types de publics :

✔ Tout comme les communiqués de presse traditionnels, les communiqués de presse en ligne sont lus par un public d'éditeurs et de journalistes qui choisiront ou non de placer un lien vers vos gros titres et/ou de reproduire une partie ou la totalité des informations contenues dans votre publication.

✔ Aujourd'hui de nombreux sites publient automatiquement les communiqués de presse provenant de sources spécifiques, sans avoir recours à un lecteur humain. Dans ce cas, votre public cible se confond alors avec les lecteurs de votre communiqué.

Les lecteurs en ligne ne voient que rarement au premier coup d'œil la totalité d'un communiqué de presse. Ils ne remarquent que les gros titres et peut-être l'accroche (la première ligne) ou le sommaire. Comme vous devez les convaincre de cliquer dessus pour voir la version complète, écrire un communiqué efficace devient un exercice doublement périlleux.

Écrire un communiqué efficace

Les principes d'écriture à appliquer sur le Web, que nous avons présentés au Chapitre 4 s'appliquent parfaitement à l'écriture d'un communiqué. Néanmoins, assurez-vous toujours :

- D'être bref. Quatre cents mots au maximum.

- D'inclure la date ainsi que la ville et le jour de parution.

- D'utiliser la voie active.

- D'écrire un gros titre accrocheur ne dépassant pas 10 mots.

- D'écrire une accroche qui captera vos lecteurs et les incitera à lire la suite.

- De couvrir les fameux préceptes des journalistes : *qui, quoi, pourquoi, où, quand,* et *comment.*

- De conclure avec un bloc de texte (un paragraphe descriptif pouvant être facilement supprimé si l'espace venait à manquer) présentant votre entreprise.

- De vérifier l'orthographe et faire relire votre travail.

- De tester tous les liens avant de poster votre article. Utilisez autant de liens qu'il vous est permis, afin d'envoyer les lecteurs vers des pages contenant des détails supplémentaires concernant le sujet de votre communiqué.

✔ D'ajouter les noms des contacts, les numéros de téléphone et les adresses e-mail utilisables pour obtenir des informations complémentaires.

✔ À la fin de votre communiqué, de taper ### ou -30- pour indiquer que vous avez terminé.

La Figure 8.4 propose un bon exemple de communiqué provenant d'O'Reilly Media's Maker Faire. Notez les informations concernant le contact et les indications de date et de lieu, étudiez dans le premier paragraphe les termes du gros titre et le respect des préceptes journalistiques de base. Si vous souhaitez des informations supplémentaires sur la rédaction d'un communiqué de presse, essayez `http://adverti-sing.about.com/od/pressreleases/a/pressreleases.htm` ou encore `www.publicityinsider.com/release.asp`.

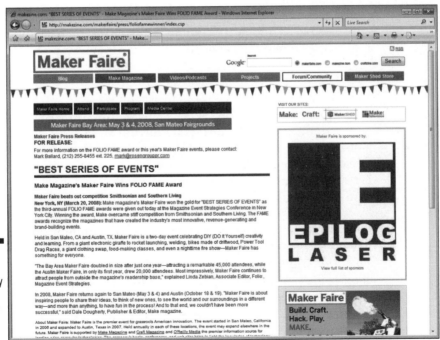

Figure 8.4
La revue de presse d'O'Reilly Media's Maker Faire est un bon exemple à suivre.

Avec l'aimable autorisation d'O'Reilly Media's Maker Faire.

Diffuser votre communiqué de presse

Comme les communiqués de presse constituent des outils de marketing, vous devez réfléchir à votre marché cible. En fonction de votre sujet et de votre public, un bon réseau de distribution peut inclure à la fois des canaux classiques ou en ligne, ce qui inclut :

- ✔ Les sites Web.

- ✔ Les journaux.

- ✔ La radio, le câble, la télévision hertzienne.

- ✔ Les journalistes qui écrivent sur des sujets connexes.

- ✔ Les canaux de médias non conventionnels (les messages texte par exemple).

- ✔ Les publications spécifiques à une industrie particulière (parfois appelée marché vertical).

- ✔ Les magazines généralistes.

Si vous bénéficiez déjà des services d'un attaché de presse ou d'une agence publicitaire, ces derniers pourront vous aider pour l'écriture et la distribution. Dans le cas contraire, vous devrez déterminer votre type de marché : B2B, B2C ou même les deux, et la portée de votre distribution : locale, nationale ou internationale. Tout dépend de la taille du mégaphone et du souffle dont vous disposez.

Bien que vous puissiez distribuer votre communiqué par vos propres moyens, et ce particulièrement dans la presse locale, il est plus aisé de sélectionner un réseau de distribution en ligne qui sera en mesure de cibler le secteur industriel de votre choix. Observez les réseaux de distribution listés dans le Tableau 8.5. Vous devez en sélectionner un qui correspond à votre budget et à vos besoins. Demandez si vous pouvez ajouter votre propre liste de journalistes, de publications et de sites Web. Vous n'avez pas encore une telle liste ? Commencez-en une dès maintenant.

Tableau 8.5 : Exemples de réseaux de distribution de revue de presse.

Nom	URL	Gratuit (O/N)
Business Wire	`http://home.businesswire.com`	N
EMediaWire	`www.emediawire.com`	N
Eworldwire	`www.eworldwire.com`	N
Free Press Release	`http://free-press-release.com`	O
Internet News Bureau	`www.internetnewsbureau.com`	N
Market Wire	`www.marketwire.com`	N
PR Free (appartient à Eworldwire.com)	`www.prfree.com`	O (pour les organismes sans but lucratif)
PrimeNewswire	`www.primenewswire.com`	N
PR Newswire	`www.prnewswire.com`	N
PR Web(appartient à eMediaWire)	`www.prweb.com`	N
Vocus PR Software	`http://vocus.com`	N
Vocus PR Software	`http://vocus.com/wp`	O (papier blanc : bonne pratique pour gérer et maximiser PR avec un petit budget)

Programmez votre communiqué en prenant en compte des contraintes de date de publication car comme de nombreux communiqués parviennent jusqu'aux journalistes via RSS (Real Simple Syndication que nous évoquons au Chapitre 10) ou par e-mail, vous souhaiterez sans doute choisir un jour et une heure privilégiés pour être sûr de toucher votre audience.

Votre communiqué pourra continuer sa vie bien après votre distribution initiale et être repris par des publications plusieurs jours, voire plusieurs mois après. Assurez-vous bien que les informations concernant les contacts seront toujours valides ! Pour obtenir plus d'informations sur la manière de travailler avec la presse, procurez-vous le Internet Press Guild à l'adresse `www.netpress.org/careandfeeding.html`.

Faire du buzz avec une campagne de liens entrants

Les liens entre les autres sites et le vôtre vous apportent non seulement une clientèle présélectionnée, mais améliorent également vos résultats dans les moteurs de recherche. Google en particulier pondère les résultats de son moteur de recherche en fonction de la quantité et de la qualité des liens entrants dans un site (voir Chapitre 7). Une bonne campagne de mise en place de liens est très consommatrice de temps mais les résultats en valent la peine pour tout site Web à la recherche de nouveaux business. Ils sont même cruciaux pour les entreprises B2B qui généralement captent plus de trafic de Google que de tout autre moteur de recherche.

Lorsque vous demandez un lien entrant, il vous faut parfois offrir en retour un lien à votre tour, lien que l'on nomme *lien réciproque*. Ne proposer de tels liens qu'aux sites qui obtiennent un placement de pages Google égal ou supérieur à 5. Pour voir le placement de pages lors de votre navigation, téléchargez la barre d'outils Google depuis l'adresse http ://toolbar.google.com.

Vous pouvez obtenir des liens gratuits et le plus souvent non réciproques via ces sources :

- ✔ Les annuaires des business de l'industrie.

- ✔ Les pages jaunes et sites cartographiques.

- ✔ Les annuaires de business locaux.

- ✔ Les collègues.

- ✔ Les associations commerciales.

- ✔ Les organisations auxquelles vous appartenez que vous sponsorisez.

- ✔ Les fournisseurs, ce qui inclut l'entreprise qui développe votre site Web et celle qui l'héberge.

- ✔ Les distributeurs, les clients et les affiliés.

✔ Les sites de récompenses tels que Webbies (http:webbyawards.com) ; d'autres sont listés au Chapitre 6.

✔ Les sites dont vous contribuez au contenu (voir les sites tels que `www.mycontentbuilder.com`, `http://knol.google.com`, ou `www.isnare.com` pour la distribution de contenu ; recherchez les répertoires de e-zine tels que www.zinos).

✔ Les sites qui vous listent en tant qu'expert (par exemple, www.prleads.com ou https://profnet.prnewswire.com).

✔ Les meta-index.

✔ Les business concomitants, mais non directement en concurrence avec le vôtre.

Évaluer la popularité de votre lien

La popularité d'un lien est évaluée par le nombre de liens de sites qui pointent sur vous. Les liens ont des moteurs de recherche spécifiques, ainsi seuls les autres sites indexés par le même moteur de recherche apparaîtront sur la liste des liens entrants. Commencez par utiliser un des vérificateurs de liens disponibles sur le Tableau 8.6. Vous entrez *link:www.yourdomain.com* dans le champ de recherche d'un moteur de recherche. (Certains moteurs de recherche préfèrent linkdomain:www.yourdomain.com.)

Tableau 8.6 : Ressources des liens entrants.

Nom	URL	Ce que vous y trouverez
Alexa	`www.alexa.com`	Un vérificateur de liens et une liste de sites associés au domaine ciblé
ClickZ Network	`www.clickz.com/showPage.html?page=resources/search_reference/linking`	Trucs et astuces pour les campagnes de liens
iBusiness Promoter (pour Arelis)	`www.ibusinesspromoter.com`	Recherche de liens et logiciels de gestion

Tableau 8.6 : Ressources des liens entrants. (*suite*)

Nom	URL	Ce que vous y trouverez
Link Popularity	http://linkpopularity.com	Vérificateur de liens pour Google, MSN et Yahoo!
Marketleap	www.marketleap.com/publinkpop	Vérificateur de liens multi-moteur de recherche
WebWorkshop	www.webworkshop.net/inbound-links.html	Trucs et astuces pour les campagnes de lien
Webmaster Toolkit	www.webmaster-toolkit.com/link-popularity-checker.shtml	Link Vérificateur de liens multi-moteur de recherche
Zeus	www.cyber-robotics.com/index.htm	Recherche de liens et logiciels de gestion

Vous découvrirez peut-être que d'autres sites ont réalisé de liens vers le vôtre sans vous en avertir, ce qui en général ne pose pas de problème. Vous découvrirez également que Google affiche généralement beaucoup moins de liens entrants que ne le font les autres moteurs de recherche. Ceci est dû principalement aux contraintes importantes que Google associe à ce type de liens. Reportez-vous au Chapitre 7 pour en savoir plus sur les sélections de liens pour Google. La Figure 8.5 illustre une partie d'une page de liens entrants sur Google pour le site GreaterGood.org.

Vous obtiendrez des résultats différents pour l'évaluation du nombre de liens entrants selon que vous entrez ou non *www*. Testez les deux et comparez. A moins que vos développeurs ne forcent les URL à apparaître toutes de la même manière, vos liens entrants seront répartis entre les deux versions de votre nom de domaine. Cela peut avoir pour conséquence que la popularité de votre site apparaisse moindre qu'elle ne l'est en réalité. Pour obtenir plus d'informations (et des solutions) pour ce type de problèmes, demandez à vos développeurs de lire l'article situé à l'adresse suivante : www.netmechanic.com/news/vol8/promo_no4.shtml.

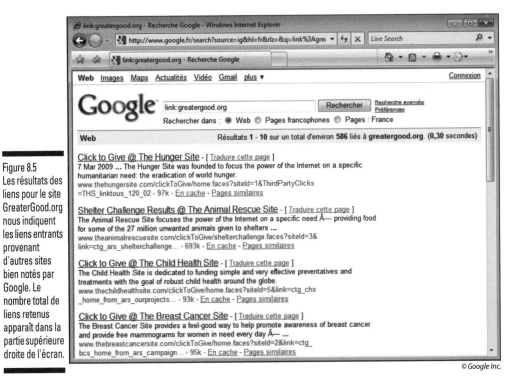

Figure 8.5
Les résultats des liens pour le site GreaterGood.org nous indiquent les liens entrants provenant d'autres sites bien notés par Google. Le nombre total de liens retenus apparaît dans la partie supérieure droite de l'écran.

Mettre en œuvre une campagne de liens

Lorsque vous réunirez tous les éléments pour votre campagne, essayez de disposer d'au moins 50 liens entrants. Plus vous en aurez, mieux ce sera, du moins tant que ces liens proviennent de sites intéressants. Suivez ces étapes pour commencer votre campagne :

1. **Commencez votre chasse aux liens entrants.**

   Entrez un de vos mots-clés dans un moteur tel que Google pour voir les sites qui apparaîtront en haut de la liste des résultats. Puis lancez une vérification de liens entrants pour les deux ou trois premiers résultats en vous basant sur les outils que nous avons présentés précédemment.

2. **Lancez un rapport de popularité des liens entrants pour plusieurs de vos concurrents afin de vous donner une idée.**

3. **Trouvez une source de liens gratuits dans la liste à puce de la précédente section, ainsi que dans tout autre moteur de recherche, annuaire commercial et méta-index.**

Vous ne pouvez rechercher des liens alors que votre site est encore en cours de développement. Cependant ne faites aucune requête avant que votre site ne soit en ligne.

4. **Visitez chacun des sites afin de vous assurer de leurs pertinences et des contenus que votre public pourra y trouver.**

5. **Recherchez des instructions telles que "ajouter votre site" afin de savoir si vous devez envoyer un e-mail ou remplir un formulaire.**

Vous aurez peut-être besoin, pour savoir comment ajouter votre lien, de chercher dans le pied-de-page d'index du site.

6. **Lorsque vous serez prêt, commencez à réaliser vos demandes de liens. Faites une copie masquée de 30 e-mails pour gagner du temps, créez un message tel que celui dans l'encadré ci-dessous. N'oubliez pas d'ajouter le nom de votre site Web et votre demande de liens dans la ligne objet de votre message.**

7. **Envoyez les requêtes depuis les sites manuellement.**

Certains sites n'exigent qu'une URL, d'autres demandent un titre de page, une description, des mots-clés, des informations de contact...

8. **Assurez le suivi de ce travail. Vérifiez les réponses par e-mail provenant des sites Web.**

Certaines réponses vous demanderont de confirmer que vous êtes bien une personne réelle en cliquant sur un lien ou d'envoyer un e-mail en retour. D'autres pourront vous demander des liens réciproques avant de poster les vôtres. Mais seule une petite fraction de vos demandes de liens obtiendra une réponse.

9. **Après six ou huit semaines, faites le point sur les liens. Réalisez éventuellement une seconde requête, puis attendez à nouveau deux mois avant de revérifier.**

Si un site n'a toujours pas posté votre lien après deux mois, partez à la recherche d'un substitut.

Exemple d'e-mail de demande de liens

Chers collègues,

J'ai le plaisir de vous demander un lien pour le compte de VotreDomaine.com, galerie en ligne spécialisée dans les pièces uniques et rares réalisées par des artistes et des artisans renommés. Nous offrons aux amateurs d'art éclairés, ainsi qu'aux collectionneurs l'opportunité d'acquérir une pièce unique d'art contemporain. Le site contient les biographies des artistes, une notice explicative de chaque œuvre, ainsi qu'un calendrier indiquant les événements et les manifestations autour de notre activité.

Il m'est apparu après avoir visité votre site que nous pouvions avoir un public en commun. Je vous prie de réfléchir à l'ajout d'un lien de VotreDomaine.com sur votre site. Je vous remercie de me faire savoir si vous souhaitez accéder à ma requête et, le cas échéant, la date où le lien sera posté.

Afin de vous simplifier la tâche, je joins à cet envoi le titre, la description, des mots-clés, ainsi que le code nécessaire à l'insertion d'un lien HTML.

En vous remerciant du temps et de l'intérêt que vous porterez à ma requête.

Cordialement

Votre bloc de signature

Fournir le code HTML nécessaire simplifie la tâche au Webmaster qui n'a plus qu'à copier et à coller votre lien sur une page. Le code qui suit ouvre votre site dans une nouvelle fenêtre. L'URL après www correspond à la page exacte où vous souhaitez emmener les nouveaux visiteurs arrivant sur votre site. Le texte contenu entre les symboles > er </ a> est celui qui apparaîtra à l'écran.

```
<a href="http://www.yourdomain.com" target="_blank">VotreDomain.com ou Le nom
de l'entreprise</a>
```

Si le site propose un logo graphique en option dans votre requête de lien, demandez à vos développeurs d'écrire le code correspondant. Ils pourront vous donner le code à attacher à vos e-mails.

Pour garder trace de tout ceci, créez une feuille de calcul pour conserver une trace de tous ces efforts. Incluez-y les colonnes suivantes :

- ✔ Le nom du site.

- ✔ L'URL.

- ✔ Une URL ou une adresse e-mail de contact.

- ✔ La date de soumission.

- ✔ L'URL de la page que vous avez sélectionnée pour votre lien.

- ✔ Un lien réciproque ou un payement si nécessaire.

- ✔ La date où le lien a été vérifié.

Pour vous faciliter la tâche, achetez un logiciel tel que Arelis ou Zeus, cités dans le Tableau 8.6, contactez un consultant spécialisé dans l'optimisation des moteurs de recherche ou encore une entreprise de marketing en ligne qui vous aidera à gérer votre campagne de liens.

Comprendre la différence entre de bons et de mauvais liens

Certains moteurs de recherche comptent chacun des liens sans se soucier de leur source. Toutefois, Google et d'autre ont des critères de légitimation des liens. (Nous avons discuté au Chapitre 7 des critères que Google utilise pour établir un classement de ses recherches.)

Un "bon" lien provient d'un site qui :

- ✔ Est sur le même moteur de recherche que le vôtre.

✔ Partage au moins un mot-clé ou un critère de recherche avec votre site.

✔ Dispose d'un contenu textuel sur la page et non pas seulement d'un lien.

Il existe à la fois un marché gris et un marché noir pour la vente de liens permettant d'améliorer les résultats des moteurs de recherche. Ne cédez pas à la tentation. Le lien ainsi proposé ne rentre certainement pas dans la catégorie des bons liens.

La plupart des mauvais liens ne sont pas mauvais en tant que tels, mais parce qu'ils ne vous aideront en rien car les moteurs de recherche les ignorent. Ainsi évitez :

✔ Les *fermes de liens* qui lient de manière aléatoire des milliers de sites. Parfois appelés *FFA (free for all)*, ces sites peuvent néanmoins être référencés par les moteurs de recherche.

✔ Les sites ayant plus de 50 ou 60 liens par page.

✔ Les alliances Web ou les anneaux de sites qui s'échangent des liens entre membres d'un groupe.

✔ Les échanges de liens qui automatiquement organisent les liens entre deux sites. Comme ces derniers proposent des liens qui généralement sont totalement décorrélés des sites qui les hébergent, ils constituent le plus souvent une perte de temps. Généralement vous posterez deux liens pour en recevoir un en retour.

Protocole de suivi des liens externes et réciproques

Disposer sur votre site Web d'une page pour les liens externes est devenu une procédure standard (ces liens sont également appelés *liens entrants*). Fréquemment nommées Liens ou Ressources, ces pages affichent des liens réciproques ou en rapport, ainsi que des informations complémentaires.

Google, qui intègre les liens entrants comme paramètres de son algorithme de classement pour les résultats de son moteur de recherche, favorise les sites dont les liens entrants illustrent une vaste relation au cyberespace. Ainsi si votre page de liens est bien structurée, vous obtiendrez de meilleures offres lorsque vous demanderez des liens réciproques provenant d'autres sites. Essayez de vous en tenir à ces principes, qui sont disponibles sur la page de liens de MamasMinerals.com :

- ✔ Limitez le nombre de liens externes à 50-60 par page. Si vous en avez plus, classez-les par sujet et proposez des pages supplémentaires.

- ✔ Placez une ligne de texte en dessous de chaque lien pour résumer son contenu.

- ✔ Incluez des sites .edu (éducation), .gov (gouvernement), ou .org (sans but lucratif) dans votre liste, même si ces derniers ne vous rendent pas la pareille. Ils vous donneront une crédibilité. Ces liens génèrent un afflux supplémentaire de clients et vous vaudront quelques points supplémentaires dans l'évaluation de Google.

En règle générale, vous pouvez définir un lien vers un autre site sans obtenir de permission préalable. Cependant, occasionnellement, vous croiserez des sites tels que Forbes.com qui nécessitent une permission. (Remplissez le formulaire de demande depuis leur site.) Si vous êtes dans le doute, recherchez la section concernant les mentions légales ou les relations publiques avant d'aller plus loin.

N'ouvrez pas un nouveau site depuis un frame de votre site sans avoir obtenu au préalable une permission du propriétaire de ce dernier. (Les frames ne font pas bon ménage avec les moteurs de recherche - le mieux est encore de ne pas les utiliser.)

D'autres sites externes peuvent refuser vos liens à moins que votre page de liens ne soit accessible depuis le menu de navigation et non pas depuis d'autres pages.

Demandez à votre développeur de toujours ouvrir les liens externes dans une nouvelle fenêtre, de préférence plus petite que la fenêtre principale. Ainsi, votre site restera visible à l'écran et l'utilisateur pourra y retourner sans avoir à utiliser les flèches de retour.

Lorsque vous aurez commencé votre campagne de liens, votre boîte e-mail risque d'être remplie de requêtes provenant d'autres sites vous proposant d'ajouter un lien. Évaluez bien chacune de ces propositions en vous demandant si elles contribueront à améliorer vos résultats dans Google. Rappelez-vous que vous n'avez aucune obligation de poster des liens tant que vous n'avez pas promis de réciprocité.

Soyez méfiant envers les requêtes de sites qui proposent aux visiteurs de voter pour la popularité de votre site ou qui facturent les liens, certains d'entre eux sont de purs escrocs qui reviendront vers vous après coup pour vous demander de les payer, en vous envoyant par exemple des factures provenant de fausses Pages Jaunes.

Chapitre 9

L'art du marketing
par e-mail

Dans ce chapitre :

▶ Utiliser les e-mails comme outil de marketing.

▶ Ecrire des messages e-mail en masse.

▶ Faire du marketing avec les lettres d'information.

▶ Développer une bonne lettre d'information.

▶ Construire vos listes d'e-mail.

Près de 200 milliards d'e-mails viennent remplir les boîtes aux lettres chaque jour, un chiffre qui va sans doute doubler à l'horizon 2012. Parmi ces e-mails, entre 70 et 80 % sont considérés comme des spams (e-mails non voulus ou non sollicités), certains sont filtrés mais la plupart d'entre eux sont tout simplement supprimés avant d'être lus. Dans ce contexte délivrer un message à vos prospects ou clients nécessite un minimum de savoir-faire. Heureusement, vous pouvez apprendre certaines bonnes méthodes qui vous permettront d'utiliser les e-mails et des lettres d'information pour générer du business.

Les bons messages e-mail commencent par des bonnes lignes "De" et "Objet" et continuent avec un bon contenu, des liens vers votre site Web, et interpellent le lecteur. Ils ont un but et dans le meilleur des mondes sont dirigés vers un public spécifique. Bien sûr, tous les e-mails ne seront envoyés qu'à des groupes de destinataires qui auront accepté de les recevoir et seront conformes à l'accord CAN-SPAM de 2003 ainsi qu'à ses mises à jour (http://ftc.gov/bcp/conline/pubs/buspubs/canspam.shtm). Les techniques impliquant les e-mails vont du simple envoi d'un bloc de signature à une campagne coûteuse de lettres d'information destinée à de multiples segments. Nous aborderons ces méthodes dans ce chapitre. Si vous souhaitez faire le point sur les techniques à utiliser, vous pouvez télécharger la liste de vérification des méthodes de webmarketing du Chapitre 2 sur le site des Editions First.

Utiliser ce dont vous disposez déjà : des outils d'e-mail gratuit

Dans leur course aux technologies avancées, les entrepreneurs oublient fréquemment les simples outils de marketing e-mail. Ce qui est une honte car ces outils sont gratuits avec les services dont vous disposez déjà. Comme je l'expliquerai plus en détail dans le texte qui suit, les blocs de signature sont primordiaux pour une stratégie de marque, les blurbs ou les réponses automatiques. Ces trois composants étant un bon service à offrir à vos clients.

Faire de la stratégie de marque avec les blocs de signature.

Comme l'illustre la Figure 9.1, un bloc de signature est l'équivalent e-mail de la carte de visite ou du papier en-tête. Un bloc de signature doit apparaître en bas de chaque e-mail professionnel que vous envoyez. Un bon bloc de signature contient votre titre professionnel, toutes les informations nécessaires pour vous contacter ainsi qu'un lien vers votre site Web.

Le nom de votre entreprise et la mention de votre poste permettent une bonne identification de votre entreprise. Le bloc doit également contenir de manière claire et compacte toutes les informations permettant de vous joindre, ce qui inclut (au minimum) votre numéro de téléphone, votre numéro de fax, votre adresse, vos adresses e-mail et l'adresse de votre site Web. Certains blocs de signature indiquent en

Jan Zimmerman
Author, Web Marketing For Dummies
Strategic Web Marketing & Site Management
Watermelon Mountain Web Marketing
4614 Sixth St. NW
Albuquerque, NM 87107
t : 505.344.4230
f : 505.345.4128
e : info@watermelonweb.com
w : http://www.watermelonweb.com

Avec l'aimable autorisation de Watermelon Mountain Web Marketing
www.watermelonweb.com

Figure 9.1
Un bloc de
signature.

plus les heures d'ouverture, un lien vers une carte et/ou vers une offre spéciale d'un événement particulier.

Presque tous les logiciels d'e-mail (parfois appelés clients e-mail), tels que Outlook, Outlook Express et Eudora, vous permettent d'ajouter un bloc de signature. En d'autres termes, ces blocs sont gratuits ! Pour ajouter un bloc de signature, regardez dans la barre d'outils de votre logiciel de messagerie et recherchez quelque chose comme Outils/ Options, consultez l'aide pour obtenir les instructions.

Affichez l'adresse de votre site Web sous forme de lien actif. La plupart des logiciels d'e-mail créent un lien automatiquement si vous voulez commencer l'URL par http://.

Laissez les répondeurs automatiques faire le travail

Vous avez déjà probablement reçu de nombreux *messages générés automatiquement* sans même l'avoir réalisé. Les réponses automatiques sont envoyées en réponse à un mail ou font partie du cycle d'activités d'un site Web. La mise en œuvre de ces messages se fait généralement via la création d'une règle de messages. (Consultez l'aide disponible pour votre logiciel e-mail.) Les réponses automatiques d'absence du bureau sont sans doute les plus utilisées pour ce type de message. Les réponses automatiques générées par un site Web, comme celui de la Figure 9.2, sont souvent créées lorsque l'utilisateur envoie un formulaire ou fait un achat. Ces messages automatiques sont particulièrement utiles pour :

✔ Souhaiter la bienvenue à un nouveau souscripteur d'une lettre d'information, en lui proposant peut-être une réduction pour un premier achat.

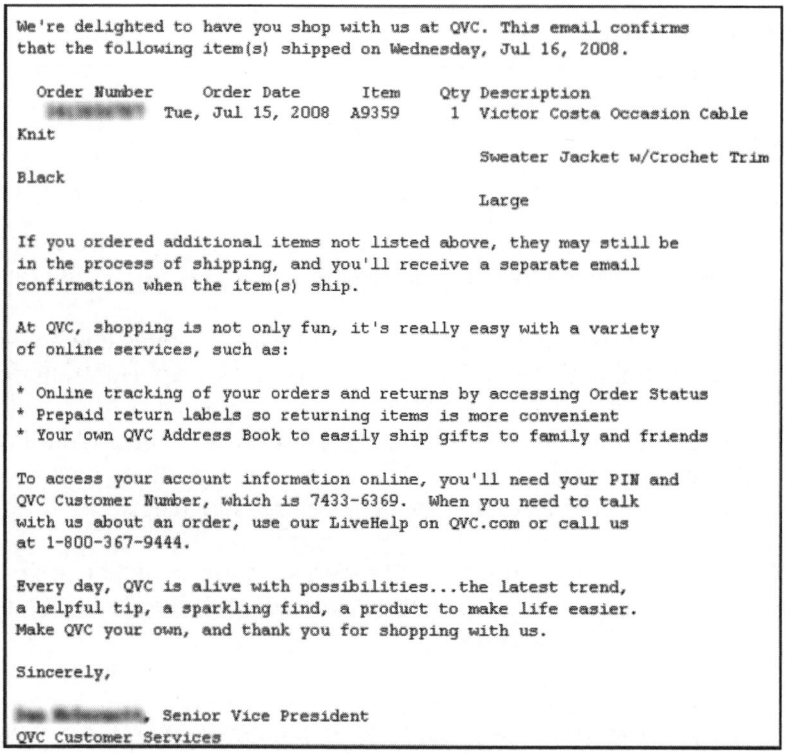

```
We're delighted to have you shop with us at QVC. This email confirms
that the following item(s) shipped on Wednesday, Jul 16, 2008.

   Order Number    Order Date      Item    Qty Description
   ██████████  Tue, Jul 15, 2008  A9359     1  Victor Costa Occasion Cable
Knit
                                               Sweater Jacket w/Crochet Trim
Black
                                               Large

If you ordered additional items not listed above, they may still be
in the process of shipping, and you'll receive a separate email
confirmation when the item(s) ship.

At QVC, shopping is not only fun, it's really easy with a variety
of online services, such as:

* Online tracking of your orders and returns by accessing Order Status
* Prepaid return labels so returning items is more convenient
* Your own QVC Address Book to easily ship gifts to family and friends

To access your account information online, you'll need your PIN and
QVC Customer Number, which is 7433-6369.  When you need to talk
with us about an order, use our LiveHelp on QVC.com or call us
at 1-800-367-9444.

Every day, QVC is alive with possibilities...the latest trend,
a helpful tip, a sparkling find, a product to make life easier.
Make QVC your own, and thank you for shopping with us.

Sincerely,

██████████, Senior Vice President
QVC Customer Services
```

Figure 9.2
Un message automatique de QVC confirme l'envoi d'une commande.

✔ Confirmer une demande d'information ou de support technique.

✔ Confirmer un achat.

✔ Indiquer qu'une commande est en production ou a été postée.

✔ Envoyer un formulaire de suivi.

✔ Envoyer un remerciement et s'enquérir de la satisfaction du client.

Comme les utilisateurs ne peuvent répondre à une réponse automatique générée par un site Web, incluez un e-mail valide et/ou un numéro de téléphone à votre message. Des générateurs de messages automatiques simples sont généralement inclus dans les packages proposés par les hébergeurs de site. Indiquez à votre développeur les types de messages automatiques que vous souhaitez envoyer, puis demandez-lui s'il est possible de personnaliser ces messages en y ajoutant une salutation de type (Cher...) où le nom de l'utilisateur proviendra d'une commande ou d'une demande d'information.

Si vous avez besoin de programmer dans le temps de multiples réponses automatiques, vous pouvez utiliser un Shareware, acheter un logiciel, ou encore utiliser un service Web tiers tel que celui proposé sur www.ecoursewizard.com. Cependant, vu la sensibilité du public au spam, n'en abusez pas. Reportez-vous au site www.thesitewizard.com/ archive/autoresponders.shtml si vous souhaitez obtenir plus d'informations sur les messages automatiques.

Un message automatique n'a pas la même fonction qu'une page de remerciement sur un site Web. Vous devez en effet proposer un retour immédiat en ligne lorsque les utilisateurs ont envoyé un formulaire ou passé une commande.

Réduire le temps de réponse avec les blurbs

Les blurbs sont des textes rédigés au préalable et envoyés rapidement en réponse aux clients qui demandent des informations. Il ne vous reste alors qu'à ajouter des salutations personnalisées ou d'autres types d'informations. La règle des 80/20 s'applique ici - 80 % des demandes d'information que vous recevez par e-mail ne concernent que 20 % de votre activité. Les blurbs couvrent quant à eux 80 % de vos réponses par e-mail et ne coûtent rien d'autre que le temps nécessaire à les écrire.

Les blurbs préparés par avance, tels que celui affiché à la Figure 9.3, vous aident à gérer la réception de vos e-mails et vous permettent de répondre le jour même. Enregistrez vos blurbs sous forme de brouillon dans votre logiciel de messagerie et copiez-les dans un nouveau message lorsque cela sera nécessaire. Ajoutez-y systématiquement des salutations (Cher...) ainsi qu'une invitation à vous appeler ou à vous envoyer un e-mail pour obtenir des informations supplémentaires.

```
Thank you for your rebate inquiry. We are pleased to inform you that
your submission has been received and validated, and it is in the
final stages of processing. Your rebate check should be mailed in
the next 15 days. Please note that the check will be printed on a
postcard and will not arrive in an envelope.

We appreciate your participation in this promotion. If there is
anything else we can do to assist you, please contact us at
Staples.rebates@parago.com.  We are always happy to help.

You can also track the status of your rebate, using the Tracking
Number above, at http://www.StaplesEasyRebates.com.

Kirk
Rebates Customer Service
```

Figure 9.3
Ce blurb émis par Straples fut envoyé en réponse à une demande de rabais.

Vous pouvez envoyer les blurbs sous forme de fichiers joints, cependant les destinataires préféreront lire de simples e-mails.

Voici certains sujets à réserver aux blurbs :

✔ Les contenus de votre FAQ (Frequently Asked Question) disponibles sur votre site Web.

✔ Les copies de revues de presse récentes.

✔ Des réponses aux problèmes fréquents.

Tirer le maximum des messages e-mail

Au Chapitre 6 nous disions "que le marketing n'est qu'une partie du business, mais qu'il n'y a pas de business sans marketing". Cette réflexion s'applique aussi aux correspondances par e-mail avec vos clients.

N'ignorez pas l'impact marketing des messages que vous envoyez à vos prospects, clients et fournisseurs. En effet, un message mal écrit pourrait rebuter vos destinataires, un fichier joint trop volumineux pourrait être considéré comme un spam et automatiquement envoyé à la corbeille...

N'envoyez des fichiers joints d'une taille d'environ 100 ko qu'à des personnes que vous connaissez. Et demandez-leur leur autorisation par avance. Choisissez plutôt de poster vos documents sur votre site

Web et d'envoyer un lien vers ces derniers. Vous pouvez également envoyer vos documents via un service tel qu'EchoSign.com ou (horreur !) les envoyer par fax.

Envoyer des e-mails comme un pro

Voici quelques points supplémentaires à garder à l'esprit lorsque vous composez des messages par e-mail :

- **La ligne DE** : La ligne De est le premier critère que le destinataire utilise pour décider s'il ouvrira ou non un message. Ce qui fait de votre adresse e-mail une décision marketing. Choisissez quelque chose que le client reconnaîtra immédiatement, tel que votre nom complet ou une phrase comme *ServiceClient@VotreEntreprise.com*.

  Tous les bons hébergeurs Internet vous offriront des adresses e-mail gratuites avec votre nom de domaine *(@votredomaine.com)* que vous pourrez utiliser pour la promotion de votre marque. Vous pouvez accéder à ces adresses directement via votre logiciel de messagerie ou bien en les redirigeant vers un autre compte e-mail. Votre développeur ou votre hébergeur pourra vous aider à la mise en œuvre.

  Pour paraître professionnel ne répondez pas avec votre compte e-mail personnel (par exemple, @aol, @hotmail ou @comcast) proposé par votre fournisseur d'accès Internet (FAI) ou faites en sorte qu'il n'apparaisse pas. La plupart des logiciels de messagerie vous permettent de définir une adresse "De" qui s'affichera dans la boîte de réception de votre correspondant. Si vous rencontrez des difficultés, demandez de l'aide à votre FAI.

- **La ligne Objet** : Les destinataires prennent pour second critère l'intitulé de l'objet avant de décider de lire ou non votre courrier. Soyez succinct et factuel ; il n'y a pas de place ici pour vous étendre. Ne dépassez pas 50 caractères qui correspondent à la taille maximale standard pour le champ Objet.

- **Le corps du message** : Dans le texte lui-même, identifiez-vous rapidement, indiquez la nature de votre relation avec les destinataires (ou indiquez qui vous envoie) ainsi que le propos de votre message. Gardez une apparence professionnelle, gardez les fontes extravagantes et les couleurs vives pour votre correspondance personnelle. Si vous ajoutez un petit logo, rappelez-vous que certaines personnes suppriment les images de leurs e-mails. Toutes ces directives sont également applicables aux messages automatiques et aux blurbs.

Les messages e-mail, les messages automatiques et les blurbs constituent le support classique d'une correspondance professionnelle. Vérifiez constamment leur lisibilité, leur mise en page et leur style. Envoyez-les à vous-même ainsi qu'à des proches afin de tester leur aspect dans différents clients e-mail. Disposez les informations les plus importantes dans la partie supérieure au cas où certains destinataires utiliseraient un mode de prévisualisation.

Mieux vaut disposer de deux comptes e-mail séparés, l'un destiné à votre activité professionnelle et l'autre à votre correspondance personnelle. De nombreuses personnes disposent même d'une troisième adresse destinée aux lettres d'information et autres correspondances sur des sites Web auxquels ils ont donné leur adresse e-mail.

Envoyer des e-mails en nombre

Les techniques e-mail dont nous avons discuté plus haut dans ce chapitre ne concernent que le marketing one to one. L'envoi en masse d'e-mails est une technique gratuite qui vous permet d'envoyer des e-mails à des petits groupes d'utilisateurs qui partagent un intérêt commun.

Le moyen le plus simple de mettre en œuvre l'envoi en masse d'e-mails consiste à créer un groupe dans votre logiciel de messagerie et d'y ajouter des adresses. Ainsi, au lieu d'entrer les noms individuels dans le champ adresse de votre message, vous entrerez le nom du groupe. (Reportez-vous à l'aide de votre logiciel de messagerie pour obtenir plus de détails.)

Très concernés par le spam, certains FAI ne permettent pas d'envoyer des e-mails en masse à plus de 50 ou 100 noms. Pour contourner cette limitation, vous pouvez acheter des logiciels bon marché qui géreront vos envois en masse. Vous trouverez ici quelques suggestions pour vous aider à commencer :

Nom du logiciel	URL
LmhSoft e-Campaign	www.lmhsoft.com
G-Lock EasyMail	www.glocksoft.com/em
GroupMail	www.group-mail.com/asp/common/default.asp

Si vous souhaitez plus d'options, recherchez à *group e-mail software*. Il existe également une solution plus économique qui consiste à employer les outils gratuits Yahoo! Groups (http://groups.yahoo.com) ou Google Groups (http://groups.google.com).

Ils constituent une alternative simple d'emploi, mais un peu archaïque, pour envoyer une lettre d'information à un petit sous-ensemble de votre liste des e-mails commerciaux. Les e-mails groupés sont utiles dans les cas suivants :

✔ Tenir informé les participants d'un cours, d'une conférence, d'un programme, ou d'un autre événement.

✔ Communiquer avec les vendeurs, les distributeurs et les franchisés.

✔ Rappeler aux clients un rendez-vous ou la disponibilité d'un produit.

✔ Fournir des informations aux journalistes.

✔ Communiquer avec les comités, les actionnaires ou les employés.

✔ Annoncer la disponibilité d'un produit sur un bon de commande.

Déployer des lettres d'information par e-mail

Votre offre concerne les derniers appareils photo numériques ? La meilleure façon de cuisiner les carottes et les betteraves bio ? Ou peut-être s'agit-il de conseils fiscaux de dernière minute ? D'astuces pour retirer une tache ? Des dernières nouvelles sur le Rockabilly Roller Derby ? Du buzz sur ce que Marie a dit à Carrie au sujet de la séparation de Piotr qui avait pourtant prévu de passer une soirée avec Jean-Pierre lundi soir ?

Quels que soient leurs intérêts, leurs passions, leurs habitudes de consommation, vos clients peuvent s'inscrire à votre lettre d'information par e-mail pour satisfaire leur désir. En tant que spécialiste du marketing par e-mail, vous devez trouver les personnes qui voudront de vos offres spéciales, des derniers ragots et nouvelles que vous voudrez bien leur livrer jusqu'à leur porte électronique. Vous devez les amener à s'inscrire à votre service de distribution, puis à les encourager à poursuivre leur lecture en cliquant vers votre site. La lettre d'information de Women Employed de la Figure 9.4 illustre comment une organisation sans but lucratif peut utiliser une lettre d'information pour garder ses membres informés de ses activités.

Figure 9.4
Cette lettre d'information de Women Employed inclut des liens vers son site Web, ainsi que dans sa partie supérieure gauche une table de liens dirigeant les lecteurs vers ses différentes sections.

Avec l'aimable autorisation de Women Employed.

Par rapport à d'autres formes de publicité en ligne, les lettres d'information en ligne ont un taux de clics élevé. Ce taux correspond au pourcentage des personnes qui voient les annonces publicitaires et qui décident de cliquer dessus pour accéder au site dont elles sont issues. Alors que les bannières publicitaires attirent généralement moins de 0,5 % des visiteurs vers un site, les lettres d'information en ligne ont un taux moyen de 4 à 5 %, et ce en fonction de la qualité et de la taille de la liste. Pour atteindre le succès, vous avez besoin d'une bonne lettre d'information qui sera envoyée au bon moment au public qui convient.

L'e-mail est en perte de vitesse parmi les jeunes ! Si vous êtes à la recherche d'un public de moins de 25 ans, l'e-mail risque d'être un moyen de communication démodé. Pour cette population, utilisez plutôt les réseaux sociaux et les blogs (voir Chapitre 8) ou encore les messageries instantanées et les messageries textuelles (voir le Chapitre 13).

Augmenter l'efficacité de votre lettre d'information

Plus le contenu de votre lettre d'information et son public seront ciblés et plus vous aurez de chance de rencontrer le succès. Avant de créer et de distribuer chaque numéro de votre lettre d'information, définissez avec soin ses objectifs et son public. Est-ce pour faire des ventes ? Si oui, quel est le segment de votre clientèle qui sera intéressé par les produits que vous affichez ?

La Figure 9.5 propose un produit mis en avant par la lettre d'information de la boutique du Museum of New Mexico. Le musée cible d'anciens clients et visiteurs du Museum of International Folk Art de Santa Fe. Chaque partie de la lettre d'information propose des liens vers la page Web dédiée aux achats des objets illustrés et d'autres liens vers une page proposant des objets similaires.

Par exemple, si vous souhaitez fournir à vos clients des informations leur permettant de prendre une décision d'achat ou si vous essayez de récupérer des clients que vous n'avez pas vus depuis un moment, vous devez leur proposer une offre qui les ramènera vers vous.

Vous devrez également considérer si vous souhaitez accepter de la publicité ou des sponsors dans votre lettre d'information. Cette décision affectera la mise en page et la conception de cette dernière.

Analyser les statistiques relatives à votre lettre d'information est tout aussi important que l'analyse des statistiques de votre site Web. Si le but de votre lettre d'information est de valoriser votre marque, suivez

Figure 9.5
WorldFolkArt.org
emploie sa lettre
d'information
mensuelle pour
vendre des
produits et pour
présenter de
nouvelles
références.

avec attention l'augmentation du nombre des abonnés. Si l'objectif est la vente, mesurez le taux de conversion des ventes et la rentabilité.

Les quelques termes commerciaux qui suivent vous aideront à définir votre succès. Un bon service de lettre d'information vous fournira les statistiques suivantes : le taux de rebond, le taux d'ouverture, le taux des inscriptions, le taux de clics, les tests A/B.

Le taux de rebond

Le taux de rebond correspond au pourcentage des adresses que les visiteurs ont quittées prématurément. Cette mesure sert à faire le pourcentage du trafic pour lequel le contenu d'une page ne correspond pas aux besoins recherchés. Ce taux doit être le plus faible possible.

Le taux d'ouverture

Le taux d'ouverture correspond au pourcentage des e-mails envoyés que les destinataires ont réellement ouverts. Vous ne pouvez garantir que les destinataires lisent réellement les e-mails envoyés, cependant vous pouvez tester qui les a ouverts (en cliquant et en les affichant dans une boîte de prévisualisation ou dans une fenêtre standard).

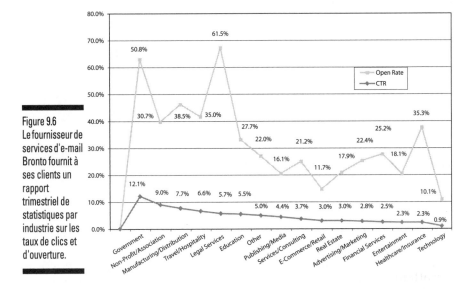

Figure 9.6
Le fournisseur de services d'e-mail Bronto fournit à ses clients un rapport trimestriel de statistiques par industrie sur les taux de clics et d'ouverture.

Le taux de désinscription

Le CAN-SPAM Act exige désormais qu'une option permettant de se désabonner d'un simple clic existe sur toutes les lettres d'information. Généralement, les visiteurs cliquent sur un lien pour se désabonner. Tous les noms mentionnés sur votre liste devront avoir accepté en ligne ou hors ligne de recevoir votre lettre. Segmenter votre liste en fonction des intérêts et mettre en œuvre un double processus d'inscription (les abonnés doivent recevoir un e-mail leur demandant de confirmer leur demande en cliquant sur un lien avant d'être enregistré dans la liste de distribution) réduit généralement le taux de désabonnement. Encore une fois, ce taux peut varier de manière importante en fonction de la qualité de votre liste.

Le taux de clics

Le taux de clics (CTR) correspond au nombre de liens vers votre site Web divisé par le nombre de lettres d'information ouvertes. Pour obtenir un meilleur CTR, assurez-vous qu'il y ait une bonne adéquation entre votre lettre et le public ciblé, même si cela signifie d'envoyer différents messages aux différents segments de votre liste.

Le CTR dépend également de la qualité de votre titre, de l'offre, du contenu et du nombre de liens proposés dans votre lettre d'information. Des études indiquent qu'une lettre d'information contenant plus de 20 liens obtient un taux de clics deux fois supérieur à une lettre en contenant moins.

Certains services spécialisés dans les lettres d'information peuvent vous fournir deux taux de clics différents : le nombre total de clics et le nombre de clics par utilisateur. Cela vous permettra de connaître le nombre de visiteurs qui ont cliqué plus d'une fois. Quel que soit votre objectif, vous devez guider les lecteurs dans votre site Web pour les amener à conclure un achat ou à obtenir plus d'informations. Efforcez-vous de maintenir un taux de CTR le plus élevé possible.

Un rapport étonnant réalisé par ExactTarget indique que le taux de clics et le taux d'ouverture diminuent lorsque la taille de la liste augmente. Cela semble indiquer qu'il est préférable de segmenter votre liste selon les centres d'intérêts et d'en vérifier son contenu une fois que vous aurez atteint les 2 000 noms.

Les listes d'e-mails ont tendance à vieillir rapidement, car les utilisateurs changent fréquemment de fournisseurs de services ou abandonnent tout simplement une adresse pour éviter les spams. Ainsi, les listes publiques ou à louer sont moins efficaces que celles que vous constituerez vous-même. Rappelez-vous que plus votre liste d'adresses sera ancienne, plus le taux des inscriptions et le taux de rebond seront importants alors que le taux de clics s'amenuisera.

Tests A/B

Il est vraiment difficile de prédire la manière dont les gens vont réagir au moindre changement dans la formulation d'un contenu publicitaire. Les tests A/B fournissent une technique issue du marketing direct par correspondance, ils vous permettent d'analyser différents éléments de votre lettre d'information afin d'en maximiser son efficacité. Dans un test A/B, vous envoyez une version très légèrement différente de votre lettre d'information à un panel représentatif de votre public. Comme il s'agit de n'envoyer des e-mails qu'à un petit nombre de destinataires, ce type de test est réalisable même pour les petites entreprises. Vous pouvez tester individuellement les éléments suivant :

- ✔ La ligne "De".

- ✔ La ligne "Objet".

- ✔ Le titre.

- ✔ Le choix du produit.

- ✔ Une offre.

Ne changez qu'un seul élément à la fois ! Si vous ne contrôlez pas les variables, vous ne pouvez pas distinguer l'impact des différents éléments sur le résultat final.

Créer une lettre d'information efficace

Créer une bonne lettre d'information peut prendre plus de temps que vous ne le supposez.

Votre lettre d'information doit être conforme au CAN-SPAN Act de 2003 et à ses mises à jour. Certains Etats ont établi des lois anti-spams supplémentaires. En dépit de ces lois et de l'existence de meilleurs logiciels de filtrage, le taux de spams qui atteignent les utilisateurs n'a pas diminué. Les spammeurs semblent trouver de nouveaux moyens d'échapper aux filtres aussi rapidement que ces filtres sont élaborés.

Les lignes "De" et "Objet" sont primordiales pour augmenter le taux d'ouverture de votre lettre d'information. Veillez particulièrement à :

- ✔ **Valoriser votre marque.** Incluez votre nom, votre entreprise, votre produit et/ou votre service (ce que les lecteurs peuvent associer à votre marque), soit dans la ligne "De" soit dans la ligne "Objet".

- ✔ **Attirer le chaland.** Proposez dans la ligne "Objet" un avantage ou une autre raison d'ouvrir le message. Vous aurez plus de chance d'obtenir une réponse à un e-mail intitulé "*En novembre économisez grâce à votre entreprise*" qu'à un message intitulé *Les nouvelles mensuelles de votre entreprise*. Bien sûr, une bonne offre fonctionne également : par exemple un bon de réduction pour un dîner en couple.

- ✔ **Etre honnête.** Ne trompez pas les gens en leur proposant une fausse annonce dans la ligne "Objet". Un sujet précis est également une obligation légale.

- ✔ **Créer un sentiment d'urgence.** Incorporer une phrase ou un mot qui donne une notion d'urgence afin d'encourager les lecteurs à ouvrir rapidement votre lettre d'information : *le mois, cette semaine, maintenant, rappel très important, offre exclusive.*

- ✔ **Ne pas en faire trop.** Évitez d'utiliser les signes de ponctuation dans la ligne "Objet", en particulier les points d'exclamation. N'utilisez pas non plus de lettres capitales, elles déclenchent des filtres de spams.

- ✔ **Etre bref.** Faites en sorte que la ligne "Objet" ne dépasse pas 50 caractères, espaces inclus.

La longueur de votre lettre d'information doit varier en fonction de son objet et de son public. Une lettre contenant des informations devrait être plus longue qu'une autre destinée à acheminer les clients sur votre site pour faire un achat. Ajoutez en début de lettre une table des matières liée aux articles de votre site afin de pouvoir directement rediriger les lecteurs vers ces derniers.

Tout comme avec votre site Web, vous ne disposez que de quelques secondes pour attirer l'attention de vos lecteurs et pour qu'ils se posent la question : "Y a-t-il quelque chose pour moi là-dedans ?" Essayez d'utiliser un titre qui attire l'attention. Car, les utilisateurs qui lisent le titre des e-mails dans un volet de prévisualisation ne disposent que de quelques centimètres à l'écran. Disposez les informations les plus importantes au début afin qu'il soit inutile de faire dérouler le document. En d'autres termes, plus vous serez bref, mieux ce sera.

Lorsque vous composez votre lettre d'information, suivez les mêmes principes de mise en page et d'écriture que ceux que vous avez employés pour votre site Web (voir le Chapitre 4) :

- ✔ **Appuyez votre image de marque.** Ajoutez votre logo et/ou en-tête graphique.

- ✔ **Utilisez de petites photos.** Pensez à redimensionner vos photos pour le Web afin qu'elles se chargent rapidement.

- ✔ **Pensez aux abonnés qui utilisent uniquement les e-mails au format texte.** Proposez-leur des descriptions aguichantes en lieu et place de photos. Photos que l'utilisateur peut choisir de ne pas afficher dans ses e-mails.

- ✔ **Proposez un contenu pertinent.** Faites correspondre le contenu à votre public. Vous obtiendrez de meilleurs résultats si vous segmentez une liste d'adresses importantes et que vous envoyez différentes versions de votre lettre d'information en fonction des centres d'intérêts ou de l'historique d'achat de vos clients.

Utilisez aussi des phrases énigmatiques ou des paragraphes incomplets disposant de liens vers les pages appropriées de votre site Web. En fait c'est beaucoup plus efficace que de mettre trop d'informations dans une lettre. Votre lettre d'information doit contenir au moins 20 liens vers votre site. Certains d'entre eux étant destinés aux contenus ou aux produits, d'autres étant réservés aux bons usages que nous décrirons plus loin dans ce chapitre dans la section "Suivre les bons usages".

Les liens doivent emmener les visiteurs aussi près que possible du lieu de l'action. Par exemple, un lien d'une promotion à la page détaillant le produit afin d'inciter les abonnés à l'acheter.

Sélectionner une méthode de distribution

Les options disponibles pour la création de votre lettre d'information sont comparables à celles disponibles pour la création d'un site Web. Vos choix dépendront de la facilité de mise en œuvre, du coût, de la taille de votre liste de diffusion et des compétences de votre équipe. Voici un aperçu des options qui s'offrent à vous :

✔ **Demandez au développeur de votre site Web de réaliser la mise en œuvre.** Il pourra concevoir un modèle HTML qui vous permettra de modifier le contenu de chaque numéro. Les développeurs peuvent faire en sorte qu'il soit possible de récupérer depuis votre site Web les adresses e-mail de vos abonnés et d'obtenir auprès de votre hébergeur un service de gestion de liste. Assurez-vous de bien inclure ces points dans votre appel d'offres, si vous envisagez cette alternative.

✔ **Utilisez une solution qui propose des modèles, la gestion de liste et la distribution.** ConstantContact.com dont le modèle de site est illustré à la Figure 9.7 propose ce type de solution (le Tableau 9.1 présente une liste d'hébergeurs et de fournisseurs de modèles d'e-mails). Pour les petites entreprises, c'est généralement le moyen le plus simple et le moins coûteux. Ces solutions tierces exigent généralement que votre développeur place un petit morceau de code sur votre site qui pointera vers votre page d'inscription. Ceci fait, vous gérerez tout à partir d'un serveur tiers.

✔ **Achetez un modèle HTML de sites Web et modifiez-le pour pouvoir l'utiliser avec votre service de gestion de liste.** Ce type de solution fonctionne généralement pour des entreprises plus importantes qui nécessitent des options plus sophistiquées et qui disposent d'une infrastructure technique suffisante pour l'implanter. Des exemples de ce type de source sont listés dans le Tableau 9.2. Vous trouverez une liste de fournisseurs sur Mashable (http://mashable.com/2007/08/10/email-newsletters).

Le succès de votre lettre d'information sera dû pour 40 % à la rencontre du bon public, pour 40 % à son offre et pour 20 % à sa conception et sa mise en page.

Choisir entre texte et hypertexte

Les lettres d'information en HTML qui contiennent des graphiques, des icônes et des polices de caractères différentes sont plus attrayantes que celles réalisées en texte brut. Cependant, certains utilisateurs désactivent les photos, car elles ralentissent le chargement. D'autres ne lisent que les e-mails en texte brut. D'autres encore bloquent le HTML

Figure 9.7
ConstantContact
propose des
modèles de
lettres
d'information, de
gestion de liste
et de distribution.

Avec l'aimable autorisation de Constant Contact, Inc. Constant Contact and the Constant Contact logo
are registered trademarks of Constant Contact, Inc.

Tableau 9.1 : Hébergeurs et fournisseurs de modèles d'e-mails.

Nom	URL
Benchmark	www.benchmarkemail.com
Constant Contact	www.constantcontact.com
eNews Builder	www.enesbuilder.com/ot3/features.cfm
Graphic Mail	www.graphicmail.com

Tableau 9.1 : Hébergeurs et fournisseurs de modèles d'e-mails. (*suite*)

Nom	URL
Patron Mail	http://patronmail.com
Vertical Response	www.verticalresponse.com

Tableau 9.2 : Fournisseurs de services de gestion de listes.

Nom	URL
Ezine Director	http://ezinedirector.com
Lyris	www.lyris.com
Mailermailer	www.mailermailer.com
Majordomo	www.greatcircle.com/majordomo
Net Atlantic	www.netatlantic.com/products/email-newsletter-hosting//index.html
SparkList	http://sparklist.com
Topica	www.topica.com/solutions/direct.html

par crainte des virus. Avec l'augmentation de la taille des bandes passantes, les lettres d'information au format HTML sont devenues les plus fréquentes. Le meilleur choix est d'offrir les deux possibilités et de comparer le taux de clics des deux versions.

Suivre les bons usages

La part des publicités en ligne réalisée par e-mail est en augmentation. Fort de cette constatation, les entreprises d'e-mail ont étudié les meilleurs usages pour obtenir un taux de clics important tout en restant dans les limites légales imposées par le CAN-SPAM Act.

Voici les pratiques que vous devez appliquer pour rester dans la légalité :

- ✔ Incluez dans votre lettre d'information l'adresse de votre entreprise ou de sa boîte postale, ainsi que son numéro de téléphone.

- ✔ Incluez un lien permettant de se désabonner d'un simple clic.

- ✔ Fournissez un lien vers votre politique de confidentialité. Ne partagez pas vos listes avec un tiers à moins de l'avoir notifié à vos abonnés et d'avoir obtenu le consentement de ces derniers.

Voici les meilleures pratiques pour créer une lettre d'information de qualité répondant aux besoins des clients :

- ✔ Comme toujours, vérifiez chacun des points, dont le contenu des lignes "De" et "Objet", et testez tous les liens.

- ✔ Envoyez des copies de prévisualisation aux formats HTML et texte, à vous-même ainsi qu'à vos collaborateurs.

- ✔ Indiquez à vos lecteurs la fréquence et la date de parution de votre lettre.

- ✔ Prévoyez, surtout si vous avez plus d'une lettre, un espace pour que les abonnés puissent indiquer leur nom, leur centre d'intérêt, l'intitulé de leur poste, le type de lettre d'information qu'ils souhaitent recevoir (par exemple des annonces de ventes, des réductions, des présentations de produits). Limitez-vous cependant à quelques champs afin de ne pas décourager vos abonnés.

- ✔ Ajoutez un lien qui permettra à vos abonnés de modifier leur profil simplement.

Les meilleures pratiques pour les besoins marketing et pour augmenter la taille de la liste :

- ✔ N'envoyez votre adresse e-mail qu'aux seules personnes qui ont accepté de la recevoir. Dans la mesure du possible, utilisez un système de double validation (dont nous avons parlé plus en détail dans la précédente section "Taux de désinscription").

- ✔ Incluez un lien permettant de transmettre la lettre d'information électronique à un ami ou à un collègue abonné. Choisissez de préférence pour cela le début de la lettre.

✔ Fournissez un lien direct vers la page d'inscription aux personnes qui auront reçu un e-mail retransmis.

✔ Bien en évidence, au-dessus du formulaire d'inscription ou de votre page Web, réaffirmez vos pratiques de confidentialité et rappelez les bénéfices d'une inscription sur votre site.

✔ Disposez des exemples de votre lettre d'information sur votre site Web afin que les abonnés potentiels puissent s'en faire une idée.

✔ Enregistrez les compliments faits par vos lecteurs. Puis, en leur demandant leur permission, affichez-les sur la page d'inscription.

✔ Envoyez un message de bienvenue aux nouveaux abonnés, ajoutez-y un bon de réduction (un peu de promotion) si cela est approprié. N'oubliez pas de mettre à jour votre boutique en ligne pour qu'ils puissent bénéficier de cette promotion.

Décider du moment et de la fréquence

Des entreprises ont recherché le meilleur jour et la meilleure heure pour distribuer une lettre d'information. Le résultat fluctue en fonction de l'industrie, de la période de l'année, du public et de la taille de la liste. Les données relatives au troisième trimestre 2007 d'un fournisseur de messagerie électronique eROI sont proposées à la Figure 9.8.

Voici quelques conseils concernant la fréquence des lettres d'information B2B et B2C.

✔ **B2B :** Généralement les lettres d'information B2B ont un meilleur impact le mercredi après-midi. Distribuez-les tôt le matin. Elles seront en haut de la boîte aux lettres lorsque les employés arriveront ou vers midi lorsqu'ils consulteront leurs e-mails en général.

Cependant il n'y a pas de règle générale. Examinez les statistiques de votre site afin de déterminer la période la plus adaptée à vos visiteurs. (Reportez-vous au Chapitre 14 pour en savoir plus sur les statistiques Web).

✔ **B2C :** Les lettres d'information B2C remportent généralement un meilleur taux d'ouverture et un meilleur taux de clics avant et

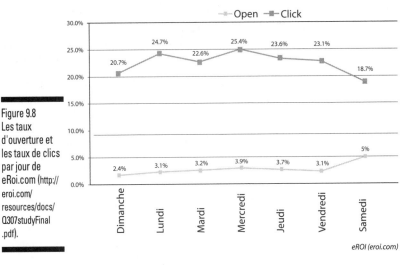

Figure 9.8
Les taux
d'ouverture et
les taux de clics
par jour de
eRoi.com (http://
eroi.com/
resources/docs/
Q307studyFinal
.pdf).

eROI (eroi.com)

après la journée de travail - si des gens se connectent de leur domicile. Vous obtiendrez peut-être un meilleur taux d'ouverture pour les mails B2C envoyés le vendredi ou pendant le week-end, simplement parce que vos messages auront moins de concurrents. Expérimentez pour savoir ce qui fonctionne le mieux pour vous. Rappelez-vous que de nombreuses personnes effectuent des recherches de leur domicile le week-end mais attendent le lundi ou le jeudi pour réaliser leurs achats depuis leur lieu de travail.

La fréquence idéale pour le mailing dépend de votre public et du propos de votre lettre d'information. Les destinataires n'aiment pas être inondés de messages provenant d'une même source à moins qu'il ne s'agisse d'information urgente de dernière minute.

Vous seul pouvez décider s'il sera nécessaire d'envoyer les e-mails quotidiennement, une fois par semaine, tous les mois, tous les trimestres, ou tous les semestres. Si vous segmentez votre liste, vous pourrez envoyer votre lettre d'information plus fréquemment, mais au prix d'une audience plus réduite.

Votre public est toujours votre source d'information la plus précise. Demandez-lui la fréquence qu'il souhaite. Vous trouverez dans le Tableau 9.3 ci-dessous une liste de sites contenant des informations sur les tendances de l'utilisation des e-mails.

Tableau 9.3 : Ressources sur les lettres d'information.

Nom	URL	Ce que vous y trouverez.
Bronto	http://bronto.com/knowledge/statistics	Analyse des tendances, ressources concernant les e-mails
Direct Marketing Association	www.the-dma.org/channels/internet.shtml	Marketing par e-mails, nouvelles et articles
EmailLabs	www.emaillabs.com/resources/index.html	Ressources concernant les e-mails
EmailStat Center	www.emailstatcenter.com/Copy.html	Statistiques concernant les e-mails
eROI	www.eroi.com/online-marketing-resource-center/resource-center	Analyse de tendances et ressource concernant les e-mails
Federal Trade Commission	www.ftc.gov/bcp/conline/pubs/buspubs/canspam.shtm	Original CAN-SPAM
ActFederal Trade Commission	www.ftc.gov/opa/2008/05/canspam.shtm	Mises à jour du CAN-SPAM Act
MessageLabs	www.messagelabs.com/	Statistiques au fil de l'eau concernant les e-mails et spams

Trouver des abonnés pour votre lettre d'information

Dès que vous débuterez la mise en œuvre de votre site Web, commencez à collecter les adresses e-mail. Commencez avec les adresses de votre carnet : les amis et la famille, votre banquier, votre avocat, vos investisseurs, vos fournisseurs, les membres des médias locaux, les responsables locaux, ainsi que les autres élus de la communauté. Les membres des médias et de la classe politique sont tenus de communiquer avec le public.

Pour faire preuve de courtoisie, demandez aux personnes mentionnées ci-dessus, ainsi qu'à toutes celles que vous avez ajoutées à votre liste, de s'abonner en cliquant sur le lien de confirmation inclus dans votre lettre d'information. Cela sera utile si le lien de confirmation emmène l'utilisateur vers un écran qui lui proposera le type d'e-mails (tels que HTML ou texte brut) et/ou son centre d'intérêt.

Votre liste d'adresses e-mail vaut de l'or ! En effet bâtir une bonne liste d'adresses e-mail est cruciale pour obtenir un retour sur investissement dans un programme de lettres d'information par e-mails. Assurez-vous de la sauvegarder régulièrement et d'en faire une copie sur un site extérieur.

Envoyer un mail à vos clients et à vos prospects

Lorsque vous aurez ajouté les adresses e-mail comme nous l'avons écrit dans la section précédente, réexaminez votre liste de clients et de prospects pour vous assurer d'avoir bien la permission de les contacter par e-mail. Vous devez utiliser un logiciel de gestion de contacts, tel que ACT! (qui est disponible à l'adresse www.act.com) ou au moins une feuille Excel ou une base de données contenant votre liste.

Le CAN-SPAM Act vous permet d'envoyer un e-mail aux personnes avec qui vous avez eu une relation professionnelle au préalable, ces personnes sont :

- ✔ Les clients que vous avez obtenus au cours des 13 derniers mois.

- ✔ Les vendeurs et les distributeurs.

- ✔ Les prospects qui vous ont demandé des informations.

- ✔ Les personnes qui ont répondu à un questionnaire ou à un sondage.

- ✔ Les membres des organisations professionnelles auxquelles vous appartenez.

Maintenir à jour votre liste d'adresses

Le lancement d'une lettre d'information est une période favorable pour nettoyer et mettre à jour votre liste d'adresses e-mail. Considérez comme suspectes toutes les adresses e-mail ayant séjourné dans votre liste depuis plus d'un an. Voici quelques techniques pour garder votre liste à jour :

- ✔ Envoyez des e-mails en masse à toute personne inscrite dans votre base de données pour obtenir une confirmation de réception de l'e-mail, puis supprimez les adresses qui ne sont plus valides.

- ✔ Si vous disposez d'une liste d'adresses postales sans adresse e-mail correspondante, envoyez une carte professionnelle avec un volet de réponse prépayé annonçant votre lettre d'information. Assurez-vous d'obtenir la permission sur le carton réponse, et/ou de proposer un moyen d'inscription en ligne.

Le maintien et le peaufinage de votre liste est un processus continu. Entre les envois, ajoutez de nouveaux noms à votre liste et réexaminez les adresses considérées comme bloquées ou injoignables.

Comment contacter par e-mail le propriétaire de cette carte de visite que vous avez récupérée dans un salon ou lors d'un événement ? Si vous n'avez pas eu la permission de l'ajouter à votre liste lors de son acquisition, vous devez faire parvenir au propriétaire un lien de confirmation afin d'obtenir un opt-in explicite par voie postale.

Collecter de nouveaux noms

Vous pouvez recueillir de nouvelles adresses e-mail sur des événements, des salons, des ventes ou lors de tout contact avec des clients. Demandez-leur alors verbalement la permission de leur envoyer une lettre d'information, notez la date, les occasions et les réponses.

Un autre lieu important pour collecter les adresses e-mail est votre magasin réel, et en particulier à la caisse. Si vous n'êtes pas équipé pour enregistrer automatiquement une adresse e-mail, disposez un bocal qui servira à recevoir les cartes de visite ou proposez un livre d'or. Offrez un petit quelque chose pour chaque inscription.

Vous pouvez tirer avantage de certaines opportunités offertes par votre site Web pour collecter d'autres adresses e-mail :

✔ Demandez à vos visiteurs leur adresse e-mail en leur proposant de télécharger une étude de cas ou livre blanc ; proposez-leur de s'inscrire en cochant une case.

✔ Placez une case à cocher pour obtenir l'opt-in pour votre lettre d'information lors d'un achat en ligne.

✔ Disposez une case à cocher pour obtenir l'opt-in pour votre lettre d'information sur tous les formulaires d'inscription : demande de contact, demande de support, demande de démo, assistance technique, demande de démonstration.

Demandez à votre développeur de collecter automatiquement ces adresses e-mail dans une base de données à laquelle vous pourrez accéder simplement. Elles pourront probablement être ajoutées à votre liste, si votre développeur a intégré un serveur de liste. Si vous utilisez une solution tierce, vous devrez probablement télécharger ces adresses manuellement dans votre liste de lettres d'information.

Il y a l'art et la manière de créer un formulaire d'inscription. Tentez d'obtenir plus qu'une simple adresse e-mail, mais laissez cependant le plus possible de champs optionnels. Si vous avez une société B2B, l'intitulé du poste de l'utilisateur ainsi que le nom de son entreprise vous seront précieux. Pour les entreprises B2C, les produits intéressant spécifiquement des domaines sont utiles à connaître.

Développer une liste d'adresse pertinente est un objectif essentiel pour tous les sites qui se lancent dans le marketing e-mail. Simplifiez l'inscription de vos visiteurs en leur proposant de s'inscrire sur chaque page en affichant un simple champ e-mail ou un lien pointant vers une seconde page où vous aurez la possibilité d'afficher les options. Demandez des informations complémentaires, rappelez les principes de votre politique de respect de la vie privée et des intérêts à devenir membre de votre site. Essayez d'associer le lien d'inscription à un bénéfice tel que *Inscrivez-vous pour économiser* ou *obtenir des informations*.

Louer des abonnés par e-mail

Vous pouvez *louer* légalement à des agences des listes d'e-mail avec opt-in pour le B2B et le B2C. Ces listes sont généralement constituées d'abonnés de magazines électroniques ou de personnes qui ont donné leur adresse e-mail en échange d'une offre gratuite ou promotionnelle. Un petit échantillon tiré parmi les milliers de revendeurs qui existent vous est proposé au Tableau 9.4.

Tableau 9.4 : Ressources pour obtenir des listes d'adresses e-mail.

Nom	URL	Payant ou gratuit
Ad-Site.com	www.ad-site.com/eMailLists.php	Payant
Business Email Lists	www.businessemaillists.com/directory/b2b-email-newsletters.asp	Payant
L.I.S.T. Incorporated	http://www.l-i-s-t.com/email_lists.asp?type=2	Payant
VentureDirect	www.venturedirect.com/optinemail.php	Payant
Google Groups Directory	http://groups.google.com/groups/dir?lnk=hpbgc	Gratuit
Jayde's List of Lists	http://directory.jayde.com/ search?a=0&query=email+lists&search=search	Gratuit
L-Soft CataList	www.lsoft.com/lists/listref.html	Gratuit
Tile.net	http://tile.net/lists	Gratuit
Topica	http://lists.topica.com	Gratuit
Yahoo! Groups	http://groups.yahoo.com	Gratuit

N'utilisez pas de listes provenant d'amis et d'entreprises où les utilisateurs n'auraient pas été avertis que leurs noms puissent être vendus, échangés ou loués. N'utilisez pas non plus de listes provenant de sources ayant mauvaise réputation et qui offrent des noms à un prix défiant toute concurrence. Vous n'obtiendrez que des ennuis à acheter au rabais.

Bien que cela ne soit pas le meilleur moyen pour acquérir de nouveaux noms, une liste très ciblée reste efficace. Certaines agences spécialisées dans le B2B VS BTC sont particulièrement difficiles à atteindre via des listes louées.

Plus la liste sera ciblée, et plus vous payerez cher pour chaque adresse. Vous devez compter environ 0,25 € par nom pour une liste B2B, mais les prix peuvent aller bien au-delà.

Généralement les listes louées obtiennent des taux d'ouverture et de clics inférieurs à ceux que vous aurez constitués par vous-même. Ne vous étonnez donc pas si le taux de réussite est moitié moindre qu'avec votre propre liste. Le coût de ces listes est cependant en baisse il est donc intéressant d'en négocier le prix surtout après les avoir testées une première fois.

Le Tableau 9.4 propose d'autres sources pour rechercher une liste correspondant à votre domaine. Si vous utilisez une liste gratuite, assurez-vous de bien lire les règles concernant l'utilisation de leur contenu. Certaines listes imposent le type de contenu ou de formulaire à renvoyer à leurs membres. Les informations concernant chacune de ces listes sont disponibles en ligne. Pour obtenir davantage d'informations concernant le choix d'une liste, reportez-vous à Name-Finders à l'adresse www.namefinders.info/dmr.

Travailler avec une entreprise de location de listes

Lorsque vous louez une liste d'adresses e-mail, il s'agit vraiment d'une _location_. Vous n'obtenez pas les noms. Vous fournissez à l'entreprise de location vos lettres d'information par e-mail en texte brut ou en HTML. L'entreprise confirmera alors que votre lettre d'information correspond à ses critères, ajoutera le code pour suivre les taux de clics et d'ouverture et enverra un test d'essai. Vous sélectionnerez alors le jour et la date de l'envoi en nombre.

Si vous souhaitez joindre un public particulier, l'entreprise de mailing vous demandera de lui décrire ce dernier en détail.

En plus d'un coût minimal par nom, l'entreprise de mailing pourra vous facturer pour chacun des critères ou des tris que vous lui demanderez (par exemple code postal, genre, âge, date du dernier achat, etc.). Certaines entreprises demandent également des frais de transmission et d'installation. Tous ces frais varient en fonction des entreprises et du type de liste, n'hésitez donc pas à négocier. Lorsque vous serez prêt, l'entreprise vous enverra un bon de commande à signer.

Un de vos objectifs est de transformer les noms loués en abonnés à votre lettre. Aussi, en haut de votre lettre d'information, intégrez un lien invitant le lecteur à se joindre à votre propre liste.

Il faudra au moins une semaine pour établir votre compte avant de pouvoir envoyer votre lettre via une entreprise de mailing. Cela vous laisse le temps de vérifier tous les aspects de votre lettre d'information, sa mise en page, les liens... Une fois l'envoi réalisé, suivez vos statistiques et comparez-les aux résultats de votre propre liste. Rappelez-vous que les destinataires auront besoin de voir votre marque au moins sept fois avant de s'en souvenir !

Certains modèles de lettre d'information réalisés par des tiers ne peuvent être envoyés aux entreprises de mailing, car leur code n'est pas conforme. Vous aurez sans doute besoin d'en créer un nouveau dans les formats texte et HTML (ou vous pouvez demander à l'entreprise de mailing de les réaliser pour vous).

Un programme de lettre d'information peut servir de support marketing indépendant. Il peut également servir de support à une autre action marketing. Par exemple Bella of Cape Cod (reportez-vous à la Figure 9.9) utilise des lettres d'information non seulement pour indiquer à ses clients des événements et des ventes, mais également pour inviter ces derniers à des soirées en ligne.

Figure 9.9
Bella of Cape Cod (joaillier vendant des produits bon marché) utilise sa lettre d'information pour proposer à ses clients une soirée exceptionnelle en ligne.

eVentes en ligne

Elles ont commencé par vendre des bijoux bon marché et des accessoires aux touristes de Cap Cod sur un stand du marché aux puces. À présent, Megan Murphy et Catherine Bean, propriétaires de Bella of Cape Cod, gèrent deux magasins de détail et connaissent le succès en ligne en adaptant les ventes à domicile au monde virtuel.

À la recherche d'une matière créative de toucher leur public hors saison, elles décidèrent d'aller en ligne en automne 2005, en utilisant Constant Contact pour joindre les 1 500 contacts qu'elles avaient laborieusement acquis durant leurs ventes antérieures.

eVentes en ligne (*suite*)

En plus de leur boutique en ligne, elles transposèrent le succès de leur vente à domicile en eVente. En retour de la fourniture d'une liste d'adresses e-mail, l'hôtesse reçoit 20 % de la somme encaissée à dépenser pour ses propres achats. Les acquéreurs ne payent pas les frais d'envoi et reçoivent un cadeau si leurs achats dépassent 50 €.

Afin de partager leur succès, elles offrent 20 % de la valeur des commandes à une œuvre de charité qui aura invité sa liste à participer. Ainsi certaines organisations ont gagné plus de 10 000 € en faisant de la vente.

Les invités reçoivent une invitation électronique quelques jours avant la eParty et un rappel par e-mail le jour de la vente. L'invitation électronique fournit un code qui permet aux invités de bénéficier d'une livraison gratuite pour tous les achats effectués entre 6 et 10 heures.

"Il est très important, particulièrement pour les petites entreprises, de garder contact avec leurs clients", soulignent Murphy et Bean. Pour que leur liste croisse de plus en plus, elles demandent à leurs clients de détail de s'inscrire pour recevoir leur lettre mensuelle, elles incluent des bons dans tous leurs envois et encouragent les invités à organiser leur propre soirée. "Le bouche à oreille colporté d'un ami à un autre est plus puissant que toutes les publicités que nous pourrions faire !"

Depuis son ouverture, *Bella* a réalisé des opérations par e-mail de plus en plus sophistiquées. L'entreprise a amélioré la capacité de son serveur, l'intégration avec sa vitrine, les systèmes d'inventaire et de comptabilité, et compte aujourd'hui 850 000 visites par mois. Les ventes sur le Web sont passées de 2 % en 2005 à 20 % en 2007, en tenant compte de l'augmentation exponentielle de leur vente au détail.

"Nous avons commencé Bella of Cape Cod comme un passe-temps pour deux mères au foyer, et nous ne sommes quasiment plus à la maison maintenant ! Notre croissance et notre succès furent très rapides, et plus important encore, vraiment très agréables."

Chapitre 10

Déployer votre présence sur le Web

Dans ce chapitre :

▶ Organiser une promotion hors ligne.

▶ Planifier le lancement d'un site.

▶ Créer des événements en ligne.

▶ Vendre à l'international.

▶ Construire un réseau d'affiliation.

▶ Trouver des fans avec RSS.

S ouhaitez-vous que votre site Web ait une solide présence sur la toile ? Faire connaître votre entreprise dans votre localité ? Etesvous intéressé par l'exportation vers l'Europe ou vers l'Asie ? Peut-être envisagez-vous de rechercher des affiliations pour présenter des références de clients sur votre site Web ou êtes-vous intéressé par la distribution automatique d'informations sur de nouveaux produits ?

Choisissez parmi toutes les solutions proposées dans ce chapitre celle qui correspond le mieux aux besoins de votre site. Chacune de ces catégories et techniques varie en coût, d'une guérilla marketing gratuite à des investissements très onéreux. Ces différentes solutions peuvent avoir des conséquences sur la marge de profit ou peuvent nécessiter de faire un effort pour développer un support de back-office.

Si votre choix porte sur l'une des méthodes présentées dans ce chapitre, notez-la dans votre liste de vérification de méthodes webmarketing du Chapitre 2. Vous pouvez télécharger le formulaire sur le site des Edtions First.

Promouvoir votre e-entreprise hors ligne

À l'instar de n'importe quelle entreprise, vous pouvez promouvoir votre nom de domaine. La plupart des techniques présentées dans cette section ne vous coûteront rien, à l'exception de ce que vous aurez dépensé pour la conception graphique et l'impression.

Demandez au graphiste de vous fournir une charte graphique comprenant un jeu de majuscules et d'espacements pour votre logo et dans divers formats, y compris :

- Noir et blanc.

- Couleur.

- Disposition horizontale.

- Disposition verticale.

- Disposition alignée.

Vérifiez également que sont inclus les éléments contextuels dans la charte graphique. Définissez une convention pour les principaux éléments de design lorsqu'ils apparaissent dans différentes situations. Vous pouvez par exemple décider que votre nom de domaine apparaisse ainsi : VotreDomaine.com, Votredomaine.com, votredomaine.com, votreDomaine.com, ou Votre Domaine sans extension.

Pour une marque déposée, vous devez faire apparaître systématiquement le logo de votre marque. Si vous souhaitez entretenir des relations presse significatives, déposez des formats en ligne compatibles pour vos présentations à la presse et les pages dédiées à la presse de votre site. Si vous avez déposé votre marque, placez l'exposant Tm dans le coin supérieur droit de votre logo. Une fois la marque enregistrée, utilisez ®.

Estampiller votre URL sur tout

Il va sans dire que vous devez faire apparaître votre nom de domaine dans vos en-têtes, cartes de visite, tout comme votre signature électronique dans vos courriers électroniques. N'oubliez pas d'insérer votre URL dans des documents tels que les présentations PowerPoint, en note de bas de page dans des offres et dans les documents de présentation technique. Si vous souhaitez réimprimer d'autres articles de papeterie, incluez votre URL dans :

✔ Pages de couverture de fax.

✔ Plaquettes de présentation.

✔ Formulaires de commande.

✔ Factures et reçus.

✔ Garanties.

✔ Bordereaux de livraison et de marchandise.

✔ Bloc-notes personnalisés.

Lorsque vous ferez imprimer l'emballage de vos produits, vous ferez ajouter l'URL sur les étiquettes de vêtements, papiers d'emballage, cartons de livraison, enveloppes, sacs plastiques, rubans, couvercles, bouchons de liège, bâtonnets de glace, etc., bref tout type d'emballage. Tamponnez votre nom et votre URL sur tous les supports. N'oubliez pas les véhicules d'entreprise, les autocollants, les affiches et panneaux de publicité. D'autres idées sont représentées à la Figure 10.1.

Recherchez n'importe quel support dédié à la vente et à la promotion. Vérifiez que chaque article comprenne bien votre adresse URL : catalogues, manuels d'utilisations, notices, communiqués de presse, session de formation entreprise, et tout autre produit dérivé de marketing. Tout ce qui permet à vos destinataires de se rappeler de votre site.

Figure 10.1
Des idées de
promotion et
d'emballage.
Vous pouvez
placarder sur
n'importe quel
produit votre
nom de domaine.

Clockwise from top left: Packaging lid on coffee can courtesy Rowland Coffee Roasters. Screensweep courtesy Fone.net. Can cooler courtesy NetIDEAS, Inc. Carabiner clamp avec l'aimable autorisation de Mesalands Community College. Candy wrapper courtesy Certified Folder Display Service. Cork coaster courtesy New Mexico State University.

Distribuer articles et cadeaux promotionnels

Selon ASI (Advertising Specialty Institute), les entreprises américaines ont dépensé environ 19,6 milliards de dollars en articles et cadeaux promotionnels en 2007.

Vous pouvez également inclure votre URL avec numéro de téléphone sur des stylos, crayons, tee-shirts, casquettes, souris, tasses, etc. La Figure 10.1 présente quelques exemples d'articles promotionnels. Vous pouvez aussi commander des articles personnalisés auprès de milliers d'entreprises spécialisées dans les marchandises promotionnelles (quelques-unes sont répertoriées dans le Tableau 10.1) ou auprès d'un fournisseur plus proche de chez vous. Vous avez aussi la possibilité de créer vos propres articles sur CafePress.com.

Le prix des articles promotionnels augmente vite, notamment pour une entreprise qui n'a besoin que de petites quantités. Recherchez les entreprises qui proposent un ensemble de produits de marque afin de passer une commande minimale. Vérifiez également que le prix des

Tableau 10.1 : Quelques entreprises spécialisées dans la vente d'articles promotionnels.

Nom	URL
4imprint	www.4imprint.com
Branders	www.branders.com
CafePress.com	www.cafepress.com
ChariTEES	www.charitees.org
ePromos	www.epromos.com
Gimmees	www.gimmees.com
Logo-Lites	www.logo-lites.com
NM Commission for the Blind	www.totespromote.com
Promotional Items	www.promotionpotion.com
Promotional Rubber Bands	www.aerorubber.com/promo.htm

articles et cadeaux promotionnels entre bien dans votre budget de marketing annuel.

Tenez compte de la quantité d'articles dont vous avez besoin et de la manière dont vous allez les distribuer dans un salon commercial comme cadeaux de remerciement ou de vacances, comme cadeaux d'entreprise lors d'une transaction. Tenez compte aussi du public visé, de la cible. L'adresse Internet et le numéro de téléphone d'un plombier mentionné sur une manique ou une tapette à mouches paraît normal, car tous les articles ménagers correspondent plus ou moins au domaine de la plomberie. En revanche, pour des clients B2B, il conviendrait mieux de choisir des articles de bureau comme une clé USB, des balles anti-stress, des stylos ou une souris.

Associez votre adresse Internet à un souvenir agréable, inspirant une impression positive comme des balles de golf et tee-shirts, jumelles de sport ou de concerts, coques de protection d'IPod ou articles coproduits d'une université, d'une équipe, d'une association.

Prêter son nom à des événements communautaires

Participer à des événements locaux s'avère une bonne promotion pour votre entreprise, en particulier si :

✔ Vous avez un bureau ou une boutique implantée dans la localité.

✔ Vous avez un marché local.

✔ Vous souhaitez déployer la présence de votre entreprise dans cette localité.

✔ Vous avez besoin de vous construire une crédibilité auprès de la presse locale.

✔ Vous recherchez des employés, investisseurs, ou créez des franchises en local.

Vous cherchez la reconnaissance et non l'anonymat, n'hésitez pas à porter des vêtements à l'effigie de votre entreprise avec URL et logo. Si vos employés participent bénévolement à des événements comme une course ou une randonnée ou une campagne de collecte de fonds pour une association ou toute autre bonne cause, donnez-leur tee-shirts et casquettes sans oublier d'annoncer votre présence à cet événement sur votre site Web, dans un communiqué de presse ou dans des sites d'agendas et de manifestations.

La plupart des événements locaux relèvent de techniques de guérilla marketing peu chères, bien qu'ils puissent vous coûter très cher si vous souhaitez voir apparaître le nom de votre entreprise dans les tribunes d'un grand stade. Seules votre imagination et la cible peuvent limiter la gamme des événements locaux. Un site de réseau social peut supporter l'équipe de football du collège, un site s'adressant à la communauté homosexuelle peut participer à la Gay Pride. Il existe d'autres événements à prendre en compte :

✔ Séminaires et sessions de formation.

✔ Campagnes de charité.

- ✔ Courses, randonnées, parades pour diverses causes.

- ✔ Sponsoring d'équipes sportives avec logo et URL de l'entreprise sur les tee-shirts de l'équipe.

- ✔ Participation à une banque alimentaire, à des opérations de nettoyage, comme plages ou forêts propres par exemple.

Inclure votre adresse Web dans des publicités traditionnelles

Cela ne vous coûtera pas plus cher d'inclure votre adresse Web dans des publicités traditionnelles, comme à la radio, à la télévision, dans la presse et sur les panneaux d'affichage.

Si vous pouvez diffuser vos messages publicitaires sur divers types de médias traditionnels, n'hésitez pas à demander que l'on ajoute une simple extension à votre adresse Web qui redirigera directement vers la page de l'article ou du produit dont vous faites la publicité. L'entreprise d'informatique Dell le fait bien dans ses écrans publicitaires avec www.dell.com/tv. Cette technique vous permet de comparer le nombre de personnes qui ont accédé à votre site via cette publicité avec le nombre de celles qui passent par la toile. Bon nombre de personnes savent que l'extension n'est pas nécessaire, mais la redirection de l'URL donne une bonne estimation de l'apport de la campagne publicitaire dans le trafic.

Organiser le lancement d'un site

Passer de la phase de développement à la mise en ligne de votre site est une étape importante. Il ne faut que 24 à 48 heures pour qu'un nouveau site ou un ancien qui a changé d'hébergeur soit accessible aux serveurs locaux. Tenez compte de ce temps dans votre planning sachant que vous pouvez être "dans le noir" pendant plusieurs jours, le temps de la transition. Si vous gardez le même hébergeur (avec la même adresse IP), le développement du nouveau site ne sera l'affaire que de quelques minutes.

Le lancement fait référence à un événement médiatique qui définit la publicité en ligne et traditionnelle de votre site. Le lancement prend tout son sens dans les cas suivants :

✔ Vous commencez une toute nouvelle activité.

✔ Vous avez une entreprise solide dont la renommée est importante.

✔ Vos partenaires ou investisseurs ont besoin ou attendent une reconnaissance publique du nouveau site (ou site refait).

✔ Vous proposez une application innovante ou utilisez une nouvelle technologie sur un nouveau site.

Si vous le pouvez, patientez quelques semaines pour roder votre site avant de gérer un important trafic ou de planifier son lancement. Donnez-vous le temps de tester et re-tester le site, de régler les bogues de dernière minute, d'affiner le texte et les images et de vérifier que le serveur a la capacité de prendre en charge le trafic escompté.

Les lancements sont souvent associés à des événements extérieurs, comme un salon ou au début de la période de solde par exemple. À l'instar des événements traditionnels, votre cyber-inauguration peut nécessiter :

✔ Des communiqués et des conférences de presse en ligne/traditionnels.

✔ Le coup d'envoi d'un événement en ligne en direct et bien promu.

✔ Des offres spéciales dans une durée spécifique.

✔ Des offres promotionnelles destinées aux premiers visiteurs.

✔ Des campagnes de publipostage et/ou d'e-mailing.

✔ Des annonces dans des chats, forums et sites de réseaux sociaux.

✔ Des annonces dans des sites d'agendas électroniques et événementiels.

✔ Des espaces publicitaires dans les boutiques.

✔ Des partenariats non lucratifs avec des fournisseurs qui co-promeuvent votre site.

✔ Des annonces dans les lignes de votre signature électronique.

✔ Des publicités en ligne ou/et traditionnelles.

Ce n'est pas une course contre la montre ! N'annoncez l'ouverture de votre site que lorsqu'il est bien rodé et que tout fonctionne à merveille. Pendant le développement de votre site, tout peut arriver, même le pire. Et ce peut être très difficile de tout récupérer avant la date annoncée.

Créer des événements en ligne

Les événements en ligne peuvent générer un certain trafic sur votre site. Des invités à un chat, des interviews d'écrivains, des concerts ou des émissions sur le Web (se reporter au Chapitre 13) peuvent vous permettre d'obtenir des informations sur les clients, de mener des recherches sur le marché et de récupérer les adresses électroniques de tous les visiteurs qui s'inscrivent.

Le site lawyers.com exploite un impressionnant programme de chats en ligne dédié à ses clients (http//comunity.lawyers.com/chat/list.asp). Microsoft met en ligne ses manifestations et événements à www.micro-soft.com/events/default.mspx. Utilisez toutes sortes de promotions pour faire connaître votre événement en ligne :

✔ Annoncez l'événement dans de nombreux emplacements de votre site.

✔ Envoyez des messages électroniques qui annoncent l'événement, puis un rappel à tous ceux qui se sont préenregistrés.

✔ Recherchez des sites marchands pour faire annoncer votre événement.

✔ Recherchez les sites événementiels qui attirent votre public cible, tels qu'un concert de musique en ligne et en direct http//events.myspace.com/index.cfm.

✔ Inscrivez votre page événementielle sur `www.dmoz.org/Arts/Music/Concerts_and_Events/Internet_Broadcasts` ou `http://d1.dir.ac2.yahoo.com/Entertainment/Music/Internet_Broadcasts`.

✔ Postez votre événement dans des agendas électroniques tenus par des associations de commerçants, des réseaux culturels ou toute autre sorte de groupement événementiel, comme `www.wisonline.com/info/promote.htm`.

✔ Faites appel à un tiers, un service d'enregistrement d'événements en ligne comme Cvent.com pour vous aider à promouvoir votre événement.

✔ Recourez au PPC (Paiement Par Clic) pour informer les gens de cet événement.

Vous pouvez déduire les frais supplémentaires de publicité si vous programmez régulièrement des événements, comme le premier jeudi de chaque mois. Ce qui peut aussi inciter les visiteurs à revenir.

Vendre en ligne à l'international

Après tout, le Web est une grande toile mondiale (World Wide Web). En une quinzaine d'années, le Web est passé d'un média américain, dominé par l'anglais, à une profusion virtuelle de langues et d'utilisateurs internationaux. Internet World Stats estime que l'anglais, qui reste la première langue utilisée des quelques 800 millions d'internautes en 2008, représente moins de 31 % de tout le trafic, comme l'illustre la Figure 10.2. Internet World Stats présente les langues les plus utilisées par les internautes sur `www.internetworldstats.com/images/languages2008pie.png`. Parmi les 10 premières se trouvent le japonais, le français, l'allemand, l'arabe, le portugais, le coréen et l'italien. À elles seules les 10 premières représentent 78.2 % des internautes.

Bien que les Etats-Unis affichent le plus grand nombre d'internautes (218 millions en 2008), le marché Internet est quasi saturé à 71 % du nombre total de la population. D'un autre côté, la Chine, l'Inde et l'Amérique latine assurent une croissance régulière. Si vous envisagez de cibler des marchés extérieurs, n'oubliez pas que le comportement de l'achat en ligne varie d'un pays à l'autre.

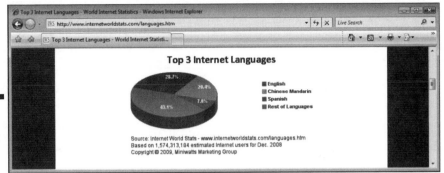

Figure 10.2
L'anglais
représente tout
juste 30 % du
trafic.

Les internautes anglais, suédois et allemands, par exemple, sont les plus grands acheteurs avec, selon Forrester Research, 70 % d'acheteurs en ligne contre seulement 30 % en Italie et en Espagne. Toutefois, on prévoit une forte augmentation des ventes et achats en ligne dans les pays européens et en Asie.

Vendre à l'international

Faites des recherches méticuleuses sur la vente à l'international et sur ce qu'elle implique. Sélectionnez les marchés étrangers avec stratégie et prudence. La vente à l'étranger peut être très lucrative ou très risquée. Pour effectuer des études de marché ou trouver des informations sur l'exportation, effectuez des recherches à l'aide de l'une des ressources nationales répertoriées dans le Tableau 10.2 :

Tableau 10.2 : Ressources internationales.

Nom	URL	Ce que vous y trouverez
American Translators Association	www.atanet.org/onlineedirectories/individuals.php	Le répertoire des services de traduction
Babel Fish	http://babelfish.yahoo.com	Un site de traduction gratuite

Tableau 10.2 : Ressources internationales. (*suite*)

Nom	URL	Ce que vous y trouverez
Business.com	www.business.com/directory/advertising_and_marketing/strategic_planning/global_marketing	Le répertoire (payant) des sociétés de marketing internationales
Direct Marketing Association	www.the-dma.org/international/links.shtml	Le répertoire des ressources en marketing international
New Media Review from the European Travel Commission	www.ectnewmedia.com/review/default.asp?SectionID=10&OverviewID=3	L'analyse de l'usage et de la population qui utilise l'Internet.
eScape Reports from InSites Consulting	www.escape-reports.com	L'activité Internet en Europe
Fair Trade Federation	www.fairtradefederation.org/	Association des entreprises de commerce équitable
Internet World Stats	www.internetworldstats.com	Des statistiques sur l'utilisation d'Internet à l'international
Markets Directory	www.marketsdirectory.com/intcompanya-z-alpha.htm	Le répertoire des sociétés de marketing internationales
Multilingual Search	www.multilingualsearch.com	Forum et actualités des moteurs de recherche plurilingues.
SEO chat	www.esochat.com/c/a/Search-Engine-Optimization-Help/Multilingual-Sites-and-Search-Engines-part-1	La construction de sites plurilingues

Tableau 10.2 : Ressources internationales. (*suite*)

Nom	URL	Ce que vous y trouverez
Small Business Administration Office of International Trade	`www.sba.gov/oit`	Ressources sur l'exportation
Google.com	`http://www.google.com/translate`	Site de traduction gratuite
TradeKey	`http://tradekey.com`	Echanges commerciaux entre acheteurs et vendeurs
U.S Department of Commerce/ U.S Commercial service	`http://dir.yahoo.com/Business_and_Economy/ Business_to_Business/Translation_Services`	Le répertoire des services de traduction

Analysez les coûts avec soin lorsque vous définissez des prix pour des expéditions internationales. Effectuer des expéditions vers le Canada, le plus grand partenaire commercial des Etats-Unis, s'avère très simple, mais le prix peut être plus élevé que vous ne le pensez. Ajoutez des frais supplémentaires de traitement, arrondissez les frais de douane pour regrouper les paiements. Sachez que lorsque vous débutez votre activité en ligne, de nombreuses entreprises ne font des expéditions qu'au niveau national pour éviter toutes sortes de désagréments.

Les implications sous-jacentes du marketing international peuvent également affecter votre budget et votre personnel. Tenez compte de ce qui suit :

- ✔ Le support technique et commercial doit être dans de nombreux fuseaux horaires et dans de nombreuses langues.

- ✔ L'emballage et les instructions doivent être en plusieurs langues.

- ✔ Les paiements s'effectueront dans différentes devises monétaires.

✔ Un plus fort taux de fraude à la carte de crédit existe, notamment dans l'est de l'Europe, en Afrique et en Russie.

✔ La loi peut varier d'un pays à l'autre pour la vie privée, la propriété intellectuelle et la protection des consommateurs.

Si vous renoncez à exporter, songez à des solutions alternatives comme un distributeur international, un partenariat stratégique ou des représentants, comme le fait Thunder Scientific(http://thunderscientific.com/contact_us/international_sales_reps.html). Vous pouvez également envisager une alliance avec une entreprise locale qui a déjà pénétré votre marché cible.

À moins que vous n'ayez déjà une activité internationale, commencez par ouvrir un marché à la fois et ensuite enchaînez en accédant à des pays en fonction du marché en ligne ciblé et des difficultés de pénétration de ce marché. Intégrer les dispositions légales, les coûts et les besoins promotionnels s'avère plus facile si vous procédez pays par pays. Sans aucun doute, le Canada est le partenaire commercial privilégié des petites entreprises américaines avec lequel démarrer. [Note du traducteur : l'Allemagne est le partenaire commercial par excellence de la France.]

Promouvoir son site à l'international

Une fois que vous avez décidé d'ouvrir un marché à l'international, tenez compte du degré de promotion nécessaire pour atteindre les bénéfices escomptés. Vous devez passer d'un plan de webmarketing simple à un plus sophistiqué.

Pensez globalement et non localement. La *localisation* est la clé du succès de toute stratégie marketing international, que ce soit en ligne ou plus classique. Une approche complète implique aussi bien une sensibilité culturelle que linguistique en prêtant une attention particulière aux vacances, événements, traditions, à l'alimentation, à la religion et à la signification des couleurs (reportez-vous au Chapitre 4).

Recherchez sur Internet les entreprises spécialisées dans le e.marketing international, les services de traduction, et/ou des référenceurs en optimisation de moteurs de recherches (SEO, Search Engine Optimization). N'oubliez pas non plus que vous devrez apporter quelques ajustements techniques au code HTML de votre site Web. Les sites mentionnés dans le Tableau 10.3 ne sont qu'un début.

Commencez par mettre en place les deux premières actions de marketing présentées dans la liste ci-dessous, puis si vos besoins globaux deviennent plus importants, passez à des actions plus sophistiquées :

✔ Indiquez les pays où vous êtes implanté à l'aide d'une carte, d'une liste déroulante, de drapeaux, d'images ou d'autres langues comme le fait Playmobil.com (voir Figure 10.3.).

Figure 10.3
La page d'accueil de Playmobil présente une entreprise ayant plusieurs sites Web internationaux.

Avec l'aimable autorisation de Playmobil.

✔ Soumettez votre site Web aux moteurs de recherche (voir Tableau 10.3) spécifiques aux pays et dans leur langue.

✔ Supprimez tout slogan ou jeu de mots qu'un locuteur non anglophone ne peut pas comprendre.

✔ Traduisez votre page d'accueil dans la langue cible du pays que vous souhaitez implanter. N'oubliez pas qu'il y a une différence entre l'anglais parlé en Grande Bretagne et aux Etats-Unis.

✔ Traduisez entièrement votre site dans la (les) langue(s) cible(s) et personnalisez-le en ajoutant des contacts locaux. Cette action est moins cruciale pour des entreprises B2B, notamment pour celles qui sont techniques, où l'anglais reste la langue d'affaires internationale.

✔ Menez une campagne marketing en ligne et traditionnelle dans le pays cible et/ou dans la langue cible. Google AdWords et de nombreuses agences de presse, par exemple, vous permettent de spécifier les pays dans lesquels vous souhaitez être implanté.

Tableau 10.3 : Quelques moteurs de recherche internationaux.

Nom	URL	Pays
Alta Vista	www.altavista.com/web/res_country	Annuaire des moteurs de recherche internationaux de Alta Vista
Ananzi	www.ananzi.co.za	Afrique du Sud
Apali!	www.apali.com	Espagne
Arnoldlt.com	www.arnoldlt.com/lists/intlsearch.asp	Annuaire de moteurs de recherche internationaux
Asia Links	http://asian-links.com/cgi/odp/index.cgi	Asie
Search Engine Guide	www.searchengineguide.com/pages/regional/Countries/index.html	Annuaire de moteurs de recherche internationaux
Francité	www.i3d.qc.ca	Québec, Canada
Google international	www.google.com/language_tools?hl=en	Les sites Google avec les extensions de nom de domaine internationales
Homer	http://homer.ca/search/canadian.htm	Annuaire de moteurs de recherche canadiens
Mexico Global	www.mexicoglobal.com	Mexique

Tableau 10.3 : Quelques moteurs de recherche internationaux. (*suite*)

Nom	URL	Pays
Hikyaku		www.hikyaku.com/ trans/jengineg.html
Phantis	www.phantis.com	Grèce
Porto Express	www.portoexpress.com/search.htm	Portugal
SeARCH	www.search.nl	Pays-Bas
Search Engine Colossus	www.searchenginecolossus.com	Annuaire de moteurs de recherche internationaux
Search NZ	www.searchnz.co.nz	Nouvelle Zélande
SearchingIreland	www.searchingireland.com	Irlande
Search.ch	www.search.ch	Suisse
Yahoo!International	world.yahoo.com	Annuaire de moteurs de recherche internationaux de Yahoo

Ayez une attention particulière aux services de traduction gratuits, y compris à ceux cités dans le Tableau 10.2. Les traducteurs automatiques ont des limites importantes, notamment si vous essayez de traduire un paragraphe. Lancez la traduction de l'anglais vers une autre langue, puis faites traduire le résultat en anglais. Ce petit exercice est assez amusant, mais est assez révélateur que rien ne peut remplacer les compétences humaines. Même de grandes entreprises se sont fait piéger : Chevrolet a vainement essayé de vendre son modèle Nova au Mexique, mais en espagnol *nova* signifie *ne fonctionne pas*.

Certains moteurs de recherche n'acceptent que les sites dont le nom de domaine a été enregistré dans une extension de leur pays. Pour y remédier, enregistrez une seule page de votre site avec l'extension de domaine du pays et liez-la (et ne la redirigerez pas !) vers les autres pages de votre site en anglais (ou en français).

Générer du trafic avec un programme d'affiliation

Un programme d'affiliation est un système d'orientation en ligne qui offre une commission à la source du trafic. Lorsque le client prospect clique sur un lien ou conclut une vente, le site à l'origine perçoit un mini-pourcentage sur la vente. Souvent utilisés par des sites marchands, les programmes d'affiliation peuvent intéresser des entre-prises transversales comme des prestataires de services. Ils peuvent constituer une merveilleuse source de trafic, mais ils peuvent égale-ment se transformer en une gigantesque inflammation.

L'ancêtre des programmes d'affiliation, Amazoncom Associates, est considéré comme le modèle par excellence (http//affiliate-programa-mazoncom/gp/associates/join). Pour de plus amples informations sur d'autres programmes d'affiliation, reportez-vous aux quelques sites présentés dans le Tableau 10.4.

Tableau 10.4 : Sites de programme d'affiliation.

Nom	URL	Ce que vous y trouverez
AffiliateGuide	wwwaffiliateguide.com	Un annuaire de programmes d'affiliation
AffiliatePorgramscom	wwwaffiliateprograms.com	Un annuaire de sites d'affiliation
Amazon	http://affiliate-programamazoncom/gp/associates/join	Le programme d'affiliation d'Amazon
Commission Junction	www.cjcom	Un hébergeur de programmes d'affiliation
eBay Partner Network	www.ebaypartnernetwork.com	Le programme d'affiliation d'eBay
HowStuffWorks	http://moneyhowstuffworkscom/affiliateprogramhtm	Des informations sur le programme d'affiliation
iDevDirectcom	www.idevdirect.com/index.php	Logiciel de programme d'affiliation

Tableau 10.4 : Sites de programme d'affiliation. (*suite*)

Nom	URL	Ce que vous y trouverez
LinkShare	www.linkshare.com/affiliates/ offers.shtml	Un hébergeur de programmes d'affiliation
MyReferer	www.myrefer.com	Un hébergeur de programmes d'affiliation

Analyser vos options

Bien que cette section ne traite que de l'utilisation d'un programme d'affiliation en tant que source de trafic, vous pouvez vous affilier avec un tout autre site. Par exemple, les auteurs de ce livre peuvent s'affilier avec Amazon ou/et Barnes&Noble, voire la FNAC pour toucher une commission sur la vente de leurs livres au lieu de les vendre directement. Une société de marketing de moteur de recherche peut s'affilier avec un service de newsletter en ligne, une agence de presse, un rédacteur et/ou un développeur Web comme une manière d'officialiser leurs références.

La Figure 10.4 représente l'offre d'affiliation de delaFlowers. Si vous consultez les annuaires cités dans le Tableau 10.4, vous trouverez de nombreux autres exemples.

Le marketing avec un programme d'affiliation est une décision commerciale. Tenez compte des questions suivantes afin de déterminer si un programme d'affiliation présente un réel intérêt pour vos affaires :

✔ **Comment définir la transaction ?** Paiement par clic (PPC, Pay per click) ? Paiement par action (PPA) ? Si vous choisissez PPA, comment faire ? Quand une vente est-elle conclue ? Quand est-ce qu'un formulaire demande plus d'informations ? Est-ce qu'une transaction ne compte que s'il y a un nouveau client ou des clients réguliers ?

✔ **Combien paierez-vous par transaction ?** Evidemment, les taux PPC sont bien inférieurs aux taux PPA. La somme que vous paierez est proportionnelle à la valeur de la transaction. Une entreprise ne peut pas payer plus de quelques centimes les clics

Figure 10.4
delaFlowers
propose un
programme
d'affiliation avec
une commission
sur la génération
du trafic.

Avec l'aimable autorisation de delaFlowers.com.

sur un article de 8 euros, mais une fréquence de consultation qui résulte d'un client PPA vaut bien plus. Proposerez-vous une commission plus élevée aux affiliés qui effectuent de meilleures performances. Combien pour les nouveaux clients ? Les payerez-vous à la performance ?

✔ **Combien d'affiliés voulez-vous ?** La sélection du logiciel dépend du nombre d'affiliés que vous voulez, une dizaine, des centaines, des milliers. Plus vous avez d'affiliés, plus vous devrez procéder à une sélection en terme de marketing.

✔ **Définirez-vous et appliquerez-vous des directives sur la concurrence des affiliés de votre site pour PPC ou publicité par email ?** Classer des recherches naturelles ? Utiliser des marques ? Poser une marque sur votre nom pour la recherche de paiement ? Exclure les affiliés qui recourent aux spams, fenêtres intempestives ou logiciels espions ?

✔ **Avez-vous le personnel nécessaire pour communiquer régulièrement avec les affiliés, peut-être avec un blog ?** Qui posera les questions aux affiliés ? Qui effectuera les paiements ? Les affiliés reçoivent des commissions chaque mois, à partir du moment où une certaine somme minimale est atteinte.

✔ **Quand comptabiliser la commission et les dépenses de mise en place dans le prix de vos ventes, qu'en est-il de votre seuil de rentabilité ?** Quelle est votre marge de profit ? L'augmentation prévisionnelle dans le volume générera-t-elle suffisamment de recettes pour être rentable ? Un programme d'affiliation produit-il de meilleurs résultats qu'une campagne PPC pour le même investissement ?

Lancer un programme d'affiliation

Après avoir répondu aux questions de la section précédente, recherchez le logiciel ou les sites hébergeurs pour générer les inscriptions, les traçages et les procédures de calcul des commissions. Le Tableau 10.4 contient quelques sites d'hébergement, mais vous en trouverez bien plus avec une simple requête sur Internet. Mais en premier lieu vérifiez votre vitrine virtuelle si vous faites du commerce en ligne. Des fournisseurs de vitrine virtuelle proposent un programme d'affiliation. Il est souvent plus judicieux de se limiter à un modèle que d'essayer de trouver la solution idéale. L'installation d'un logiciel sur votre propre serveur est généralement plus compliquée, d'autant plus que seules les entreprises qui gèrent de multiples et importants programmes d'affiliation choisissent cette option.

Votre site Web doit présenter une page qui décrit le programme et un formulaire d'inscription. Vous serez sans doute amené à modifier la navigation et l'index de votre site afin d'informer les visiteurs de votre programme d'affiliation. À moins que vous ne vous contentiez d'un simple lien vers l'hébergeur tiers, il est plus facile d'installer un programme d'affiliation dès le début que de l'ajouter plus tard.

Si vous recherchez le plus grand nombre d'affiliés possible, faites la promotion de votre programme en l'inscrivant dans de nombreux annuaires d'affiliation, y compris ceux cités dans le Tableau 10.4. Votre programme doit être compétitif pour attirer d'éventuels affiliés en quête de plusieurs sources de revenus.

Sachez que les affiliés qui viennent d'annuaires risquent de ne pas être les meilleurs générateurs de trafic ou que certains propriétaires de site n'affichent pas le meilleur comportement. Comme les sites qui s'inscrivent peuvent n'avoir aucun rapport avec l'activité de votre entreprise, ils peuvent rapporter un trafic de faible qualité. C'est pourquoi au lieu de vous reposer sur les annuaires, sélectionnez-les vous-même. Recherchez une dizaine de sociétés qui partagent le même type de clientèle, mais qui proposent des produits complémentaires. Envoyez aux propriétaires une proposition d'affiliation, en insistant sur les bénéfices et le peu de risque que cela implique.

ArtfulHome.com (voir la Figure 10.5 et l'encadré ci-dessous) a su brillamment utiliser son programme d'affiliation pour élargir son audience.

Figure 10.5 ArtfulHome.com se sert de son programme d'affiliation pour construire sa marque et atteindre de nouveaux publics.

Avec l'aimable autorisation de Artful Home.

Les affiliés d'Artful

Artful Home propose des objets de décoration et autres accessoires de maison livrés directement des ateliers d'artistes aux résidences des clients. Créé en 1985 sous le nom de Guilde, éditeur d'art ciblant les professionnels du design, la société a lancé son premier site en 1998, Guild.com. Elle le refonda en 2004 en le destinant explicitement aux particuliers sous le nom de artfulhome.com. Selon la directrice du marketing, Elizabeth Tucker, Guild.com débuta son programme d'affiliation en 2000 pour accroître la renommée de la marque, le trafic du site et les ventes en ligne. Son réseau compte maintenant environ 1 000 membres. "En moyenne, nous acceptons seulement entre 2 et 5 nouveaux sites d'affiliation chaque mois", explique Mrs Tucker, soit moins de 10 % des demandes d'affiliation. Artful Home vérifie le profit de l'entreprise des éventuels affiliés et évalue leur site "en fonction de la cible, du contenu et de la convivialité du site, des produits vendus comparables et du référencement du site sur Google". Sélectionner des affiliés est une procédure en cours. Artful Home encourage les artistes à devenir affiliés, même s'il recherche activement de nouveaux sites pour participer à son programme. "Mais la plupart des nouveaux affiliés viennent à nous", confie Mrs Tucker.

Artful Home a choisi son hébergeur actuel, LinkShare, grâce à la facilité de communication qu'il propose entre les affiliés, un traçage de paiement précis, des outils de rapport et d'analyse et une prise en charge de la gestion du compte. Mrs Tucker conseille de demander à d'autres sites marchands des références de fournisseurs et de développer son programme en fonction du niveau des ressources internes : "Gérer un programme d'affiliation peut prendre un temps considérable."

Le personnel d'Artful Home consacre moins de 10 heures par semaine à gérer le réseau d'affiliés. "Nous rationalisons notre communication avec une newsletter mensuelle adressée à nos affiliés... (et) standardisons nos offres et créations." Revendeur aux recettes quasi égales entre le catalogue et le marché en ligne, Artful Home évalue les recettes des ventes affiliées à moins de 5 % de ses recettes en ligne. Bien que ce chiffre soit petit, le programme d'affiliation présente un fort rendement du capital investi, faisant de l'affiliation un investissement de un million de dollars qui en vaut la peine.

Trouver des fans avec RSS (Real Simple Syndication)

Avez-vous déjà remarqué un symbole orange avec des arcs concentriques (comme celui dans la marge) sur de nouveaux sites ou sur des blogs ? Il peut aussi apparaître dans la barre d'outils d'un navigateur, dans le coin droit de la zone d'adresse de nombreux sites Web ou sur des pages Web. Ce symbole, qui est l'acronyme de Real Simple Syndication, indique que les visiteurs peuvent s'inscrire pour recevoir les dernières mises à jour du contenu d'une page. (Vous verrez quelquefois apparaître XLM à la place de RSS dans le rectangle orange).

La technologie RSS a été créée en 1999 pour diffuser (*syndicate* en anglais, ici syndiquer dans le sens d'être diffusé dans un format compatible pour le plus grand nombre) le contenu des sites Web. Les agences de marketing ont pris lentement conscience de son potentiel pour éviter les problèmes de distribution de courriers électroniques tandis que s'ouvraient de nouvelles perspectives.

Comprendre le fonctionnement de RSS

Dans une requête, RSS notifie aux utilisateurs de changer le contenu de leur site. Dans un jargon de marketing traditionnel, les utilisateurs "tirent" l'information qu'ils veulent au lieu de la "pousser" à eux. Ils peuvent s'abonner ou se désabonner s'ils le souhaitent.

RSS nécessite 4 étapes :

1. **Le développeur doit formater le contenu dans un fichier spécifique, appelé un *fil*.**

2. **Pour recevoir les mises à jour, il faut ajouter l'URL du site dans un lecteur RSS, tout comme pour la mise en signet d'un site.**

3. **Lorsque le contenu est mis à jour, le fil ou flux selon les sites est mis à jour.**

4. **Le lecteur RSS de l'utilisateur visite le site à un horaire programmé. Si le lecteur trouve une mise à jour, il envoie un message dans la boîte de réception de l'adresse électronique de l'utilisateur ou dans la liste du lecteur, situé dans le navigateur de l'utilisateur.**

Les utilisateurs peuvent télécharger le logiciel lecteur RSS gratuitement, mais la plupart des lecteurs sont déjà intégrés dans les dernières versions des navigateurs, des programmes de messagerie électronique et des systèmes d'exploitation, y compris la version la plus récente de

Windows. (Si vous voyez le symbole orange, un lecteur RSS est déjà installé.) Comme les utilisateurs mettent à jour leur système d'exploitation et leurs outils, RSS sera plus facile d'utilisation et plus populaire.

RSS devrait rapidement être le dada de votre développeur. Commencez par lire le Tableau 10.5 qui présente des liens vers des informations techniques. RSS est moins lourd qu'un e.mailing. Vous n'avez pas à gérer des listes d'adresses et votre message ne sera pas perdu par le filtre des spams. D'un point de vue utilisateur, le fil RSS anonyme le protège des spams, des hameçonnages et de l'usurpation d'identité.

La forme la plus simple du RSS présente à chacun le même fil quand un site a été mis à jour. IRSS (Individualized RSS, RSS personnalisé) permet aux abonnés RSS de spécifier les modifications qu'ils veulent connaître. Par exemple, une personne veut savoir quand vous allez ajouter un nouveau modèle de chaussures, tandis qu'une autre ne sera intéressée que par les imperméables. Comme l'accès à IRSS peut être suivi comme l'envoi d'une newsletter, vous pouvez répondre aux centres d'intérêt de vos clients plus facilement.

Tableau 10.5 : Ressources RSS.

Nom	URL	Ce que vous y trouverez
Bloglines	www.bloglines.com	Publie, abonne et recherche des blogs
FeedBurner.com	www.feedburner.com	Prépare les blogs et autres lecteurs de contenu pour RSS
FeedForAll	www.feedforall.com/index.htm	Crée, modifie, et publie des fils RSS
Feed Validator	www.feedvalidator.org	Vérifie le format des RSS
NewsGator	www.newsgator.com/home.aspx	Fils RSS et logiciel lecteur
Pheebo	www.pheebo.com	Publicité RSS
RSS Feed Reader	http://rssfeedreader.com	Ajoute d'autres fils RSS à votre site
RSS Specifications	www.rss-specifications.com	Site de ressources et annuaire RSS
RSSfeeds	www.rssfeeds.com	Annuaire des fils RSS par catégorie

Tableau 10.5 : Ressources RSS. (*suite*)

Nom	URL	Ce que vous y trouverez
RSSReader	www.rssreader.com	Lecteur et éditeur gratuit
TheFreeDictionary	www.thefreedictionary.com/_/ rss-directory.htm	Annuaire des fils RSS par catégorie

Savoir comment utiliser RSS

Alors qu'une étude 2008 de l'agence de publicité Universal McCann révèle que l'utilisation de RSS a augmenté de 15 % à 38 % auprès des internautes entre juin 2007 et mars 2008, d'autres études indiquent que les deux tiers de ces utilisateurs ne savaient même pas qu'ils l'utilisaient.

RSS convient bien aux sites dont le contenu change régulièrement, comme les sites d'actualité, de météo, de science, de médecine ou de mises à jour de support technique. Il convient bien aux sites dont l'inventaire est grand et dynamique, comme les billetteries de théâtres ou de compagnies aériennes. Comme beaucoup d'utilisateurs de courrier électronique apprécient RSS comme un moyen de pallier les problèmes de réception de courrier électronique et que les autres dépendent de l'envoi de widgets et blogs, son adoption comme méthode de communication est encore limitée à une minorité d'utilisateurs.

Le public RSS a tendance à être plus jeune et plus riche que l'utilisateur moyen et technophile. RSS convient aux universités ou à des environnements B2B, comme le High Tech ou le journalisme. Comme de plus en plus de personnes se familiarisent avec le concept et comme RSS est distribué avec tous les nouveaux matériels, la base des utilisateurs grossit.

Contrairement à quelques-unes des techniques présentées à cette section, RSS est gratuit et votre développeur n'aura qu'un tout petit travail à faire. Si vous voulez que ce soit encore moins cher, créez un flux RSS pour votre blog gratuit. Comme un flux RSS peut augmenter la diffusion de votre blog, cette solution aura des répercussions sur le trafic de votre site. Il peut également améliorer votre référencement dans les moteurs de recherche.

Développer des perspectives de vente

RSS s'avère un excellent moyen pour informer immédiatement les gens quand vous postez de nouveaux produits, de nouvelles ventes ou des promotions. Comme les gens préfèrent s'abonner à un fil qu'à une newsletter, vous pourrez convertir plus de visiteurs en clients potentiels.

Demandez à votre développeur d'utiliser Individual RSS afin de pouvoir suivre les centres d'intérêts des visiteurs. C'est l'intelligence du marché. Vous pouvez créer des offres spéciales ou des codes promotionnels pour les abonnés RSS afin de pouvoir améliorer les techniques d'achats.

Assurez-vous d'expliquer les avantages de l'abonnement RSS. Soumettez votre flux RSS aux annuaires et aux moteurs de recherche cités dans le Tableau 10.5. Attention : les abonnés RSS peuvent simplement lire les flux sans cliquer sur le site source.

En affichant votre nom et votre site Web auprès des utilisateurs avec de nouveaux flux, RSS est une excellente stratégie de marque ! Bien sûr, cela ne fonctionne que si vous mettez à jour régulièrement votre site, et non une fois par an ! Comme toutes les méthodes de marketing, utilisez RSS seulement si cette technique présente un avantage et un intérêt pour votre site et votre cible.

Nous avons examiné une grande variété de promotions de sites en ligne, du moteur de recherche et des techniques Web à la newsletter via courrier électronique. Passons au chapitre suivant consacré aux diverses options de publicité en ligne.

Quatrième partie

Investir des euros dans le marketing en ligne

"Notre présence sur le Web est super bonne. Nous avons quelques commandes, un peu de sondages et neuf gars qui veulent un rencard avec notre logo."

Dans cette partie...

Contrairement aux techniques présentées dans la troisième partie, les méthodes de cette section coûtent de l'argent.

Les publicités PPC (Pay Per Click, paiement par clic) qui apparaissent dans les moteurs de recherche sont l'une des méthodes les plus chères de publicité en ligne. On peut facilement les cibler par mot-clé, leur taux de conversion est simple à mesurer et elles se révèlent être un excellent système pour générer du trafic et faire des ventes. Le Chapitre 11 traite de quelques stratégies rarement évoquées et des tactiques de marketing que vous pourrez concevoir avant de vous lancer dans des campagnes PPC.

Quant aux bannières publicitaires, ces quelquefois insupportables petites fenêtres de liens hypertexte que l'on trouve partout, elles s'avèrent plus coûteuses que les PPC et affichent un taux de clic légèrement inférieur. Comme vous l'apprendrez au Chapitre 12, elles occupent une place importante dans le marché du Web, en particulier pour la stratégie de marque.

Déployer l'utilisation de la bande passante et permettre l'interconnexion de plusieurs périphériques de communication demandent de l'argent. Pour s'offrir tous les avantages de la technologie, les éditeurs proposent de nouvelles opportunités de publicité. Si vous avez les besoins, les ressources et le temps, tenez compte des quelques nouvelles techniques publicitaires décrites au Chapitre 13 : vidéo et vlogs, séminaires de formation en ligne (Webinaires), podcasts, envoi de message sur téléphones mobiles et sites Web dédiés à la téléphonie mobile.

Chapitre 11

Le marketing des PPC

Dans ce chapitre :

▶ Comparer le paiement par clic aux résultats de recherche naturelle et aux autres options publicitaires.

▶ Échapper à la mainmise des enchérisseurs les plus forts sur les mots-clés les plus recherchés.

▶ Comparer les programmes PPC de Yahoo! et de Google.

▶ Prendre de judicieuses décisions de marketing PPC.

▶ Tirer parti des autres options PPC.

*P*itié pour tous ces vendeurs de l'avant-Web qui restent fidèles aux bons de réduction, au publipostage ou aux spots publicitaires pour attirer l'attention de leurs clients et les inciter à acheter plus tard leurs produits. À l'opposé, Internet permet aux publicitaires d'atteindre des visiteurs lorsqu'ils sont déjà engagés activement sur Internet. Mieux encore, les moteurs de recherche permettent aux annonceurs d'apporter les réponses aux visiteurs au moment même où ces derniers soumettent des requêtes spécifiques.

Les *annonces PPC* (Paiement par clic), qui associent les requêtes des visiteurs aux réponses des publicitaires, sont apparues en premier sur le site GoTo.com. (GoTo est devenu ensuite Overture ; en 1999 Yahoo! a racheté Overture, qui n'existe plus.)

Comme le montre la Figure 11.1, ces annonces ne sont que du texte et ressemblent aux petites annonces qui apparaissent généralement à droite des résultats de recherche naturelle. Vous devez enchérir pour que votre publicité apparaisse lorsqu'un utilisateur effectue une recherche sur l'un des mots-clés que vous avez présélectionnés.

Les PPC se distinguent de la publicité traditionnelle par trois points importants :

✔ Votre annonce s'affiche dans des moteurs de recherche seulement si les utilisateurs saisissent un mot-clé choisi, ce qui cible très fortement le public.

✔ Les annonces inclues dans des sites qui ne sont pas des moteurs de recherche utilisent généralement une technique appelée *cible contextuelle*, laquelle affiche des résultats seulement si le contenu contient le mot-clé que vous avez choisi.

✔ Par définition, vous payez en fonction du nombre de clics que vous avez eus, et non en fonction du nombre de fois que votre annonce a été affichée ou visualisée. (Ces affichages sont appelés *impressions* dans le monde publicitaire traditionnel.) Des variantes de PPC, dont PPA (Pay Per Action, paiement à l'action), existent maintenant.

Ce chapitre est consacré à la stratégie et aux tactiques de marketing qui s'appliquent aux programmes PPC (également appelés CPC, Cost per Clic, coût par clic). Il aborde également Google AdsWords, Yahoo! Search Marketing, les moteurs de recherche marchands et quelques moteurs de recherche spécialisés.

Soyez attentif à l'actualité de Yahoo! qui reste dans le jeu d'une fusion/ acquisition. Si elle se réalise, les recherches naturelles et les annonces PPC en seront toutes les deux affectées. Au moment de la rédaction de ce livre, Yahoo! a passé un accord avec Google pour un partenariat (de contenu).

Une étude de eMarketer faite en 2008 révélait que même si les utilisateurs sont prêts à cliquer sur des liens commerciaux pertinents, ils préfèrent des listes de résultats organiques. À l'instar d'un emarketer il

Figure 11.1
Exemples de
PPC qui
apparaissent
dans Yahoo!
pour le mot-clé
New Mexico.
Dans la colonne
de droite
s'affichent les
résultats de la
recherche
naturelle. La liste
des liens
sponsorisés se
situe au-dessus
des résultats de
la recherche
naturelle.

vous appartient d'utiliser les techniques PPC sauvages de ce chapitre comme une stratégie complémentaire à l'optimisation des moteurs de recherche présentée au Chapitre 7.

Ne placez pas d'annonces PPC sur les mots ou expressions qui font déjà apparaître votre site dans les résultats d'une recherche naturelle ! Économisez votre argent pour des termes de recherche plus compétitifs quand vous ne pouvez pas être affiché dans les recherches naturelles. Comme les résultats de la recherche naturelle sont améliorés grâce à l'optimisation, vous ferez quelques économies de mots clés.

Ajoutez les annonces PPC dans votre liste de vérification de WebMarketing du Chapitre 2. Si vous le souhaitez, téléchargez le formulaire sur le site des Editions First.

Définir une stratégie PPC

Dans les programmes PPC, vous enchérissez sur des mots-clés en définissant la somme totale que vous paierez à chaque clic d'un visiteur sur votre site. Autrefois, l'annonce de l'enchérisseur le plus fort apparaissait généralement en haut de la liste des liens commerciaux, avec les autres liens commerciaux classés par ordre d'enchères. Maintenant, les principaux moteurs de recherche tiennent compte de la qualité des publicités et du site Web lors de l'attribution de son impression.

L'emplacement des liens commerciaux se situe au-dessus des résultats de recherche. Vous ne pouvez pas payer pour apparaître à cet endroit dans Google ; l'impression est alternée et est motivée par la qualité de l'annonce. Yahoo ! propose ce type de publicité via un autre programme d'espace publicitaire dont le taux varie chaque mois.

L'impression des PPC est identique sur les autres moteurs de recherche, comme Ask.com ou Alta Vista, qui reçoivent leurs flux de Google ou Yahoo ! (voir `www.bruceclay.com/searchenginerelationship-chart.htm`), même si certains, comme AOL Search, se contentent d'en afficher seulement quelques-unes dans leur flux.

Même si le nombre de personnes qui préfèrent les résultats de recherche naturelle est supérieur à celles qui préfèrent les PPC, les visiteurs provenant des annonces PPC rapportent plus d'argent ! En deux ans, EngineReady.com a constaté que les conversions du trafic payant étaient 20 % supérieures aux résultats de recherche naturelle et que le montant de la commande moyenne était de 18 % supérieur. Ce qui semble plutôt normal : les utilisateurs qui cliquent sur une annonce, par définition, ont plus de chance d'être des acheteurs potentiels que ceux qui passent par les résultats d'une recherche naturelle.

Selon JupiterResarch, l'investissement dans les annonces PPC qui ont généré environ 9,1 milliards de dollars en recettes publicitaires en 2007 ne fera que doubler d'ici à 2013, avec une prévision de recette de 20,9 milliards de dollars. Les annonces PPC représenteraient plus de 45 % des dépenses en espace publicitaire en ligne aux Etats-Unis.

La popularité croissante des PPC présente aussi des inconvénients. Comme les résultats de moteur de recherche naturelle, votre annonce doit figurer au-dessus du filet (la partie de la page que les utilisateurs voient sans avoir à faire défiler la page) ou dans les 5 premiers afin d'avoir une chance raisonnable d'être vue et d'être cliquée.

Certains annonceurs préfèrent être référencés plus loin dans les résultats de recherche ou être sélectionnés dans une longue liste, avec des mots peu utilisés, s'appuyant sur le fameux effet "longue traîne" pour inciter des clics sur leurs sites. À vous de voir ce qui vous convient le mieux.

Dans la réalité, les mots les plus recherchés en ligne sont limités et pourraient tenir dans un livre de poche, ce qui présente l'inconvénient suivant : le prix des enchères monte et peut même devenir prohibitif et donc très peu profitable pour certains. C'est pourquoi vous éviterez de choisir des mots-clés simples comme "cadeaux" et préférerez des expressions comme "cadeaux d'anniversaire pour enfants" par exemple ou opterez pour l'une des options scrupuleusement définies pour les mots-clés, comme une correspondance exacte.

Comparer les annonces PPC aux autres publicités en ligne

Le Chapitre 12 aborde tous les autres types de publicité en ligne, dont les bannières et les newsletters des sponsors. En règle générale, ces annonces se font sur le même modèle de paiement traditionnel établi par CPM (Cost per Thousand Impression, coût par mille impressions, concept défini dans l'encadré "À retenir"). Tenez compte des suppléments non inclus dans les forfaits, que vous devrez payer chaque mois, quel que soit le nombre d'impressions ou de clics que vous aurez.

Quelques éditeurs (de sites Web qui contiennent des annonces) recourent au modèle CPC (Cost Per Click, coût par clic), mais la plupart n'apprécient pas le caractère incertain des recettes publicitaires du CPC. D'après eux, un taux de clics (CTR, Clik Through Rate) élevé dépend tout aussi bien de la qualité du texte de l'annonce (de sa créativité) que de l'offre qu'elle contient, deux aspects que l'on a du mal à contrôler. Ils ne peuvent que s'en remettre à l'audience.

Avec le temps, cette distinction s'est ternie. Pour séduire davantage d'annonceurs, Google et Yahoo! offrent maintenant un modèle CPM traditionnel à leur réseau de contenu. Ces sites peuvent supporter les annonces CPC et CPM en même temps. Pour compliquer le tout, sachez que vous pouvez utiliser Google comme une régie publicitaire pour placer vos annonces en images et en vidéos sur des sites sélectionnés.

En 2008, Microsoft a mis en place une option PPA (Pay per Action, paiement par action) baptisée Live Search Cashback. Ce programme récompense les clients qui ont effectué leurs achats auprès d'une entreprise qu'ils ont trouvée via la régie Live Search de MSN. Tout en proposant un avantage aux clients, elle encourage les annonceurs à utiliser MSN Live Search comme un moyen d'offrir une réduction qui ne leur coûte rien.

Dans le monde en ligne, une *impression* est comptabilisée si une page contenant une annonce est complètement téléchargée (servie). Avec une bannière ou une annonce ciblée par placement payée par CPM, vous paierez l'impression même si votre annonce est bien en dessous du filet, si bien que personne ne peut la voir. Avec le modèle PPC, vous ne paierez que si une personne atteint votre site.

Utiliser un réseau de contenu

Les programmes AdSense de Google et Content Match de Yahoo! affichent votre annonce sur d'autres portails. Même si ces annonces sont censées n'apparaître que si elles ont un contenu en rapport avec celui des sites partenaires, ce n'est pas toujours le cas.

Alors que vous essayez de cibler toutes vos annonces au plus près du marché que vous souhaitez conquérir, une annonce PPC dans une page de résultats atteindra très vraisemblablement votre cible au moment même où vos prospects rechercheront un article ou envisageront d'effectuer un achat. Les annonces dans un réseau de contenu conviennent particulièrement bien à une stratégie de marque ou à l'augmentation de la visibilité.

Examinez le blog de la boutique GreatGreenGoods.com représentée à la Figure 11.2. Ce site affiche son flux Google AdSense juste au-dessus de sa page. Remarquez le rapport entre l'annonce "en vert" et le texte.

Utilisez un réseau de contenu dans une perspective de stratégie de marque. Le taux de clics est généralement inférieur à celui des résultats d'une recherche. Sachant que le public des réseaux de contenu est "moins qualifié" que celui d'un résultat d'une recherche, Google et Yahoo!

Figure 11.2
GreatGreenGoods
.com affiche des
annonces
contextuelles
dans Google
AdSense au-
dessus du
contenu de son
blog. Annonces
fournies par
Google.

Avec l'aimable autorisation de GreatGreenGoods.com.

vous permettent d'enchérir une somme moins importante si vous choisissez le modèle CPC. Bénéficiez de cette option pour réduire vos frais.

Les réseaux de contenu génériques sont les moins concentrés sur
l'audience. Même si cela vous demandera davantage de temps, utilisez
le placement de Google ou les options de sélection géographique pour
tester et sélectionner des réseaux de contenu spécifiques, notamment
pour les annonces commerciales. Prévisualisez toujours ces réseaux de
contenu afin de vérifier qu'ils attirent bien votre public cible.

Si vous connaissez déjà un site sur lequel vous souhaitez placer une
annonce PPC, vérifiez bien à quel réseau il appartient. Vous pouvez
vous inscrire à ce réseau ou négocier directement avec les éditeurs
(voir Chapitre 12).

À retenir

CPA (Cost Per Action, coût par action) : Vous payez une commission dès qu'un visiteur a achevé une action prédéfinie, comme une conversion, un appel téléphonique ou une inscription à une newsletter. Comparable au taux de commission d'une vente, CPA peut être bien plus cher qu'un CPC pour une annonce équivalente. Ce peut être convenable car votre prospect a déjà effectué une action supplémentaire. Faites une projection sur le taux de conversion pour voir si cette option vous est avantageuse.

CPC (Cost Per Click, coût par clic) : La commission réelle que vous payez. Certaines personnes désignent par CPC les bannières qui chargent par clic et par PPC les annonces sponsorisées sur les moteurs de recherche.

CPM (Cost Per Thousand Impressions, coût par mille impressions) : Vous permet de comparer les frais d'une annonce. Si une annonce vaut l'équivalent de 500 euros pour 10 000 impressions, le CPM est environ de 500 euros divisé par 10, soit près de 50 euros. Comme la plupart des sites CPM fournissent également le nombre d'impressions, vous êtes en mesure d'évaluer le montant de votre campagne PPC.

CTR (Click Through Rate, taux de clics) : Nombre de clics divisé par le nombre d'impressions. Sachez qu'un taux de clics est plus cher qu'une impression.

Réseau de contenu : Sites ou portails qui prennent en charge les annonces PPC via le flux d'un moteur de recherche ou d'un autre réseau.

Taux de conversion : Nombre d'actions ou d'achats réalisés divisé par le nombre de clics effectués.

Page de renvoi : La page de destination de votre site que verra apparaître le visiteur quand il aura cliqué sur l'annonce.

Inclusion payée : Prix pour être référencé dans un moteur de recherche ou un annuaire, souvent pour accélérer le passage en revue ou garantir le référencement. En règle générale, les moteurs de recherche ou annuaires perçoivent un forfait annuel ou mensuel par adresse URL.

Annonces ciblées par emplacement : Les annonces postées sur des réseaux de contenu sélectionnés un par un.

PPC : (Pay per Click, paiement par clic) : Voir CPC.

PPA (Pay per Action, paiement par action) : Voir CPA. Certaines personnes désignent par CPA les bannières qui se chargent par une action et par PPA les annonces équivalentes sur les moteurs de recherche.

À retenir (*suite*)

ROI (Return on Investment, retour sur investissement) : Pour les PPC, se réfère aux bénéfices réalisés divisés par le coût d'une campagne PPC. Il vaut mieux calculer le ROI sur tout un programme que sur un produit spécifique. Vous pouvez quelquefois perdre délibérément de l'argent ou rentrer dans vos frais pour un seul produit, appelé un produit d'appel afin d'attirer vos clients dans votre magasin pour augmenter vos ventes.

Réseau de recherche : Moteurs de recherche secondaires qui prennent en charge les annonces PPC via le flux d'un moteur de recherche principal ou d'un autre réseau.

Planifier une campagne PPC

À l'instar de toutes les autres techniques de marketing en ligne, vous devez définir les objectifs de vos campagnes PPC. Voici quelques questions que vous devez vous poser :

- Souhaitez-vous faire connaître votre site ? (stratégie de marque).

- Faites-vous concurrence à la vente d'articles bien spécifiques ?

- Essayez-vous d'attirer l'attention de prospects pour qu'ils entrent dans votre magasin ? Ou faites-vous de la vente en ligne ?

- Quelle somme les annonces PPC représentent-elles dans l'intégralité de votre plan marketing, en incluant les activités hors ligne.

Si vous êtes vendeur en ligne, coordonnez de manière continue votre programme PPC avec des activités de commercialisation pour promouvoir des offres spéciales, saisonnières, de liquidation de stocks et de nouveaux produits.

Pour la plupart des entreprises, un programme PPC est souvent considéré comme un pifomètre. Cherchez et testez plusieurs versions de vos annonces jusqu'à ce que vous trouviez l'alliance du contenu et des mots-clés qui produit le meilleur résultat. Par conséquent, une campagne PPC nécessite une implication totale pour définir et surveiller, en particulier dans ses premières phases ou si elle devient plus large et plus complexe. En avez-vous le temps ?

Si PPC vous semble trop lourd à gérer, commencez avec la version Google AdWords Starter http://adwords.google.com/support/bin/topic.py?topic=8336, un programme limité et semi-automatique. Vous pouvez aussi faire appel à un spécialiste certifié Google ou à une agence de marketing spécialisée.

Si votre budget est limité, arrêtez votre campagne au bon moment. Dans la majorité des cas, vous obtiendrez une meilleure visibilité et un meilleur taux de clics de prospects qualifiés si vous dépensez plus d'argent sur une courte période que si vous dépensez un peu d'argent sur une très longue durée. Servez-vous du budget alloué aux PPC seulement si vous pensez qu'il vous apportera :

✔ Une meilleure visibilité et stratégie de marque lors du premier lancement du site.

✔ La possibilité de lancer votre campagne avec des liens et/ou dans des moteurs de recherche vers de nouvelles pages au lieu d'attendre désespérément dans l'immensité du désert Google.

✔ La possibilité d'ajouter à votre site de nouveaux et importants produits, services, contenus ou fonctionnalités.

✔ Un avantage certain si vous ne parvenez pas à faire afficher votre site dans les résultats de recherche naturelle avec un mot-clé particulier.

✔ Un avantage certain dans les campagnes saisonnières associées à des vacances comme décembre, mai ou juillet-août ou des moments précis dans votre cycle de vente.

✔ La possibilité d'atteindre des prospects dans des zones géographiques ciblées.

✔ La possibilité d'identifier les publics de l'audience que vous souhaitez toucher.

> ✔ La possibilité de toucher votre cible aux heures où cette dernière est en ligne. (Regardez attentivement les statistiques du trafic pour bien la déterminer).

Mettre en œuvre votre plan PPC

Une fois votre décision prise de mener à bien votre campagne PPC, vous devrez choisir où lancer votre campagne PPC. Étant donné que Google en juin 2008 représentait à lui seul 62 % de toutes les recherches effectuées sur Internet, et que Yahoo ! en contrôlait 21 %, vous allez sans doute faire appel à l'un ou l'autre des deux moteurs de recherche. MSN pour sa part compte 9 %, ASk.com, AOL, et les autres se partagent les quelques pourcentages restant.

Dans un rapport paru en novembre 2007, MarketLive Performance Index (www.marketlive.com/report100.asp) a révélé un résultat bien surprenant : le taux de conversion sur MSN (4,6 %) et sur Yahoo! (3,28 %) était supérieur à celui de Google (3,04 %). Les portails MSN et Yahoo! semblent théoriquement mieux convenir à des recherches commerciales que Google.

Faites votre choix en fonction du lieu où votre audience cible lance ses recherches. Historiquement l'utilisateur de base de Google est un homme plus âgé et plus riche que l'utilisateur de Yahoo! Une grande partie des utilisateurs de MSN est féminine et plus âgée.

Surveillez attentivement vos propres statistiques du trafic (voir Chapitre 14) et les résultats de votre campagne d'optimisation des moteurs de recherche (voir Chapitre 7). L'origine des visiteurs et les mots qu'ils utilisent dans leurs recherches naturelles constituent de précieuses informations pour le choix des meilleurs mots-clés dans votre campagne.

N'oubliez pas que les fonctionnalités PPC changent souvent. Avec le temps, la procédure de Yahoo! ressemble de plus en plus à celle de Google. Vérifiez régulièrement l'actualité de Google AdWords et de Yahoo! Search Marketing, en particulier depuis que l'avenir de Yahoo! reste incertain au moment de la rédaction de ce livre.

Yahoo! et Google vous permettent tous deux de gérer vos dépenses avec des limites quotidiennes. Certains estiment que Google propose une plus grande souplesse, que les outils mis à disposition sont très utiles. D'autres sont liés à l'audience de Yahoo! Testez la même annonce et les mêmes mots-clés sur les deux moteurs pour déterminer celui qui correspond le mieux à vos besoins.

Google offre ses propres fonctionnalités de comparaison à l'adresse https://adwords.google.com/select/comparison.html ou parcourez leurs différences répertoriées dans le Tableau 11.1.

Tableau 11.1 : Comparaison de Google AdWords et de Yahoo! Search Marketing.

Fonctionnalités	Google AdWords	Yahoo! Search Marketing
Audience	Masculine plus âgée, un peu plus riche	Légèrement plus féminine, plus jeune et moins aisée
Enchère minimale	0,01euro ou plus tout dépend du mot-clé et de la qualité de l'annonce	0,01euro ou plus tout dépend du mot-clé et de la qualité de l'annonce, l'enchère minimale pour le réseau de contenu s'élève à 0,10 euro
Flexibilité des enchères	Prend une commission de 0,01euro sur l'enchère la plus élevée	Prend une commission de 0,01euro sur l'enchère la plus élevée
Période du budget	Quotidienne	Quotidienne
Affichage géographique (ciblage géographique)	Oui	Oui
Affichage de la langue	Oui	Oui
Affichage par heure	Oui	Non
Classement de l'annonce sur la page	Combinaison de l'enchère et du niveau de qualité	Combinaison de l'enchère et du niveau de qualité
Affichage de la position du passage de la requête seulement dans certaines positions	Oui	Non, mais vous pouvez définir indirectement la position avec les enchères.

Tableau 11.1 : Comparaison de Google AdWords et de Yahoo! Search Marketing. (*suite*)

Fonctionnalités	Google AdWords	Yahoo! Search Marketing
Délai	Les annonces sont quasi-immédiatement mises en ligne	3 à 5 jours
Organisation de la campagne	Par campagne/groupes d'annonces/annonces	Par campagne/groupes d'annonces/annonces
Prix de démarrage	l'équivalent de 5euros	l'équivalent de 30 euros de caution (peut varier selon les promotions)
Forfait mensuel minimal	Aucun	Aucun
Affichage des dix premiers	Oui, en fonction des enchères	Non, les enchères sont distinctes des positions
Plusieurs annonces/mot-clés	Oui	Oui
Suggestion de mot-clé	Oui	Oui
Affichage des enchères des autres	Non	Non
Traçage des taux de conversion	Oui	Oui
Outils de rapport	Oui	Oui
Programmes de réseaux pour les annonces contextuelles	AdSense	Content Match
Prix d'annonce différent pour les réseaux de contenu	Oui	Oui
Annonces sur les réseaux de recherche	Oui	Oui
Affichage de l'image de l'annonce sur les réseaux de contenu	Oui	Non
Options CPM pour les réseaux de contenu	Oui	Oui
Tri démographique pour les réseaux de contenu	Oui	Non

Tableau 11.1 : Comparaison de Google AdWords et de Yahoo! Search Marketing. (*suite*)

Fonctionnalités	Google AdWords	Yahoo! Search Marketing
Programme d'inscription simplifiée	Google Starter	Non
Formation en ligne	Oui	Oui
Aide à la facture pour les professionnels	Non	Configuration assistée (pour les gros annonceurs).

Enchérir

Lorsque vous calculez votre budget PPC, tenez compte des statistiques en amont pour mettre en place un budget au sein de votre plan de marketing global. Pensez à la somme d'argent que vous pouvez dépenser et si vous souhaitez la dépenser d'un seul coup ou l'étaler sur un mois ou une année. Chaque fournisseur PPC présente de manière différente l'estimation des résultats sur les mots-clés de votre enchère. La Figure 11.3 représente un exemple d'estimation de trafic de Yahoo!

Il est facile de faire sauter la banque avec des annonces PPC, aussi suivez ces conseils pour récupérer le maximum des sommes investies dans les PPC, sans être aspiré par le gouffre d'une surenchère :

✔ **N'enchérissez pas pour gagner la pôle position** : Dans la réalité, la première annonce PPC attire les plus indécis. Celles placées de la deuxième à la cinquième position (tant qu'elles sont visibles en dessous du filet) peuvent attirer davantage d'acheteurs sérieux. Google et Yahoo! intègrent tous les deux un niveau de qualité et un taux de clics aussi bien que le montant de l'enchère pour déterminer le placement des l'annonce. (Cette approche permet simplement aux moteurs de recherche de maximiser leurs recettes).

✔ **Améliorez votre classement dans un moteur de recherche naturelle :** Pourquoi gaspiller de l'argent en liens sponsorisés si vous obtenez d'excellents résultats gratuitement ? Économisez votre argent ou dépensez-le autrement !

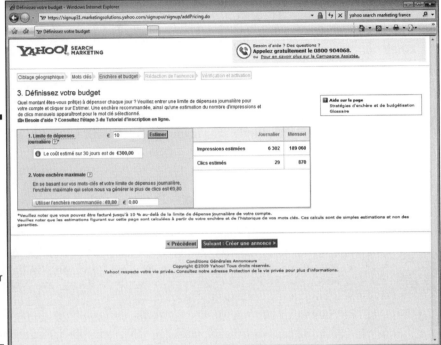

Figure 11.3
La page de mise aux enchères d'un mot-clé de Yahoo! fait une projection du possible trafic selon votre enchère. Modifier l'enchère ou glisser le curseur du graphique vous permet d'ajuster les projections.

✔ **Définissez des zones géographiques :** Il est évident que vous limiterez l'étendue de vos annonces si votre activité s'appuie sur un public local pour assister à un événement ou pour inciter les visiteurs à venir faire des achats dans des magasins réels. Définir des limites géographiques peut augmenter votre budget, même si vos ventes sont nationales. Examinez attentivement les statistiques de vos ventes (voir Chapitre 14) pour déterminer la région où vivent vos anciens et gros acheteurs. Restreignez vos annonces à ces zones géographiques.

✔ **Vérifiez les jours de la semaine et la plage horaire où vos acheteurs sont actifs à l'aide des statistiques sur votre trafic (voir Chapitre 14) :** Restreignez vos annonces à apparaître à ces moments-là.

✔ **Si vous faites des ventes en ligne ou si vous avez une méthode spécifique pour surveiller l'activité des visiteurs, configurez un traçage des conversions.** Il suffit que votre programmeur place un bout de code dans la page des remerciements après une vente ou celle d'inscription ou sur toute autre page que vous souhaitez pister. Les rapports afficheront les pourcentages des taux de clics de cette page et le montant de la campagne par conversion.

✔ **N'hésitez pas une seconde à abandonner tout mot-clé qui n'apporte pas de conversion !** Notamment si vous faites de la vente. En revanche, si votre annonce est conçue pour attirer les clients dans des boutiques physiques, vous pouvez garder le taux de clics comme un facteur essentiel.

✔ **Si vous recourez aux annonces PPC dans un objectif de vente, n'enchérissez pas plus que le taux moyen d'une vente (et non pour un seul article) :** L'expérience le prouve, ne dépensez pas plus de 10 % du montant moyen d'une vente en publicité. Si vous estimez que 2 % des visiteurs qui cliquent sur l'annonce de votre site achèteront, vous paierez 50 clics pour une vente ! Par exemple, si le montant moyen d'une vente s'élève à environ 100 euros, limitez la publicité à 10 euros. Divisez les 10 euros par 50 clics pour obtenir une enchère moyenne de 20 centimes par clic. Bien sûr, vous pouvez enchérir plus pour certains mots, moins pour d'autres.

Vous pouvez toujours "briser" ces règles en vue d'une stratégie marketing. Payer plus pour obtenir un nouveau client peut être justifié si vous avez dans le passé eu des premiers acheteurs qui sont devenus des clients réguliers. Même si les ventes en ligne peuvent conduire à des ventes hors ligne, ne comptez pas trop sur ce précepte marketing, notamment au tout début.

Choisir les mots-clés

Choisir le mot-clé adéquat pour votre annonce est quasi identique au choix de celui de l'optimisation SEO. Employer des termes de recherche qui n'apparaissent pas dans les premières pages de résultats dans votre annonce vous paraîtra sans doute judicieux. Yahoo! et Google proposent tous les deux des outils de sélection de mots-clés dont un historique de l'emploi d'un mot-clé, comme le représentent les Figures 11.4 et 11.5 (l'outil Google Keyword vous permet de définir votre campagne AdWords. Cet outil est également disponible à l'adresse https://adwords.google.fr/select/KeywordToolExternal). Tous les deux mettent à votre disposition des options pour :

✔ Rechercher des synonymes du mot-clé entré.

✔ Parcourir des pages pour trouver des suggestions de mots.

✔ Suggérer des mots en fonction de la recherche en cours et de votre annonce.

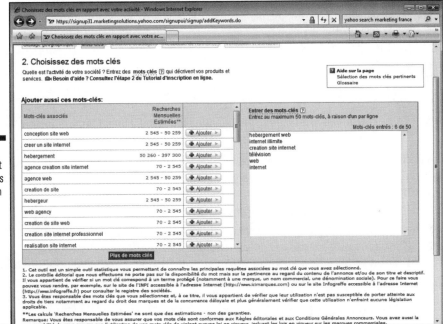

Figure 11.4
Yahoo! vous fait des propositions de mots-clés en fonction des synonymes ou de votre site Web. Dans la liste des résultats, sélectionnez celui que vous utiliserez.

Comme pour une optimisation de recherche, sélectionnez des expressions ciblées au lieu d'un seul mot. De même, sélectionnez des mots relativement courts que la plupart des utilisateurs tapent dans le champ de recherche. Si l'orthographe du mot choisi est difficile, incluez les fautes d'orthographe les plus courantes (voir Chapitre 7).

Si vous hésitez à l'utilisation d'un mot-clé, ajoutez-le quand même à la liste. Il vaut mieux commencer par une longue liste de mots que vous

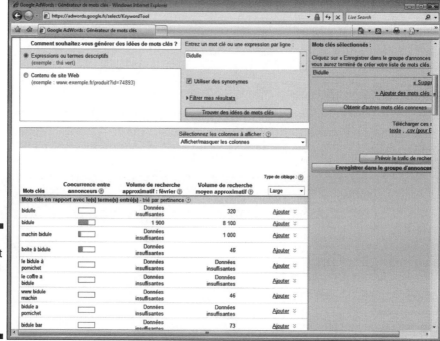

Figure 11.5
Cet outil vous fait des suggestions de mots-clés ainsi que des projections détaillées.

supprimerez au fur et à mesure ; il peut arriver qu'un mot rencontre un succès inattendu. Vous pouvez (et devez !) tester vos idées de mots-clés sur WordTracker (voir Chapitre 7) ou d'autres sites de suggestions de mots-clés comme www.nichebot.com ou www.keyworddisco-very.com. N'oubliez pas les mots-clés utilisés par les internautes, mots qui s'avèrent souvent disponibles dans les statistiques de trafic (voir Chapitre 14) !

Comme avec la sélection de requête régulière, personne n'emploie vraiment le même mot pour lancer une recherche sur un article. Les dialectes, les régions, les pays peuvent utiliser différents mots qui font référence à la même chose. Vendez-vous des baquets ou des seaux ? Des poussettes ou des landaus ?

Rédiger une bonne annonce PPC

Connaissez-vous cet adage en Pub ? Le succès d'une annonce tient à 40 % de l'offre, 40 % du public ciblé et 20 % de la créativité. Si vous choisissez le bon moteur de recherche et sélectionnez les mots-clés que vos prospects utilisent vraisemblablement, vous avez votre cible. À présent, vos visiteurs doivent avoir une bonne raison de cliquer sur votre annonce et non sur celles de vos concurrents.

La plupart des annonces PPC respectent le même format : un titre, deux lignes de texte, une adresse URL visible et une page de renvoi invisible. Chaque moteur de recherche définit la longueur spécifique de chaque ligne, mais en général ce sont les mêmes sur tous. Vous trouverez des conseils et astuces pour bien rédiger vos annonces sur Google et Yahoo ! ou sur des sites comme www.websitemarketingplan.com/small_business/classified.htm. La Figure 11.6 représente un modèle de Google.

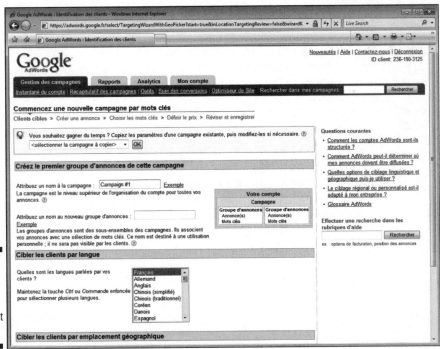

Figure 11.6
Le modèle
d'annonce de
Google compte
automatiquement
les caractères.

Google et Yahoo! ont des règles supplémentaires d'emploi de mots, d'adjectifs, de ponctuation, de noms propres, de marques déposées, etc. Tous deux relisent vos annonces afin de vérifier si elles correspondent bien à leurs conventions.

Le titre

Tout comme avec votre site Web, le titre doit capter rapidement l'attention des internautes. Voici quelques conseils :

- ✔ Évitez les petits mots qui prennent de la place.

- ✔ Employez des mots qui attirent l'attention, comme *nouveau*, *exclusif*, *spécial*, *maintenant*.

- ✔ Essayez d'utiliser des mots-clés dans le titre ou dans le texte de l'annonce, ce qui sous-entend que vous écrivez différentes versions de votre annonce !

Un seul mot différent peut avoir un effet considérable sur le succès de votre annonce. Testez différentes variantes si le taux de clics n'est pas bon. Lancez plusieurs annonces sur les mêmes mots-clés afin de tester plus facilement le texte. (Une seule de vos annonces apparaîtra avec l'un des mots-clés.) N'oubliez pas de tester une ligne à la fois !

L'offre

Le texte de votre annonce doit correspondre à l'objectif spécifique de votre offre, notamment aux bénéfices que peuvent en tirer les utilisateurs. Pour des annonces commerciales, ajoutez davantage de détails. Incluez le prix ou la réduction du coût de la livraison si ce sont des points de votre argumentaire de vente. Pensez également à votre audience et à ses centres d'intérêts. Vous pouvez rédiger plusieurs annonces pour le même produit, chacune étant destinée à un segment particulier de votre marché. Testez ces différentes offres avec des annonces identiques.

Ce type de petite annonce marche mieux pour un seul article ou un ensemble d'articles assez proches que pour divers produits. Une affiche publicitaire louant des tee-shirts et des chaussures séduira les clients dans la rue, mais n'aura pas le même effet en ligne, car les utilisateurs ne peuvent cliquer que sur le lien d'une seule page de destination.

Tout comme le texte de votre site, employez la voix active à la deuxième personne du pluriel, *vous* et non *nous*. Employez une formule d'appel pour inciter à l'action. Un verbe conjugué à l'impératif comme *apprécier, savourer, se détendre, se laisser tenter, gagner de l'argent* doit être un irrésistible prétexte à cliquer sur le lien. Lorsque les utilisateurs sont à la recherche de quelque chose, ils veulent tout de suite savoir ce qu'il en est pour eux de l'autre côté.

La page de renvoi

En général, vous ferez afficher la même URL sur toutes vos annonces dans une perspective de marque. Toutefois, un clic sur chaque annonce pourrait conduire l'utilisateur à une destination, la page de renvoi, de votre site qui est en rapport direct avec l'annonce. Une bonne page de renvoi remplit les promesses implicites de l'annonce. Son contenu et sa mise en forme doivent être très bien conçus afin de convertir le visiteur en un acheteur. Mettez-vous à la place de votre visiteur, jetez un regard neuf sur votre site.

Google inclut explicitement comme critère de classement de votre annonce la qualité de la page de renvoi, de destination dans son jargon, y compris le temps de chargement. Pour obtenir de plus amples informations, connectez-vous à l'adresse `http://adwords.google.com/support/bin/answer.py?hl=en&answer=46675`.

Voici d'autres critères à tenir en compte pour la page de renvoi :

✔ Pour améliorer la visibilité de l'annonce, faites apparaître des mots-clés ou synonymes dans le texte ou balises meta de la page de renvoi.

✔ Si vous vendez un seul produit, la page de renvoi doit correspondre à la page où est décrit en détail ce produit. Si vous vantez les tailles ou les articles, créez une sous-catégorie ou une catégorie dans votre vitrine virtuelle pour englober votre offre.

✔ Vous pouvez spécifier les résultats d'une recherche en ligne comme page de renvoi pour rester en rapport avec un ensemble de produits dont vous faites la publicité. Vous pouvez par exemple prédéfinir une requête pour "boucles d'oreille turquoises".

> ✔ Comme le temps de chargement reste un critère de qualité de la page de renvoi, évitez de rediriger les utilisateurs vers de lourds fichiers de photo ou de media enrichi.

Relire les rapports

Si vous en avez les moyens, prévoyez une dépense supplémentaire dans la ou les deux premières semaines pour analyser votre campagne PPC et vérifier les mots-clés qui donnent le meilleur rendement en taux de clics et de conversion. Examinez les résultats au moins pendant une semaine pour disposer de données suffisamment représentatives, en particulier si vous avez choisi des mots très peu usités.

Yahoo! et Google proposent tous les deux des outils de rapport de divers niveaux de détail. Account Snapshot de Google et un rapport détaillé apparaissent dans les Figures 11.7 et 11.8. Si vous mettez en place un pistage des conversions, le rapport comme à la Figure 11.8 affichera le nombre ou la valeur correspondante des conversions et le coût par conversion.

N'oubliez pas que les PPC sont des procédures répétitives. Examinez attentivement les rapports PPC et de trafic pour apporter les modifications nécessaires.

Avec le temps, vous constaterez qu'un jeu limité de mots-clés fonctionne mieux pour une annonce particulière. Laissez tel quel tant que cela fonctionne. Puis rafraîchissez vos annonces avec de nouveaux contenus et de nouvelles offres.

Les spécificités de Yahoo! Search Marketing

Si vous choisissez de lancer votre campagne PPC sur Yahoo!, vous pourrez tirer parti de plusieurs alternatives ou compléments aux PPC standards qui sont :

> ✔ **Yahoo! Search Submit est une inclusion payée dédiée aux requêtes naturelles.** Pour l'équivalent de 50 euros par an et pour 5 URL maximum vous pouvez soumettre votre site Web au moteur de recherche naturelle de Yahoo! Pour de nombreuses

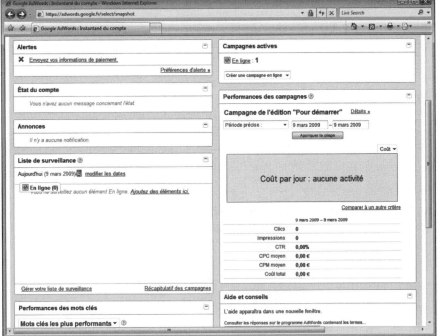

Figure 11.7
Account
Snapshot de
Google fournit un
aperçu en image
des
performances de
votre site.

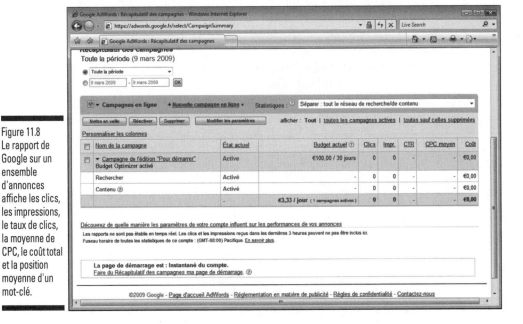

Figure 11.8
Le rapport de
Google sur un
ensemble
d'annonces
affiche les clics,
les impressions,
le taux de clics,
la moyenne de
CPC, le coût total
et la position
moyenne d'un
mot-clé.

entreprises, c'est une manière peu onéreuse et efficace d'obtenir une place privilégiée dans les résultats de recherche naturelle. Une version plus spécifique, nommée Search Submit Pro, s'adresse à des entreprises plus grandes pour un budget marketing s'élevant au minimum à l'équivalent de 5 000 euros par mois pour plus de 1 000 pages Web.

✔ **Yahoo! Annuaire** propose une inclusion payée pour figurer dans l'annuaire de Yahoo!, lequel se distingue du moteur de recherche. Les accros de Yahoo! le considèrent comme les pages jaunes. Pour environ 299 euros, Yahoo! passe en revue et poste des sites des entreprises.

✔ **Yahoo! Sponsor Listings** est une inclusion payée qui vous permet d'apparaître en haut de la page de résultats d'une recherche spécifique. Ces positions sont réservées uniquement aux entreprises qui sont citées dans Yahoo! Annuaire sous les rubriques Entreprise et économie/Commerces et services/ ou Entreprises et économie/ B2B. Ces catégories coûtent entre 50 et 300 euros par mois.

✔ **Yahoo ! Local** est une option destinée aux annonceurs PPC de Yahoo! Faites un effort supplémentaire notamment si vous souhaitez développer le trafic de votre entreprise ou d'un événement. Yahoo! propose trois options différentes : base (gratuit), améliorée (l'équivalent de 10 euros par mois) et placement (l'équivalent de 25 euros par mois).

✔ **Yahoo! Travel Submit** et **Product Submit** sont des programmes de CPC à taux fixe et non des programmes d'enchères. Je les présenterai plus loin dans ce chapitre, dans la section "Travailler avec des moteurs de recherche marchands". Ces programmes génèrent un taux de conversion plus élevé que les annonces PPC. Des clics sur la catégorie Voyage coûtent entre 20 et 57 centimes par clic, sur la catégorie Commerces entre 15 centimes et 1 euro le clic.

Vous trouverez davantage d'informations (en anglais) relatives à tous ces programmes sur les URL citées dans le Tableau 11.2.

Tableau 11.2 : URLs utiles de Yahoo! Search Marketing.

URL	Sujet
`http://sem.smallbusiness.yahoo.com/searchenginemarketing`	Page d'accueil de Search Marketing en anglais
`http://searchmarketing.yahoo.com/fr_FR/yahoo-search-marketing.php`	Page d'accueil de Search Marketing en français
`http://help.yahoo.com/l/us/yahoo/ysm/sps`	Aide Search Marketing en anglais
`http://searchmarketing.yahoo.com/fr_FR/tu/tu_hssw.php?`	Tutoriel Search Marketing en français
`http://help.yahoo.com/l/us/yahoo/ysm/sps/training/smart_start.htm`	Tutoriel Search Marketing en anglais
`http://sem.smallbusiness.yahoo.com/searchenginemarketing/setup.php`	Installation assistée pour les annonceurs au budget de l'équivalent de 1 000euros/mois
`http://searchmarketing.yahoo.com/dirsb/index.php`	Inscription à l'annuaire (environ 299 euros/mois)
`http://searchmarketing.yahoo.com/local/business.php`	Inscription locale
`http://searchmarketing.yahoo.com/shopsb/shpsb_pr;php`	Inscription au programme Product
`http://searchmarketing.yahoo.com/calculator/roi.php`	Calculateur de ROI pour les liens sponsorisés
`http://searchmarketing.yahoo.com/srchsb/ssb.php`	Inscription au programme Search (l'équivalent de 49 euros/URL)
`http://smallbusiness.yahoo.com/marketing/sponsorlist.php`	Programme Sponsor Listings (première position pour les membres de Yahoo! Annuaire)
`http://searchmarketing.yahoo.com/trvlsb/index.php`	Inscription au programme Travel

Les spécificités de Google AdWords

Avec Google AdWords, l'enchère minimale n'est pas seulement déterminée par ce que vous comptez payer. En fait, Google utilise son paramètre Quality Score, ou niveau de qualité, pour mesurer la pertinence des mots-clés choisis et établir une estimation des enchères de première page pour chaque requête.

Selon Google, "Le Quality score est calculé par le taux de clics sur Google, la qualité de la page de renvoi de l'annonce et l'historique des performances sur Google, ainsi que par de nombreux facteurs de pertinence". Ce paramètre est calculé à chaque requête. Dans cette optique, cela signifie que les concurrents ayant un important budget ne peuvent pas "squatter" le haut de la liste des mots-clés en faisant une mise aux enchères très élevée afin d'éviter toute controverse des autres concurrents.

Google offre une flexibilité dont s'est inspiré récemment Yahoo! Lors de la définition de votre campagne, vous pouvez sélectionner plusieurs critères comme la tranche horaire, la diffusion (régulière ou accélérée), une préférence de position, et des cibles géographiques. Quelques pages de l'inscription à AdWords sont représentées Figure 11.9.

Google propose maintenant l'option d'intégrer un placement sur le réseau de contenu avec des campagnes régulières.

Lisez attentivement les informations sur AdWords.google.com ou parcourez les différentes URL citées dans le Tableau 11.3 pour vérifier si ces offres correspondent à vos objectifs en marketing.

Tenez compte des options Google suivantes :

✔ Vous pouvez choisir un partenaire Google AdSense par catégorie, par zone géographique ou par nom. Vous pouvez même exclure des sites spécifiques. Ces annonces conviennent particulièrement bien à une stratégie de marque, mais vous envisagerez sans doute de tester un taux de clics moins cher. Google permet de faire des remises sur enchères CPC et sur une option CPM de placement de contenu.

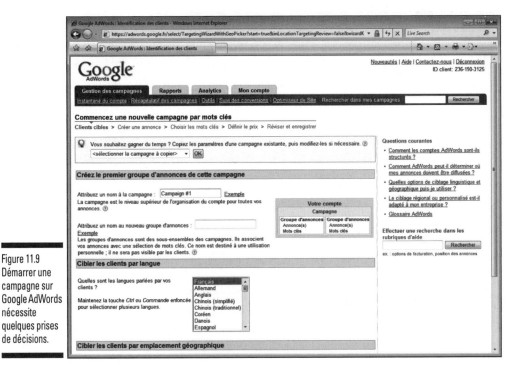

Figure 11.9
Démarrer une campagne sur Google AdWords nécessite quelques prises de décisions.

Tableau 11.3 : URL utiles de Google AdWords.

URL	Sujet
http://adwords.google.com	Page d'accueil d'AdWords
https://adwords.google.com/support	Centre d'assistance d'AdWords
https://adwords.google.com/support/bin/topic.py?topic=29	Glossaire d'AdWords
https://adwords.google.com/support/bin/topic.py?topic=8336	Edition "Pour démarrer" d'AdWords (version simplifiée destinée aux nouveaux utilisateurs)
www.google.com/adwords/learningcenter	Centre de formation d'AdWords

Tableau 11.3 : URL utiles de Google AdWords. (*suite*)

URL	Sujet
https://adwords.google.com/select/KeywordToolExternal	Outil de suggestion de mots-clés
https://adwords.google.com/select/afc.html	Informations détaillées sur le réseau de contenu
www.google.com/local/add/login	Listing Google Local et Google Map
https://adwords.google.com/support/bin/topic.py?topic=39545	Annonces vidéo
https://adwords.google.com/support/bin/topic.py?topic=8964	Contrôle Google
http://catalogs.google.com/intl/en/googlecatalogs/help_merchants.html	Catalogues de Google
www.google.com/help/faq_clicktocall.html	Programme des annonces mobiles (sur téléphone mobile)

✔ Google propose un programme gratuit de marketing local pour les entreprises inscrites à Google Map. Il a affiné ces options gratuites pour inclure une courte description, le logo et un bon de promotion.

✔ Google AdWords peut maintenant intégrer un symbole qui indique que vous effectuez des achats via le système de contrôle intégré de Google. Il s'agit des frais de transaction, identique à ceux de Pay Pal, mais les annonceurs AdWords peuvent bénéficier de remises sur ces frais de transaction.

Travailler avec les moteurs de recherche marchands

Bon nombre de vendeurs tiennent compte des moteurs de recherche marchands, tels que ceux cités dans le Tableau 11.4. Les acheteurs recherchent souvent des détails sur les produits, l'historique du fournisseur et les prix sur le Web avant d'effectuer un achat en ou hors ligne.

Les premiers utilisateurs des moteurs de recherche comparateurs de prix sont des chineurs, des acheteurs qui comparent avantages et fonctionnalités ou des particuliers qui recherchent qui vend un article particulier. Ces sites sont notamment visités pour l'achat de petits articles électroménagers, d'ordinateurs et d'accessoires d'électronique ou d'accessoires d'automobile et d'articles de marque. Ils sont moins utiles pour tout ce qui relève de la bijouterie, de l'art, des produits uniques et du luxe.

Tableau 11.4 : Quelques moteurs de recherche marchands.

NOM	URL d'inscription
Amazon.com	`www.amazon.com/gp/seller/sell-your-stuff.html`
Bizrate.com et Shopzilla	`http://merchant.shopzilla.com/oa/registration`
CNET Shopper	`www.cnetnetworks.com/advertise/opportunities.html`
Google Product Search	`www.google.com/products`
Half.com	`http://sell.half.ebay.com/ws/eBayISAPI.dll?HalfSellHome`
MySimon.com	`http://shopper.cnet.com/4002-5_9-1008724.html`
NexTag	`http://merchants.nextag.com/serv/main/advertise/Advertise.do`
Overstock.com	`http://partners.overstock.com/cgi-bin/sellInv.cgi`
Pandia Shopping Directory	`www.pandia.com/shopping`
PriceGrabber	`www.pricegrabber.com/user_sales_jump.php`
Search Engines Shopping Directory	`www.searchenginesdir.com/dir/shopping/index.php`
Shopping.com	`https://merchant.shopping.com/enroll/app?service=page/PartnerWelcome`
Yahoo! Shopping Submit	`http://searchmarketing.yahoo.com/shopsb/index.php`
Yahoo! Travel Submit	`http://searchmarketing.yahoo.com/trvlsb/index.php`
Kelkoo	`www.kelkoo.fr/co_1798-referencement-sur-kelkoo-marchands-inscrivezvous-.html`

Certains moteurs de recherche marchands fonctionnent essentiellement comme des annuaires de fournisseurs, tandis que d'autres proposent des outils de comparaison sophistiqués dont les prix. Si votre activité est dans le secteur du tourisme, examinez avec attention Nextag et
Yahoo! Travel.

N'oubliez pas Google Search Products (représenté à la Figure 11.10 à
l'adresse www.google.com/products). C'est le must ! Il permet de
comparer aussi bien des produits que des services et ce gratuitement.
(Voir le Tableau 11.4). Google offre également la distribution électronique et gratuite de catalogues (http//catalogs.google.com).

Figure 11.10
Google Search
Products est un
moteur de
recherche
marchand
offrant des
produits
quelconques et
peu courants.

Penser aux autres annuaires PPC et moteurs de recherche

Pensez aussi aux plus petits moteurs de recherche, comme MSN, ou aux moteurs de recherche spécialisés cités dans le Tableau 11.5, si vous souhaitez toucher un public très ciblé. Par exemple, si vous proposez un service B2B, placez des annonces PPC sur Business.com. Microsoft Live Search est un bon emplacement pour les produits dont la cible est féminine ou un peu plus âgée.

Tableau 11.5 : Quelques autres moteurs de recherche et annuaires.

Nom	URL d'inscription
adhere PPC Network	https://ppc.adhere.marchex.com/ols/index.html
Business.com	www.business.com/info/advertisewithus.asp
ePilot	www.epilot.com/ePilot4/AdvertiseWithUs/landing.asp
Kanoodle	http://advertising.microsoft.com/searchadvertising
LookSmart	https://adcenter.looksmart.com/security/login
Miva	http://www.miva.com/us/content/advertiser/overview.asp
Search123	http://search123.com/sc/advertiserprograms.shtml
SearchFeed	http://home.searchfeed.com/rd/index.jsp

Offrez-vous des emplacements sur des moteurs de recherche spécialisés comme vous le feriez pour l'emplacement d'une bannière (voir Chapitre 12). Réfléchissez à la visualisation des pages, aux visiteurs et aux données démographiques avant de décider si ces sites représentent une source potentielle.

Certains de ces sites acceptent les enchères PPC pour un centime, voire vous offrent une consultation gratuite pour commencer. Utilisez-les comme un site test avant de lancer une campagne PPC sur Google ou Yahoo! N'oubliez pas cependant que le comportement des visiteurs varie d'un moteur de recherche à l'autre.

Si vous y consacrez suffisamment de temps, votre campagne PPC pourra remporter le même succès qu'Omnivos Therapeutics (voir Figure 11.11) dont le programme est présenté dans l'encadré ci-dessous.

Omnivos omniprésent

Mickael Kopel, propriétaire d'Omnivos Therapeutics, a passé plus de deux années à utiliser Google AdWords pour toucher ses cibles B2B et B2C sur le marché des soins médicaux alternatifs. Au tout début, Mickael a aussi utilisé Yahoo!, mais il s'est vite rendu compte dans ses analyses que la majeure partie de ses visiteurs provenaient d'une annonce Google ou d'un résultat de recherche naturelle affiché dans Google. "Je regarde le taux de clics et le taux de conversion", explique-t-il, "car ils valident les variantes de mon annonce, ma page de renvoi, et contrôlent la procédure." Propriétaire dévoué à son site, Mickael Kopel gère les annonces lui-même. Utilisateur de Google Analytics et des outils de webmaster de Google, il surveille l'usage des mots-clés, les données géographiques, la tranche horaire du site, les pages de renvoi et de sortie. Il a mis environ une semaine pour définir sa première campagne, mais il lui a fallu "trois mois pour tester les mots-clés et les variantes des annonces pour bien les comprendre... et savoir comment utiliser les analyses".

Avec deux campagnes lancées simultanément, une pour l'Amérique du Nord et la seconde pour les ventes internationales, Kopel pense qu'il maîtrise finalement les techniques - et son temps. Il conçoit des annonces spécifiquement ciblées pour son audience B2B et pour son audience B2C, ainsi que d'autres pour les périodes des vacances.

Autodidacte, Mickael Kopel conseille aux autres entrepreneurs de commencer par procéder à une optimisation de moteurs de recherche pour tirer parti des résultats de recherche naturelle. Avant de dépenser beaucoup d'argent dans les annonces PPC, il faut être "patient, assembler la campagne et les données d'analyse, prendre le temps de bien comprendre ces données pour pouvoir ensuite développer une stratégie commerciale".

Omnivos complète les campagnes AdWords par sa présence dans des salons professionnels et des newsletters occasionnelles pour atteindre son audience.

Figure 11.11
Omnivos
Therapeutics a
remporté un
grand succès
grâce à ses
annonces PPC,
dont l'une est
affichée sur une
requête Google
chakra tuning
forks (chakra
diapason).

Avec l'aimable autorisation de GreatGreenGoods.com.

Chapitre 12

Faire du marketing avec de la publicité payante en ligne

Dans ce chapitre :

▶ Comprendre les solutions de publicité en ligne.

▶ Faire des choix stratégiques concernant les bannières.

▶ Parrainer des lettres d'information, des blogs et des flux.

▶ Vendre via des petites annonces.

La publicité en ligne cliquable, généralement appelée *publicité par bannières*, est l'un des dispositifs les plus onéreux de promotion en ligne. D'un point de vue stratégique, la publicité par bannières fonctionne bien pour le branding parce qu'elle génère du trafic sur votre site après un court délai. Les bannières à réponse directe (celles qui sont conçues pour générer des clics automatiques) affichent généralement un CTR (click-through rate : taux de clics) plus faible que le PPC (pay-per-click : paiement par clic).

En plus des bannières, tenez compte des dispositifs meilleur marché que sont les lettres d'information, le parrainage de sites et les petites annonces. Selon votre budget, vous souhaiterez explorer une ou plusieurs de ces solutions. Si tel est le cas, cochez-les dans votre liste des méthodes de marketing Web du Chapitre 2, que vous pouvez télécharger sur le site des Editions First.

Etant donné le coût des autres médias imprimés, la publicité par bannières – qui permet en plus de tracer le public – semble presque gratuite. De fait, une partie de la croissance du marché de la publicité sur Internet s'est effectuée au détriment de la publicité imprimée. La Figure 12.1, qui présente la répartition des investissements dans la publicité en avril 2008, ne tient compte que des bannières publicitaires dans le calcul de la part de marché d'Internet. Cette part augmente de 8,5 % si l'on inclut le PPC et les autres types de publicité en ligne. En gros, la publicité sur les moteurs de recherche représente actuellement environ 40 % des dépenses publicitaires, les bannières 35 %, les petites annonces approximativement 20 %et tout le reste 5 %.

Figure 12.1 MarketingCharts .com publie la part des dépenses publicitaires par média aux Etats-Unis en avril 2008. Ce graphique ne tient compte que des bannières publicitaires dans le calcul de la part de marché d'Internet.

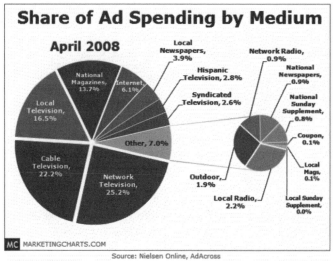

Source: Nielsen Online, AdAcross

Avec l'aimable autorisation de MarketingCharts.com.

Le total des dépenses pour tous les types d'annonces publicitaires – comprenant la recherche, l'email, les petites annonces et les bannières – a atteint un record de presque 25 milliards de dollars aux Etats-Unis en 2007. D'après l'entreprise de recherche IDC, la part de marché d'Internet dans la publicité aux Etats-Unis va continuer de croître en doublant chaque année. Dans la catégorie Internet, eMarketer note cependant que les annonceurs ne dépenseront toujours en bannières statiques que la moitié de ce qu'ils dépenseront en marketing sur les moteurs de recherche.

Comprendre la publicité par bannières

Les bannières payantes constituent l'un des aspects les plus complexes du marketing en ligne. En effet, elles sont séduisantes mais elles ne sont pas toujours rentables. Le CTR moyen continuant de chuter bien en dessous de 0,5 %, la plupart des bannières publicitaires ne produisent qu'un quart à un tiers de clics que le marketing PPC sur les moteurs de recherche en génère.

Si vous décidez d'investir dans les bannières publicitaires, vous aurez besoin d'un planning méticuleux pour accroître vos CTR. En particulier, vous devez cibler les publicités plus soigneusement en précisant le public, les sites, le positionnement dans la partie immédiatement visible de la page et le contexte.

La Figure 12.2 (que vous pouvez retrouver sur `www.roi-web.com/cost_per_customer_acquisition.shtml`) est un graphique pour vous rappeler que la publicité par bannières est la technique d'acquisition de clients la plus onéreuse, loin même devant les médias traditionnels.

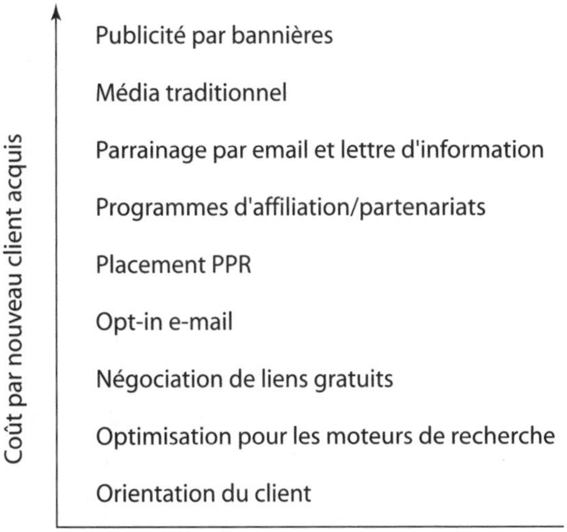

Figure 12.2
Les bannières publicitaires constituent la forme la plus coûteuse d'acquisition de clients.

Coût par nouveau client acquis

- Publicité par bannières
- Média traditionnel
- Parrainage par email et lettre d'information
- Programmes d'affiliation/partenariats
- Placement PPR
- Opt-in e-mail
- Négociation de liens gratuits
- Optimisation pour les moteurs de recherche
- Orientation du client

Votre développeur ne peut généralement pas gérer la publicité en ligne, même si un sérieux background en communication marketing peut lui permettre de produire des bannières et des publicités Flash. Vous avez besoin de publicités créatives pour faire face à la concurrence dans le monde des bannières, aussi devez-vous recourir aux services de professionnels, surtout pour les publicités riches en médias qui utilisent du Flash, de la vidéo ou du son. Quelques régies créeront vos publicités ou vous proposeront de détacher un spécialiste pour élaborer vos bannières chez vous.

Vous pouvez placer vos publicités vous-même en vous référant à des kits média en ligne ou en contactant des sites Web spécialisés dans ce travail (aussi appelés régies publicitaires). Une entreprise de marketing en ligne ou une agence de pub peut aussi vous guider dans vos achats d'espace. Le Tableau 12.1 recense quelques ressources utiles.

Tableau 12.1 : Ressources pour la publicité en ligne.

Nom	URL	Ce que vous trouverez
Adotas	http://research.adotas.com	Recherches et actualité de la publicité en ligne
Advertising.com	https://publisher.advertising.com/affiliate/glossary.jsp	Glossaire interactif de la terminologie marketing
DoubleClick	www.doubleclick.com/insight/research/index.aspx	Rapports de recherche
Google AdWords	https://adwords.google.com/select/imagesamples.html	Dimensions des publicités utilisées sur Google
iMedia Connection	www.imediaconnection.com/adnetworks/index.asp	Ressources pour la publicité en ligne
Internet Advertising Bureau	www.iab.net/iab_products_and_industry_services/1421/1443/1452	Liste des dimensions standards des publicités en ligne
Web Marketing Association	www.advertisingcompetition.org/iac	Concours de publicité sur Internet

Tableau 12.1 : **Ressources pour la publicité en ligne. (*suite*)**

Nom	URL	Ce que vous trouverez
Webby Awards	`www.webbyawards.com/webbys/ categories.php#interactive_advertising`	Concours de publicité sur Internet
WebsiteTips.com	`http://websitetips.com/articles/marketing/ banneradsctr`	Bannières publicitaires et conseil

La publicité en ligne payante se présente de diverses manières :

- ✔ Les publicités par bannières statiques de différentes dimensions, comme sur la Figure 12.3.

- ✔ Les publicités à base de GIF ou de Flash.

- ✔ Les autres publicités riches en médias contenant de l'audio ou de la vidéo.

- ✔ Les pop-ups, qui s'affichent odieusement par-dessus la page.

- ✔ Les pop-unders, qui sont visibles lorsque vous fermez une fenêtre.

- ✔ Les publicités dans les interstices qui apparaissent avant ou entre plusieurs pages.

- ✔ Les publicités qui s'agrandissent pour recouvrir une plus grande partie de la page quand l'utilisateur passe le pointeur dessus.

Au risque de me répéter, une publicité doit son succès au créatif (20 %), à l'offre (40 %), au bon choix du public (40 %). Comme dans le cas des annonces PPC, vérifiez que votre offre correspond à votre public. Faites aussi attention à renvoyer à la bonne page sur votre site.

Trouvez l'inspiration en passant en revue les publicités qui ont remporté un prix lors de concours organisés par les sites recensés dans le Tableau 12.1.

Si vous souhaitez ajouter des publicités sur votre site, vous pouvez tester ce que cela donne avec un programme d'échange de bannières tel que

Figure 12.3
Quelques dimensions récurrentes de bannières sont présentées sur Google pour vous permettre de fournir des bannières, des animations Flash et des publicités en vidéo à des partenaires via le programme AdWords.

Captures d'écran Google AdWords © Google Inc. Utilisé avec son autorisation.

BannerCo-Op.com. Vous pouvez aussi utiliser un programme d'échange pour comparer l'efficacité de deux créatifs avant d'investir sur l'un.

Faire des choix concernant les bannières publicitaires

Vous devez prendre six décisions stratégiques concernant les bannières :

- ✔ Combien vous êtes prêt à dépenser.

- ✔ Si vous allez conduire la campagne vous-même ou la confier à une agence ou une régie.

- ✔ Où faire de la publicité.

- ✔ Quel type de publicité utiliser.

- ✔ Comment évaluer le retour sur investissement (ROI) de votre campagne de bannières.

- ✔ S'il est approprié d'utiliser de la publicité à des endroits inattendus comme les blogs ou les flux RSS.

Evaluer les coûts

Contrairement aux annonces PPC, les frais générés par la plupart des bannières publicitaires sont évalués soit par milliers de consultations (CPM, ou coût par mille) ou de manière forfaitaire pour un mois, un trimestre, un an. Plus votre public est ciblé, plus vous payez. Vous devez déterminer la part de votre budget marketing que vous comptez consacrer à la publicité par bannières. Ventilez vos dépenses en fonction de votre budget et non en fonction des coûts.

La plupart des sites qui acceptent la publicité publient un kit média en ligne. Le kit média devrait comprendre des informations sur le public, les pages vues, les dimensions des bannières et les tarifs. Si vous ne pouvez pas trouver tout cela sur le site, recherchez un lien Publicité pour mettre la main sur les coordonnées d'un contact commercial.

Si vous visez un public très général, vous devrez payer moins d'un euro par millier d'impressions. Un marché-cible très étroit et préqualifié, comme les vice-présidents des entreprises financières, peut correspondre à un CPM de 60 à 90 euros, voire plus. La mise de départ des portails, dont le CPM est pourtant bas, est généralement très élevé. Les bannières sur des sites très fréquentés tels que le portail de Yahoo!, les sites de divertissement et des ports et d'autres portails sont généralement trop onéreux pour les petites entreprises.

Divers facteurs affectent le prix des publicités :

✔ Les dimensions et le type de publicité ; les publicités Flash ne comprenant que quelques images coûtent généralement le même prix que les bannières statiques.

✔ L'emplacement d'une publicité dans une page ; les publicités figurant dans la partie immédiatement visible de la page fonctionnent mieux.

✔ Le nombre de publicités se partageant le même espace en rotation.

✔ Les pages du site sur lesquelles une publicité est affichée ; les publicités qui figurent sur chaque page sont qualifiées de ROS (run of site).

✔ La nature du site ; les publicités sont plus performantes sur les sites de contenu que sur les portails.

✔ La durée du contrat pour la diffusion d'une publicité.

Tout est négociable ! Un site qui vient tout juste de lancer son programme publicitaire ou qui tente de remplir des emplacements vides peut vous faire un prix. Recherchez les publicités maison – les publicités du publicitaire lui-même –, c'est un signe qu'il reste des emplacements invendus. Parfois, un publicitaire peut passer une publicité durant plusieurs semaines à titre d'essai gratuit. Demandez ! Qu'y a-t-il à perdre ?

Le faire vous-même ou le faire faire par une agence ou une régie

À défaut de placer directement vos publicités, il vous en coûtera probablement 10 à 15 % de plus si vous vous adressez à une agence de pub ou une régie publicitaire. Le CPM de certaines régies est plutôt bas, ce qui indique qu'elles s'adressent à des publics assez généraux. Si vous comptez faire tourner des publicités sur plusieurs sites, vous pouvez probablement gérer leur placement vous-même.

Si vous comptez vous lancer dans une campagne de branding intensive sur des dizaines ou des centaines de sites, vous trouverez bien plus pratique de recourir à une régie qui automatise le placement et le reporting. À titre de solution intermédiaire, essayez le self-service, avec AdReady.com, qui automatise la création de publicité ainsi que l'achat.

Le Tableau 12.2 recense quelques-unes des nombreuses régies et répertoires publicitaires en ligne. Vérifiez que la régie que vous sélectionnez donne bien accès aux sites correspondant à vos centres d'intérêt et à vos publics. Parfois, il vaut mieux retenir une régie spécialisée, surtout dans le domaine de la publicité B2B.

Tableau 12.2 : Quelques régies de publicité en ligne.

Nom	URL
1800Banners.com (banner exchange)	`www.1800banners.com`
24/7 Real Media	`www.247realmedia.com`
AdBalance.com (revue de régies publicitaires)	`www.adbalance.com/1/ad_networks`
AdDynamix (régie en self-service)	`www.addynamix.com/selfserve/signup.html`
AdReady (régie en self-service)	`www.adready.com`
AOL Media Networks	`www.aolmedianetworks.com`
Blogads	`www.blogads.com`
Blue Lithium	`http://bluelithium.com`

Tableau 12.2 : Quelques régies de publicité en ligne. (*suite*)

Nom	URL
Banner Co-op (échange)	`http://bannerco-op.com`
Burst Media	`http://burstmedia.com`
FeedBurner Ad Network	`www.feedburner.com/ads/add-campaign.do`
Internet Ad Sales	`www.internetadsales.com/modules/news`
NY Times (régie en self-service)	`www.nytimes.com/marketing/selfservice`
PubAccess (site en self-service pour les annonceurs)	`https://pubaccess.advertising.com`
Right Media (serveur de publicité gratuit)	`https://direct.rightmedia.com`
Travel Ad Network	`www.traveladnetwork.com`
Tribal Fusion	`http://tribalfusion.com`
ValueClick Media	`www.valueclickmedia.com`
Web Reference (répertoire de régies)	`www.webreference.com/promotion/banners/networks.html`
WebsterFlooble.com (revue de régies publicitaires)	`http://websterflooble.com`

Déterminer où faire de la publicité

Si vous tombez sur un rapport portant sur la popularité des liens entrants de vos concurrents (`www.linkpopularity.com`), vous pourrez éventuellement identifier les lieux où ils passent leurs publicités. Une bannière n'est qu'une sorte de lien, finalement.

Considérez les autres publicités sur les sites comme des indices pour savoir si ces sites sont appropriés à votre business. Puis consultez leurs kits média. Si vous ne trouvez pas d'information détaillée sur la population, les pages vues ou le nombre de publicités partageant le même espace rotatif, demandez. Demandez aussi quelles sont les solutions de reporting et comment suivre les résultats de vos campagnes.

Les tarifs sont généralement peu élevés pour les ROS (run of site), car les publicités peuvent apparaître dans de nombreuses pages que seuls quelques visiteurs consultent. Le tarif pour la page d'accueil est plus élevé, car c'est généralement la page qui génère le plus de trafic sur le site. Il peut être intéressant de sélectionner une page intérieure de second ou de troisième niveau. Les tarifs sont moins élevés, mais les visiteurs consultant la page ont des chances d'être plus qualifiés.

Généralement, les régies de pub ne divulguent pas plus le CTR qu'elles ne le prédisent. Cela dépend trop de la qualité de la création et de la valeur de l'offre exposée dans la publicité.

Créez une feuille de calcul contenant le CPM, la population et les solutions de bannières pour comparer plus facilement les solutions.

Sélectionner le type, les dimensions et la position des bannières

Plus c'est gros, mieux c'est ! Optez pour les leaderboards, les rectangles dans le texte et les skycrapers larges (référez-vous à la Figure 12.4) si vous pouvez vous en offrir. La Figure 12.5 montre que les annonceurs préfèrent ce qui est gros, exception faite des rectangles plutôt moyens que grands.

Les meilleurs emplacements pour les publicités sont sur le côté droit, vers la barre de défilement, aussi près du haut de la page que possible, mais toujours dans la partie immédiatement visible de la page. Les rectangles intégrés dans la composition d'une page fonctionnent bien aussi. Evitez les bannières publicitaires classiques (468x60 pixels) en haut de la page : les visiteurs les ignorent.

Si vous ne pouvez pas vous offrir de grandes publicités, optez pour des petites mieux placées. Demandez un GIF animé plutôt qu'une image statique. Si le serveur de la régie peut les gérer, les petites publicités GIF ou Flash attireront plus l'attention que les grandes publicités statiques. Si la taille de fichier d'une annonce animée tient dans les limites imposées à une annonce statique, vous n'aurez généralement pas à payer de supplément.

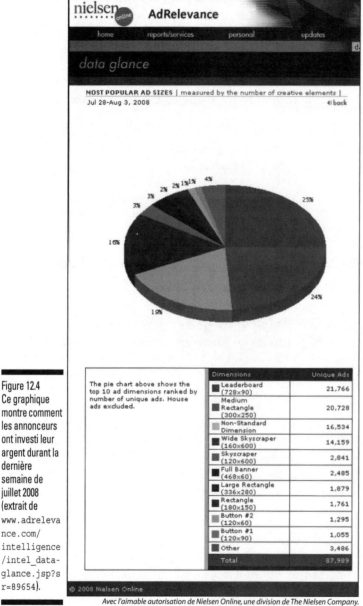

Figure 12.4
Ce graphique
montre comment
les annonceurs
ont investi leur
argent durant la
dernière
semaine de
juillet 2008
(extrait de
www.adreleva
nce.com/
intelligence
/intel_data-
glance.jsp?s
r=89654).

Avec l'aimable autorisation de Nielsen Online, une division de The Nielsen Company.

Vous souhaitez créer des offres alternatives, mais vous ne pouvez pas vous permettre d'acheter plus d'un emplacement ? Demandez si vous

Figure 12.5
Exemple de
bannières
publicitaires
utilisées lors de
la campagne de
publicité en ligne
d'AcomaSkyCity.
org.

pouvez fournir plusieurs publicités statiques qui tournent au même emplacement. Comme c'est généralement gratuit, vous pouvez comparer les CTR pour évaluer l'impact de vos publicités.

Vous pouvez trouver des outils en ligne gratuits ou bon marché pour créer des bannières et des publicités animées. Toutefois, nombre de ces publicités ont parfois l'air amateur. Si vous investissez significative-ment dans votre publicité, comptez 80 à 100 euros par publicité produite par un graphiste professionnel.

Les entreprises qui proposent des produits très esthétiques trouvent que les bannières publicitaires sont essentielles dans leurs campagnes de branding. AcomaSkyCity.org, le site Web du centre culturel de Sky City et du musée Haak à Acoma Pueblo au Nouveau Mexique, a lancé une campagne par bannières peu de temps après l'ouverture du site en 2008. La Figure 2.5 montre un exemple de bannières publicitaires ; l'encadré plus bas explique la campagne.

Les bannières multimédias

Les publicités à base de médias riches – vidéo, animation, audio et autres multimédias – génèrent plus de clics que les publicités statiques. La plupart des développeurs n'ont pas les compétences pour créer des publicités à base de vidéo ou d'audio. Adressez-vous aux professionnels qui ont créé les matériaux audio et graphiques pour votre site. Comme ces publicités sont bien plus onéreuses à produire, vous souhaiterez sans doute en limiter le recours.

Parrainer des lettres d'information, des sites, des blogs et des flux

Le parrainage, qui représente seulement 2,5 % des dépenses de publicité en ligne en 2007, est souvent oublié comme moyen permettant d'améliorer la visibilité de votre entreprise sur les sites, qu'ils soient commerciaux ou non.

Même si vous ne pouvez que subtilement faire la promotion de vos produits et services sur les sites non commerciaux, vous bénéficiez de la bonne volonté des visiteurs qui apprécient votre soutien à quelque chose qui leur tient à cœur, comme l'environnement ou la recherche sur la santé.

Cette manière rentable de faire de la publicité existe sous trois formes différentes, qui mobilisent généralement de manière croissante votre attention :

- **Le parrainage de lettres d'information** : proposé pour une édition ou pour le mois. La publicité peut prendre la forme de texte ou de graphismes, voire les deux. Ce type de publicité vous donne accès à une mailing liste ciblée qui n'est peut-être pas disponible autrement.

- **Le parrainage de sites** : généralement des publicités sous forme de bouton ou de texte dont les prix varient en fonction des liens et du placement. Scientific American accepte ce type de parrainage, comme le montre la Figure 12.6.

La beauté des bannières

Acoma Sky City (dont il est question au Chapitre 4), classé par *USA Today* comme l'un des 10 meilleurs endroits honorant la vie des indiens d'Amérique, est un pueblo de 1 000 ans construit sur une mésa de pierres de sable à 367 pieds au Nouveau Mexique. Communauté la plus ancienne de la nation encore habitée, le pueblo est connu dans le monde entier pour ses poteries uniques et la richesse de sa culture.

En 2006, le pueblo a ouvert son nouveau centre culturel Sky City et son musée Haak ; il a reçu le label National Trust for Historic Preservation (confiance de la nation pour la préservation de l'Histoire). Le pueblo s'est trouvé alors confronté au défi de forger sa marque. Le site précédent, SkyCity.com, se focalisait sur l'hôtel, le divertissement, le jeu, l'office de tourisme et d'autres services touristiques. Pour créer une nouvelle identité en ligne centrée sur le tourisme culturel, le pueblo a développé un nouveau site, AcomaSkyCity.org, et mis en œuvre une campagne de branding en ligne agressive.

Sa suite de bannières statiques, représentées sur la Figure 12.5, partagent toutes la même identité visuelle bien affirmée. De plus, Acoma Sky City passe une publicité vidéo (la photo historique représentée sur la Figure 12.5) sur plusieurs sites Web de voyage haut de gamme et place plusieurs boutons publicitaires animés sur des sites de tourisme.

Les sites ont été sélectionnés individuellement en utilisant le programme de placement de Google et en recherchant une demi-douzaine de sites de contenu à forte identité. Les publicités ciblent les touristes se déplaçant en voiture, les visiteurs d'autres destinations du Nouveau Mexique et les tours-opérateurs. Selon Randy Howarth, le responsable opérationnel du centre culturel Sky City, "la recherche naturelle et le PPC génèrent du trafic vers le site, mais nous avions besoin de bannières pour forger une nouvelle image en ligne. Rien ne permet cela mieux que les visuels."

En plus des bannières publicitaires, Acoma Sky City publie une lettre d'information électronique ; conduit des campagnes de liens entrants, de PPC et d'optimisation des moteurs de recherche ; distribue des communiqués de presse ; fait de la publicité hors ligne intensivement à destination des touristes et des agences de voyage. "Un bon plan publicitaire cherche à atteindre votre public de plusieurs manières. Nous ne voulions pas nous reposer sur un seul canal", précise Howarth.

✔ **Le parrainage intégré** : combine les deux formes précédentes, avec une visibilité accrue pour le nom de l'entreprise et son logo dans d'autres médias hors ligne. Cela fonctionne très bien si vous

Figure 12.6
Scientific American accepte du texte parrainé pour un montant minimal de 500 dollars par mois.

choisissez une organisation non commerciale en rapport avec votre business.

Vous pouvez placer des bannières publicitaires ou du parrainage ailleurs, en particulier les blogs (comme sur la Figure 12.7) et les flux RSS. Essayez Pheedo (http://pheedo.com/site/adv_overview.php) et Text Link Ads (www.text-link-ads.com/feedvertising) pour faire de la publicité sur les flux RSS.

Faire de la publicité avec les petites annonces

D'après le Kelsey Group, les petites annonces représenteront une plus grande part du gâteau toujours plus grand de la publicité, passant de 20 % des dépenses en ligne en 2007 à 25 % en 2012.

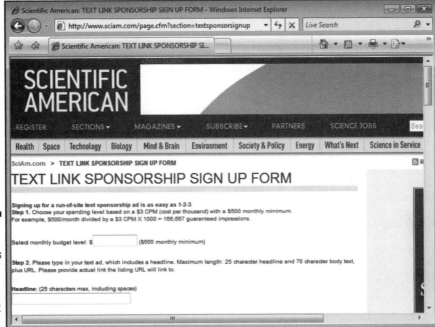

Figure 12.7
Le blog sur
PodcastingNews
.com comporte
des bannières
publicitaires des
parrains, en haut
à droite.

Avec l'aimable autorisation de PodcastingNews.com.

Alors que les particuliers utilisent les sites de petites annonces comme
un grand lieu de rencontre et d'échange, votre business peut les utiliser
pour vendre de la marchandise, des services, du loisir ou des locations
commerciales (voir Figure 12.8 pour un exemple).

Faites votre choix parmi les sites de petites annonces gratuites ou bon
marché, les sections de petites annonces de MySpace, Yahoo! et autres
portails, ou les sites de petites annonces spécifiques à des produits
pour les voitures, les appartements, les animaux domestiques. Le
Tableau 12.3 recense quelques sites populaires à titre d'exemple.

Vous devez publier des petites annonces sur de multiples sites pour
couvrir un large public. Pour vous éviter cette peine, il existe trois
services mentionnés dans le Tableau 12.3 (Postlets, vFlyer et Mpire) qui
proposent de le faire à votre place sur de nombreux sites spécialisés.

Ecrire une bonne petite annonce est un art. Gardez ces principes à
l'esprit :

Tableau 12.3 : Exemple de sites de petites annonces.

Nom	URL	Payant ou gratuit
Abracat	www.abracat.com	Payant (compile les petites annonces de nombreux journaux)
CityNews	www.citynews.com	Payant
Craigslist	http://craigslist.org	Gratuit (à quelques exceptions près)
eDirection	http://www.edirection.com	Gratuit
EPage Classifieds	http://epage.com	Gratuit
LiveDeal	www.livedeal.com/index.jsp	Gratuit
Mpire	www.mpire.com	Payant (annonces reprises sur plusieurs sites)
OnLine eXchange	www.olx.com	Gratuit
Postlets	www.postlets.com	Gratuit (annonces reprises sur plusieurs sites)
ShopLocal.com	www.shoplocal.com	Gratuit
TraderOnline.com	www.traderonline.com	Payant
vFlyer	www.vflyer.com	Gratuit (annonces reprises sur plusieurs sites)
Web Marketing Today	www.wilsonweb.com/search/ cat.php?querytype=category&page=1&subcat=ma _Classified	Gratuit (ressources sur les petites annonces)

✔ Attirez l'attention avec le titre, en utilisant des termes évocateurs, suscitant des émotions.

✔ Répétez le texte descriptif du titre dans le corps de l'annonce pour en maximiser l'impact.

✔ Si vous proposez un service, mentionnez l'avantage principal dans le titre.

✔ N'utilisez pas les majuscules partout.

✔ Evitez de multiplier les points d'exclamation.

✔ Ajoutez une image, si possible.

✔ Dites aux gens où ils doivent se rendre pour obtenir plus d'informations ou acheter (appel à l'action).

✔ Ajoutez un lien vers votre site Web, ce qui est aussi bon pour votre classement dans les moteurs de recherche.

✔ Pour éviter de recevoir du spam, ne donnez pas votre adresse email principale.

✔ Testez différentes versions du titre et du texte pour trouver ce qui fonctionne le mieux.

✔ Ecrivez des annonces distinctes pour des articles distincts.

✔ Vérifiez soigneusement l'orthographe et la grammaire de votre texte.

Ces conseils sont assez similaires à ceux dont vous devez tenir compte lorsque vous écrivez du texte PPC et des pages Web. Les petites annonces peuvent aussi mieux marcher si vous les écrivez à la voix active et à la deuxième personne du pluriel (vous).

Evaluer les résultats

Au minimum, les régies doivent fournir le nombre d'impressions et le CTR, par publicité et par page. Les petites régies risquent de ne fournir ces informations qu'une fois par mois ; les autres proposeront un tableau de suivi en ligne pour consulter les résultats en temps réel.

Quelques régies fourniront des informations supplémentaires, comme la performance des publicités individuellement. Comme les programmes Yahoo! ou Google PPC, certaines régies fournissent un

Figure 12.8
FloridaHalfbacks
.com fait de la
publicité pour
des locations sur
Craiglist.org, l'un
des sites de
petites annonces
les plus fameux.

Avec l'aimable autorisation de Leisure Linx, LLC.

code de suivi à placer sur les pages auxquelles renvoient les publicités. Autrement, un programme de statistiques tel que Google Analytics (voir Chapitre 14) peut fournir le nombre de visites en fonction de la source. Si ces possibilités ne sont pas disponibles, vous pouvez toujours suivre des publicités spécifiques placées par la même régie en demandant à votre développeur de suivre les indications suivantes.

Chaque publicité dotée d'un lien renvoie sur l'URL d'une page précise. Créez différentes URL qui désignent le type et la source, éventuellement la date, dans ce format : `http://watermelonweb.com/?src=nmo0708leaderboard2`. Dans ce cas, `/?src` correspond à la source et les informations à la fin correspondent à l'agence (`nmo`), la date (`0708`) et le style de publicité (`leaderboard2`). N'oubliez pas de tester l'URL, évidemment.

Si vous vendez en ligne, votre programmeur peut placer un cookie pour suivre le visiteur depuis son arrivée jusqu'à l'achat.

Si les fonctions de votre publicité par bannière et par PPC sont similaires, calculez votre ROI pour les bannières publicitaires de la même manière. Cependant, vous devrez peut-être mesurer l'efficacité d'une bannière créée pour le branding en fonction d'un autre critère. Par exemple, vous pouvez calculer le ROI par publicité individuelle, par type de publicité, par régie, par offre, par période.

Le monde de la publicité en ligne est en mouvement perpétuel, il vous offre sans cesse de nouvelles opportunités et de nouveaux types de créations. Vous pouvez vous tenir informé des nouveautés en surfant ici et là ou en lisant les blogs et les lettres d'information consacrés à la publicité en ligne. Comme toujours, soyez attentifs aux changements qui vous permettent de mieux cibler votre marché ou d'améliorer l'attrait de vos publicités. Dans le prochain chapitre, je traite de quelques nouvelles technologies en ligne qui vous permettent de faire passer un message pour générer du trafic de manière innovante.

Chapitre 13

Capturer les clients avec la nouvelle technologie

Dans ce chapitre :

▶ Le vlogging et la vidéo pour améliorer votre visibilité.

▶ Les promotions par podcast.

▶ Utiliser les formations pour générer du trafic.

▶ Le marketing en direction des utilisateurs sans fil.

*V*otre public-cible est-il plutôt jeune, à la mode et avide de technologie ? Etes-vous un marketer aventurier, avec un peu de budget ? La plupart des techniques basées sur la technologie décrites dans ce chapitre conviennent à ces profils de public et de publicitaire, quoique pas totalement exclusivement, et probablement pas pour long-temps.

Ces applications sont tirées par deux tendances : la diffusion de l'accès haut débit et la recherche de convergence entre les différents matériels de communication, comme les téléphones mobiles, les iPhone et les assistants numériques personnels. Tandis que la technologie Internet évolue, les applications marketing de pointe deviennent monnaie courante. Vous avez encore un tout petit peu de temps pour prendre de l'avance sur vos concurrents.

Voici quelques-unes des techniques décrites dans ce chapitre :

- ✔ Ajouter de la vidéo et des *vlogs* (blogs vidéos – des clips vidéos personnels courts, postés comme du contenu) pour le branding et pour générer du trafic.

- ✔ Produire des séminaires de formation pour générer du trafic et renforcer le branding.

- ✔ Distribuer des podcasts audio pour attirer les gens sur une forme de radio à la demande.

- ✔ Combiner des messages texte sur les téléphones cellulaires avec des requêtes de recherche et la promotion de sites.

- ✔ Accroître votre présence avec un contenu Web spécifique aux matériels mobiles.

Si vous décidez de recourir à l'une de ces techniques, ajoutez-les à votre liste de vérification des méthodes de marketing Web du Chapitre 2 (pour vous simplifier la vie, vous pouvez télécharger la liste sur le site Web des Editions First).

Même si elles n'ont pas la portée de la publicité de masse, ces méthodes peuvent permettre de toucher quelques influenceurs. Ceux qui adoptent les premiers la technologie sont de gros utilisateurs de médias en ligne mais ils ne constituent qu'un infime pourcentage du public en ligne.

Les nouvelles technologies bénéficient toujours d'un certain effet de mode. Faites attention avant d'investir dans ces techniques, à moins que votre marché-cible ne les utilise. Ne vous prenez pas de passion pour une technologie aux dépends de votre business.

Générer du trafic avec la vidéo et les vlogs

La démocratisation de l'accès haut débit et l'avènement d'une technologie d'enregistrement vidéo bon marché a favorisé l'apparition de la vidéo sur le Web, créant de nombreuses opportunités pour diffuser du contenu et placer des publicités.

YouTube.com symbolise cette évolution. Cette entreprise financée par le capital-risque, qui a ouvert ses portes en février 2005, a attiré plus 16 millions de visiteurs avant d'être achetée par Google en novembre 2006. En juillet 2008, elle attirait plus de 73 millions de visiteurs – plus de 75 % de toutes les visites de vidéos en ligne – et était devenue un espace publicitaire privilégié.

Les utilisateurs postent aussi leurs propres vidéos – généralement guère plus qu'un journal intime – dans les sections vidéo de Yahoo!, MySpace.com/TV, MSN, AOL, Google et de nombreux autres sites.

Les journaux intimes vidéos, nommés vlogs, sont différents des autres types de vidéos : ils sont mis à jour régulièrement, postés comme des blogs, souvent distribués via des flux RSS, et ils contiennent par ailleurs du texte. Tout comme les blogs, ils comprennent généralement des réflexions et des expériences personnelles.

En tout, Nielsen rapporte que les sites vidéo représentent approximativement 160 millions de visites par mois en mi-2008, notant que les destinations vidéo peuvent varier significativement selon l'âge et le genre de l'utilisateur. Par exemple, les femmes ont plus tendance à regarder des flux vidéo sur les télévisions en ligne, tandis que les hommes apprécient les clips courts produits par des utilisateurs sur YouTube. Les enfants gravitent dans l'univers des sites de télévision et de divertissement ; les adolescents dans celui des sites de clips musicaux et de films.

Ces utilisateurs ne sont pas tous des petits jeunes ! Même si ce sont les enfants et les adolescents de moins de 17 ans qui regardent le plus de vidéos en ligne chaque mois, plus de 57 % des adultes ont regardé une vidéo en ligne.

D'après le Pew Internet & American Life Project, plus de la moitié des adultes qui ont visualisé une vidéo en ligne en partagent le lien avec d'autres, et plus des trois quarts ont reçu des liens vers des vidéos. Ces chiffres démontrent que la vidéo est une avenue pour les campagnes de marketing viral.

Tirer parti de la vidéo

Les flux vidéo ou les téléchargements vidéo existent depuis longtemps sur les sites Web. Les émissions de télévision, les publicités et les clips personnels sont dorénavant monnaie courante sur le Web. On peut aussi en trouver sur les téléphones, les iPod et les assistants personnels numériques (PDA). Pour les marketers, tout l'enjeu est de se brancher sur le public d'une vidéo d'une des quatre manières suivantes :

✔ Faire de la publicité sur ces sites (voir Chapitre 12).

✔ Diffuser votre propre vlog sous la forme d'une saga vidéo à épisodes, qui soit sans doute assez excentrique pour faire partie d'une campagne de marketing viral, comme la vidéo North SnowGlobe Boy de McKinney, une agence de pub de la Caroline du Sud. SnowGlobe Boy passe plus de trois jours à vivre dans une de ces boules qui servent de souvenir ; ses vlogs sont devenus rapidement un phénomène de masse médiatique et un grand succès sur YouTube (`http://snowglobeboy.mckinney.com`).

✔ Créer vos propres vidéos pour des démonstrations de produit, pour de la formation, pour de l'assistance technique, pour de la promotion et pour les poster en ligne et sur votre propre site.

✔ Miser sur le potentiel créatif de votre public-cible en encourageant les personnes à poster des vidéos sur votre entreprise ou ses produits, éventuellement dans le cadre d'un concours.

Vous ne pouvez pas poster des vidéos dont les droits appartiennent à d'autres personnes, quelle que soit leur durée, sans avoir obtenu la permission. Google utilise la technologie Video ID pour reconnaître les vidéos de plus de 300 partenaires de médias apparaissant sur YouTube. Une vidéo peu protégée peut ainsi être retirée, ou alors diffusée avec une publicité dont les revenus seront partagés entre YouTube et le détenteur des droits.

Considérations sur la vidéo

Il y a quelques étapes à suivre :

1. Visualisez quelques vidéos et quelques vlogs (recherchez dans les répertoires du Tableau 13.1) pour vous inspirer des idées d'autres entreprises.

2. Décidez si vous souhaitez créer vos propres vidéos ou si vous souhaitez que d'autres participent à leur création en misant sur du contenu vidéo réalisé par des clients.

3. Evaluez votre marché-cible pour savoir où vous devez poster vos vidéos.

4. Décidez de qui produira vos vidéos et de combien cela vous coûtera.

5. Avant de vous lancer dans la production, révisez vos projections de ROI pour vous assurer que l'effort en vaut la peine.

Tableau 13.1 : Ressources sur la vidéo et les vlogs.

Nom	URL	Ce que vous trouverez
AOL Video	`http://video.aol.com`	Le site de vidéo d'AOL
Blip.tv	`http://blip.tv/about`	Hébergement gratuit et régie publicitaire vidéo
Blog Universe	`www.bloguniverse.com/video-blogs`	Répertoire de vlogs
eConsultant	`http://web2.econsultant.com/videos-hosting-sharingsearching-services.html`	Répertoire de sites de partage de vidéos
Freevlog	`http://freevlog.org/tutorial`	Comment faire un vlog
VlogMap Community	`http://community.vlogmap.org`	Ressources sur les vlogs
Rocketboom	`www.rocketboom.com/vlog`	vlog d'information et répertoire
YouTube	`http://www.youtube.com/signup?next=/my_videos_upload%3F`	Soumettre à YouTube (sera aussi indexée dans les résultats de recherche dans Google)

Les sites de cinéma, de sport, de divertissement sont des candidats évidents pour les vidéos : postez des bandes-annonces, des extraits de concert ou des démonstrations de jeux. Comme avec toutes les techniques en ligne, plus vous faites court (1 à 3 secondes), mieux c'est !

Vous pouvez aussi utiliser des vidéos pour des mises à jour de produits, des informations sur votre secteur d'activité, des clips de formation "faites-le vous-même" comme BicycleTutor.com le fait sur la Figure 13.1. Ses vidéos gratuites de formation, postées sur plusieurs sites, renforcent la marque et renvoient sur son site Web pour plus d'informations.

Postez votre vidéo sur de multiples sites pour générer des liens de nouveaux prospects et pour ajouter de la valeur à votre campagne de liens entrants (voir Chapitre 8). Que vous créiez vos propres vidéos ou que vous les collectiez dans le cadre d'un appel à contribution, faites attention à la population des sites sur lesquels vous postez.

Référencez tous les endroits où vos clips vidéo sont joués dans les répertoires et les moteurs de recherche. Google permet aux utilisateurs de jouer les vidéos YouTube directement dans les pages des résultats de recherche et affiche des miniatures des vidéos extraites d'autres sites trouvés par recherche naturelle.

De nombreuses entreprises lancent aujourd'hui des concours, invitant les utilisateurs à poster une vidéo qui fait la promotion de leur produit ou de leur service. Faites attention ! Lorsque Chevy a entrepris une telle opération pour son modèle Tahoe, l'entreprise a reçu de nombreuses publicités négatives décriant la consommation et les dommages pour l'environnement. C'est un risque que vous prenez.

La plupart des développeurs Web n'ont pas les compétences pour produire de la vidéo de qualité, même s'ils peuvent certainement vous aider à les télécharger et à les poster sur votre site. Si vous ne vous sentez pas à l'aise pour produire de la vidéo vous-même, recherchez des étudiants en école de cinéma, des studios de production vidéo ou des entreprises de marketing spécialisées dans la vidéo.

C'est une chose pour les particuliers que de produire de la vidéo en basse qualité avec leurs caméras numériques pour un vlog ou tout autre contenu qu'ils génèrent ; c'est tout autre chose pour un business que de produire de la vidéo à des fins marketing.

Figure 13.1
Bicycle Tutor
poste des vidéos
de formation sur
toute une série
de sujets et
renvoie les
utilisateurs sur
son site pour
plus
d'informations.

Avec l'aimable autorisation de BicycleTutor.com.

Générer du trafic avec les webcasts, les conférences sur le Web, les webinaires

Dans le monde de la gratification instantanée du Web, vous avez rarement la chance d'entrer en interaction avec les prospects ou les clients plus de quelques secondes. Les trois méthodes de formation du Web (les webcasts, les conférences web et les webinaires) vous permettent 15 minutes, voire plus, de contact ininterrompu avec les utilisateurs. Comment pourriez-vous vous en passer, surtout lorsque vous comparez le coût engendré par les déplacements et l'organisation pour assurer des formations sur place ?

Ces techniques pilotées par le contenu fonctionnent parfaitement en environnement B2B, où vous pouvez les adapter pour des démonstrations de produits gratuites, des présentations d'études de marché, et/ou des sessions de formation en échange de contacts. Elles sont parfaites pour améliorer la visibilité de votre marque, positionner votre entreprise comme un leader et générer du trafic. Ne ruinez pas tout avec un discours marketing ou commercial superfétatoire.

Segmentez le trafic en faisant figurer une question sur le niveau d'intérêt ou les délais de prise de décision dans le formulaire de participation.

Comparer les alternatives

Les webcasts, les conférences sur le Web et les webinaires fonctionnent tous dans l'environnement d'un navigateur Web. La combinaison du développement du haut débit et du streaming rend ces méthodes encore plus attractives.

Les webcasts

Généralement, un *webcast* fait référence à une diffusion de vidéo en live. À la base passif, le webcast est un discours prononcé par une personne à de nombreux spectateurs, souvent 50 ou plus. Des trois techniques, le webcast fonctionne le mieux dans les environnements B2C pour les concerts, les lectures, la danse, les séries, le théâtre, les performances artistiques, les événements sportifs, le divertissement et l'administration de formations. Selon le public et l'objectif, vous pouvez faire la promotion du webcast comme de tout autre événement en ligne, comme je l'explique au Chapitre 10.

Les conférences Web

Les conférences sur le Web fonctionnent mieux pour des présentations devant de petits groupes qui sont assistées de la présentation de données ou de documents. Elles permettent une interaction, comme dans les groupes focus ou des présentations vers la fin du cycle commercial. Les conférences mettent généralement en œuvre une combinaison de téléconférence audio et de tableaux blancs, de présentations PowerPoint et de messagerie instantanée ou tout autre logiciel de conversation en direct.

Les webinaires

Les webinaires constituent le format le plus complexe, mélangeant des composants multimédias tels que la conférence audio unidirectionnelle, la vidéo (pour donner un visage au discours, ce qui est plus indiqué pour les démonstrations de produits), des présentations PowerPoint ou sur tableau blanc, des sondages et des votes en direct, et une messagerie instantanée unidirectionnelle pour que les participants puissent poser des questions.

Conçus pour atteindre un grand nombre de participants répartis sur une vaste zone géographique, les webinaires ont besoin que de nombreuses activités soient menées à bien pour être réussis : promotion, enregistrement des participants, e-mails de confirmation, e-mails de rappel, messages de remerciement et sondages pour obtenir un retour. Ce sont autant d'opportunités uniques pour le branding et la génération de trafic.

Comment s'y mettre ?

Avant de planifier des webinaires ou des conférences Web, participez donc à quelques-uns afin de voir comment d'autres business les utilisent (allez sur quelques sites du Tableau 13.2).

Tableau 13.2 : Ressources sur les webcasts et les webinaires.

Nom	URL	Ce que vous trouverez
Acrobat Connect et Connect Pro d'Adobe	www.adobe.com/products/acrobatconnect www.adobe.com/products/acrobatconnectpro	Solutions hébergées pour des conférences et du e-learning sur le Web
Conference Calls Unlimited	http://conferencecallsunlimited.com/web.html	Opérateur de téléconférences sur le Web
EventBrite	www.eventbrite.com/home	Service d'inscription à des webinaires et à des évènements ; gratuit pour les évènements gratuits
GoToMeeting	www.gotomeeting.com	Prestataire de conférences sur le Web
HRmarketer	http://hrmarketer.blogspot.com/2005/01/using-webinaires-aseffective-marketing.html	Conseils pour faire la promotion et pour conduire un webinaire
MeetingBridge	www.meetingbridge.com//home.aspx	Prestataire bon marché de services pour webinaires
MeetMeNow	http://meetmenow.webex.com	Prestataire de conférences sur le Web
webex	www.webex.com/smb/index.html	Prestataire de webinaires, solution pour les petites entreprises
Webinaire Blog	http://wsuccess.typepad.com/webinaireblog	Blog sur les webinaires

Attendez-vous à des désistements. Il se peut que seulement 40 % des inscrits se présentent finalement. Sur ceux qui restent, vous en trouverez probablement seulement 5 à 10 qui sont disposés à acheter. Avancez doucement dans ces environnements ! Utilisez ces opportunités pour bâtir votre crédibilité et créer la confiance, établir une relation et répondre honnêtement aux questions.

Proposez un enregistrement de l'événement à tous ceux qui s'inscrivent. Postez le lien vers le webinaire enregistré sur votre site afin que d'autres puissent le télécharger. Vous attirerez ainsi ceux qui se sont enregistrés mais qui n'ont pas pu participer, ceux qui ont participé mais qui souhaitent revoir l'événement, et ceux qui ont manqué l'événement mais qui auraient souhaité y participer.

Voici quelques conseils pour planifier des webinaires ou des conférences sur le Web :

- ✔ Pour accroître la participation, concentrez-vous sur un contenu de grande qualité, très pertinent. Si ce que vous proposez est intéressant et attractif, vous trouverez un public pour participer.

- ✔ Votre promotion doit clairement répondre à la question : "Qu'est-ce que j'ai à y gagner ?" Veillez à référencer vos événements en live dans des répertoires d'événements sur le Web, comme ceux cités dans le Tableau 13.2 et présentés au Chapitre 10. Considérez l'éventualité de payer pour de la publicité ou de sponsoriser une lettre d'information afin de faire la promotion de votre événement.

- ✔ Faites durer le plaisir ! Archivez tous ces événements sur votre site et offrez-les facilement au téléchargement.

- ✔ Utilisez l'un des nombreux packages de sondage disponibles (StellarSurvey.com, Zoomerang.com et SurveyMonkey.com, pour ne citer que ceux-là) afin d'obtenir un retour sur l'événement. Vous pouvez partager tout ou une partie de ces retours dans un message final de remerciement aux participants. Bien entendu, n'oubliez pas de mentionner des contacts pour le futur.

À moins d'avoir une grande entreprise ou de prévoir de fréquents webcasts, conférences et webinaires, vous ne souhaiterez probablement pas acheter et installer du logiciel. Adressez-vous à des prestataires pour gérer les événements en temps réel. Recherchez-les simplement, en commençant éventuellement par la liste des entreprises du Tableau 13.2. Evidemment, votre développeur peut facilement poster vos médias archivés sur votre site.

Générer du trafic avec des podcasts

Forgé en 2004, le terme *podcast* désigne sommairement la radio à la demande sur Internet. Tout comme les flux RSS et les vlogs, les podcasts sont riches de promesses. D'après un rapport de Podcasting News de février 2008, le public des podcasts ne fait que s'accroître. En 2006, seulement 2 % des utilisateurs d'Internet écoutaient des podcasts au moins occasionnellement. En 2008, ce chiffre est passé à 11 %.

Les projections prédisent une croissance régulière et exubérante. eMarketer prévoit que l'audience des podcasts aura plus que doublé en 2009 et plus que triplé en 2012. eMarketer s'attend à ce que les dépenses pour de la publicité dans les podcasts et par le parrainage s'accroissent.

Avant de dépenser votre argent dans des programmes de production audio, assurez-vous que votre public écoute les podcasts. L'audience des podcats continue de se limiter à des jeunes hommes diplômés, surtout sur les sites tels que iTunes. Cependant, presque la moitié de ce public est composé de personnes âgées de 35 à 54 ans. C'est son thème, plus que tout autre chose, qui détermine le public qu'un podcast va attirer.

Comprendre comment fonctionnent les podcasts

Le terme *podcasting* résulte de la combinaison de l'acronyme pour *portable on demand* (mobile à la demande) et *broadcasting* (diffusion indifférenciée). Les utilisateurs téléchargent leurs fichiers numériques audio en utilisant un logiciel gratuit de podcasting, puis ils les écoutent à leur convenance sur leur ordinateur, leur iPod ou tout autre lecteur portable de MP3.

Les auditeurs peuvent utiliser Windows Media Player ou RealPlayer pour écouter le flux vidéo en temps réel ou les fichiers téléchargés. Un autre logiciel gratuit est utilisé pour transférer les fichiers sur un lecteur MP3. Les utilisateurs peuvent télécharger un podcast en particulier ou s'abonner via un flux RSS à une source diffusant des podcasts.

Pour réaliser un podcast, enregistrez un contenu audio, en ajoutant de la musique et des effets si vous le désirez. Téléchargez votre fichier audio sur votre site Web ou sur tout autre site d'hébergement, comme l'un de ceux listés dans le Tableau 13.3. Reformatez ensuite le podcast pour RSS avec FeedBurner.com ou un autre outil similaire. Après cela, faites la promotion de votre podcast et soumettez-le à des répertoires et des moteurs de recherche.

Tableau 13.3 : Ressources de podcasting.

Nom	URL	Ce que vous trouverez
Apple.com	www.apple.com/itunes/store/ podcaststechspecs.html	Ressources sur la production de podcasts, soumissions
Audacity	http://audacity.sourceforge.net	Outil gratuit d'édition audio
Digital Podcast	www.digitalpodcast.com	Répertoire de podcasts auquel vous pouvez soumettre les vôtres
iTunes	www.apple.com/itunes/download	Logiciel gratuit de podcasting pour Mac et PC
Marketing Sherpa	www.marketingsherpa.com/ barrier.php?ident=29679	Article : "Practical Podcasting Guide for Marketers" (Guide pratique du podcasting pour les marketers)
Odeo	http://odeo.com/users/new	Répertoire de flux audio et vidéo auquel vous pouvez soumettre vos productions
Podcast Alley	http://podcastalley.com/add_a_podcast.php	Répertoire de podcasts auquel vous pouvez soumettre vos productions et autres ressources
Podcast Bunker	www.podcastbunker.com/Podcast/Podcast_ Picks/Submitting_your_podcast	Répertoire de podcasts auquel vous pouvez soumettre les vôtres

Tableau 13.3 : Ressources de podcasting. (*suite*)

Nom	URL	Ce que vous trouverez
Podcasting News	www.podcastingnews.com	Blog avec des mises à jour par podcasting
Podshow Creator	www.podshowcreator.com	Création de publicités par podcasting, syndication, hébergement et suivi
Podtrac	http://podtrac.com/essentials/ essentialsmeth-measurement.stm	Gratuit, population des auditeurs de podcasting et régie publicitaire
Yahoo! Audio	http://audio.search.yahoo.com/audio	Répertoire audio auquel vous pouvez soumettre vos productions

Selon vos compétences, votre équipement et la confiance que vous avez dans votre talent, vous déciderez de créer votre podcast vous-même ou de louer les services d'un prestataire. La création de podcasts n'est généralement pas la tasse de thé des développeurs, à moins qu'ils ne soient spécialisés dans l'audio. Cependant, les développeurs peuvent télécharger les fichiers sur votre site.

Les solutions bon marché peuvent être les meilleures. Quelques-unes sont recensées dans le Tableau 13.3, et vous en trouverez d'autres en vous livrant à une simple recherche. Vous pouvez créer des podcasts en n'utilisant rien de plus qu'un téléphone ou alors recourir aux services d'un véritable studio d'enregistrement.

La qualité audio est plus critique que la qualité vidéo. Les auditeurs sont plus alertés par les défauts lorsqu'il s'agit d'un contenu audio que lorsqu'il s'agit d'un contenu vidéo, car l'audio ne contient pas autant d'informations susceptibles de distraire autant l'attention.

Tirer le meilleur parti des podcasts

Avant de vous décider à attaquer le marché avec des podcasts, écoutez-en quelques-uns (recherchez dans les répertoires du Tableau 13.3) pour comprendre comment les autres business tirent parti de cette technique. Pour acheter des publicités sur des podcasts, référez-vous à une des régies publicitaires mentionnées au Chapitre 12 ou trouvez un podcast que vous pourriez parrainer.

Si vous souhaitez créer votre propre podcast, vous devez préciser l'objectif que vous souhaitez atteindre. Tout comme les webinaires (décrits plus tôt dans ce chapitre), les podcasts sont plutôt utilisés pour le branding, la génération de trafic et la diffusion de contenu – pas pour réaliser des ventes. Prenez aussi un peu de temps pour penser à votre contenu. Malheureusement, il ne suffira pas de lire votre lettre d'information à haute voix. L'audio est complètement différent de l'imprimé ; une notion de performance artistique entre définitivement en jeu. Allez-vous vous donner la réplique ? Faire l'interview de quelqu'un ? Si oui, de qui ? Les clients, les collègues, les décideurs de votre domaine ?

Ne vous contentez pas de produire un podcast pour expérimenter. Il faut de la pratique. Essayez au moins de produire 6 à 10 épisodes d'une durée de 10 à 20 minutes chacun.

Une fois que vous avez créé votre contenu, faites agressivement la promotion de vos podcasts :

✔ Mettez en valeur vos podcasts sur votre site et facilitez-en l'accès par des liens.

✔ Soumettez-les à des moteurs de recherche et des répertoires.

✔ Envisagez de distribuer votre podcast gratuitement à d'autres sites sur le Web.

✔ Cherchez les bloggers qui peuvent commenter le sujet par écrit tout en faisant la promotion de votre podcast.

✔ Générez un communiqué de presse à l'avance si vous invitez une célébrité ou si vous couvrez un événement spécial.

> ✔ Suivez les résultats. Vous pouvez mesurer le nombre de téléchargements, mais il est difficile de savoir si les gens écoutent finalement le podcast. Si vous faites connaître votre site sur les blogs, vous pouvez compter le nombre de *trackbacks* (d'autres sites qui mentionnent votre podcast).

Générer du trafic à partir des terminaux mobiles

Le marketing mobile, qui comprend les téléphones mobiles, les PDA, les iPhone et autres terminaux mobiles, offrent diverses solutions : les messages en texte (nommés *SMS* pour *short message service*), les messages en image (nommés *MMS* pour *multimedia messaging service*), la publicité Internet mobile et les sites Web pour mobiles pour lesquels un contenu est spécifiquement remis en forme.

Le sondage Mobile de 2008 de Nielsen, intitulé "The Worldwide State of the Mobile Web" (l'état mondial du Web mobile), illustre l'opportunité. Nielsen estime que plus de 40 millions d'abonnés mobiles aux Etats-Unis visitent des sites Web chaque mois avec leur téléphone mobile, ce qui représente 16 % du nombre total d'abonnés sur une base de 250 millions.

Sur ces derniers, 44 % sont des femmes et 56 % sont des hommes. Il est intéressant de noter que l'âge médian des utilisateurs est de 35 ans – une évolution significative par rapport aux études précédentes, qui rendaient compte d'un âge médian bien inférieur.

Ces utilisateurs consultent leur e-mail, la météo et les gros titres de l'actualité, ils recherchent des entreprises et des adresses et ils vérifient des horaires de spectacles. Yahoo! Mail est le site le plus utilisé, avec 14 millions de visites uniques par mois, suivi par Google Search avec 9 millions et de Weather Channel avec 8,6 millions.

Pour Nielsen, ces chiffres indiquent que les utilisateurs mobiles du Web représentent une masse désormais critique, qui mérite qu'on y consacre des investissements marketing spécifiques. Nielsen note que quelques-uns des sites reçoivent en moyenne 13 % de plus de visiteurs uniques que ce qu'ils auraient reçu par la seule voie d'Internet et que 58 millions d'utilisateurs visualisent dorénavant une publicité sur leur téléphone à un moment ou à un autre durant un mois.

Contrairement aux autres technologies, les groupes ethniques américains – les afro-américains, les asiatiques et les hispaniques – utilisent des données mobiles plus souvent que le reste de la population. Depuis que les téléphones mobiles sont meilleur marché et plus faciles à utiliser que les ordinateurs, leur usage par les communautés à bas revenus dépasse celui d'Internet. Cet usage n'est plus l'apanage des communautés les plus favorisées, les utilisateurs étant aussi nombreux à gagner plus de 100 000 dollars qu'à en gagner 50 000.

Recherche + SMS

Les adolescents se contentent de messages très laconiques pour communiquer avec les SMS par téléphone mobile, échangeant des informations sur des sujets de leur quotidien, des notes au dernier examen aux petits secrets. Les marketers et les moteurs de recherche ont cherché les meilleurs moyens pour répondre aux questions plus modestes posées par les personnes itinérantes.

L'Internet sans fil permet aux utilisateurs de téléphone mobile de formuler des requêtes et de recevoir des réponses au format SMS, disponible sur presque tous les téléphones. En fait, l'échange de messages texte est devenu l'application d'échange de données la plus utilisée de par le monde, trois quart de tous les abonnés téléphoniques envoyant et recevant des messages de ce genre.

Aux Etats-Unis, un utilisateur saisit une requête en utilisant un mot-clé et un code postal, comme *Nourriture chinoise 75015*. Il envoie son message à un numéro spécial pour joindre Google (46645), Yahoo! (92466) ou 4Info.net (44636). En réponse, il reçoit un message texte comprenant une liste de noms, d'adresses et de numéros de téléphone pour les restaurants chinois se trouvant dans la zone du code postal.

La recherche à base de SMS se révèle particulièrement utile lorsque les contraintes de délai ou de localisation affectent une décision : hôtels, destinations touristiques, loisirs, horaires de cinéma, évènements sportifs, horaires de transport, itinéraires, stations-service, rappel de rendez-vous, alertes.

Si votre entreprise est dans l'un de ces secteurs d'activité, la recherche par texte est une raison de plus pour soumettre votre site à des répertoires et des moteurs de recherche spécifiques à des villes et qui comprennent des options de cartographie. Les téléphones mobiles intégrant de plus en plus une technologie de positionnement géographique, vous serez en mesure de cibler les prospects qui vous appellent en fonction du lieu où ils se trouvent. Ce type de technologie est plus répandu au Japon, mais les Etats-Unis s'y mettent si on compare à ce qu'était la situation il y a encore quelques années.

Lancer une campagne de SMS

Les grandes entreprises ont combiné le SMS avec d'autres types de publicité avec succès. Par exemple, les utilisateurs peuvent envoyer des SMS pour voter à des émissions ou répondre à une opération de promotion pour gagner un prix. Comme les utilisateurs de téléphone mobile sont souvent prêts à prendre une décision d'achat ou sont adeptes de l'achat impulsif, le SMS est bien indiqué pour les messages commerciaux.

La longueur standard maximale d'un SMS est de 160 caractères ; vos messages doivent donc rester courts. Quoique vous puissiez envoyer un message plus long, il sera découpé et envoyé en plusieurs messages, ce qui risque de nuire à votre communication.

De nombreux grands annonceurs, comme McDonald, envoient des messages promotionnels ou des bons de réduction via SMS. Les clients utilisent généralement leur bon SMS en présentant le message qu'ils ont reçu à la caisse.

Coca-Cola a conduit une opération promotionnelle en 2008 qui utilisait un questionnaire sur mobile pour inciter les amateurs de voitures à se rendre sur le site de fidélisation de Coke, MyCokeRewards.com. Les clients qui répondaient à la question recevaient une réponse avec un lien vers le site sur lequel étaient affichées des récompenses en lien avec NASCAR (une organisation de courses automobiles) gagnées en achetant du Coke.

Les entreprises qui vendent des sonneries de téléphone, des économiseurs d'écran, des jeux et d'autres contenus pour téléphones mobiles sont parmi les plus gros utilisateurs de SMS. Les cours de la Bourse, les horoscopes, les résultats sportifs, les services d'urgence, les offres de détail, la météo, les comparaisons de prix et les offres immobilières apparaissent maintenant sur les PDA et les téléphones mobiles.

N'envoyez jamais de SMS non sollicités aux clients. En fonction de l'abonnement qu'il a souscrit, un client peut devoir payer pour recevoir les SMS ; dans ce cas, le client sera furieux de recevoir du spam. En Europe, où les services de SMS sont plus répandus qu'aux Etats-Unis, les utilisateurs de téléphone mobile se sont déjà plaints de ce genre d'abus.

La plupart des campagnes de SMS suivent quelques étapes élémentaires :

1. **Définissez un code de 5 chiffres qui fonctionnera avec tous les opérateurs et faites-le approuver par chacun des opérateurs. Vos pouvez choisir de limiter une campagne de publicité à seulement un ou deux opérateurs. Vous pouvez envoyer des messages à des adresses e-mail, via le site Web d'un opérateur particulier ou via un logiciel de messagerie spécifique.**

2. **Imaginez une opération de promotion qui invite les utilisateurs à envoyer d'abord un SMS – par exemple, une publicité à la télévision, dans les journaux, sur des affiches ou à la radio qui incite les gens à saisir votre numéro pour obtenir un bon de réduction, un échantillon gratuit, à participer à un concours. Vous pouvez répéter l'offre sur votre site Web pour conduire une opération de promotion sur plusieurs médias.**

3. **Mesurez le taux de réponse pour évaluer l'efficacité de votre campagne. Comparé à d'autres formes de publicité, les coûts d'une opération par SMS sont relativement faibles ; le public visé est très ciblé et a généralement consenti à recevoir vos alertes.**

Le marketing des SMS est en dehors de l'univers d'un développeur Web lambda. Vous devrez vous adresser à un prestataire, comme ceux recensés dans le Tableau 13.4. Ils sont encore des dizaines qu'on trouve par une simple recherche à fournir des listes d'abonnés consentants, à assurer la distribution de publicités, à gérer les campagnes, à en suivre le déroulement.

Tableau 13.4 : Ressources sur les messages par SMS.

Nom	URL	Ce que vous trouverez
Bulk SMS	www.smswarehouse.com/html/bulk_sms.html	Prestataire de SMS en gros
DM News	http://whitepapers.dmnews.com	Livres blancs et ressources ; recherche sur le "marketing mobile"
Dmoz	http://dmoz.org/Computers/Mobile_Computing/Wireless_Data/Short_Messaging_Service/Software	Répertoire de prestataires de SMS
Google SMS	www.google.com/sms	SMS pour fournir des résultats de recherches Google
HowStuffWorks	http://communication.howstuffworks.com/sms.htm	Informations sur le SMS
ICQ	www.icq.com/download/wireless	Prestataire de SMS
Kiwanja.net	www.kiwanja.net	Applications à base de technologie mobile dans les pays en voie de développement
Wireless Association	http://www.ctia.org	Statistiques commerciales
Yahoo! Mobile	http://mobile.yahoo.com/sms/sendsms	Services mobiles de Yahoo

Faire du marketing avec les messages multimédias (MMS)

Les messages multimédias fonctionnent comme les SMS mais ils peuvent comprendre des graphismes, des animations, de la vidéo, de l'audio. Ils permettent de toucher une audience deux fois moindre que le SMS, mais les taux de conversion sont souvent au-dessus de 5 %, car ce public des MMS (*multimedia messaging service*, ou service de messagerie multimédia) est très motivé.

Restez-en à des choses simples avec le MMS. Parrainez des flux d'informations ou de données avec une bannière ordinaire. Le CTR des bannières sur les téléphones mobiles atteint approximativement 2 %, en comparaison de 0,5 % pour les bannières en ligne. Une option permettant de téléphoner à un numéro en cliquant est une fonctionnalité intéressante sur les téléphones mobiles.

Développer des sites Web pour téléphonie mobile

Les PDA et la plupart des téléphones mobiles ont maintenant accès au Web, ce qui constitue une autre opportunité pour promouvoir votre site ou fournir du contenu sous la forme d'actualités, de blogs, de vlogs et de jeux. Généralement, les utilisateurs doivent souscrire un abonnement spécial donné pour activer les fonctionnalités de leurs téléphones mobiles relatives à la navigation sur le Web.

Quelques 40 millions de clients utilisent dorénavant les terminaux mobiles pour naviguer sur le Web ; approximativement un quart de ceux ont payé pour quelque chose en utilisant leur téléphone mobile, et 13 % ont accès à des sites d'enchères ou marchands pour mobiles.

La plupart des sites Web s'affichent mal sur les téléphones mobiles et les PDA. Des sites chargés en graphismes prennent beaucoup de temps à télécharger ; les sites remplis de texte sont difficiles à lire. Un nom de domaine de premier niveau (`.mobi`) désigne un site qui a été spécialement conçu pour être affiché sur un petit écran.

Mettez toutes les chances de votre côté en suivant les bonnes pratiques établies par le World Wide Web Consortium (W3C) concernant les sites pour mobiles (`www.w3.org/TR/mobile-bp`).

L'utilisation des nouveaux formats de publicité combinant le texte, la vidéo, et la localisation géographique sur un téléphone mobile est théoriquement possible, mais cela ne signifie pas qu'elle est mise en œuvre. Des publicités qui envahissent l'espace privé peuvent provoquer un retour de flammes. Même les plus grandes entreprises s'y autorisent à pas comptés.

Des prestataires spécialisés développent des sites .mobi et peuvent vous aider à planifier une campagne de marketing mobile. Le Tableau 13.5 recense quelques exemples, ainsi que diverses ressources liées au marketing mobile. Les seules limites sont votre imagination et votre budget, ainsi que l'existence d'un public-cible.

Tableau 13.5 : Ressources pour le marketing sans fil.

Nom	URL	Ce que vous trouverez
Billing Revolution	http://billingrevolution.com	Facturation par mobile avec la carte de crédit
Brilliant Blue	www.brilliantblue.com/technology/mobilewireless.html	Prestataire de marketing mobile
Cellit Mobile Marketing	www.cellitmarketing.com	Prestataire de marketing mobile
dotMobi	http://mtld.mobi	Ressources et répertoire pour le développement de sites mobiles
Enpocket	www.enpocket.com	Prestataire de marketing mobile
Google Mobile Ads	http://services.google.com/adwords/mobile_ads?hl=en	Placer des publicités Google sur des sites mobiles
Google Mobile Web Sites	www.google.com/support/webmasters/bin/answer.py?answer=72462	Comment créer un site Web mobile
Mobile Marketing Association	www.mmaglobal.com	Association d'entreprises
Mobile Weblog	www.mobileweblog.com	Blog sur le marketing sans fil
palowireless	www.palowireless.com	Répertoire de ressources sur le sans fil

Tableau 13.5 : Ressources pour le marketing sans fil. (*suite*)

Nom	URL	Ce que vous trouverez
Simplewire	`www.simplewire.com`	Fournisseur de logiciels MMS et SMS
Third Screen Media	`http://thirdscreenmedia.com`	Prestataire de marketing mobile
Ubik	`http://ubik.com`	Templates gratuits pour sites Web mobiles

Il est trop facile de surfer sur les vagues de la nouvelle technologie. Souvenez-vous simplement que votre public-cible doit rester votre étoile du Nord. Naviguez toujours dans cette direction, en utilisant les principes de base du marketing comme un compas. Dans le chapitre suivant, je reviens sur ces principes pour resituer les techniques de marketing en ligne dans un contexte plus général.

Une nouvelle sonnerie pour Princess

MyPrincessCloset.com, une entreprise détenue par Royal Raggs LLC, a lancé son site Web en septembre 2007. Dans les neuf mois qui ont suivi, Dawn Saczynski (vice-présidente) a déjà créé un site Web mobile pour servir de véhicule publicitaire destiné à générer du trafic sur le site primaire (représenté sur l'image). Pourquoi ? "Parce que j'ai lu partout qu'il était nécessaire de faire de la publicité sur mobiles et qu'il fallait disposer d'un site mobile ! Je pense que la publicité mobile et que le commerce électronique mobile vont tout simplement se développer de manière exponentielle au cours des prochains mois."

Son public-cible est constitué d'utilisateurs frénétiques du téléphone mobile : des femmes de la classe moyenne et de la classe supérieure, qui adoptent les tendances lancées par des célébrités et qui recherchent les derniers objets sur le marché. Elle établit des statistiques sur l'origine des visites avec Google *Analytics* qu'elle a installé sur son site primaire.

Une nouvelle sonnerie pour Princess (*suite*)

Lorsqu'on en vient au marketing, Saczynski explique : "Je pense que j'ai tout essayé !" Concernant le marketing en ligne, "tout" signifie l'optimisation pour les moteurs de recherche ; les annonces PPC sur Google, Facebook et MSN (car MSN est utilisé par plus de femmes) ; naviguer sur le Web à la recherche de blogs auxquels elle a offert des échantillons gratuits pour les encourager à en faire une revue ; créer une page Facebook avec la prévisualisation d'Ubik ; poster des clips d'une télévision locale sur YouTube et Facebook ; envoyer des lettres d'information via Constant Contact ; parrainer des lettres d'information destinées à des publics correspondant à celui ciblé ; faire un peu de publicité payante sur des sites Web spécialisés. Saczynski, qui détient un diplôme d'administration des affaires, a ciblé aussi le hors ligne.

Pour elle, les templates Ubik ont été faciles à utiliser et à maintenir, même si leur développement initial a pu prendre un peu de temps. Le site mobile (une présentation se trouve sur `http://myprincesscloset.ubik.net`) fonctionne bien sur tous les téléphones mobiles ; les téléphones dont l'écran est le plus large réduisent l'amplitude du défilement et ceux qui disposent du WiFi permettent de télécharger plus rapidement. Ubik ne permet pas encore d'acheter en ligne et n'utilise pas encore un nom de domaine `.mobi`.

Aussi fantaisiste que soient ses produits, Saczynski reste une pragmatique dans le business. Elle donne un bon conseil à tous les autres business intéressés par les sites mobiles : "Commencez petit et faites-le bien. Rajoutez-en au fur et à mesure."

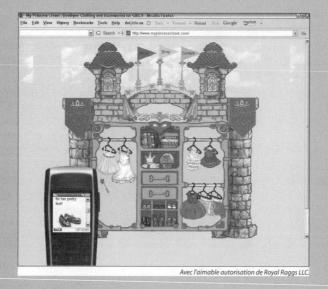

Avec l'aimable autorisation de Royal Raggs LLC.

Cinquième partie
Maximiser vos succès sur le Web

"Bonne nouvelle chérie ! Personne n'a encore pris notre nom de famille pour nom de domaine ! Vive Haffassoralchirurgie.com !"

Dans cette partie...

Un livre sur le Web marketing ne serait pas complet sans une discussion sur les outils d'analyse du Web et une présentation du contexte global dans lequel ce type de marketing intervient.

Au Chapitre 14 nous aborderons les bases statistiques pour le Web concernant le trafic et les ventes afin de comprendre le comportement des utilisateurs et d'augmenter les performances de votre site. En l'associant aux statistiques financières, vous pourrez considérer l'analyse du Web comme un outil entrant dans le cycle permanent de l'amélioration de la qualité (et des profits) de votre site.

Chaque site Web évolue dans un univers bien réel peuplé de taxes, de lois et de contraintes. Ces éléments peuvent jouer sur la rentabilité et sur l'approche des clients. Le Chapitre 15 vous propose quelques réflexions à étudier concernant ces aspects. Nous aborderons, en effet, des sujets divers, allant du CAN-SPAM Act aux règles sur la protection de la vie privée en passant par les taxes de ventes sur Internet et par le respect de le propriété intellectuelle. Nous aborderons également l'engagement de votre responsabilité face à la légalité du contenu de votre site. Souvenez-vous que toute activité illégale dans le monde hors ligne l'est aussi dans l'univers en ligne.

Enfin, le Chapitre 16 nous ramènera aux bases du marketing et nous étudierons le meilleur moyen de maintenir une présence marquante, innovante et profitable sur le Web. Bonne surprise : les bonnes pratiques du business le sont aussi sur le Web. Il vous suffit de faire en ligne ce que vous faisiez auparavant : écouter vos clients pour leur fournir un bon service. Soyez innovant, créatif et amusez-vous. Lorsque votre entreprise en ligne ne vous amusera plus, ce sera peut-être le signe de passer à autre chose.

Chapitre 14

Améliorer ses résultats avec le Web Analytics

....

Dans ce chapitre :

▷ La mesure comme un outil de management.

▷ Découvrir les statistiques de trafic clés pour votre succès.

▷ Examiner les statistiques de votre boutique.

▷ Améliorer le taux de conversion.

....

L e Web Analytics est l'art d'utiliser les statistiques de trafic et de ventes pour comprendre le comportement de l'utilisateur et améliorer les performances de votre site. Dans le meilleur des mondes, l'analytique fait partie de la boucle vertueuse de retour et d'amélioration continue de la qualité.

Avant de vous plonger dans les détails du Web Analytics, pensez à vos statistiques les plus essentielles : vos finances ! Si vous avez un site de business, le chiffre le plus important à connaître est le retour sur investissement. Si vous ne générez aucun profit, peu importe que vous généreriez un merveilleux trafic, un taux de conversion en croissance exponentielle ou des revenus qui crèvent le plafond.

Consultez votre comptable lors de la planification de votre site. Si l'intérêt de cette conversation est évident lorsque vous destinez votre site à la vente en ligne, il est tout aussi important pour suivre les coûts d'un site non commercial. À moins que ce site ne se réduise à une brochure, demandez donc à votre comptable de :

- ✔ **Considérer votre site Web comme une activité à part dans son logiciel de comptabilité**. Cela vous permettra de suivre les coûts (et les revenus, éventuellement) attribués au site. Autrement dit, faites fonctionner votre site financièrement comme une nouvelle boutique que vous viendriez d'ouvrir et dont vous souhaiteriez évaluer les performances. De fait, votre site est un nouveau centre de coût et – avec beaucoup du travail et un peu de chance – un nouveau centre de profit.

- ✔ **Distinguer les dépenses de publicité en ligne des autres dépenses de marketing en les isolant dans une catégorie à part**. Si vous vendez en ligne, distinguez le coût de la maintenance et de la livraison en ligne et hors ligne. Vous avez besoin de savoir si vous perdez de l'argent sur la livraison, l'un des problèmes les plus courants des commerçants sur le Web.

- ✔ **Décider de la manière dont vous allez allouer les coûts du travail, des avantages et de la gestion à votre site Web.** Le coût généré par les marchandises est évident, celui généré par l'activité commerciale ne l'est pas.

- ✔ **Se représenter comment les coûts de développement seront amortis, et sur quelle période.** Vous avez des problèmes pour évaluer le retour sur investissement (ROI) ? Les comptables le calculent pour s'amuser.

- ✔ **Se familiariser avec les objectifs de votre site, aider à mesurer les résultats financiers et préparer un état mensuel ou trimestriel.**

- ✔ **Consulter votre logiciel de statistiques sur votre site et votre magasin pour alimenter le système informatique comptable**. Si vous disposez déjà d'un inventaire intégré, des points de vente et d'un système informatique comptable, cela peut être semi-automatisé.

Vos financiers n'ont de raison d'être que si vous recourez à leurs services. Gardez un œil d'aigle sur vos profits pour vous assurer que vous tenez vos prévisions – ou pour être averti rapidement si les revenus et les dépenses s'envolent. Agissez aussi dès que vous détectez un problème, car vous pouvez être certain qu'il ne se résoudra pas tout seul.

Maintenant, et seulement maintenant, vous êtes prêt à utiliser le Web Analytics pour améliorer votre marketing et votre site Web.

Tracer l'activité du site Web

Le principe de base "vous ne pouvez pas manager ce que vous ne savez pas mesurer" s'applique doublement aux sites Web. Vous devez savoir si votre site perd ou gagne de l'audience ; si les visiteurs le boudent après moins d'une minute ; si quelqu'un prend la peine d'appeler, d'envoyer un e-mail, d'acheter. Autrement, vous ne saurez rien du problème que vous devez résoudre, et encore moins comment le résoudre.

Fort heureusement, les ordinateurs sont bons en calcul. En fait, c'est ce qu'ils font de mieux. Tous les sites ont besoin de statistiques de trafic ; si vous vendez en ligne, vous avez aussi besoin de statistiques de vente. À moins d'avoir un énorme site, vous ne devez faire attention qu'à quelques chiffres-clés, comme cela est expliqué dans la section suivante : "De quels chiffres faut-il s'inquiéter ?" Vous trouverez plus d'informations sur le Web Analytics (l'analyse d'un site) dans le Tableau 14.1, qui recense des sites de ressources.

Tableau 14.1 : Des ressources pour le Web Analytics.

Nom	URL	Ce que vous trouverez
Google Analytics	www.google.com/support/conversionuniversity/?hl=en	Ressources sur Google Analytics
Omniture	www.omniture.com/en/resources/guides	Guides et études de cas sur l'analyse
Web Analytics Association	www.webanalyticsassociation.org/index.asp	Ressources, événements
WebAnalytics Demystified	www.webanalyticsdemystified.com/research/index.asp	Ressources, liens, documents de travail
WebTrends	www.webtrends.com/resources.aspx	Ressources

Demandez à votre développeur ou à votre hébergeur les packages de statistiques que vous pouvez utiliser sur votre site. À moins de posséder un site plutôt important ou d'avoir besoin de données en temps réel, l'un des packages gratuits recensés dans le Tableau 14.2 devrait faire l'affaire. Examinez-les pour sélectionner celui qui correspond le plus à vos besoins. Faites de même avec les analyses de ventes (parfois appelées statistiques de magasin), qui sont généralement intégrées au logiciel de boutique en ligne ou de panier d'achats. Si votre développeur ou votre hébergeur vous explique qu'il n'est pas possible de disposer de statistiques ou que vous n'en avez pas besoin, trouvez-vous un autre développeur, un autre hébergeur ou un autre logiciel de boutique en ligne.

Tableau 14.2 : Quelques packages gratuits de statistiques.

Nom	URL
AccessWatch	`www.accesswatch.com`
AddFreeStats	`www.addfreestats.com`
Analog and Report Magic	`www.analog.cx` utilisé avec `www.reportmagic.org`
AWStats	`http://awstats.org`
eXTReMe Tracking	`http://extremetracking.com/?reg`
Google Analytics	`www.google.com/analytics/features.html`
Microsoft adCenter Analytics	`http://advertising.microsoft.com/advertising/adcenter-analytics`
StatCounter	`www.statcounter.com`
Webalizer	`www.mrunix.net/webalizer`
Yahoo! Index Tools	`www.indextools.com`

Identifier les paramètres à mesurer

Si vous lisez des articles sur le Web Analytics, vous risquez de tomber sur l'*indicateur clé de performance* (KPI). Les KPI varient légèrement en fonction du business et du site Web. Un site de génération des leads et un site de distribution considèrent que l'indicateur le plus important de tous est le *taux de conversion*. Cependant, la demande de renseignement peut être un KPI pour un site de génération de leads dans le domaine du B2B. Pour un détaillant, le nombre et le montant par vente sont les indicateurs les plus importants. Comme vous calculez le taux de conversion, vous devez décider de ce qu'il est important de mesurer.

Ignorez les hits. Un *hit* survient chaque fois qu'un des petits fichiers constituant une page Web est téléchargé. Autrement dit, chaque image est un hit ; chaque fichier texte est un hit. Le taux de hits dépasse généralement le nombre de visites d'un facteur 10 à 12. Comme expliqué au Chapitre 4, n'affichez jamais un compteur de hits ou un compteur de visiteurs sur votre site.

Les sections suivantes abordent quelques statistiques générales du Web qui méritent votre attention, mais qui n'ont peut-être pas de sens étant donné votre business. Une fois que vous aurez décidé de ce qu'il vous importe vraiment de compter, surveillez les statistiques qui recoupent le plus vos besoins.

De quels chiffres faut-il s'inquiéter ?

De toutes les très nombreuses statistiques disponibles, les suivantes fournissent des informations intéressantes pour n'importe quel business. Comparez-les mensuellement ou hebdomadairement, selon ce que le package de statistiques dont vous disposez vous permet. Les statistiques de sites dont le trafic est important doivent être passées en revue tous les jours, quand ce n'est pas toutes les heures. La Figure 14.1 reprend une synthèse de statistiques générée par Webalizer.

Quelques packages peuvent utiliser des termes légèrement différents pour désigner les mêmes mesures (ces définitions s'appliquent quelle que soit la fréquence que vous choisissez). Voici les statistiques essentielles qu'il faut surveiller :

✔ **Les visites** : Le nombre de *sessions* distinctes ; autrement dit, le nombre de fois où votre site a été visité. C'est le trafic généré par votre site. Les packages de statistiques peuvent compter une nouvelle visite au-delà d'un certain délai d'inactivité ; de nombreux utilisateurs vont et viennent entre plusieurs sites. La plupart des packages suppriment les visites effectuées par des

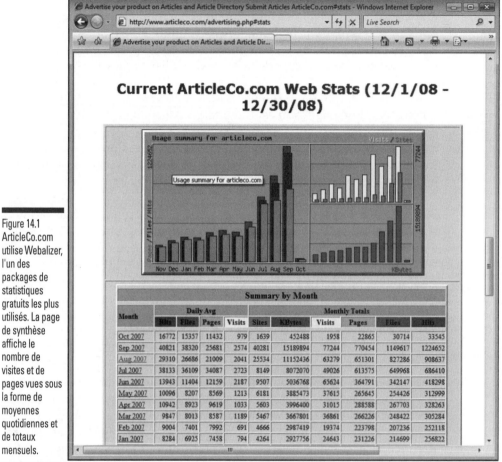

Figure 14.1
ArticleCo.com utilise Webalizer, l'un des packages de statistiques gratuits les plus utilisés. La page de synthèse affiche le nombre de visites et de pages vues sous la forme de moyennes quotidiennes et de totaux mensuels.

araignées ou des robots de moteurs de recherche, car elles gonflent artificiellement le nombre de visites.

✔ **Les visiteurs uniques** : Le nombre de sessions de différents ordinateurs (les statistiques peuvent conserver la trace des adresses IP des utilisateurs, mais pas de la personne assise devant la machine). Ce nombre sera inférieur au nombre total de visites ; la différence représente les visites répétées, qui sont extrêmement précieuses. Pour évaluer votre capacité à faire revenir les gens sur votre site, vous devez conserver la trace du ratio visites/visiteurs ou du pourcentage de visites répétées pour toutes les visites.

✔ **Les pages vues** : Le nombre total de pages Web distinctes télé-chargées – c'est-à-dire, vues à l'écran.

✔ **Les pages vues par visite** : Le nombre de pages vues divisé par le nombre total de visites. Plus nombreuses sont les pages vues, plus l'utilisateur reste longtemps sur le site, et donc plus *gluant* est ce dernier. Si plus de la moitié de vos visiteurs quittent le site avant d'avoir vu deux pages, vous avez un problème pour capturer l'attention des visiteurs. Ce paramètre-clé est approxi-mativement corrélé au temps passé sur le site. Toutefois, la mesure du temps peut induire en erreur, car elle ne tient pas compte de ce qui se passe si le visiteur laisse la fenêtre du navi-gateur ouverte tandis qu'il va manger ou qu'il cesse d'utiliser son ordinateur à la fin de la journée.

✔ **Les URL vues** : Le nombre de fois où chaque page de votre site est vue (téléchargée). C'est utile pour identifier non seulement les pages qui sont populaires, mais aussi celles qui ne le sont pas. Le manque de popularité peut être dû à un défaut de liens contex-tuels ou d'appels à l'action pour attirer les gens sur la page. Cette statistique est pratique pour compter les pages de remerciements affichées après les formulaires de contact ou d'autres pages qui font partie du dialogue que vous instaurez avec le visiteur.

✔ **Les sites référents** : Les sites Web ou les pages Web qui génèrent un lien vers votre site. Quelques packages de statistiques comp-tent les liens entre les pages à l'intérieur du site. Si vous menez une campagne de liens entrants, vous pouvez facilement identi-fier les liens qui génèrent du trafic sur votre site. Vous pouvez aussi découvrir des liens de sources inconnues.

✔ **Les moteurs de recherche** : Quels moteurs de recherche génè-rent un lien vers votre site en fonction de son apparition dans les résultats de recherches naturelles.

✔ **Le taux de conversion** : Ce nombre est calculé sous la forme d'un pourcentage. Le dénominateur est le nombre total de visites. Vous choisissez le numérateur, qui peut être le nombre de ventes, le nombre des formulaires de contact, les e-mails ou les appels générés à partir du site, le nombre d'abonnés à la lettre d'informa-tion, et ainsi de suite.

À moins d'avoir un très grand site, il suffit de consulter les statistiques tous les mois ou tous les trimestres. Vous pouvez les consulter plus souvent lorsque vous ouvrez le site et quand vous lancez une opération de marketing Web spécifique.

La plupart des packages de statistiques comprennent un système de configuration qui permet à votre programmeur de modifier les valeurs par défaut de certaines statistiques. Si vous ne trouvez pas ce que vous voulez, demandez-le ! Par exemple, quelques packages affichent les pages vues pour les 25 URL les plus demandées seulement. Si vous avez un gros site, modifiez ce paramètre pour obtenir les pages vues pour toutes les pages de votre site.

Les statistiques à examiner régulièrement

Les statistiques suivantes sont moins critiques, mais elles sont cependant utiles lorsque vous prenez des décisions concernant votre plan marketing, le développement de votre site, le timing de lettres d'information :

- ✔ **L'heure du jour** : L'heure à laquelle les gens visitent votre site vous permet de savoir s'ils le visitent depuis leur travail (où ils disposent généralement d'un accès Internet plus rapide) ou depuis chez eux. Attendez-vous à un rush vers midi, instant idéal pour diffuser une lettre d'information. À moins que vous ne fassiez connaitre votre site que dans votre localité, vos heures d'utilisation couvriront toute une plage de fuseaux horaires.

- ✔ **Jour de la semaine** : Les jours de la semaine vous permettent aussi de découvrir des modes d'utilisation, au travail ou à domicile. Il peut ainsi apparaître que les acheteurs naviguent le week-end depuis chez eux et achètent le lundi depuis le travail. Mettez en rapport les modes d'utilisation que vous détectez et vos statistiques de ventes.

- ✔ **Navigateurs et systèmes d'exploitation** : La plupart des packages de statistiques peuvent identifier le navigateur, sa version et le système d'exploitation. Cette information est précieuse durant le développement, car vous pouvez en inférer quelques caractéristiques de votre clientèle : plus ces éléments sont récents, plus vos utilisateurs ont un accès haut débit et des écrans en haute résolution. Tenez compte de ces informations pour optimiser les fonctionnalités de votre site et les dimensions de l'écran pour lesquelles ce dernier est conçu.

- **Durée de la visite** : Quelques packages de statistiques permettent de connaître la durée de la visite en minutes et en secondes. Fixez-vous pour objectif qu'au moins la moitié de vos visiteurs restent plus de 30 secondes.

- **Les chaînes de recherche** : Aussi appelées *termes de recherche*, ce sont les mots que les utilisateurs ont saisis dans un moteur de recherche lorsqu'ils ont trouvé votre site. Si ces termes ne figurent pas déjà dans votre liste des mots-clés, rajoutez-les. Vous pouvez aussi les utiliser dans votre liste de mots-clés pour les annonces PPC. Quelques packages parmi les plus sophistiqués analysent les chaînes de recherche par moteur de recherche. Différentes personnes utilisent différents moteurs de recherche et elles utilisent aussi souvent des termes différents.

- **Pays** : Que vous livriez déjà à l'international ou que vous y songiez, surveillez ces statistiques. Elles peuvent vous signaler que vous avez réussi à pénétrer un nouveau marché ou qu'il existe à tel endroit un intérêt pour vos produits.

- **Hôtes ou sites** : C'est la liste des adresses IP des hôtes des visiteurs de votre site. Si votre curiosité est attirée par une adresse qui semble générer de nombreuses visites, vous pouvez trouver à qui elle appartient. Essayez de cliquer sur l'adresse IP, et de la copier dans la barre d'adresse de votre navigateur ou de la soumettre à la base de données WhoIs sur `www.networksolutions.com/whois/index.jsp` pour voir à qui elle appartient. Cette donnée est parfois utilisée pour suivre quelqu'un qui tente de pirater votre site.

- **Pages d'entrée** : Quelques packages affichent comment les utilisateurs sont arrivés en premier lieu sur votre site. Même si votre page d'accueil est presque toujours le point d'entrée le plus utilisé, les utilisateurs peuvent entrer par d'autres pages : à partir d'un favori ; à partir d'un lien fourni par quelqu'un ; en cliquant sur une autre URL qui apparaît dans les résultats produits par un moteur de recherche ; en cliquant sur une publicité ; en saisissant l'URL que vous avez spécifiquement créée pour une opération de promotion. C'est un moyen rapide pour tracer les visites générées par les publicités hors ligne.

🗸 **Pages de sortie** : La dernière page que les utilisateurs ont vue peut fournir une information sur le moment où "ils en ont eu assez". Parfois, la page de sortie est un message de remerciements.

Interprétez avec précaution les valeurs absolues de statistiques. Quoique la standardisation de la signification de ces dernières fasse l'objet d'un véritable effort, le résultat est loin d'être garanti. Par exemple, la session d'un nouveau visiteur débute-t-elle après qu'il s'est déconnecté 24 minutes ou 24 heures ? Les valeurs relatives sont plus riches de sens. Votre trafic croît-il ou décroît-il ? Votre taux de conversion augmente-t-il ou diminue-t-il ?

Pour réduire la focalisation sur les valeurs absolues, concentrez-vous sur les ratios et les pourcentages. Supposons que 10 % d'un petit nombre de visiteurs se convertissent avant que vous ne conduisiez une campagne publicitaire, comparé à seulement 5 % d'un plus grand nombre de visiteurs après la campagne – qu'est-ce que cela vous indique ? (Cela peut indiquer que votre publicité n'a pas bien visé votre marché-cible.)

Même s'ils vous permettent de spécifier une plage de dates, quelques packages de statistiques gratuits afficheront 12 mois consécutifs de données. Ils ne vous permettront pas de visualiser des statistiques sur une période plus utile de 13 mois. C'est malheureux, car la plupart des sites – même en B2B – connaissent un cycle de fréquentation, surtout durant l'été et autour des vacances. Pour les distributeurs, la comparaison entre deux mois identiques à une année d'intervalle, par exemple entre mai 2007 et mai 2008, est tout à fait critique. Si votre package de statistiques vous confronte à cette limitation, et que vous ne pouvez pas en sélectionner un autre, téléchargez et sauvegardez les statistiques pour effectuer vous-même la comparaison. Vous pouvez alimenter un graphique avec les données avec un tableur.

Quelques statistiques sont plus utiles à votre développeur qu'à vous. Tous les trimestres, demandez à votre développeur de consulter les statistiques sur la bande passante ou les codes de statut http, surtout ceux qui indiquent les pages non trouvées.

Des besoins en statistiques spécifiques

Si vous avez un grand site très fréquenté ou des besoins importants en reporting, les packages gratuits risquent de ne pas vous suffire. Vous trouverez des centaines de programmes de statistiques payants en cherchant en ligne ; le Tableau 14.3 en recense quelques-uns. Plusieurs sont plutôt bon marché, mais ceux qui sont signalés "haut de gamme" peuvent coûter des fortunes. Généralement, ceux qui sont signalés "haut de gamme" ou "hébergés" permettent l'analyse en temps réel des données.

Tableau 14.3 : Quelques packages de statistiques payants.

Nom	URL	Ce que vous trouverez
123LogAnalyzer	`www.123loganalyzer. com/webtrends.htm`	Logiciel à installer, bon marché
ClickTracks	`www.clicktracks.com`	Solution haut de gamme
Coremetrics	`www.coremetrics.com`	Solution haut de gamme
Log Rover	`www.logrover.com`	Logiciel à installer, bon marché
Omniture	`www.omniture.com/products/web_ analytics`	Solution haut de gamme
Sawmill Lite	`www.sawmill.net/ lite.html`	Logiciel à installer, bas prix
Site Stats Lite	`www.sitestats.com/home/home.php`	Solution hébergée en temps réel
Unica Web Analytics	`http://netinsight.unica.com`	Solution haut de gamme
VisitorVille	`www.visitorville.com`	Statistiques en 3D hébergées
WebStats 2003	`www.webstats2003.com`	Logiciel à installer, bon marché
WebTrends	`www.webtrends.com/Products.aspx`	Solution haut de gamme

Comme tant d'autres solutions de services Internet, les packages de statistiques se classent en deux catégories : les logiciels à installer que vous placez sur votre serveur et les solutions hébergées, qui envoient les données relatives à la fréquentation de votre site vers un site tiers où elles sont analysées. Au lieu d'un prix forfaitaire, la plupart des solutions hébergées vous font payer des frais mensuels en fonction du nombre de visites ou de pages vues comptabilisées. Les solutions payantes proposent des options supplémentaires, telles que :

✔ Des outils de reporting et des filtres d'exploitation de données plus flexibles et plus sophistiqués.

✔ L'analyse en temps réel, par opposition à l'analyse différée proposée par la plupart des packages.

✔ Des affichages graphiques qui facilitent la lecture des statistiques, comme sur Visitorville.com, représenté à la Figure 14.2.

Figure 14.2
Visitorville.com propose une représentation graphique unique du chemin parcouru par les utilisateurs sur un site (analyse des flux de clics).

✔ Des analyses de chemins, qui tracent un utilisateur de l'entrée à la sortie dans un processus nommé *clickstream tracking*.

✔ L'intégration du trafic et des statistiques du magasin pour conserver la trace d'un utilisateur depuis son entrée jusqu'au terme de ses achats.

✔ Les affichages d'entonnoirs, qui sont des représentations graphiques de tunnels de conversion rendant compte de la progression de vos utilisateurs dans le processus d'achat.

✔ L'analyse de PDF, de vidéos, d'audios et d'autres fichiers téléchargés.

✔ La conversion d'adresses IP en noms d'entreprises avec des détails. Quelques services, dont WebTracker (`http://binomic.com/en-US`), se sont spécialisés dans ces statistiques pour montrer si des concurrents visitent votre site ou si des prospects que vous avez rencontrés donnent suite en se rendant sur votre site.

✔ Des informations supplémentaires, telles que l'analyse par page ou par visiteur, comme sur le site d'Opentracker représenté à la Figure 14.3.

✔ Des informations sur l'endroit où se rendent les visiteurs après avoir quitté votre site.

Vous aurez ou non besoin de ces statistiques en fonction de vos indicateurs-clés de performance, de la complexité de votre site, du trafic qu'il génère (vous devez en générer assez pour que l'analyse statistique soit valide), et ce que vous feriez avec l'information si vous la déteniez. Ne vous ennuyez pas à collecter des informations pour le plaisir. Arrêtez-vous lorsque vous disposez de suffisamment de données pour prendre les décisions qui importent.

Quoiqu'il soit intéressant de connaître les moyennes des concurrents, les seules statistiques qui comptent sont les vôtres. Conservez à l'esprit que les statistiques des autres sont tout aussi difficiles à interpréter en valeur absolue que celles que vous collectez sur votre propre site. Une fois encore, intéressez vous aux tendances et aux valeurs relatives.

Figure 14.3
Opentracker.net
vous permet de
consulter des
informations sur
l'usage de
chaque visiteur.

Avec l'aimable autorisation d'Opentracker.net.

Interpréter les statistiques des ventes

Les statistiques de ventes sont pertinentes sur tous les sites, mais ceux qui pratiquent la vente en ligne font face à un autre défi. Il est tout aussi important d'analyser ce qui se passe dans une cyberboutique que dans une boutique bien réelle. Les entrepreneurs qui centralisent les données sur leurs points de vente via un logiciel spécifique, un contrôle d'inventaire et la comptabilité devront peut-être apporter quelques modifications à leurs états, mais ils disposeront d'une trame qui pourra leur servir pour commencer. Pour les statistiques de magasin, les entrepreneurs qui ne disposent que de boutiques en ligne doivent s'en remettre au logiciel fourni avec leur package de boutique en ligne ou à des applications sur mesure développées par leurs programmeurs.

Si vous espérez des ventes significatives sur un catalogue de plus de quelques produits, il est critique de conserver des statistiques. Lorsque vous sélectionnez un package de boutique en ligne ou un développeur, évaluez les statistiques qui vous sont produites. Si vous ne pouvez pas obtenir de statistiques, recherchez un autre package ou un autre développeur.

Voici quelques statistiques qu'il est important de surveiller :

✔ Les états d'inventaire, souvent par article, comprenant le nombre d'articles actifs, les images qui manquent.

✔ En plus des états consolidés des ventes, recherchez des états de ventes ventilés par produit. Parfois appelés *arbres de produits*, ces statistiques reflètent l'organisation de votre boutique : niveaux de la catégorie, de la sous-catégorie et du produit.

✔ Recherchez des états de ventes par montant moyen, ainsi que par nombre d'articles vendus.

✔ Vous devriez pouvoir demander les totaux des commandes pour une certaine période de votre choix.

✔ Les ventes triées par jour devraient être disponibles pour que vous puissiez tracer les ventes liées à des promotions, à des activités marketing, à des annonces.

✔ Vérifiez que vous pouvez collecter les statistiques sur l'utilisation des codes promotionnels par nombre et par montant afin de pouvoir identifier les promotions les plus réussies.

✔ Si vous utilisez des fonctionnalités d'achat spéciales comme des ventes additionnelles, des ventes croisées, des listes de vœux ou un programme d'affiliation, suivez la trace des articles vendus et de ceux qui restent en stock dans chaque cas.

✔ Les ventes triées par client, à la fois pour permettre de proposer des sélections personnalisées et pour mesurer la proportion de nouveaux utilisateurs que vous accueillez.

✔ Le taux d'abandon d'un panier d'achats est typiquement de 75 %. Il est important de savoir combien de paniers ont été ouverts, et de comparer ce nombre à celui des ventes effectuées. Le calcul peut être compliqué si votre boutique en ligne utilise des cookies qui permettent aux utilisateurs de terminer une transaction dans les 30 jours. Les statistiques qui donnent le contenu des paniers abandonnés et actifs peuvent vous guider dans votre merchandising ou dans les modifications que vous devez apporter à votre site.

✔ Si vous n'avez pas utilisé une solution de boutique en ligne intégrée, vous pouvez découvrir que les utilisateurs entrent sur un site totalement différent avant de faire leur achat en ligne (observez ce qui se passe avec l'URL). Seule une portion des utilisateurs qui arrivent sur votre site HTML se rendent sur votre boutique, générant essentiellement un taux de conversion intermédiaire. Assurez-vous de bien comprendre comment le package de statistiques interprète le nombre de visiteurs. Vous surévaluerez votre taux de conversion si votre base est le nombre de visiteurs qui entrent dans le magasin lui-même plutôt que celui des utilisateurs qui arrivent sur votre site.

L'état des ventes repris dans la Figure 14.4 est un exemple de statistiques de boutique en ligne disponibles.

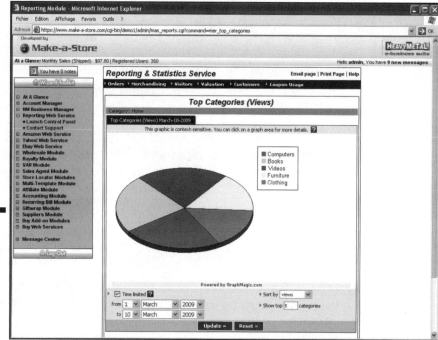

Figure 14.4
Le logiciel de panier Make-a-Store propose une représentation graphique des ventes par catégories.

Avec l'aimable autorisation de Make-a-store, Inc.

Se mettre à Google Analytics

Google Analytics est un excellent outil d'entrée gratuit pour les détenteurs de sites Web. Vers la fin de 2007, Google a prétendu que des centaines de milliers de personnes utilisaient son package Analytics, et quelques analystes extérieurs pensent que le nombre d'utilisateurs dépasse le million. Avec tant d'utilisateurs, cela vaut la peine d'explorer le potentiel de Google Analytics pour se former.

Google Analytics a des avantages :

- ✔ Il est gratuit.

- ✔ Il permet une analyse en profondeur hors de portée des autres packages gratuits de statistiques.

- ✔ Vous n'avez pas à payer une campagne AdWords pour en tirer parti.

et des inconvénients :

- ✔ Il est facile de se perdre dans les données, d'être paralysé par l'information si bien que vous n'entreprenez plus rien.

- ✔ Il ne permet pas une analyse aussi approfondie ou une segmentation aussi fine que les solutions haut de gamme.

- ✔ Vous devez marquer chaque page de votre site avec un petit bout de code fourni par Google.

Marquer vos pages n'est pas aussi difficile qu'il peut y paraître. Si vous utilisez un include ou un template, vous pouvez placer le code d'Analytics seulement une fois et il apparaîtra sur toutes les pages.

Comme tous les autres packages de statistiques, Google Analytics vous permet de visualiser votre trafic, les pages par visite et les référents. Contrairement à de nombreux packages bas de gamme, il est facile de spécifier des fenêtres temporelles, de visualiser le temps passé sur le site et les chemins parcourus sur le site. Le tableau de bord graphique représenté à la Figure 14.5 fournit une vision synthétique, et vous pouvez générer presque n'importe quel rapport détaillé.

Figure 14.5
Google Analytics
affiche un
tableau de bord
avec une
synthèse
graphique des
paramètres de
trafic.

Capture d'écran Google Analytics © Google Inc. Utilisée avec sa permission.

Analytics s'intègre facilement avec Google AdWords. En combinant les états de performance, vous pouvez voir comment des termes de recherche sont liés aux chemins sur le site, ou comment arriver sur une certaine page peut donner des indications sur les utilisateurs qui tireront parti d'une offre spéciale.

Le Web Analytics, de Google ou de qui que ce soit d'autre, n'est utile que si vous l'utilisez pour améliorer l'expérience de l'utilisateur sur votre site et vos revenus.

Analyser les problèmes de taux de conversion

Sans l'ombre d'un doute, un taux de conversion faible est une statistique-clé à observer. Selon la nature de votre site, de votre produit ou de votre service et de votre cycle de vente, un taux de conversion raisonnable tombera dans l'intervalle de 1 à 3 %. Les sites de distribution de produits de moindre valeur ont généralement un taux de conversion plus élevé.

Comme le 7ème sondage annuel du E-Tailing Group l'a montré, le taux de conversion chute légèrement au cours du premier trimestre 2008 en comparaison du premier trimestre 2007. Cela a un certain sens : le shopping en ligne est devenu plus mature, la concurrence s'est accrue, et le contexte économique est devenu plus difficile. 37 % des répondants rapportent des taux de conversion de 1 à 2,9 %, et 11 % en rapportent qui sont inférieurs à 1 %.

Si le trafic généré par le site est bon, mais que le taux de conversion n'atteint pas l'objectif que vous lui avez fixé dans vos projections financières, vous avez trois sources de problèmes possibles : votre public, votre site Web, les fondamentaux de votre business, dont le merchandising. Le Web Analytics peut vous aider à identifier la vraie source de vos problèmes et la solution. C'est la preuve ultime du management par la mesure !

De nombreux marchands en ligne considèrent le Web Analytics particulièrement utile pour améliorer les taux de conversion, réduire les taux d'abandon des paniers, améliorer la recherche naturelle et le marketing sur les moteurs de recherche. Un affichage en entonnoir détaillé, comme celui fourni par Google Analytics à la Figure 14.6, peut vous aider à identifier les pages qui ont besoin d'être améliorées dans le processus d'achat. Comparé au tunnel de conversion dont il est question au Chapitre 4 (représenté à la Figure 4.12), cette représentation offre une vision plus détaillée à la base. Voici quelques exemples.

Le problème de conversion est-il lié au public ?

Si vous constatez que le site génère pas mal de trafic (visiteurs au total), mais que le taux de conversion et que le nombre de visiteurs répétés sont faibles, vous avez peut-être un problème de public. Regardez le nombre de pages vues ou le temps passé sur le site. Si ces nombres sont élevés, vous adressez le bon public. Mais si ces paramètres sont inférieurs à deux pages par visite et/ou moins de deux minutes, le problème vient soit du public, soit du site. Consultez les

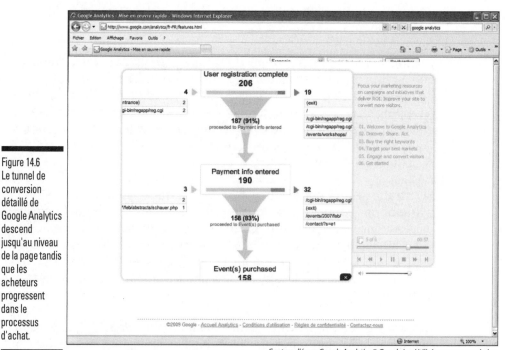

Capture d'écran Google Analytics © Google Inc. Utilisée avec sa permission.

Figure 14.6
Le tunnel de conversion détaillé de Google Analytics descend jusqu'au niveau de la page tandis que les acheteurs progressent dans le processus d'achat.

sites référents, les moteurs de recherche, les termes de recherche et les pages d'entrée pour voir comment les gens arrivent sur votre site.

Regardez le ratio de personnes qui atteignent une page avec "achetez maintenant" ou tout appel à l'action similaire par le nombre de personnes qui entrent sur le site. Si moins de 60 % de ces derniers atteignent une page contenant une offre, vous attirez peut-être le mauvais public ou vous générez le mauvais trafic à partir de termes de recherches ou de sites référents inappropriés.

Avez-vous défini votre public-cible correctement et assez précisément ? "Toute personne de plus de 25 ans qui utilise un ordinateur" n'est pas un marché bien défini ! Réussissez-vous bien à l'atteindre ? Segmentez votre marché en plus petites tranches et ciblez un segment à la fois. Si vous passez des publicités, sont-elles assez spécifiques pour ce que vous faites ? La page à laquelle les utilisateurs sont renvoyés correspond-elle bien au produit ou au service dont vous faites la promotion ou sont-ils renvoyés sur la page d'accueil ? Vos mots-clés et votre texte sont-ils ajustés pour attirer votre marché-cible ?

Réglez ces problèmes et observez les résultats. Si ces modifications ne changent rien, la difficulté réside peut-être dans le site lui-même.

Le problème de conversion vient-il du site ?

Les problèmes de site sont divers. Si vous attirez le bon public (beaucoup de pages par visite et de temps passé sur le site) mais que les utilisateurs quittent sans atteindre l'objectif que vous leur fixez, vous avez peut-être un problème avec le site lui-même. Comparez les listes des pages d'entrée et des pages de sortie. Sont-elles presque identiques ? Si oui, vos visiteurs ont peut-être des problèmes pour naviguer.

Demandez à votre programmeur de regarder les codes d'erreur http et les navigateurs utilisés. Avez-vous conçu un site qui convient aux navigateurs, aux systèmes d'exploitation et à la vitesse d'accès des utilisateurs comme cela est expliqué au Chapitre 4 ? Vérifiez le temps de téléchargement de votre site. Les pages d'entrée et celles du catalogue se chargent-elles rapidement ? Avez-vous ajouté de nouvelles fonctionnalités, comme des vidéos ou des animations, sans avoir ensuite évalué les performances du site ? Avez-vous lancé un programme de vérification des liens pour vous assurer que ces derniers fonctionnent correctement et qu'il n'y a pas de pages *orphelines* (des pages que personne ne peut atteindre). L'outil peut vérifier la syntaxe, vérifier l'affichage dans différentes résolutions et tester la compatibilité avec différents navigateurs aussi.

Expérimentez votre fonction de recherche sur le site. Produit-elle des résultats complets et pertinents ? Révisez le processus d'achat. Les pages se chargent-elles rapidement ? Le processus est-il lourd ? Confus ? Demandez-vous que l'utilisateur soit enregistré avant d'acheter ? Le panier n'a-t-il pas un défaut, ou alors l'identification ? Toutes les solutions de paiement fonctionnent-elles bien ?

Si le site fonctionne correctement, jetez un œil sur votre texte et votre navigation. Avez-vous fait figurer des appels à l'action pour que les utilisateurs sachent ce qu'ils doivent faire ? Combien de clics faut-il pour atteindre la page d'une offre ("achetez maintenant") ? Les directives sont-elles claires ? La procédure d'achat satisfait-elle les exigences de vitesse et de facilité d'utilisation des utilisateurs ? Testez, testez, et re-testez !

Observez les gens qui n'ont jamais utilisé le site alors qu'ils essaient de trouver l'information et d'effectuer une transaction, qu'il s'agisse d'acheter ou de formuler une requête. Vérifiez votre fonction de recherche sur le site pour voir ce que les gens recherchent. S'ils ne peuvent pas trouver ce qu'ils sont venus chercher (et ce qu'ils cherchent doit déterminer ce que vous leur offrez), alors vous avez peut-être un problème de navigation, de contenu ou de produit. Voyez ce qui se passe quand vous tentez de régler le problème.

Le problème de conversion est-il lié aux fondamentaux du business ?

Si votre marché-cible arrive sur un site Web bien conçu, qui fonctionne bien et qui ne convertit toujours rien, vous devez retourner aux fondamentaux. Offrez-vous le produit ou le service désiré au prix auquel ils sont prêts à le payer ? Est-ce qu'au moins 30 % des visiteurs ajoutent des articles à leur panier ? Est-ce que plus de 75 % de ces paniers sont abandonnés avant d'atteindre la première page du comptoir ?

Votre tunnel de statistiques de conversion peut vous indiquer si vous devez modifier vos offres de produits ou de services. Carolina Rustica, représenté à la Figure 14.7 et décrit dans l'encadré, utilise le Web Analytics pour suivre sa performance et améliorer son site.

Voici quelques points à étudier :

- Avez-vous assez de marchandises à proposer en sélection sur le site ? Proposez-vous assez de variantes de produits ?

- Les prix de vos produits sont-ils compétitifs ? Et les prix de vos livraisons ? Y a-t-il des taxes inattendues ? Des prérequis compliqués pour utiliser les codes de promotion ?

- Etes-vous bien positionné face à vos concurrents ? Avez-vous clairement formulé la proposition de valeur qui vous permet de vous distinguer de votre concurrence ? Vos attentes sont-elles correctes ?

Avec l'aimable autorisation de Carolina Rustica.

Figure 14.7
Carolina Rustica
s'appuie sur le
Web Analytics
pour asseoir son
succès.

✔ Vos visiteurs recherchent-ils en ligne pour acheter hors ligne, chez d'autres ?

✔ Atteignez-vous les personnes au bon moment du cycle de vente ?

(Dans n'importe lequel des deux cas précédents, vous pouvez observer de multiples visites d'un même utilisateur.)

✔ Atteignez-vous le bon décideur ? La plupart des efforts de B2B portent leurs fruits hors ligne.

✔ Articulez-vous votre démarche commerciale avec votre marketing Web pour mener le processus d'achat jusqu'à son terme ? Un site Web ne peut pas démarcher les leads à votre place !

CarolinaRustica.com progresse grâce au Web Analytics

Richard Sexton, président de Carolina Rustica, est un fan indéfectible d'Analytics. Ayant commencé avec un magasin bien réel vendant des meubles rustiques faits à la main en fer forgé en 1996, il a commencé à vendre en ligne en 1997. Vers 2000, les ventes en ligne et hors ligne se sont équilibrées ; les ventes en ligne représentent maintenant 85 % du revenu brut.

Utilisant déjà AdWords, Carolina Rustica a incorporé Google Analytics aussitôt que le produit a été disponible en 2005. Sexton a trouvé qu'Analytics offrait bien plus de détails que ses prédécesseurs gratuits, qui ne fournissaient que des informations très générales sur le trafic et les sites référents.

"Evidemment, le nombre de personnes qui visitent votre site est le chiffre le plus important", explique Sexton. "Mais il y a bien plus que ça : vous voulez savoir d'où ils viennent ; jusqu'où ils naviguent dans votre site. Mieux encore, vous devez définir ce qu'est une conversion." La conversion ne se réfère pas qu'aux ventes en ligne, il note. Ce peut être le nombre de clics sur une offre d'essai gratuit ou le nombre d'appels qui sont passés. "Si vous augmentez le taux de conversion de 0,2 %, vous pouvez générer une grosse différence de revenu."

Sexton a mesuré où les gens abandonnaient lorsqu'ils passaient au comptoir et il a réduit le processus à trois pages. Il a aussi modifié la page d'accueil après avoir mesuré le *taux de rebond* (le nombre de personnes qui arrivent et qui repartent immédiatement). "Les modifications que nous avons apportées étaient très subtiles. Nous ne voulions pas tout bouleverser d'un coup."

Il est facile d'apprendre à utiliser Google Analytics, note-t-il, avec un didacticiel et une bonne section d'aide. "Vous ne pouvez pas vraiment faire d'erreurs avec Analytics. Vous intégrez le code dans votre site et vous regardez les informations produites."

Sexton a un conseil pratique pour les nouveaux utilisateurs d'Analytics. "Ne vous laissez pas submerger [par les données]. Analytics est seulement un des piliers de votre effort marketing. Focalisez-vous sur les objectifs de votre business... Pensez à ce que les acheteurs font dans votre boutique. Utilisez cela comme un guide pour interpréter les données analytiques."

Chapitre 15

Eviter les problèmes juridiques

Dans ce chapitre :

▷ Demander une autorisation coûte moins cher que d'implorer pardon !

▷ Protéger la propriété intellectuelle.

▷ Respecter les données confidentielles des utilisateurs.

▷ Protéger les enfants.

▷ Eviter les pièges de la loi.

C omme dans le monde réel, tous les sites Web du cyberespace sont soumis à des contraintes juridiques. En tant que chef d'entreprise, vous devez comprendre le droit pour vous protéger vous-même et votre société en ligne tout comme vous le faites pour une entreprise hors ligne. Comme les questions juridiques peuvent affecter le coût, la définition de l'audience et la rentabilité, les questions juridiques de la cyberloi peuvent devenir des préoccupations de marketing.

Comme l'utilisation et d'autres applications du Web se développent, de nombreux gouvernements ont un mot à dire. La U.S. Federal Trade Commission a le pouvoir de mettre à jour la loi CAN-SPAM présentée au Chapitre 9, comme elle l'a fait en juin 2008 pour clarifier le processus de désabonnement. La Cour suprême peut légiférer sur la protection de la vie privée en ligne des enfants. Le Congrès peut très bien décider d'empêcher ou de promouvoir une activité en ligne, en interdisant les taxes sur les ventes d'articles vendus en ligne vers des destinations en dehors des Etats-Unis (mais les taxes locales peuvent toujours être imposées) ou les jeux d'argent en ligne qui utilisent des serveurs aux Etats-Unis.

Dans d'autres cas, les tribunaux et autres agences de régulation appliquent les lois existantes à l'environnement en ligne. Leur activité comprend le droit de la propriété intellectuelle pour les droits d'auteur, les droits des marques et brevet d'invention ainsi que le droit des affaires qui touche les fraudes, les garanties, avec ou sans responsabilité, les loteries promotionnelles. Si vous vendez à l'international, vous devez connaître la réglementation qui régit les pays ciblés.

Une activité illégale hors ligne est illégale en ligne !

Il n'y a rien de pire que de se heurter à la loi pour votre site Web et tous vos efforts en marketing. Cela peut même vous coûter très cher ! Reportez-vous au Chapitre 1 dans lequel je vous rappelle les bons usages acceptés par les lois américaines qui peuvent affecter votre site Web. Au Chapitre 16, je vous présente les modifications législatives et réglementaires qui peuvent vous concerner dans le futur.

Consultez un avocat spécialisé dans le droit des affaires ou dans la propriété intellectuelle et reportez-vous aux ressources citées dans le Tableau 15.1 pour des plus informations sur la législation du cyberespace.

Tableau 15.1 : Sites de ressources sur la législation.

Nom	URL	Ce que vous y trouverez
American Bar Association	`www.abanet.org/intelprop/site.html`	Liste de ressources sur la propriété intellectuelle
	`www.abanet.org/intelprop/probono_nationwide.html`	Organisations bénévoles spécialisées dans la propriété intellectuelle et la cyberlégislation

Tableau 15.1 : Sites de ressources sur la législation. (*suite*)

Nom	URL	Ce que vous y trouverez
Electronic Frontier Foundation	www.eff.org	Association à but non lucrative qui défend la liberté de parole, la vie privée et les droits des consommateurs en ligne
FindLaw	http://smallbusiness.findlaw.com/ businessoperations/internet.html	Informations juridiques gratuites et textes juridiques destinés aux petites entreprises.
International Technology Law Association	www.itechlaw.org	Association des professionnels du droit destinée aux avocats spécialisés dans l'informatique

Protéger les droits d'auteur sur le Web

Les droits d'auteur protègent toute sorte de travail créatif, que ce soit le texte, les photos, les images, le son, la vidéo, le multimédia et les logiciels, susceptible d'être utilisé par d'autres sans autorisation. Votre travail devient votre propriété intellectuelle dès lors que vous l'avez créé dans une forme fixe. Les règles des droits d'auteur sont simples : protéger votre propre travail et ne pas utiliser le travail des autres sans leur accord.

Même si vous signez un accord avec un développeur Web, un auteur, un graphiste ou un hébergeur, assurez-vous de bien lire les lignes qui traitent la partie relative aux droits d'auteur concernant le matériel qu'ils ont créé. Dans un contrat de droit américain de ***work*** *for **hire*** (NDT : œuvres créées dans le cadre d'un contrat de louage d'ouvrage ou de services) le véritable créateur de l'œuvre cède ses droits à son employeur, à la personne qui a commandé le travail.

Vous devez donc vous demander si les droits vous reviendront ou seront cédés à votre employeur ou commanditaire. Certains entrepreneurs créatifs, notamment les photographes, peuvent vous accorder une licence limitée pour utiliser leur travail dans une seule application ou insister pour garder leurs droits d'auteur.

Si vous ne parvenez pas à négocier une modification, cherchez un autre fournisseur. Que faire si le développeur se retire de l'affaire ? Ou s'il vend son entreprise et que vous n'appréciez pas le nouveau propriétaire ? Dans le pire des cas, vous perdez votre site et/ou son contenu si vous entrez en conflit avec le fournisseur. Du moins, insistez sur un droit de non-exclusivité pour utiliser le programme du site ou tout autre travail créatif dans un délai de dévolution sur n'importe quel serveur sans frais supplémentaire. Votre accord avec les salariés doit clairement établir que vous ou votre entreprise restez détenteur de la propriété intellectuelle sur tout ce qu'ils créent pour vous.

Insérez la mention *copyright* sur votre site Web. Le format standard inclut le mot *copyright, corp* ou le symbole © suivi de l'année, du nom du détenteur du copyright et de l'expression *Tous droits réservés (All Rights Reserved)*. Par exemple, sur mon propre site Web, j'ai inclus la mention suivante :

```
©2008-2009 Watermelon Mountain Web Marketing All rights reserved.
```

Quelquefois, la mention copyright spécifie que les droits d'auteur ne s'appliquent qu'à une certaine partie du matériel créé comme Contenu (Content, en anglais) ou indique que certains éléments ont été utilisés sous autorisation. Certaines entreprises complètent la mention légale de droit d'auteur avec une page d'informations, comme Equine Web le fait avec une certaine dose d'humour (voir Figure 15.1).

Demandez à votre développeur de mettre en pied de page cette mention légale de copyright afin qu'elle apparaisse sur chaque page du site.

La mention copyright protège de manière basique vos droits. Dans la plupart des cas, elle n'est pas suffisante. Toutefois, si vous êtes graphiste ou photographe ou si vous pensez qu'une partie du matériel risque d'être utilisé sans autorisation, déposez vos droits d'auteur à la bibliothèque du congrès américain ou à l'INPI en France (NDT : voir la page sur la protection des droits d'auteur du ministère de la Culture www.culture.gouv.fr/culture/infos-pratiques/droits/protection.htm).

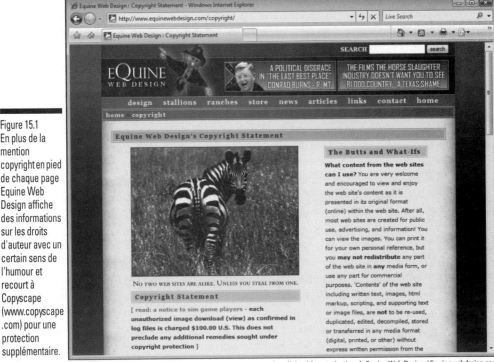

Avec l'aimable autorisation de Equine Web Design / Equinewebdesign.com.

Figure 15.1
En plus de la mention copyright en pied de chaque page Equine Web Design affiche des informations sur les droits d'auteur avec un certain sens de l'humour et recourt à Copyscape (www.copyscape .com) pour une protection supplémentaire.

Notez que certains articles, comme le nom ou le patron d'un vêtement, ne peuvent pas être soumis aux droits d'auteur.

Déposer vos droits d'auteur vous donne une meilleure assise juridique et un plus large spectre si vous devez poursuivre une personne pour infraction aux droits d'auteur. Suivez attentivement les instructions de `www.copyright.gov` pour les Etats-Unis et www.copyrightfrance.com pour la France et n'oubliez pas d'envoyer les 5 euros requis avec les documents demandés lors de votre inscription.

Protéger le design en ligne

Bien sûr les droits d'auteur ne protègent que votre travail d'un éventuel vol. Les artistes, les designers, les photographes, les autres créateurs sont particulièrement confrontés aux problèmes de protection de leurs images en ligne. Alors que la seule façon d'être absolument certain que votre travail artistique ne sera pas volé est de ne pas le diffuser, il existe quelques solutions bon marché pour décourager le vol d'images :

✔ **Superposez une seconde image en filigrane sur vos images afin de les rendre inutilisables excepté dans un objectif de faire une maquette.** Certains logiciels comme Watermark Factory (www.watermarkfactory.com) et Image Converter Plus (www.imageconverterplus.com/help-center/work-with-icp/basic-operations/watermark) le font à votre place.

✔ **Cryptez vos images avec des produits présentés sur ArtistScope (www.artistscope.com) ou Inzomia's Image Encrypt (www.image-encrypt.com).** Vous pouvez crypter toutes les pages afin d'empêcher l'affichage du code source via un clic droit ou un menu déroulant.

✔ **Rendez la recherche de vos images plus difficile à trouver en changeant régulièrement l'emplacement de vos fichiers ou en renommant les pages à télécharger.** Vous pouvez également télécharger d'un autre nom de domaine ou placer le lien du téléchargement à plusieurs niveaux de votre site. Dans les cas extrêmes, évitez les liens vers les pages à télécharger sur votre site à la place envoyez un message électronique indiquant un lien de téléchargement seulement si le visiteur a payé.

✔ **Restez sur la défensive en scrutant les copies illégales de vos pages sur le Web à l'aide de service comme Copyscape (http://copyscape.com).** Vous pouvez également empêcher de multiples téléchargements illégaux avec des produits comme DLguard (www.dlguard.com).

Pour de plus amples informations sur la prévention du vol d'images, reportez-vous au site américain NatureFocused (www.naturefocused.com/articles/image-protection.html).

Vous ne pouvez pas (légalement) prendre le contenu d'un autre site Web et l'utiliser sur votre propre site, même si vous pouvez cliquer du bouton droit et l'enregistrer ou le télécharger. Non, même si vous incluez une mention de source indiquant d'où vient le contenu. Non, même si vous n'utilisez qu'une partie du contenu et insérez un lien vers la suite du contenu. Pas de texte, pas d'image, pas de données compi-

---

Exemple de demande d'autorisation de copyright

Monsieur,

Watermelon Mountain Web Marketing souhaiterait obtenir l'autorisation d'utiliser vos (informations, articles, copies d'écran, données, photographies...) sur notre site Web, WatermelonWeb.com. Vous trouverez ci-joint une copie des informations que nous aimerions utiliser. Si vous en êtes d'accord, veuillez signer ce document et indiquer la mention de source que vous voudriez voir apparaître. Vous pouvez nous renvoyer le présent document dûment rempli et signé par courrier électronique ou par fax. Nous vous remercions de votre réponse.

Je soussigné.... autorise Watermelon Mountain Web marketing à utiliser .... sur le site WatermelonWeb.com pour une durée indéterminée.

Signature :

Nom :

Titre :

Nom de l'entreprise :

Adresse de l'entreprise :

Téléphone/Fax/E-mail :

Mention de source :

---

lées, pas de photo. Rien, nada. Le concept des droits d'auteur est destiné à des individus, et non à partager tout sur la toile. Sans autorisation, vous risquez d'enfreindre les droits d'auteur et d'être passible de poursuites judiciaires. Mieux vaut demander une cession de droit ou une autorisation d'usage. Le pire qui puisse vous arriver est que votre site Web soit bloqué.

Si vous souhaitez utiliser le travail d'une personne, envoyez-lui une demande d'autorisation comme celle présentée dans l'encadré intitulé "Exemple de demande d'autorisation de copyright". N'utilisez pas de liens intégrés qui relient des images vers le site d'une tierce personne pour afficher ces images dans votre site. Vous ne pouvez pas non plus faire de site miroir ou dupliquer le site d'un autre sur votre serveur, même si vous rendez service à un site submergé de trafic sans autorisation écrite.

Si vous n'obtenez pas l'autorisation d'une image que vous souhaitez utiliser et que vous n'avez pas les moyens d'embaucher un photographe, cherchez d'autres sources comme des images sur des sites gouvernementaux. À moins d'une mention spécifique, les images des sites fédéraux des États-Unis sont libres de droit. Les fabricants de produits qui vous autorisent à vendre des images fournissent des images gratuites pour le Web sous forme de revente en ligne ou de licences de distribution. De nombreux sites proposent des images gratuites ou très bon marché. Un accord *hors droits* vous permet d'utiliser une image sans exclusivité pour un forfait d'une durée limitée, ce que vous pouvez inclure dans le prix. Le Tableau 15.2 répertorie quelques sites à visiter.

Tableau 15.2 : Sources d'images.

Nom	URL	Ce que vous y trouverez
FreeStockPhotos.com	http://freestockphotos.com	Images gratuites pour les membres
Freerange Stock	www.freerangestock.com	Images gratuites pour les membres
Stock Exchange	www.sxc.hu	Images gratuites pour les membres
iStockphoto.com	www.istockphoto.com/index.php	Images bon marché pour le Web
Getty Images	http://creative.gettyimages.com	Images hors droits
Corbis	http://pro-corbis.com	Images hors droits

Réserver sa marque sur le Web

Les *marques* (pour les produits) ou les *marques de service* (pour les services) vous donnent les droits d'exclusivité pour un nom particulier ou un logo dans des catégories commerciales spécifiques. Vous pouvez faire de votre nom une marque, si vous le voulez, mais vous devez mentionner les marques et les marques de service des autres.

 Le droit des marques s'applique en ligne. Par exemple, seul le propriétaire d'une marque peut enregistrer un nom de domaine en rapport avec cette marque. Les mêmes contraintes s'appliquent aux noms des célébrités. Vous ne pouvez pas utiliser le nom d'une marque déposée dans les balises META de votre mot-clé ou dans des annonces PPC à moins que vous ne soyez autorisé par le fabricant à vendre ou à distribuer des articles de sa marque. Si vous pensez qu'un concurrent enfreint l'une de vos marques, consultez un avocat spécialiste de la propriété intellectuelle ou du commerce.

La première fois que vous utiliserez le nom d'une marque déposée (y compris la vôtre) dans un texte sur votre site, faites-le suivre par l'exposant ® pour marque déposée ou ? pour une marque qui n'est pas encore enregistrée. Faites mention du propriétaire de la marque quelque part sur votre site. Vous pouvez spécifier à qui appartient la marque ou utiliser l'expression suivante : *MonSite est une marque enregistrée et propriété exclusive de Moi.*

Déposer une marque est un tant soit peu plus difficile que les droits d'auteur. Pour les Etats-Unis, consultez la section Where to Start du site United States Patent and Trademark Office (USPTO), www.uspto.gov/web/trademarks/workflow/start.htm, vérifiez dans la base de données (accédez directement à www.uspto.gov/main/trademarks.htm et cliquez sur Search) la disponibilité du nom de la marque dans la catégorie des articles ou des services. Vous paierez ensuite l'équivalent de 325 euros pour déposer la marque. En France, connectez-vous au site de l'Institut National de Propriété Intellectuelle (INPI) pour effectuer les démarches en ligne www.inpi.fr/fr/marques.html. Il vous en coûtera environ 225 euros. Vous pouvez très bien faire ces démarches tout seul ou vous faire assister d'un avocat spécialiste de la propriété intellectuelle.

Les questions relatives au dépôt de brevet sont bien plus complexes et dépassent le cadre de ce livre. Consultez le site de l'INPI pour la France et de l'USPTO pour les Etats-Unis.

Un nom de domaine peut être disponible dans la base de données des noms de domaine, mais peut être déposé comme marque. Vérifiez bien ces bases de données avant de l'acheter !

Éviter les litiges

Les sites qui reçoivent énormément de trafic d'une large palette d'utilisateurs incluent souvent des clauses de non-responsabilité pour limiter l'exposition de la responsabilité du propriétaire du site et pour établir les conditions d'utilisation du site. Comme ces accords nécessitent que vous cliquiez sur "J'accepte" avant de télécharger ou de vous inscrire à un service, ces clauses de non-responsabilité et conditions d'utilisation permettent de protéger la société d'éventuelles poursuites. Toutefois, pour tout ce qui est relatif à la vie privée, à la pornographie, à la cyberintimidation et à l'accès des mineurs, la présence de ces instructions en ligne peut également vous éloigner de certaines eaux troubles.

Législateurs, investisseurs et annonceurs risquent d'être très mécontents d'un contenu qui attire un nombre important d'utilisateurs sur des sites qui ne sont pas identifiés comme "adultes". Si vous construisez une communauté en ligne avec des posts, vous serez confronté à un moment ou à un autre aux désirs de liberté d'expression des utilisateurs. Par exemple, les sites de réseaux comme MySpace.com, Facebook.com et YouTube.com sont constamment sous pression pour protéger les jeunes utilisateurs de cyberintimidation, des prédateurs sexuels, et des posts explicitement sexuels.

En plus de l'accord des conditions d'utilisation, des sites recourent à diverses techniques pour faire respecter les modifications standards de recevabilité :

- YouTube, sur lequel les utilisateurs postent leurs propres vidéos, demande à ses visiteurs de signaler les vidéos estimées offensantes dans son règlement de communauté.

- Suite au tragique suicide d'une jeune femme brisée par un canular posté sur MySpace, myYearBook.com a rejoint WiredSafety.org pour diffuser une pétition solennelle contre les comportements abusifs en ligne (www.myyearbook.com/meganpledge). Plus de 200 000 jeunes adultes ont signé cette pétition en mai 2008. En outre, l'Etat du Missouri a promulgué une loi pour déclarer illégale la cyberintimidation.

- MySpace.com, le réseau social le plus grand de l'Amérique du Nord, comptant presque 110 millions de membres actifs en janvier 2008, a élargi sa charte de confidentialité et a établi un groupe de travail pour mieux sélectionner les utilisateurs, vérifier leur âge et répondre rapidement aux contenus inadéquats.

Réfléchissez si vous devez afficher une clause de non-responsabilité et des conditions d'utilisation sur votre site en fonction des risques perçus et des types d'informations que votre site comprend. Une clause de non-responsabilité est une instruction qui renonce à la responsabilité ou refuse toute sanction si les utilisateurs ont des activités non autorisées.

La législation américaine exige que les entreprises affichent des informations détaillées sur la garantie des produits qui coûtent plus de l'équivalent de 10 euros. C'est l'usage, comme je l'ai dit au Chapitre 5. La Figure 15.2 représente un exemple de garantie.

Figure 15.2
Chumby.com publie sa garantie standard, et en profite pour afficher des liens vers des articles sur la même page (http://store.chumby.com/custom.aspx?id=1).

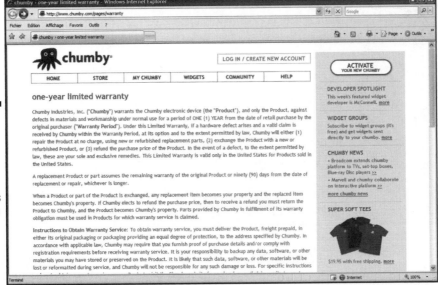

Avec l'aimable autorisation de Chumby Industries.

Pour trouver des exemples de documents juridiques, allez dans les bibliothèques de droit, consultez un avocat en droit des affaires ou achetez-les sur des sites comme FindLegalForms (www.findlegal-forms.com), LegalZoom (www.legalzoom.com) ou AllBusiness (www.allbusiness.com/internet-technology-forms/web-site-forms/3472250-1.html). Ou bien lisez les clauses de responsabilité des sites de grandes entreprises (sans les copier, évidemment !). Vous trouverez également d'autres ressources citées dans le Tableau 15.3.

Tableau 15.3 : Exemples de mentions de droits d'auteur et mentions légales en ligne.

Nom	URL
Europa	http://europa.eu/geninfo/legal_notices_en.html
MapQuest	http://cdn.mapquest.com/mq_legal/termsofuse.html
Microsoft	www.microsoft.com/info/copyright.mspx
Unilever United States, Inc	www.unileverus.com/terms/termsofuse.html

Si vous créez une communauté dans laquelle les utilisateurs peuvent poster du matériel audio ou vidéo, tenez compte du type de contenu que vous autorisez.

Créer des liens légaux

Jusqu'à l'invention du Web, les questions juridiques sur les liens hypertexte entre deux sites n'existaient pas. Mais depuis, certains propriétaires de site souhaitent se lier gratuitement à d'autres, les autres sites veulent contrôler les liens entrants et déterminer si le site référent est acceptable ou non. D'autres propriétaires de site ont défié les liens en enfreignant les droits des marques et d'auteur, en ne respectant pas les données confidentielles, en faisant de la diffamation...

Les tribunaux ont considéré que les liens texte étaient légaux avec autorisation, même s'ils redirigent vers des pages autres que la page d'accueil, une pratique appelée *lien profond*. Cependant, il existe encore des sites qui vous demandent l'autorisation de créer un lien vers leur site, comme Forbes.com par exemple.

Considérez les conseils suivants pour créer un lien vers d'autres sites :

✔ **Mettez en surbrillance les liens texte autant que possible.**

✔ Demandez l'autorisation de créer un lien qui renvoie vers certaines informations spécifiques d'un site, comme une image, et réaffichez-le.

✔ Recherchez les autorisations pour utiliser un lien vers un élément graphique, tel que le logo d'une marque ou toute autre chose susceptible de soulever une interrogation.

✔ Sur la page de mentions légales ou de liens, postez une clause de non-responsabilité qui vous désolidarise du contenu du site tiers et précisez que ces sites ne vous sont pas nécessairement associés.

N'affichez pas le contenu d'un autre site dans un frame de votre site, même si vous incluez l'en-tête de l'autre site.

De toute façon, les moteurs de recherche n'aiment pas les frames, technologies d'un autre temps. Si vous affichez un autre site dans une nouvelle fenêtre, votre site reste ouvert dans le navigateur, permettant ainsi aux visiteurs de revenir plus facilement.

Pour de plus amples informations sur les questions juridiques relatives aux liens et à Internet, consultez Links & Law (www.linksandlaw.com/news.htm) ou FindLaw (http://smallbusiness.findlaw.com/business-operations/internet/internet-linking.html).

Revoir la charte de confidentialité

Les utilisateurs sont invités à fournir des informations allant de la simple adresse électronique pour s'inscrire à une lettre d'information au numéro de leur carte de crédit pour effectuer un achat. Consciemment ou non, le logiciel de statistiques ou le logiciel de publicité peuvent suivre les chemins empruntés par le visiteur via votre site. Vous pouvez également surveiller leurs préférences de course via les *cookies* (de petits fichiers d'identification que votre site enregistre sur l'ordinateur des visiteurs) et faire correspondre ces préférences à travers des techniques de personnalisation. Vous pouvez aussi demander des données démographiques, comprenant l'âge ou des informations sur l'entreprise et le poste occupé par le visiteur pour préqualifier les visiteurs en tant que prospects.

Vous devez protéger les informations des utilisateurs. Les utilisateurs sont fortement avertis des risques d'intrusion en ligne dans leur vie privée, et que leur boîte de réception risque d'être envahie de messages de pacotille ou à caractère pornographique. L'Internet Advertising Bureau (IAB), la Federal Trade Commission (FTC) et de nombreuses organisations ont engagé des discussions sur les chartes de confidentialité que doivent respecter les publicitaires.

Commencez par relire les données que vous collectez et pourquoi. Arrêtez de collecter les informations dont vous n'avez pas besoin et ne demandez jamais le numéro de sécurité sociale ! Bien sûr, respectez scrupuleusement ces principes de sécurité de base, utilisez toujours un serveur sécurisé pour prendre le numéro de carte de crédit en ligne et cryptez les données stockées. Choisissez de ne pas vendre ni d'échanger les adresses électroniques de vos utilisateurs ou autres données et appliquez les bons usages pour l'envoi de courrier électronique que j'ai abordés au Chapitre 9.

Quoi qu'il en soit, indiquez bien aux utilisateurs comment seront ou non utilisées les données et combien de temps vous allez les conserver. Créez une charte de confidentialité, en suivant peut-être les directives du Générateur de l'OCDE de déclaration de protection de la vie privée de l'Organisation de coopération et de développement économique (`www.oecd.org/document/42/0,3343,fr_2649_34255_28879786_1_1_1_1,00.html`).

Pour obtenir de plus amples informations sur la protection de la vie privée, consultez les quelques sites répertoriés dans le Tableau 15.4.

Tableau 15.4 : Ressources électroniques sur la vie privée.

Nom	URL
Electronic Privacy Information Center	`www.epic.org`
Federal Trade Commission	`www.ftc.gov/privacy/index.html`
Center for Democracy and Technology	`www.cdt.org`
Privacy.org	`www.privacy.org`
W3C Platform for Privacy Preferences Project	`www.w3.org/p3p`

Etablir des zones de sécurité destinées aux enfants

Si votre site collecte des informations sur des mineurs de moins de 13 ans, vous devez vous conformer au COPPA (Children's Online Privacy Protection Act) sur www.ftc.gov/privacy/privacyinitiatives/children.html. Vous pouvez trouver des directives précises directement sur www.ftc.gov/bcp/conline/pubs/buspubs/coppa.htm. Vous devez obtenir une autorisation parentale avant de demander des informations. Loi ou pas loi, il vaut mieux protéger les enfants en ligne. Vous gagnerez la gratitude et la fidélité des parents en proposant un site sécurisé et distrayant.

There.com, présenté à la Figure 15.3, a affronté les questions de protection de l'enfance avec un avatar 3D. Au lieu de créer un "univers" destiné aux utilisateurs plus jeunes, l'entreprise a décidé de créer un site "sécurisé" dans un style hip-hop.

Si vous autorisez les chats et les forums sur un site destiné aux enfants, surveillez sans relâche les réponses avant de les poster pour vérifier qu'aucun prédateur ne rôde ou ne tende un piège en cachette. Au moindre doute, contactez les autorités compétentes. Les sites destinés aux enfants doivent se conformer à des images ou textes explicites et standardisés. Sinon, vous risquez que le responsable de l'autorité parentale et les logiciels de filtrage bloquent l'accès à votre site.

La vente aux mineurs est délicate et sujette à caution. Vous devez établir clairement que les acheteurs ciblés doivent avoir entre 16 et 18 ans (ndt : en France 18 ans, 16 ans est "toléré" pour des produits dits "courants"). Facilitez aussi l'annulation de l'achat par le détenteur de la carte de crédit, qui s'avère souvent un parent, ainsi que le remboursement. Demander la date de naissance ou vérifier les chiffres au dos de la carte de crédit peuvent réduire les transactions en désaccord avec les parents. Ajouter une longue et signifiante mention expliquant que les enfants doivent obtenir une autorisation parentale pour pouvoir effectuer des achats.

Figure 15.3
There.com inclut
un "code
d'habillage" qui
permet aux
utilisateurs de
concevoir les
vêtements de
leur avatar 3D. Ils
peuvent faire
"essayer" les
vêtements à
l'aide d'un
programme
nommé "fig leaf"
(les triangles
blancs qui
apparaissent ici).
L'équipe de
There.com
vérifie tous les
mois les
créations des
membres avant
de les mettre en
ligne.

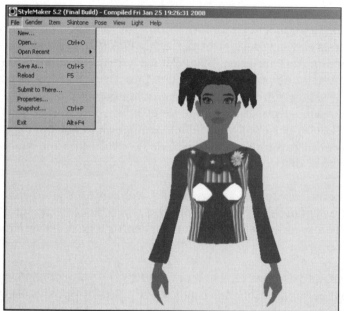

Avec l'aimable autorisation de Makena Technologies.

Protéger votre entreprise

Des consommateurs arnaqués en ligne, des vendeurs négligeant les risques de fraude, de vol de propriété intellectuelle, des activités de piratage ou des attaques par saturation de service qui peuvent éteindre les serveurs : pensez à protéger votre entreprise !

Selon Celent Communications, les commerçants en ligne aux Etats-Unis auraient perdu environ 2 milliards d'euros pour fraude en ligne en 2007, ce qui représente environ 2 % du total des ventes en ligne. Comme je l'ai expliqué au Chapitre 5, bon nombre de commerçants en ligne bénéficient de passerelles de paiement en ligne équipées de systèmes de validation pour les adresse et codes de cartes de crédit afin de valider les cartes de crédit des utilisateurs, mais avec le temps ces systèmes perdent de leur efficacité.

There.com

Avec une population allant du jeune adolescent aux seniors, mais dominée par des jeunes adultes, There.com permet à ses membres de créer les vêtements de leur avatar et de les "vendre" aux autres.

Tous les mois, l'équipe de There.com utilise le logiciel "fig leaf" pour revoir les milliers de patrons. Non seulement ils vérifient les dessins proposés, mais aussi s'ils n'utilisent pas de marque ou nom de marque non autorisés.

Mickael Wilson, directeur de Makena technologies, propriétaire de there.com, connaît depuis ses débuts chez eBay ces standards qu'ils devaient mettre en place : "Nous voulions créer un univers virtuel social qui semblerait possible aux visiteurs", explique-t-il.

"Nous savions que les gens se sentent embarassés dans des vêtements qui ne leur vont pas." Wilson conseille les propriétaires de sites qui attirent une audience jeune de leur demander s'ils pensent que leurs propres enfants sont en sécurité en visitant leur site.

L'approche de There.com satisfait les parents et les annonceurs. C'est important pour ce site sponsorisé par des annonces, qui présente son propre système économique avec une technologie innovante qui encourage les utilisateurs à percevoir les produits traditionnels d'une autre manière.

Pour réduire les fraudes, passez en revue (mais n'annulez pas !) les commandes avec les adresses de livraison et de paiement, une adresse IP étrange ou plusieurs commandes venant d'un même client dans un court lapse de temps peuvent constituer des indices de fraude.

Tout ceci semble nous éloigner du webmarketing, mais mieux vaut prendre des précautions. Les nombreuses façons de vous protéger assurent aussi à vos clients votre intégrité. L'encadré intitulé "Une once de prévention" vous donne quelques conseils pour prévenir et dénoncer vos pertes.

Une once de prévention

Voici quelques éléments qui vous permettront de contrer le côté obscur du cyberespace :

✔ **Prendre une cyberassurance :** Vérifiez si le contrat d'assurance de votre entreprise couvre tout ce qui est relatif à une activité en ligne, des attaques par saturation de service ou des fichiers de cartes de crédit volés à la responsabilité du contenu de votre site ou des pertes dues à une panne du serveur. La cyberassurance peut être uniquement valable pour les entreprises de nouvelles technologies, avec un contrat pour une petite entreprise pour environ 1 000 euros par an et allant jusqu'à 100 000 euros de garantie. Vous trouverez de plus amples informations sur le site www.inc.com/magazine/20070401/technology-insurance.html.

✔ **Respecter le bon usage :** CyberSource (http://cybersource.com/cgi-bin/ resource_center/resources.cgi) et d'autres compagnies mettent à votre disposition des livres blancs sur le bon usage pour éviter les fraudes. Si vous percevez un demi-million d'euros par an ou plus grâce à votre activité en ligne ou êtes victime d'une fraude, vous trouverez les sites dont vous avez besoin.

✔ **Connaître les fraudes sur le Web :** Internet Fraud Watch (www.fraud.org/internet/intset.htm) présente en détail les arnaques en ligne contre les entreprises et donne quelques conseils sur la manière de se protéger. Accédez directement à http://fraud.org/internet/instat.htm pour lire le rapport sur les activités frauduleuses de 2007.

✔ **Dénoncer les cybercrimes :** Avez-vous été victime d'une personne qui a redirigé les visiteurs à partir de votre site, qui a utilisé votre adresse électronique ou qui a piraté votre site, qui a abusé de vos droits d'auteur, a volé des secrets de votre marque ou tout autre crime ? Contactez IC3 (Internet Crime Complaint Center) à www.ic3.gov. Cette structure est un partenaire entre le FBI et le National White Collar Crime Center.

✔ **Dénoncer les incidents frauduleux :** Appelez le 0811 02 02 17, coût d'un appel local, numéro mis à disposition pour signaler une escroquerie en France. Vous pouvez également la signaler sur le site www.internet-signalement.gouv.fr ou remplir un formulaire en ligne sur le site www.fraud.org/internet/intset.htm.

✔ **Tester les services d'un dépositaire légal en ligne :** Pour des transactions importantes, comme la vente d'une voiture en ligne, essayez de faire passe la transaction via un dépositaire légal en ligne comme iEscrow.com (www.iescrow.com) pour vous protéger d'une perte de paiement. Un compte iescrow assure également aux acheteurs qu'ils recevront leur commande dans de bonnes conditions. C'est une bonne solution à envisager.

Chapitre 16

Clés pour maintenir votre présence sur le Web

Dans ce chapitre :

▶ Boucler la boucle.

▶ Se souvenir que le client est roi.

▶ Surfer sur la vague du changement.

▶ Prendre des risques, gagner des récompenses.

▶ Se faire plaisir en travaillant.

Dans ce chapitre, je reviens sur les bases du marketing comme le meilleur moyen de maintenir une présence sur le Web profitable, innovante, vivante. Créer un site Web efficace du point de vue marketing et qui génère un trafic soutenu n'est que le début. Une bonne pratique du marketing impose d'écouter en permanence vos clients tout en vous adaptant aux tendances qui se font jour en matière de technologie, de concurrence et de législation. Vous devez trouver le juste équilibre entre votre volonté de vous en tenir à ce qui marche et la nécessité de vous adapter à un monde en constante évolution. Par ailleurs, vous devez aussi réussir à faire de l'argent en permanence.

Fort heureusement, il n'est pas trop difficile de satisfaire l'équation – du moment que vous ne faites pas l'autruche. Ce chapitre aborde quelques bonnes pratiques marketing supplémentaires qui s'appliquent en ligne, dont certaines vous permettent de laisser libre cours à votre imagination et de passer du bon temps. Lorsque votre business en ligne cesse d'être amusant, il est temps de penser à faire quelque chose d'autre.

Le marketing commence avec ABC

Comme je l'ai mentionné dans le Chapitre 14, le Web Analytics peut vous signaler quand un site commence à glisser, sauter, s'effondrer ; et avec l'expérience, votre instinct vous alertera aussi. Lorsqu'il ne suffit plus de régler votre site pour relancer la machine, revenez aux quatre P du Chapitre 2 – produit, prix, placement et promotion. Vous constaterez 90 % du temps que le site Web est le symptôme et non le problème.

La mesure la plus critique est votre profitabilité ! Aucune mesure n'a de sens si vous continuez à perdre de l'argent après avoir atteint le point mort que vous aviez projeté.

Lorsque vous doutez de la profitabilité de votre site, réévaluez les bases de votre business :

- **Relisez et révisez votre plan marketing**. Votre sélection de produits et votre merchandising sont-ils judicieux ? Vos concurrents ne vendent-ils pas de nouveaux produits ? Avez-vous besoin de plus d'articles, d'articles plus récents, de plus de choix en tailles et en couleurs ? Devez-vous proposer de nouveaux services pour vous adapter à l'évolution des technologies ? À l'inverse, n'êtes-vous pas allé trop loin en tentant de faire un peu de tout plutôt que de miser sur vos points forts ?

- **Reconsidérez les prix**. Etes-vous toujours compétitif ? Le Web tend à tirer les prix vers le bas à cause des sites de comparaison et du renforcement de la présence de discounters. Si vous ne pouvez pas générer de bénéfices en vous alignant sur les prix d'un concurrent plus important, songez à reformuler votre *proposition de valeur*, la déclaration qui justifie un prix plus élevé par un surcroît de valeur. La valeur en question peut être un service

24h/24, 7j/7, une sélection, une garantie, un support en ligne, des produits auxiliaires ou toute autre chose qui se rajoute au produit.

✔ Ne succombez pas à la tentation des prix bas au point que vous perdriez de l'argent chaque fois que vous vendez un produit !

✔ **Reconsidérez votre décision de vendre en ligne plutôt que hors ligne, ou de faire les deux**. N'avez-vous pas accidentellement cannibalisé vos ventes ? N'êtes-vous pas entré en compétition avec d'autres distributeurs ?

✔ **Réévaluez vos activités de promotion sur le site, en ligne et hors ligne en fonction des principes exposés dans ce livre**. Attirez-vous les bonnes personnes sur votre site Web ?

✔ Les problèmes de promotion ont un nombre infini de solutions. Autrement dit, il n'y a pas de solution unique, mais plus d'une solution peut fonctionner dans votre cas. Essayez, et si cela ne fonctionne pas, essayez autre chose.

Atteindre vos clients

Les retours de vos clients et de vos prospects permettent de garder votre site et votre business sur les rails. Ils vous aident à identifier les problèmes qui doivent être réglés immédiatement et à réunir des idées de nouveaux produits, de nouvelles fonctionnalités, de nouveaux services. Je vous garantis qu'écouter vaut mieux que de s'excuser tous les jours ! Informez vos clients sur les modifications que vous apportez via vos lettres d'information et sur votre site.

Quelques entreprises vont même plus loin, en encourageant leurs clients à leur soumettre des produits, et parfois à voter pour ces derniers, allant des chaussures (www.fluevog.com/files_2/os-1.html) aux étiquettes de sodas (www.myjones.com) en passant par les tee-shirts (http://threadless.com/submissions). La Figure 16.1 reprend une page de vote pour les concepts de chaussures "open source" de John Fluevog.

Figure 16.1
John Fluevog invite les utilisateurs à soumettre leurs concepts de chaussures. Les visiteurs peuvent voter sur www.fluevog.com/code/os.php. Vous pouvez voir les gagnants en cliquant sur le lien "See The Choosen" sur la droite.

Avec l'aimable autorisation de John Fluevog Shoes, LTD.

Vos clients et vos prospects sont les meilleurs experts en matière de marketing ! Il existe de nombreux moyens pour rassembler de l'information :

✔ Rajoutez un questionnaire de satisfaction dans vos livraisons.

✔ Ajoutez un sondage sur votre site Web.

✔ Demandez ce qu'ils pensent à ceux qui vous appellent.

✔ Si vous avez une boutique bien réelle, demandez aux clients qui s'y rendent ce qu'ils voudraient voir sur votre site.

✔ Surveillez les plaintes concernant le site qui sont envoyées au webmaster.

✔ Tenez compte des réclamations des clients sur les problèmes qu'ils rencontrent en passant des commandes et de leurs demandes de produits.

✔ Passez à l'impromptu sur votre blog, votre forum ou votre salon de discussion pour voir ce qui s'y passe.

✔ Permettez à vos clients de vous faire parvenir facilement des idées de produits ou des commentaires sur votre sélection.

✔ Si vous permettez aux clients d'évaluer les produits sur votre site, lisez les évaluations.

✔ Prenez du temps pour lire des évaluations professionnelles ou profanes sur des sites tels que cnet (www.cnet.com), Epinions.com ou Shopping.com.

Le feedback peut être viral, surtout s'il est négatif. Une fois que vos problèmes sont affichés sur le Web, vous êtes exposé pour toujours. Voyez l'exemple de Twitter.com, un site gratuit de réseau social utilisé pour envoyer des micro-réponses (140 caractères) à la question "Qu'est-ce que tu fais" par Web, PDA (assistant personnel numérique) ou téléphone mobile. Confrontés à une suspension du service durant 37 heures début 2008, les utilisateurs de Twitter ont produit des blogs pas contents et plus de 100 parodies sur YouTube. L'entreprise fait de la limonade à partir de ces citrons : le site utilise dorénavant le graphisme "Fail Whale" pour signaler à ses utilisateurs qu'il s'est planté, et il demande à un chroniqueur de ClickZ de divaguer sur ses échecs en les traitant comme une stratégie visant à renforcer la marque.

Réécrire votre plan marketing pour l'avenir

Toute entreprise doit faire attention à ce qui se déroule dans son environnement. Des changements dans la concurrence, le business, les technologies Internet et la législation peuvent avoir des conséquences sur votre fonctionnement. Chaque année, ressortez votre plan marketing et ajustez-le pour tenir compte des changements que vous avez pu observer.

Restez focalisé sur votre secteur d'activité et sur Internet en général. Le Tableau 16.1 recense quelques sites à consulter pour des informations à jour sur le business en ligne et la technologie. Passez-les en revue ainsi que d'autres sites et abonnez-vous à une bonne lettre d'information ou à un bon flux RSS.

Tableau 16.1 : De bons sites pour des informations sur le business.

Titre	URL	Contenu
B2B Online	`http://btobonline.com`	Stratégie marketing B2B
ClickZ	`www.clickz.com`	Actualités sur le marketing en ligne et statistiques
Internet Retailer	`www.internetretailer.com`	Actualités sur l'industrie
Online Advertising	`www.o-a.com/acquisitions.html`	Actualité des fusions et acquisitions
Practical eCommerce	`www.practicalecommerce.com`	Tendances de la vente en ligne pour les petits business
Wired Magazine	`www.wired.com`	Actualité des technologies et de la culture Internet

En plus des publications spécialisées de votre secteur d'activité et des actualités des entreprises locales, tâchez de vous abonner au moins à une lettre d'information sur le business Internet pour vous tenir informé des dernières tendances, qu'il s'agisse de l'avenir de Yahoo! en tant que site de recherche ou de l'évolution de la technologie du Web mobile.

S'adapter à la nouvelle technologie

La technologie Internet ne reste jamais figée. Toujours plus de personnes basculant sur le haut débit, vous pouvez ajouter des médias riches (vidéo, réalité virtuelle, audio) à votre site sans expulser les visiteurs qui ont des connexions moins rapides. La tendance a déjà amélioré la complémentarité du marketing à la télévision et du marketing sur le Web, les publicités diffusées sur les ondes ou le câble étant dorénavant disponibles en ligne.

Tenez compte de votre marché-cible avant de vous décider à utiliser le média riche. Bien que le haut débit se soit largement démocratisé ces dernières années, il reste beaucoup plus diffusé dans les zones urbaines et dans les foyers qui sont du bon côté de la fracture numérique. Aux Etats-Unis, 68 % des foyers dont le revenu dépasse 50 000 dollars disposent d'un accès haut débit, contre 39 % pour les autres.

L'accès haut débit est toutefois plus généralisé dans les pays asiatiques et européens qu'aux Etats-Unis, selon une étude de 2006 de l'OCDE.

Les nouvelles technologies ont la particularité de surgir de nulle part, offrant des opportunités de marketing nouvelles et faisant passer votre site Web pour une survivance du passé. Voici les technologies sur lesquelles vous devriez garder l'œil :

- ✔ **Le prix et la disponibilité de l'accès satellite** : le coût de la bande passante satellite est en chute libre, ce qui permet de donner accès à l'Internet haut débit aux foyers ruraux les plus isolés. Moins rapide et plus onéreux que le câble ou l'ADSL, le satellite coûte entre 50 et 85 dollars par mois pour 1,5 Mbps (megabits par seconde), l'équipement requis coûtant 300 dollars (fournis par des entreprises telles que WildBlue.com ou Hugues Communication).

- ✔ **La vitesse de transmission des données** : le Web ira plus vite. National LambdaRail (www.nlr.net), un consortium de 20 laboratoires de recherche universitaires et d'entreprises représentant des centaines de participants, a déroulé 25 000 km de fibre optique aux Etats-Unis. Dédié à la recherche sur les applications en ligne, le réseau à 10 Gbps (gigabits par seconde) de LambdaRail est 100 fois plus rapide que les connexions Internet actuelles. Les innovations de LambdaRail impacteront très certainement l'Internet tel que nous le connaissons.

- ✔ **Les terminaux sans fil** : les business qui utilisent le Web pour du marketing local retirent déjà les bénéfices de leur interconnexion avec les terminaux sans fil que sont les téléphones mobiles et les PDA, comme je l'ai expliqué au Chapitre 13. Tirez parti de l'intégration à venir du Web et des systèmes de positionnement pour cibler les clients lorsqu'ils sont prêts à acheter de manière impulsive ou qu'ils tentent de trouver le service le plus proche. Ce sera une formidable innovation pour les sites d'hébergement, de tourisme, de spectacles, de plomberie, de vétérinaires d'urgence, et plus encore.

- ✔ **Des applications plus interactives** : Ajax (JavaScript et XML asynchrones, ce qui est déjà plus ce que vous auriez souhaité savoir) est une suite de technologies dynamiques qui rendront le shopping en ligne et les activités interactives plus rapides et plus fluides que jamais, les applications Web se confondant presque avec des applications classiques. Google Maps est un exemple d'application Ajax.

S'ajuster aux nouvelles règles

Le Chapitre 15 aborde certaines des questions de législation relatives au commerce en ligne. D'autres politiques peuvent affecter votre business dans l'avenir. Surveillez l'actualité sur la neutralité du Net, les taxes, la protection des données privées et les conflits de droits d'auteur sur le contenu généré par des utilisateurs.

- **La neutralité du Net** : cette controverse peut affecter votre capacité, en tant que propriétaire d'un petit site, à atteindre vos clients potentiels de manière rentable. Le débat oppose les opérateurs de télécommunications (câble, téléphone mobile) et des entreprises telles que Google, Microsoft, Yahoo! et peut-être la vôtre.

  Les opérateurs veulent faire payer un supplément pour l'accès plus rapide au Web, surtout quand il contient du média riche. L'essentiel de la communauté Internet (www.savetheinternet.com ou www.openinternetcoalition.com) s'inquiète que les opérateurs puissent mettre en ligne leurs propres sites sur la "voie rapide", rabattant tous les autres, et surtout les petites entreprises, sur un service de moindre qualité, plus lent. Si le principe de *neutralité Internet* était adopté, tous les sites Internet seraient traités à égalité. Aux Etats-Unis, les deux chambres étudient une proposition de loi en ce sens. Restez informé !

- **La différenciation des usages** : faites attention à toutes les formes de différenciation qui pourraient affecter votre entreprise. Déjà, AOL, British Telecom et Yahoo! ont signé des accords avec Goodmail (www.goodmailsystems.com) qui garantissent la diffusion d'e-mails publicitaires de centaines d'auteurs "identifiés" moyennant finances. Une nouvelle classe d'e-mails "certifiés" peut bloquer les e-mails de plus petits expéditeurs qui ne peuvent pas s'offrir le luxe de payer les quelques équivalents de 2,5 euros requis par milliers de messages, plus les 399 euros pour la certification.

✔ **Les politiques d'imposition** : aux Etats-Unis, les services Internet sont pour l'heure exemptés d'imposition fédérale et locale, et le Congrès a prolongé le moratoire sur l'imposition des ventes effectuées sur Internet. Cependant, le gouvernement fédéral et des Etats dont les revenus dépendent de l'impôt cherchent à mettre en œuvre un système simplifié de collecte sur ces ventes.

Selon l'Etat, la plupart des entreprises opérant en ligne doivent déjà taxer les produits livrés dans les Etats où leur business est établi ou dans lesquels elles sont physiquement présentes. New York et la ville de Chicago sont allées plus loin. New York a fait passer une loi en 2008 pour imposer les ventes générées par des distributeurs en ligne faisant plus de 10 000 dollars de ventes via des affiliés se trouvant dans l'Etat ; Amazon et Overstock ont attaqué la Ville en justice. Cependant, eBay attaque Chicago qui prétend que le site d'enchères doit payer des impôts sur la vente en ligne de billets pour le compte de vendeurs de billets basés à Chicago.

Si vous vendez en ligne, gardez un œil sur les politiques d'imposition des ventes sur Internet.

✔ **La protection des données privées** : la protection des données privées se télescope avec les techniques d'exploitation des données, surtout celles qui suivent l'activité des internautes. Les régulateurs attaquent des entreprises telles que Google et Yahoo! et de nouvelles entreprises comme Phorm.com au sujet de l'étendue des données privées qu'elles collectent sur les individus, comment elles les protègent et comment elles obtiennent leur consentement. Ces sites et d'autres mettent en œuvre de la publicité personnalisée en fonction des profils reconstruits des utilisateurs.

La question de la protection des données privées se pose aussi dans l'autre sens, car les FAI tentent de protéger l'identité des individus qui téléchargent des données sous copyright. Par exemple, Google a passé un accord pour fournir des codes anonymes relatifs aux utilisateurs qui postent ou qui regardent des clips vidéo de Viacom (MTV, Comedy Central) sur YouTube.

✔ **L'infraction aux droits de la propriété intellectuelle** : le contenu généré par les utilisateurs est un excellent moyen pour retenir les visiteurs et encourager les visites répétées. Malheureusement, les utilisateurs peuvent délibérément ou inconsciemment enfreindre des droits d'auteur sur des sites tels que YouTube, CafePress et bien d'autres. Des détenteurs de ces droits portent plainte pour obtenir plus que le retrait de leurs données. Ceci peut poser un problème majeur aux business qui encouragent les contributions, surtout si le contenu est posté sans être revu. En juillet 2008, un juge fédéral des Etats-Unis a décidé qu'eBay n'avait pas la responsabilité d'interdire la vente de produits contrefaits du moment qu'il les retirait aussitôt qu'il en était informé. Un juge français a rendu un jugement en sens stricte-ment inverse une semaine après. Restez informé !

Scrutez l'actualité et suivez les sujets de ce type qui peuvent affecter votre business. Une contestation peut faire la différence. Lorsque les législateurs suédois ont passé une loi en juin 2008 autorisant les écoutes sur tous les messages internationaux par e-mail ou téléphone, ils ont été inondés par plus d'un million d'e-mails de protestation dans les deux semaines qui ont suivi. La loi est aussi contestée par d'autres pays de l'Union européenne.

S'amuser

Il est facile de se sentir dépassé par toutes les possibilités qu'offre le marketing Web et les possibilités de faire une erreur. Ne sous-estimez pas la capacité d'une idée originale à attirer l'attention en ligne comme hors ligne. C'est ce qui est arrivé à la nouvelle école de cuisine en ligne de Jane Butel, représentée sur la Figure 16.2 et dont l'histoire est narrée dans l'encadré qui suit.

Quoique les données disent sur les tendances, ce qui importe est ce qui se déroule sur votre site, votre business, vos clients et vos profits. Utilisez votre imagination et vos instincts pour faire ce qui est le mieux pour vous.

Lorsque vous sélectionnez des techniques de marketing, n'oubliez pas de retenir celles qui vous amusent. Si vous détestez écrire, ne faites pas de blog ; faites des annonces PPC et suivez les statistiques mensuelles à la place. Si vous adorez le dessin, créez des bannières publicitaires. Déléguez les tâches marketing que vous détestez ou louez les services

Figure 16.2
Toujours à la pointe de l'innovation. L'école de cuisine de Jane Butel propose des cours en ligne sur la cuisine du sud-ouest américain via l'université de Colombie Britannique. Cette image représente une leçon dont la page d'aperçu se trouve sur http://janebutel.com/online.html.

© Jane Butel's Cooking School.

d'un professionnel. Jouer sur vos forces créatives permet toujours de produire les meilleurs résultats – les clients ressentiront votre passion.

Si vous aimez découvrir de nouvelles techniques et surmonter les défis, vous parviendrez rapidement à faire de l'or sur Internet grâce au marketing Web. Bonne chance en ligne !

La cuisine de Jane Butel

Autorité incontestée et mondialement connue sur la cuisine du Sud-Ouest américain, Jane Butel a publié des livres de cuisine depuis les années 60 et donné des cours de cuisine depuis les années 80. Butel est passée en ligne il y a approximativement 10 ans de cela pour vendre ses livres et ses cours. Toujours intéressée par les nouvelles technologies, elle a commencé a méditer en 2003 sur les cours en ligne qu'elle pourrait proposer aux personnes qui ne pouvaient pas s'offrir ni l'argent ni le temps pour participer à ses cours au Nouveau Mexique ou en Arizona.

Premier cours de ce genre au monde, le projet s'est révélé assez redoutable, prenant cinq ans pour arriver à maturation. Il a fallu plus de recherche, de coordination et de temps d'écriture que prévu, sans mentionner que Butel a dû apprendre beaucoup en se mettant à Internet.

"Je mets en œuvre une technique particulière dans chacun des 40 cours, fournissant la recette qui utilise la technique", explique-t-elle. Le cours comprend une discussion, des salles de conversation et une assistance téléphonique ou par e-mail. Offert par le centre d'apprentissage de l'université de Colombie Britannique, le cours commence à des dates spécifiques, une fois par mois. Les étudiants, qui reçoivent un mot de passe valable pour huit semaines, travaillent à leur propre rythme et peuvent télécharger tout ce qu'ils veulent.

Butel espère vendre le concept à des chefs, des cuisiniers de toutes traditions, les aficionados du chili, les membres de clubs de chili et ceux qui recherchent de la nourriture saine. Au départ, elle avait visé les abonnés à ses listes de diffusion et les acheteurs récurrents de ses épices.

Butel met en garde : "Il faut un investissement considérable pour développer un cours et un investissement encore plus grand pour entretenir le marché en permanence." Cependant, elle reste passionnée par le potentiel des formats en ligne. Son prochain projet : de la vidéo en streaming pour son club de cuisine à venir, "Cooking with Jane", un ezine auquel il sera possible de souscrire un abonnement mensuel.

Sixième partie
Les dix commandements

"Avec quelle exactitude mon site Web reflète-t-il mon business ?"

Dans cette partie...

Que vous veniez tout juste de démarrer votre site Web, de rénover un site Web existant ou que vous vous trouviez dans une situation intermédiaire, il est toujours instructif de considérer une liste des choses qui peuvent aller de travers.

Vous devez proposer du gratuit pour attirer les clients, mais pouvez aussi bénéficier de ce qui est gratuit pour mener à bien votre entreprise de marketing. Le Chapitre 17 liste 10 techniques permettant de développer votre effort marketing Web sans sortir un sou.

La liste des 10 erreurs les plus courantes du marketing Web ne fait que donner un aperçu de l'infinité des bourdes que vous pouvez commettre. Toutefois, si vous évitez les dix qui sont décrites au Chapitre 18, vous serez engagé sur la bonne voie.

Si votre site Web a épuisé tout son potentiel, essayez de mettre en œuvre les 10 méthodes décrites au Chapitre 19 pour identifier le problème et le résoudre. C'est une partie que chacun doit relire lorsqu'il songe à réviser la conception de son site.

Chapitre 17

Dix manières de commercialiser votre site web

Dans ce chapitre :

▶ Lancer gratuitement le marketing de votre site.

▶ Utiliser des méthodes simples et gratuites pour vos e-mails et sur votre site.

▶ Tirer parti des soumissions et fonctionnalités gratuites des moteurs de recherche.

▶ Mener une campagne de liens gratuite.

L a gratuité. Il n'y a rien de mieux ! La gratuité s'applique avec la commercialisation vers les autres et elle peut aussi fonctionner avec votre plan de marketing. Servez-vous de ces techniques gratuites pour initialiser votre plan marketing. Tout comme vous gagnez de l'argent en investissant dans votre site, vous trouverez des fonds pour vous offrir des annonces publicitaires et autres services.

Placarder votre URL sur tous les papiers en-tête et emballages

Cela ne vous coûtera pas plus cher d'ajouter VotreDomaine.com sur absolument tous les documents que vous envoyez : cartes de visite, papier en-tête, factures, bordereaux d'envoi, plaquettes de présentation, support de marketing, notices techniques et communiqués de presse.

N'oubliez pas d'ajouter également VotreDomaine.com dans les présentations PowerPoint et dans les pieds de pages des livres blancs et offres. Votre URL doit apparaître dans toutes les publicités, que ce soient des articles promotionnels, affiches, messages radiophoniques, panneaux et écrans publicitaires. Bien sûr, n'oubliez pas non plus de la mentionner sur toute forme d'emballage : cartons, enveloppes, couvercles, sacs, papier d'emballage, ruban, tissus et autres contenants.

Inclure votre URL dans le bloc de signature électronique

Les programmes de messagerie vous permettent de créer un bloc de signature qui apparaît à chaque fois que vous envoyez un courrier électronique. En plus de vos nom, titre, nom de l'entreprise, adresse et numéros de téléphone/fax, ajoutez en annexe un lien vers votre site Web. Si vous utilisez le format http://www.VotreDomaine.com, le texte apparaît automatiquement en lien actif dans le message.

Faire des appels à l'action dans votre texte

Les appels à l'action correspondent à l'emploi de certains verbes conjugués à l'impératif (tels que achetez, vendez, enregistrez) qui incitent les visiteurs à effectuer une action spécifique. Le mot *gratuit*, sous forme de lien hypertexte, est un appel à l'action implicite. Utilisez liens et appels à l'action pour permettre aux visiteurs de naviguer dans votre site et de leur indiquer ce que vous voulez qu'ils fassent. Si vous ne leur dites pas quoi faire, ils ne le devineront pas ! Ils ne lisent pas dans vos pensées !

Recueillir des témoignages client

Les recommandations de clients valent de l'or ! Si vos clients vous présentent spontanément leur chaleureux remerciements, demandez-leur l'autorisation de les publier sur votre site. Vous n'êtes pas obligé de mentionner leur identité, il suffit simplement de citer une source "anonyme". Vous pouvez récupérer les témoignages du courrier que vous recevez, des notes dans un livre d'or ou des commentaires faits sur un blog. Placez les témoignages sur les pages qui sont en rapport avec le contenu et non sur une seule page.

S'inscrire dans les trois premiers moteurs de recherche

Enregistrez votre site sur les trois principaux moteurs de recherche. C'est gratuit et ne vous prend que quelques minutes !

- ✔ Google : `www.google.com/addurl/?continue=/addurl`.

- ✔ Yahoo! : `http://search.yahoo.com/info/submit.html`.

- ✔ MSN : `http://search.msn.com/dcs/submit.aspx?FORM=WSDD2`.

Mener une campagne de liens

Les liens entrants d'autres sites Web vous apportent non seulement un trafic ciblé, mais aussi améliorent votre classement dans les résultats de recherche de Google. Cette méthode vous fait gagner du temps et des visiteurs de qualité, gratuitement !

Commencez par lancer un rapport dans Google pour trouver vos propres liens entrants ou ceux de vos concurrents. Entrez liens : www.Votredomaine.com dans le champ de recherche, où "VotreDo-maine" est l'URL du site Web pour lequel vous recherchez des liens entrants. Pour identifier vos concurrents, entrez un de vos mots-clés dans la recherche Google et parcourez les liens entrants des trois ou quatre premiers sites qui apparaissent. Recherchez également les annuaires de votre catégorie, sites professionnels ou associations, fournisseurs. Testez tous les autres sites en rapport avec votre activité qui vous passent par la tête.

Pour obtenir de meilleurs résultats dans les recherches de Google, demandez les liens des autres sites qui sont classés dans les 5 premiers. Certains sites ont une page dédiée à l'ajout d'un site ; d'autres nécessitent une requête par e-mail. D'autres demandent que vous renvoyiez un lien vers leur site. Analysez l'état de vos requêtes plusieurs mois plus tard et faites une seconde requête si nécessaire. Si vous recherchez en moyenne 10 liens par semaine, cette tâche ne vous semblera pas difficile.

Envoyer à un ami

La technique virale la plus simple du marketing, Envoyer à un ami, permet à un visiteur d'envoyer un lien à un ami ou collègue vers votre site avec un commentaire personnel. Votre développeur peut installer un script gratuit (voir Chapitre 6) pour traiter cette fonction. Assurez-vous de bien inclure un lien Envoyer à un ami dans la navigation de site afin que les visteurs puissent rapidement recommander votre site, vos produits ou services aux personnes qui seraient vraisemblablement intéressées. Rien ne vaut le bouche à oreille !

Tirer parti des services et bons gratuits de Google et Yahoo!

Google (www.google.com/local/add/businessCenter) et Yahoo! (http://listings.local.yahoo.com/csubmit/index.php) proposent tous les deux d'afficher gratuitement sur leurs Maps respectifs (carte en français) les entreprises en rapport avec une zone géographique que l'utilisateur aura recherchée. Le secteur du tourisme et les sites de divertissement en sont les premiers bénéficiaires, mais tout type d'entreprise peut en tirer avantage. Bon nombre de consommateurs préfèrent acheter localement, parce qu'ils pensent qu'il est plus facile d'obtenir un service après-vente ou qu'ils souhaitent soutenir les entreprises locales.

En plus de cette liste (qui n'est rien d'autre qu'une annonce gratuite), Google vous propose un bon (www.google.com/local/add/coupons) et inclut votre logo (chargez l'image de votre logo). La gratuité vaut de l'or, même si elle ne vous rapporte que quelques clients.

Inscrire votre site marchand au programme Products de Google

La plupart des sites marchands sont en réalité des sites de moteurs de recherche PPC ou PPL (Pay per Listings). Le moteur de recherche spécialisé dans le commerce de Google, www.google.com/products, est gratuit pour les commerçants. Vous pouvez charger votre inventaire tous les mois (ce qui est la fréquence minimale recommandée) ou établir un flux RSS pour mettre à jour votre fil en ligne dès que votre stock est modifié. Tant que vous y êtes, inscrivez votre catalogue à Google (`http://catalogs.google.com/googlecatalogs/help_merchants.html`), c'est aussi gratuit !

Distribuer une lettre d'information via les Groupes de Google ou Yahoo!

Si les témoignages des clients satisfaits valent de l'or, les adresses électroniques sont de l'argent ! Commencez par recueillir les adresses électroniques même si votre site Web n'est pas encore ouvert. Vérifiez que vous disposez bien des autorisations pour recevoir une lettre d'information. Si vous n'avez pas les moyens de recourir aux services de lettres d'information modélisées comme ConstantContact.com, commencez plus petit avec les groupes Google et Yahoo!

Créez un groupe sur `http://groups.yahoo.com` ou http:// groups.google.com, envoyez ensuite un courrier électronique invitant votre carnet d'adresses à s'y inscrire. Ce n'est que du texte, mais c'est rapide, facile et gratuit !

Chapitre 18

Les dix erreurs les plus courantes du Web marketing

▶ L'importance du plan.

▶ L'essentiel de la mise en œuvre.

▶ La valeur de la critique.

*V*ous pensez avoir fait des erreurs irrécupérables lors du développement de votre site ? Vous envisagez de revoir son design ? Confrontez votre site à la liste des problèmes et résolvez-les.

Quelle que soit la taille ou le type de votre entreprise ou son financement, les sites Web présentent souvent les mêmes problèmes. Et sans surprise, ces problèmes surviennent juste au moment où vous lancez votre site.

Ne pas définir des objectifs commerciaux

Les problèmes ont toujours une origine humaine, notamment avec les personnes qui agissent avant de réfléchir. Si vous ne savez pas très bien ce que votre site est supposé faire, il finira par être aussi vague que vous. Commencez par définir clairement vos objectifs commerciaux, identifiez les marchés cibles spécifiques et déterminez des objectifs quantifiables afin de pouvoir mesurer votre réussite et le plaisir d'y être arrivé.

Si vous possédez déjà un magasin réel, songez à développer votre marché sans le vampiriser. Si vous créez une entreprise point.com, commencez par rédiger un business plan.

Ne pas planifier

Les propriétaires de sites pensent souvent qu'ils peuvent tout déléguer à leurs développeurs et s'affranchir de toute responsabilité sur la toile. Non et non ! Aucune personne ne connaît aussi bien que vous votre entreprise et son marché. Prenez le temps de préparer son contenu, d'écrire et de relire votre copie, d'obtenir les images, le stock de votre magasin, maintenez ensuite à jour votre site. La programmation se fait généralement plus vite que la conception et la réalisation du contenu.

Anticipez sur tout ce qui relève du matériel, des lignes téléphoniques, du personnel, des marchandises, de la mesure du trafic, de la livraison, de l'emballage, de la formation etc.Si vous avez des problèmes hors ligne, résolvez-les avant de démarrer une activité en ligne. Rien n'est jamais simple, et ceci s'applique aussi aux sites Web.

Sous-estimer le temps et l'argent requis

Si vous comptez commencer vos ventes en décembre et que vous n'avez toujours pas de développeur au mois d'août, ne vous attendez pas à gagner de l'argent en décembre ! Outre le temps de développement, vous devez compter sur le temps de la promotion de votre site.

Inscrire un site vite fait mal fait sous prétexte de démarrer à temps dans les listes des moteurs de recherche passe encore, mais sachez que tout site digne de ce nom prend en considération sa présentation visuelle, son fonctionnement, son évaluation et sa promotion. Consacrez au moins trois mois à tout cela, à moins que votre entreprise n'ait les poches suffisamment larges pour payer du personnel ou des professionnels pour le faire.

Ne pas se lier d'amitié avec un moteur de recherche

Comme tout le monde connaît l'optimisation des moteurs de recherche, il est réellement surprenant que des entreprises et développeurs s'entêtent à créer des sites sans se lier d'amitié avec les moteurs de recherche, et sont quelquefois même hostiles à la technique SEO. Les plus grandes entreprises qui achètent des solutions niveau entreprise font partie des plus récalcitrants.

Si votre développeur ou le logiciel Web ne peut pas prendre en charge les concepts décrits au Chapitre 7, pensez à modifier :

- Les URL pour être trouvé dans un moteur de recherche.

- L'index du site qui présente la structure de votre site.

- Les pages contenant des liens vers d'autres sites.

- Les pieds de page (texte en bas de chaque page) contenant des liens actifs vers la page principale.

- Les informations sur les Contacts de chaque page, y compris un lien actif vers une adresse électronique.

- La manière dont vous collectez les adresses électroniques.

- La recherche dans le site pour trouver la description des produits sur des sites plus grands ou des bases de données.

- Les flux XML des index du site vers Google pour des sites plus grands ou des bases de données.

Penser à "soi" plutôt qu'à "vous"

De la navigation au contenu, trop de propriétaires de sites ne pensent qu'à leur propre expérience au lieu de se demander ce que veulent vraiment savoir les visiteurs. Un peu d'imagination ! Mettez-vous à la place de vos clients. Que cherchent-ils et comment le trouveront-ils facilement ?

A l'instar de toutes autres formes de publicité, les sites Web sont les otages du WIFIM (What's in it for me ?, Qu'est-ce qu'il y a pour moi là-dedans ?). C'est la question que les clients se posent toujours et chaque site se doit d'y répondre dès la première ligne de la page d'accueil à la page de remerciement.

Ne pas mettre son site à jour

Un site négligé est un site improductif. Si vous abandonnez votre site après sa création, vous gaspillez votre argent. Mettez à jour son contenu, rafraîchissez les marchandises, ripostez à la concurrence. Les attentes des clients sont en constante évolution, conditionnées par les meilleurs prix comme Amazon.com.

Vous pouvez vous en sortir avec un petit site si vous êtes le fournisseur exclusif des produits, mais ne comptez pas trop là-dessus. N'oubliez pas que votre classement dans les moteurs de recherche peut chuter brutalement, si vous ne faites aucune mise à jour.

Attendre que l'on sonne (clique) à la porte

Bien, vous venez de créer un magnifie site, mais personne ne connaît le chemin qui mène à votre domaine. Il ne peut pas et n'existera même pas à moins que vous le promouviez activement. Les moteurs de recherche et une campagne de liens entrants sont les deux éléments indispensables du Web marketing, et trop de personnes l'ignorent encore.

Ignorer les statistiques

De nombreux propriétaires de sites ne savent pas qu'ils disposent de statistiques, seuls quelques-uns les utilisent. Ils ne sont pas capables de répondre à la plus simple question sur les tendances réelles du trafic. Au lieu d'analyser les données, ils réagissent à la dernière impression d'un visiteur.

Alors que les données Web en tout genre restent imprécises et peu fiables comme valeurs absolues, les tendances et évaluations relatives sont bien meilleures. Analysez les statistiques avant de concevoir votre site. Assurez-vous que votre développeur ou hébergeur puisse vous fournir les données dont vous avez besoin ou vérifiez les données de Google Analytics ou d'autres sources de statistiques citées au Chapitre 14.

Eviter les problèmes de back office

De nombreux entrepreneurs se plaignent de leur site Web ou des plans de marketing dès l'apparition de réelles difficultés. Est-ce dû à la marchandise vendue sur le site ? Est-ce dû au service client en ligne et hors ligne ? S'agit-il d'un problème de commandes ? D'un contrôle de qualité sur les produits ? Est-ce dû au personnel qui maintient le site ? Est-ce dû à l'infrastructure, à l'inventaire ou à la comptabilité ?

Etre réfractaire à tout changement

Le changement est la seule constante dans notre monde. Si vous ne changez rien, notamment dans l'environnement innovant du cyberespace, laissez tomber.

Il est facile de rester attaché au passé, au confort, à ce que vous avez toujours eu. Dès que les choses commencent à décliner, pensez à ce que vous pouvez changer en vue d'améliorer. Mieux encore, veillez sur les tendances et essayez d'être en avance sur vos concurrents en tenant toujours compte de votre marché cible.

Chapitre 19

Dix astuces pour ranimer un site

. . . .

Dans ce chapitre :

▶ Faire le diagnostic des informations recueillies sur votre site et des statistiques des ventes.

▶ Rafraîchir le contenu et le design du site.

▶ Revigorer le trafic.

▶ Raviver les ventes.

▶ Rétablir des profits.

. . . .

Horreur ! Tout à coup, votre site Web s'est tari en trafic ou en ventes. Le nombre d'acheteurs s'est réduit comme une peau de chagrin. Que faire ? Tourner en rond en hurlant de désespoir ? Vous en prendre à vos employés ? Désigner le développeur comme seul et unique responsable ? Fermer boutique ? Ignorer la catastrophe jusqu'à ce le manque de ventes se transforme en banqueroute ?

Non ! Testez plutôt ces dix astuces pour résoudre le problème. Si vous envisagez de reconcevoir et de relancer votre site, commencez par lire cette section. Elle est constituée d'une liste de diagnostics de problèmes à résoudre en premier.

Diagnostiquer le problème correctement

Avant de résoudre le problème, recherchez la date exacte où il est apparu et depuis combien de temps il existe. S'il est apparu soudainement, vérifiez que votre site a bien tourné sans souci apparent. Vérifiez les statistiques quotidiennes. Si vous trouvez des heures ou des jours sans aucun trafic, contactez votre développeur ou votre hébergeur immédiatement. Vous devez avoir un sérieux problème de fiabilité du serveur.

Si vous venez de lancer votre site, vos prévisions peuvent s'avérer peu réalistes ou vos craintes étaient fondées. Si votre site fonctionnait bien depuis plus de 3 ans, c'est probablement dû à une mise à jour ou à une modification incomplète. Si vous ne vous êtes pas occupé avec soin de votre site, vos concurrents vous ont sans doute distancé en ligne.

Relisez attentivement les résultats Web pour repérer l'origine du problème. Consultez Alexa.com pour comparer le trafic de votre site à ceux de vos concurrents : recherchez vos concurrents en ligne et examinez bien leur site. Etes-vous compétitif sur les produits, les prix, la sophistication du site et les valeurs ? Si ce n'est pas le cas, vous trouverez sans doute ici l'origine du problème. Si vous estimez que vous devriez être au-dessus du lot, classez les problèmes dans une (ou plusieurs) de ces catégories :

- ✔ Attraction de l'utilisateur.

- ✔ Trafic du site.

- ✔ Résultats des ventes et taux de conversion.

- ✔ Résultats nets.

Vérifier l'attractivité du site via les statistiques du trafic

C'est ici que les analyses Web entrent en jeu (voir Chapitre 14). Pour vérifier si votre site a perdu de son attractivité, examinez attentivement les valeurs suivantes dans les statistiques :

- ✔ Le nombre d'utilisateurs uniques (une chute dans cette seule catégorie est sans doute due au trafic).

- ✔ Le nombre de visiteurs réguliers.

- ✔ Le nombre de sessions et visites.

- ✔ Durée moyenne par page.

- ✔ Durée moyenne par session.

Remontez au moins à 3 mois avant que votre site ne s'anémie. Un signe de déclin dans l'une de ces catégories signifie que votre site doit être lifté.

Repenser le design de l'attractivité du site

Que votre site soit jeune ou vieux, prenez le temps de le regarder avec un regard neuf. Utilisez le Formulaire d'évaluation de site Web du Chapitre 4 pour noter votre site en fonction du concept, du contenu, de la navigation, du décor, et de l'efficacité du marketing. Sélectionnez plusieurs personnes que vous ne connaissez pas, mais qui correspondent à la population de votre cible, demandez-leur d'évaluer votre site selon ces critères.

Enfin, contactez plusieurs clients qui n'ont jamais utilisé votre site pour effectuer une tâche ou acheter quelque chose et demandez-leur de remplir ce formulaire. En règle générale, 5 réponses suffisent à comprendre ce qui se passe.

Tout site se doit d'attirer de nouveaux visiteurs au moins quelques secondes sur la page d'accueil, puis de garder ces nouveaux visiteurs le temps qu'ils consultent au moins deux ou plusieurs pages pour qu'ils reviennent ensuite régulièrement. Est-ce que votre site n'a pas échoué ici ? Si vous constatez un lent désintérêt à l'égard de votre site, c'est qu'il commence à vieillir. Postez de nouveaux contenus et observez ce qui s'y passe.

Faciliter les opérations des utilisateurs

Vérifiez que tous les liens fonctionnent correctement. Demandez à votre développeur d'exécuter un programme de vérification comme Xenu's Link Sleuth (http://home.snafu.de/tilman/xenulink.html) pour voir si tous les liens internes et externes (sortants) fonctionnent bien. Vérifiez manuellement que tous ces liens redirigent bien vers l'emplacement que vous souhaitez et que tous les liens sortants s'ouvrent bien dans une nouvelle fenêtre. Vérifiez également le fonctionnement des liens vers les adresses électroniques.

Si les utilisateurs doivent télécharger des fichiers PDF, testez-les ! Vérifiez qu'ils s'ouvrent correctement et qu'il y a bien un lien qui renvoie l'utilisateur vers une page de téléchargement d'Acrobat Reader. Si vous avez des formulaires, testez-les aussi ! N'y a t-il pas de grossières erreurs dans les coordonnées : numéros de téléphone, formats des adresses électroniques ou champs requis restés vides ? Avez-vous bien une page de remerciement qui confirme qu'une requête a bien été soumise ? Ce n'est pas une simple question de bienséance et de politesse, mais c'est aussi un élément important pour pister les conversions.

Recherchez dans les statistiques les indices qui vous permettront de repérer des pages spécifiques :

- Les pages les plus et les moins vues.

- Le chemin qui mène au site.

- Les pages d'entrée et de sortie.

- Les navigateurs et systèmes d'exploitation utilisés.

- Les pays et les langues.

- Le temps de chargement des pages principales.

- Les pages de rapport d'état, notamment les pages Not Found et orphelines.

Plus que tout, vérifiez que les appels à l'action sont bien faciles à suivre. Est-ce simple de réserver une chambre d'hôtel ou une table de restaurant, d'acheter une place de théâtre ?

Vérifier les statistiques des pages

Les internautes trouvent votre site de trois manières : ils saisissent directement l'URL, ils cliquent sur un lien quelque part ou ils trouvent votre adresse dans un moteur de recherche. Examinez les statistiques du trafic des derniers mois. Dans la mesure du possible, comparez-les à celles de la première année. Des variations cycliques sont normales pour un site. Les moteurs de recherche examinent les mises à jour récentes, si vous constatez un lent désintérêt des moteurs de recherche, mettez à jour votre site.

Examinez attentivement les données suivantes pour détecter les changements depuis la première année, ce qui pourrait constituer des indices sur votre problème :

- Les tendances comparables par mois.

- Les variations imprévues par heure de la journée et par jour de la semaine.

- L'entrée des pages codées vers des annonces.

- Les URL des sites référents.

- Les moteurs de recherche utilisés.

- Les mots-clés utilisés.

- Le classement dans les moteurs de recherche (dans Web Position ou autres outils).

Diverses techniques pour créer du trafic

Ne mettez pas tous vos œufs dans le même panier ! Si tout le trafic chute, il faut repenser le tout. Ressortez votre liste de vérifications de méthodes Web marketing du Chapitre 2. Faites deux exemplaires. Dans l'un, notez toutes les techniques que vous utilisez actuellement. Dans l'autre, notez quelques techniques nouvelles à tester en plus de celles que vous utilisez actuellement.

Combinez les techniques de marketing sur site, en ligne et hors ligne pour vérifier que vous disposez de plusieurs moyens pour atteindre votre audience :

- **Outils d'informations gratuits** : blocs de signature, blurbs, FAQ, groupes de Google ou Yahoo!

- **Technique sur site** : description des produits, forum, wikis, mise à jour du contenu, jeux, bons de réduction, sondage, exemples gratuits, annonces d'événements, Envoyer à un ami.

- **Techniques en ligne de bouche à oreille** : blogs, What's New, réseau social, communiqué de presse, optimisation de recherche, campagne de liens entrants, lettre d'information par e-mail.

- **Publicité en ligne** : campagnes PPC, lettres d'information sponsorisées.

- **Publicité hors ligne** : presse, correspondance, emballage, articles promotionnels, événementiels, publipostage, annonces coordonnées dans d'autres médias.

Vérifier les statistiques du trafic, des ventes et des conversions

Le taux de conversion (le pourcentage de visiteurs qui effectuent une action désirée, telle qu'une demande de devis ou un achat) est la statistique, la seule et l'unique, la plus importante. Les ventes sont facilement mesurables avec les statistiques des magasins. Pour tracer le trafic, vous allez choisir ce que vous mesurez à l'avance et configurerez une méthode de comptage comme une autre ligne téléphonique pour les appels générés par le site Web.

Quant aux statistiques de magasin, regardez les produits qui partent et ceux qui restent. Perdez-vous trop de clients au moment où ils prennent connaissance des tarifs de livraison ? (Tenez compte des coûts de livraison et de gestion dans un article très cher ou proposer une livraison gratuite à partir d'une certaine somme d'argent.) Vérifiez :

- ✔ Les baisses de vente par produit.

- ✔ Le taux d'abandon de caddies.

- ✔ Le point de diminution de caddies (en général à la livraison).

- ✔ Les ventes incitatives.

- ✔ Les ventes régulières.

Optimiser les ventes de votre site

En supposant que votre site entre dans les critères de ventes, vérifiez que vous avez bien fait tout ce qu'il faut pour qu'un internaute lambda devienne un acheteur. Voici quelques techniques à utiliser :

- ✔ Donner la possibilité de rechercher un produit du site.

- ✔ Mettre à jour fréquemment les marchandises.

- ✔ Vanter les avantages et non les fonctionnalités.

- ✔ Employer le mot de marketing en quatre lettres (VOUS).

- ✔ Ne demander que deux clics pour passer commande.

- ✔ Faciliter la procédure d'achat : par exemple proposez diverses options comme Conserver son panier, Modifier sa commande, Visualiser le tout, Estimer le temps de livraison.

- ✔ Proposer des tarifs de livraison raisonnable.

- ✔ Etablir une charte de confidentialité pour le client.

- ✔ Inclure des informations détaillées sur les produits.

- ✔ Employer le mot de marketing en sept lettres (GRATUIT).

> ✔ Augmenter son taux de conversion par des appels à l'action, par exemple proposer des options comme Ajouter au panier, Réserver maintenant, et/ou Enregistrer.

Regarder les choses en face

Si vous rencontrez des problèmes avec votre business – qu'il s'agisse d'un manque de personnel ou d'un vendeur qui tient mal ses dossiers – allez en ligne risque de les aggraver. Résolvez vos problèmes avant tout.

Si vous ne pouvez pas trouver la raison pour laquelle votre site Web perd de l'argent, il se peut que le problème soit extérieur à ce dernier. Concentrez-vous sur vos marchés cibles et allez à l'essentiel. Les propositions suivantes peuvent vous aider à transformer votre site en source de profit :

> ✔ Augmenter la performance en jouant sur l'efficacité du back office.
>
> ✔ Intégrer votre site Web à votre boutique réelle ainsi qu'à vos autres marchés.
>
> ✔ Se souvenir des 4 P du marketing : produit, prix, placement, promotion.
>
> ✔ Définir un budget réaliste.
>
> ✔ Définir des attentes réalistes.

Ne jamais cesser de travailler sur votre site

Un peu comme un enfant, votre site Web vous accompagnera tout au long de votre vie (professionnelle). Si vous l'ignorez, il s'affaiblira et finira par s'effondrer du fait de votre négligence. Pesez bien l'engagement requis avant de vous lancer.

Index

A

Abonnés
louer 292
Accessibilité 100
Adobe 101
Web Accessibility
Initiative 100
AccomaSkyCity.org 76
Accord hors droits 440
Achat impulsif 123
AcomaSkyCity.org 373
ActiveWorlds 247
Activité en ligne
démarrer, planifier 472
Adhere PPC Network 357
Adobe Contribute 93
AdReady.com 369
AdWords.google.com 352
AIDA 74
action 75
attention 74
désir 75
intérêt 75
Alexa.com 478
Amateur 53
Amazon 7, 116
Amazon.com 355
Amazoncom Associates 314
Anderson, Chris 8
Anneaux de sites 261
Annonce
ciblées par emplacement 334
PPC
rédiger 345
APCE 15
Apparence 74
Appel
à l'action 105, 466
d'offres 60
échéancier 61
éléments 61
exemple 62
Application Ajax 458
Araignées 191
Arbre de produits 423

Article promotionnel 300
Attention du visiteur 44
Avatar 247

B

B2B
boutique en ligne 112
BannerCo-Op.com 367
Bannières
animation 371
choix à faire 367
chute du CTR 363
dimensions 371
évaluer les coûts 367
facteurs du prix 368
fonctionnement 363
kit média 367
meilleurs emplacements 371
multimédia 374
position 371
professionnels 364
programme d'échange 365
ROI 363
type 371
Barnhill Bolt 129, 131
Ben & Jerry 79
Bestsellers 121
Better Business Bureau 134
BicycleTutor.com 388
BizRate.com 116
BlackPlanet.com 164
Bloc de signature 266
stratégie de marque 266
Blog 160, 233
répertoire de quelques blogs
utiles 234
tirer meilleur parti 235
Blurb 269
réduire temps de réponse 269
BoomTime.com 124
Bots 191
Bouche-à-oreille 178
recommander à un ami 179
solliciter des évaluations 180

Boutique en ligne
4 P du marketing 111
a faire et à ne pas faire 146
Amazon Marketplace 140
B2B 112
boutique
intégrée 141
mutualisée 141
catalogue 110
ce que les utilisateurs
adorent 146
détestent 146
choisir une solution 142
clé en main 140
comptoir 111
craiglist.org 140
eBay 140
éléments clés 110
galerie marchande 140
panier 111
prérequis 138
quelle solution ? 139
sans vitrine 139
solution de e-commerce 141
pour entreprise 142
statistiques et suivi 111
Branding 24
BrowserHawk 97
BruceClay.com 193
Business plan
aide à la rédaction 15
plan 14
préparer 14
questions sur le business 15
Business plan
définir 472
Business.com 357
Buzz
faire du
avec campagne liens
entrants 254
avec communiqués de
presse 248
avec créateur de tendance en
ligne 245

avec placement des
produits   246
avec réseaux sociaux   237

C

Cadeau promotionnel   300
Campagne
de liens
mener   467
de liens entrants   254
mettre en œuvre   257
PPC
analyser   348
budget   340
choisir le mot-clé   342
mettre en œuvre   337
planifier   335
CAN-SPAM Act   277
Cannibalisation   34, 113
Carlisle Wide Plank Floors   161
Catalogue   110
Chaîne de recherche   417
Charte
de confidentialité   443, 446
graphique   101
Chats   242
modérés   244
Chèque cadeaux   124
Cible contextuelle   328
Classmates.com   164
Clause de non
responsabilité   442
Client
témoignage   467
retours   453
CMS   93
ressources   94
CNET Shopper   355
Codes promotionnels   124
Communauté(s)
animation   159
blogs   160
forums   166
livre d'or   167
réseaux sociaux   164
salons de discussion   167
synchrone et asynchrone   159
virtuelles   159
Wikis   163
YouTube.com   160
Communication marketing   79
Communiqué de presse   248
diffuser   252

écrire   250
programmer publication   253
Comparateurs de prix   355
Comptoir   111
Concept   76
branding   81
communication marketing   79
Concevoir un site   52
choisir un nom de domaine   64
ne pas le faire vous-même   53
recourir à un professionnel   57
renommer un site   67
utiliser un template   54
Conditions d'utilisation   442
Conférences sur le Web   391
conseils   393
Confiance   133
Confidentialité   134
Conserver les visiteurs   46
ConstantContact.com   469
Contenu   82
écrire efficacement   83
médias riches   89
polices   86
solution de mise à jour   92
Contraste   99
Contribute   153
Converse   182
Cookies   134, 445
COPPA   447
Copyright
demande d'autorisation,
exemple   439
Coupons et remises   174
Coût
d'acquisition   9
calculer   10
rentabilité du client   10
par Action *Voir* CPA
par Clic *Voir* CPC
par mille impressions *Voir* CPM
CPA   334
CPC   334
CPM   334
Craiglist.org   116
Crawlers   191
Créateurs de tendances en
ligne   245
CRM   111
Cross-sales   121
CTR   334, 361
Voir Taux de clics
Cyberassurance   450
Cybercrime   450
Cyberespace
innovation   475

D

Décoration   101
chartre graphique   101
widgets et gadgets   103
Dépositaire légal en ligne   450
Dépôts prépayés   132
Design
protéger en ligne   437
Documents juridiques
trouver   443
Dogster.com   166
Données
vitesse de transmission   457
Droit des marques   440
Droits d'auteur   435
déposer   437
et Internet   435
et site Web   435
règle   435
Drupal   93

E

E-mail
corps du message, rédiger pour
web marketing   271
envoi en nombre   272
bons usages   284
ligne De, rédiger pour web
marketing   271
ligne Objet, rédiger pour
webmarketing   271
listes d'adresses   285
rédiger dans perspective
webmarketing   271
Easy WebContent   93, 153
EBay   116
EBPP   132
Ecriture   85
Effet "longue traine"   331
Efficacité marketing   104
appels à l'action   105
entonnoir de conversion   104
gratuit   106
Enfants
chats   447
forums   447
protection   447
Entonnoir de conversion   104
Entreprise
protection   448

Envoyer à un ami
  créer lien   468
EPilot   357
EPublicEye   134
Ergonomie   74, 96
Evaluer
  des produits   124
  un site   75
Événement en ligne
  créer   305
Événementiel
  participer à des   302
Exemple   378

F

Facebook.com   164, 238
Faciliter l'achat   127
  acheter en deux clics   129
  dépôts prépayés   132
  EBPP   132
  Google Checkout   132
  HTTPS   129
  moteur de recherche   127
  Paypal   132
  portail en temps réel   132
  solutions de paiement   129
  support client   133
Facteurs humains   98
Faire évoluer un site   48
Favicônes   81
FedEx   135, 138
Feedback *Voir* Retour client
FFA *Voir* Free For All
Fidélisation   176
  programme de
    fidélisation   177
  récompenser les clients   176
Fil RSS   320
Filet   330
Flux RSS   320
Fondamentaux   8
Formation sur le Web   390
Formulaire
  évaluation du site Web   76
Forums   242
Franchise   113
Fraude sur le Web   450
FreeRice   182
Friendster.com   164

G

Gadgets   103
Gluant   46
Google
  outil Keyword   342
  profil des utilisateurs   192
  référencement manuel   194
  services, tirer parti   468
Google AdSense   352
Google AdWords   338, 352
Google Analytics   425
Google Checkout   132
Google Maps   458
Google Product Search   356
Gratuit   106, 173
  coupons et remises   174
  jeux et concours   175
  offres gratuites   175
Groupes
  Voir Google
  Voir Yahoo!
Guaranteed Fit Tango Shœs   177
Guérilla marketing   6, 230

H

Häagen-Dazs   182
Half.com   355
HatsintheBelfry   126
HelptheHoneyBees.com   184
Hewlett-Packard   163
Hit   413

I

Image
  humains   87
  libre de droit, ressources   440
  protection   438
  temps de téléchargement   87
  vol, empêcher   438
Impression   332
Incident frauduleux   450
Inclusion payée   334
Index de site   50
Indicateur clé de
    performance   412
Institut National de Propriété
    Intellectuelle   441

International
  promouvoir site Web à   310
  vendre à   307
Intuition   5
iPhone   398

J

Jakob Nielsen   98
Jeux et concours   175
Joomla   93

K

Kanoodle   357
Kelkoo   355
Keywords *Voir* Mots-clés
Kinesthésique   46, 100
KISS   92, 151
Knol   233
KPI *Voir* Indicateur clé de
    performance

L

La Poste   135, 138
Lead   10
Leads   24
Lecteur RSS   320
Lettres d'information   273
  abonnés, trouver   288
  bons usages   285
  créer   279
  diffusion   286
  distribution   281
  efficacité   275
Lien   205
  créer vers d'autres sites
    légalement   444
  entrant   254
    bons et mauvais   260
    e-mail de demande de   259
    popularité   255
    protocole de suivi   261
  envoyer à un ami   468
  externe *Voir* Lien entrant
  ferme de   261
  invisible   220
  profond   444

réciproque 254
protocole de suivi 261
LinkedIn.com 242
Liste
d'adresses
à jour 290
ajouter e-mails 290
entreprises de location
de 293
louer 293
de cadeaux 123
de vœux 124
Livraison 136
clarifier votre politique 138
intégrer les frais au prix 137
que facturer ? 137
Samedi 138
tester vous-même 137
Localisation 310
Location 293
Logo 81, 298
charte graphique 298
Logotype 81
Long tail *Voir* Longue traîne
Longue traîne 7
LookSmart 357
Louer 292

M

MamasMinerals.com 178
Mambo 93
Map 468
Marché-cible 26
rechercher 30
triangle de Maslow *Voir* Maslow
Marketing
4 P 484
B2B
techniques de guérilla en
ligne 232
viral 181
concours de création 182
e-mail 182
jeu 182
sauver la planète 182
Marque déposée 441
Maslow
accomplissement 29
estime 29
interprétation marketing 28
physiologie 28
sécurité 28
social 28

Médias riches 89
Meet the Phlockers 165
Mention(s)
Contenu 436
copyright 436
format standard 436
légales 445
Merchandising 114
achat impulsif 123
amazon.com 120
best-sellers 121
chèques cadeaux 124
codes promotionnels 124
commande minimale 117
détail des produits 125
évaluations de produits 124
fixer les prix 114
liste
de cadeaux 123
de vœux 124
offre spéciale 122
présenter les produits 117
proposer du choix 118
quoi de neuf 121
recommandations
personnelles 121
remémoration 124
suggestion de cadeaux 122
techniques de vente 120
ventes
additionnelles 121
croisées 121
Message automatique 267
META 210
page 213
title 212
utiliser 211
visualiser 211
yahoo! 211
Métaphore graphique 76
Méthode du bouche-à-
oreille 232
Microsoft Live Search 357
Mineurs
protection 447
vente aux 447
Miniatures 87
Mise à jour
automatique 156
objectifs 152
outils 153
planning 153
que mettre à jour ? 154
Miva 357
MMS 402

site Web spécifique 403
Mod Rewrite 200
Mondes virtuels 247
Moove Online 247
Mot d'ordre marketing 31
Moteurs de recherche
classement 474
faut-il les utiliser ? 192
garder votre rang 225
jargon 191
inscrire site sur 467
internationaux 312
liste 312
les plus importants 193
marchands 354
mots-clés *Voir* Mots-clés
optimisation *Voir* Optimisation
qui les utilisent ? 191
soumettre de nouveau 227
spécialisés 357
vérifier votre classement 225
Mots-clés
balise Keywords 214
densité de mots-clés 220
nombre par page 211
nuage de mots-clés 217
outils 217
ratio de 220
tester 218
trouver 216
Wordtracker 217
Mouvement de l'œil 50
MSN
référencement manuel 194
MySimon.com 116
MySpace.com 164, 238

N

Navigation 95
accessibilité 100
ergonomie 96
facteurs humains 98
principes 95
NetSuite 142
Neutralité du Net 458
NewMexicoCreates 213
Newsletter *Voir* Lettre
d'information
NexTag 355
Niveau de qualit *Voir* Quality
Score

Nom de domaine   64
   bon nom de   64
   logo, partout   299
   marketing
      hors ligne   298
      traditionnel   298
   renommer un site   67
   segmentation   67
Noms de page   68
North SnowGlobe Boy   386
Nouvelle technologie
   s'adapter   456

O

Objectifs
   commerciaux
      définir   472
   du site   24, 44
      attirer l'attention   44
      conserver les visiteurs   46
      faire revenir les visiteurs   47
      marché cible *Voir* Marché ci-
         ble
   marketing   16
      branding   21
      fournir de l'information   19
      leads et prospects
         qualifiés   21
      objectif propre   23
      publicité payante   23
      transformer le business   23
      vendre en ligne   22
Offres gratuites   175
Optimisation   194
   cadres   197
   des pages   219
   Flash   195
   format des URL   198
   index du site   201
   informations inaccessibles aux
      moteurs   195
   lien invisible   220
   liste noire   197
   moteurs de recherche
      spécialisés   221
   mots-clés *Voir* Mots-clés
   page splash   198
   pages dynamiques   197
   pieds-de-page   200
   pixel magique   220
   pour Google   203

améliorer votre
   classement   205
bac à sable   204
balise Keywords   216
danse de Google   209
liens entrants   209
PageRank *Voir* PageRank
pour les autres moteurs *Voir*
   META
répertoires spécialisés   221
sitemaps *Voir* Sitemaps
structure du site   195
Outil Google Keyword   342
Overstock.com   355

P

Package de statistiques   419
   à installer   419
   hébergé   419
Page
   d'entrée   417
   de destination   347
   de renvoi   334
   de sortie   418
   Not found   68
   orpheline   429
   vue   415
      par visite   415
PageRank
   critères   207
   définition   205
   équation   207
   variations   207
   visualiser   206
Paiement
   à l'action *Voir* PPA
   en ligne   129
   par Action *Voir* PPA
   par clic *Voir* PPC
Pandia Shopping Directory   355
Panier   111
   taux d'abandon   136
Parrainage   374
   intégré   375
   lettres d'information   374
   sites   374
Partie visible   83
Paypal   132
PDA   398
PDF   84
Petites annonces
   conseils de rédaction   377

Photographie   125
Pixel magique   220
Placement de produits   246
Plan
   d'affaire
      mauvais   12
   marketing   4, 31
      4 P du marketing *Voir* 4 P du
         marketing
      mot d'ordre   31
      pêcher là où il y a du
         poisson   35
      proposition de valeur   31
Planification   4
Plaxo.com   242
Podcasts   394
   définition   394
   fonctionnement   394
   promotion   397
   statistiques   394
   tirer le meilleur parti   397
Point mort   9
   calcul   10
Polices   86
Popejoy Hall   241
PPA   328, 334
PPC   334, 361
   définir une stratégie   330
   paiement par clic   327
Prestataires
   compétences   63
   pourquoi des prestataires ?   53
   prix   60
   rechercher   59
   références   59
   sélectioner l'expertise   57
PriceGrabber.com   116
Produit d'appel   335
Programme
   d'affiliation   314
      lancer   317
      liste de sites   314
   de vérification   480
Promotion
   du site   169
      bannières internes   169
      distinctions   171
      témoignages   170
   de valeur   31, 452
Protection des données privées
   et exploitation de
      données   459
Public
   décrire   6
   segmenter   6

Publicité
 bannières *Voir* Bannières
 clés du succès 365
 évaluer les résultats 379
 formes 365
 le faire vous-même ? 369
 où la faire ? 370
 parts de marché 362
 petites annonces 376
 risques des concours 388
Pyramide
 de Maslow *Voir* Maslow
 inversée 83

Q

Quality score 352
Quelques 102, 222, 223, 369
Quoi de neuf 121

R

Real Simple Syndication Voir RSS
Réalité virtuelle 125
Redirection 301 68
Renommer un site 67
Répertoires 221
 dmoz 221
Réponse automatique 267
 et webmarketing 267
Réseau
 de contenu 332, 334
 de recherche 335
 sociaux 164, 237
  commerciaux 242
  et buzz 237
  personnels 238
  répertoire utiles 237
Ressources 99, 196, 364, 387,
  392, 395, 402, 404
 RSS 321
Retour sur investissement *Voir*
  ROI
Robots 191
ROI 335
 calculer 11
RSS 319
 abonnement 323
 développer ventes avec 323
 individual RSS 323
 utiliser 322

S

Santa Cruz River Band 97
Search Engines Shopping
 Directory 355
Search123 357
SearchFeed 357
Seconde personne 84
SecondLife 247
Segmentation 26
 cycle de vie 26
 démographique 26
 emploi 27
 géographique 27
 intégration verticale 27
 psychographique 27
 spécialité 27
SEM 191
SEO *Voir* Optimisation
Session 413
 distincte 413
Shop.com 140
Shopping.com 355
Shopzilla Customer Certified
 Rating 134
Shopzilla.com 116
Signature électronique
 inclure URL 466
Site(s)
 appréciés et détestés 8
 de jeux en ligne 246
 informations sur le Web 456
 référent 415
 web
  activité tracer 411
  astuces pour optimiser
   ventes 483
  attractivité 478
  créer, temps et argent
   requis 473
  lancement, organiser 303
  mise à jour 474
  problèmes extérieurs à
   résoudre 484
  promouvoir à
   l'internationale 310
Sitemaps 202
 flux RSS 202
 Google 202
 MSN 203
 Yahoo! 202
SMS
 campagne 400
  déroulement d'une 401

et recherche 399
 longueur 400
 non sollicité 401
SoaringColorado.com 88
Soonr 79
Southwestern College 201
Splash 198
Statistiques
 à surveiller 416
 de l'importance des 475
 interpréter 422
 packages gratuits 412
 paramètres à mesurer 412
 quotidiennes
  vérifier 478
 spécifiques 419
StellarSurvey.com 393
Stickiness 46
Stratégie marketing
 international 310
Structure d'un site 74
 AIDA 74
 évaluer 75
Sunflower Markets 182
Support client 133
 clarifier les politiques 134
 confidentialité 134
 cookies 134
 créer la confiance 133
 numéro d'appel 133
SurveyMonkey.com 393
Système de gestion de contenu
 Voir CMS

T

Taux
 d'ouverture 277
 d'abandon 423
 de clics 278
  Voir CTR
 de conversation
  de l'importance du 482
 de conversion 104, 334
  améliorer avec Maslow 30
  cible 427
  problème lié au public
   ciblé 427
  problème lié au site 429
  problèmes divers 430
 de désinscription 277
 de hits 413
 de rebond 276

Techniques
  de marketing
    quels techniques choisir
      ? 150
  mise à jour 152
Technorati.com 234
Téléphone mobile
  MMS *Voir* MMS
  SMS *Voir* SMS
Template 54
  critères de sélection 55
  définition 54
  sources 56
Terme de recherche 417
Terminaux mobiles 398
  SMS *Voir* SMS
  statistiques 398
Tests A/B 278
There.com 247
Thunder Scientific 101
Tijuana Flats 91
TLD 66
Trackbacks 398
Trafic
  générer 314
    avec programme
      d'affiliation 314
Traiter les commandes 135
  bordereau et étiquettes de
    livraison 135
  confirmation d'envoi 136
  suivi de la production 135
Tres Mariposas 226
Triangle
  d'or 190
  de Maslow *Voir* Maslow
TriathlonLab.com 177
Troisième personne 84
TRUSTe 134
Twitter 455

u

Un 162
United States Patent and
  Trademark Office 441

UPS 135, 138
Upsales 121
URL
  inclure
    dans publicités
      traditionnelles 303
    dans signature 466
  mettre partout son URL 466
  pour les moteurs de
    recherche 198
URL vue 415
Uselt.com 98

v

Ventes
  additionnelles 121
  croisées 121
Verisign 134
Vidéo 384
  droits d'auteur 386
  en tirer parti 386
  recommandations 386
  statistiques 385
  YouTube.com 385
Visiteurs
  intérêt des 474
Vlogs 384
  définition 385
Voix
  active 84
  passive 84

w

Web 2.0 *Voir* Communautés
  virtuelles
Web Accessibility Initiative 100
Web Analytics 411
  et Google AdWords 426
  ressources 411
Webalizer 413
Webby Awards 172

Webcasts 390
Webinaires 391
  attirer les gens 393
  conseils 393
Widgets 103
WIFIM 474
Wikipedia 163
Wikis 163
Wordtracker 217
Work for hire 435

x

Xenu's Link 480

y

Yahoo!
  balises META 211
  profil des utilisateurs 192
  programme
    Content Match 332
    Search Marketing 338
  référencement manuel 194
  services, tirer parti 468
Yahoo! Annuaire 350
Yahoo! Product Submit 350
Yahoo! Search Marketing 338
  spécificités 348
Yahoo! Search Submit 348
Yahoo! Search Submit Pro 350
Yahoo! Travel Submit 350
Yahoo!Local 350

z

Zoom 128
Zoomerang.com 393
Zopa 95

Le Marketing sur Internet
Pour les Nuls 2e édition

Mon opinion sur ce livre :

☐ Excellent ☐ Moyen

☐ Satisfaisant ☐ Insuffisant

Ce que j'aime dans ce livre :

_____
_____
_____
_____
_____
_____
_____
_____

Mes suggestions pour l'améliorer :

_____
_____
_____
_____
_____
_____
_____
_____

En informatique, je me considère comme :

☐ Débutant ☐ Expérimenté

☐ Initié ☐ Professionnel

Mon équipement :

- Matériel : _____

- Système d'exploitation : _____

J'utilise mon ordinateur :

☐ Au bureau ☐ À l'école

☐ À la maison ☐ Autre : _____

Lieu d'achat du livre :

- Pays : _____

- Ville : _____

☐ Grande librairie ☐ Petite librairie

☐ Grande surface ☐ Hypermarché

☐ Magasin spécialisé ☐ Autre : _____

Mon adresse :

Nom : _____

Prénom : _____

Adresse : _____

_____

Code postal : _____

Ville : _____

Pays : _____

J'ai vraiment adoré ce livre !

Vous pouvez citer mon témoignage dans vos documents promotionnels. Voici mon numéro de téléphone en journée :

Fiche lecteur à découper ou à photocopier, et à nous retourner à :

FIRST
> Interactive

60 rue Mazarine
F-75006 Paris - France
Tél. : 01 45 49 60 00 – Fax : 01 45 49 60 01

Découvrez en exclusivité nos prochaines parutions sur internet :
http://www.efirst.com

CPI
Aubin Imprimeur

Achevé d'imprimer en avril 2009
N° d'impression L 72900
Dépôt légal, avril 2009
Imprimé en France